O CÓDIGO DO APOCALIPSE

Adam Blake

Tradução
Camila Fernandes

Novo Conceito

Publicado originalmente na Grã Bretanha em 2011 por Sphere
Título original: The demon code

1ª Impressão — 2014

Produção Editorial e Adaptação da Capa: Equipe Novo Conceito
Impressão e Acabamento RR Donnelley 300114

Este livro segue as regras da Nova Ortografia da Língua Portuguesa.

Dados Internacionais de Catalogação na Publicação (CIP)
(Câmara Brasileira do Livro, SP, Brasil)

Blake, Adam
O código do Apocalipse / Adam Blake ; tradução Camila Fernandes. -- Ribeirão Preto, SP : Novo Conceito Editora, 2014.

Título original: The demon code.
ISBN 978-85-8163-363-3

1. Ficção policial e de mistério (Literatura inglesa) I. Título.

14-00228 CDD-823.0872

Índices para catálogo sistemático:
1. Ficção policial e de mistério : Literatura inglesa 823.0872

Novo Conceito
Rua Dr. Hugo Fortes, 1885 — Parque Industrial Lagoinha
14095-260 – Ribeirão Preto – SP
www.grupoeditorialnovoconceito.com.br

Para A. J. Lake, com todo o meu amor.

PRÓLOGO

Os participantes haviam sido preparados.

Seus captores haviam amarrado suas mãos e pés, alinhando-os na ordem determinada e forçando-os a se ajoelhar no chão de pedra fria, no pequeno quarto nos fundos do prédio antigo. O cômodo era realmente estreito demais para o ritual que deveria acontecer ali. Havia outros que teriam sido muito mais adequados, mas este fora escolhido pelo profeta por motivos esotéricos que poucos entre eles entenderam.

Era uma noite quente, com o sol escondido logo abaixo do horizonte, no entanto as pedras da pavimentação ainda estavam frias. Talvez por isso, ou por outras razões, igualmente válidas, os homens e as mulheres tremessem enquanto esperavam ajoelhados.

Ber Lusim enviou um dos seus homens para dizer ao profeta que eles estavam prontos para prosseguir.

O homem voltou quase imediatamente, caminhando respeitoso atrás do santo. Shekolni havia envergado vestes vermelhas com bainhas pretas — vermelho para o sangue, preto para o luto. Tranças vermelhas foram entrelaçadas no preto de sua barba, e sobre as delgadas palmas de suas mãos, que eram como as de um violinista ou um médico, as palavras em aramaico para vida e morte haviam sido pintadas em tinta vermelha dentro de cartuchos pretos —, significando que Deus confiara a ele tanto o poder de preservar quanto o poder de destruir.

O profeta segurou o livro sagrado aberto nas mãos, a cabeça baixa, como se o estivesse lendo. Mas seus olhos estavam fechados. Os outros homens na sala sabiam que não deveriam falar em um momento como aquele, porém trocaram olhares, nervosos e impressionados com o pequeno sinal de alteridade do profeta.

Ber Lusim curvou-se para o homem santo — uma reverência prolongada e acentuada — e todos os outros seguiram seu exemplo. Shekolni abriu os olhos e sorriu para seu velho amigo, um sorriso espontâneo e caloroso de alegria compartilhada.

— Você trabalhou tanto tempo para isso — disse ele, na linguagem de sua terra natal. — E agora, finalmente, aqui estamos.

— Todos nós trabalhamos — Ber Lusim respondeu. — Que o Único Nome esteja com você, Avra. Que o anfitrião dê força à sua mão.

— Por favor! Diga o que vocês vão fazer com a gente!

Fora um dos prisioneiros, um homem, que havia falado. Estava visivelmente aterrorizado e tentava de modo desesperado não deixar que isso transparecesse. Ber Lusim respeitou a coragem do homem: era bem provável que ele já conhecesse boa parte da resposta.

Embora tenha ignorado a pergunta, Shekolni observou longa e cuidadosamente a fileira de homens e mulheres ajoelhados. Ber Lusim ficou ao seu lado e esperou, poupando as palavras: agora que eles estavam aqui, e toda a preparação possível havia sido feita, ele seguiria os passos do profeta.

— Creio que as bocas deles deveriam ser seladas — Shekolni disse, por fim. — Do contrário, haverá muito ruído. Ruído indecente e estranho. Penso que isso prejudicaria a solenidade da ocasião.

Ber Lusim fez um sinal com a cabeça para os mais próximos dos seus homens.

— Cuidem disso — ordenou.

Dois dos seus seguidores caminharam ao longo da fila de pessoas ajoelhadas, enfiando uma mordaça de linho amarrotado na boca de cada um dos sacrifícios. Logo terminaram. Quando o último dos doze foi eficientemente silenciado, saudaram seu líder com o punho fechado e o profeta com o sinal do nó corrediço. Em seguida, retrocederam em direção à porta.

— Onde está a lâmina? — Shekolni perguntou. É evidente que ele sabia onde esta: a pergunta fazia parte do ritual.

Então Ber Lusim respondeu de forma igualmente ritual. Abriu a jaqueta para mostrar a bainha de tecido de cânhamo, cheia de bolsos, que estava afixada no forro de sua roupa, e tirou de lá uma de suas adagas. Em muitos lugares esse instrumento seria chamado apenas de faca, uma vez que não tinha um cabo separado, apenas uma base levemente mais grossa, que poderia ser empunhada com segurança, e uma lâmina assimétrica fina, arredondada de um lado perto da ponta e afiada o suficiente para partir ao meio um fio de cabelo.

— Eis a lâmina. — Ele a inverteu em sua mão e a ofereceu a Shekolni.

O profeta a aceitou e meneou a cabeça em agradecimento. Voltou-se para os homens e as mulheres ajoelhados.

— Do seu pecado surgirá um grande bem — disse-lhes na língua deles, para que pudessem entender e sentir-se consolados. — Da sua dor, uma bênção inenarrável. E, das suas mortes, a vida eterna.

Ele estava sobre o ruído. Mesmo com as mordaças, e com Shekolni trabalhando o mais rápido que podia, os próximos 20 minutos foram angustiantes e exaustivos. Nenhum dos espectadores desconhecia a morte, todavia este tipo de morte, com a vítima indefesa e tomada de pânico porque é capaz de perceber o que está acontecendo, não é algo agradável de observar.

Mas ainda assim eles observaram. Pois sabiam o porquê desse holocausto e o que dependia dele.

O profeta ergueu-se finalmente, a mão tremendo de cansaço. Suas vestes não eram mais vermelhas. Na sala sombria, o sangue que as encharcara as havia tingido de um preto homogêneo. Ber Lusim deu um passo à frente para apoiar Shekolni, manchando-se também com aquele sangue — literalmente, uma vez que, simbolicamente, já estava coberto por ele.

— As rodas começam a girar — Shekolni disse.

— E as asas, a bater — Ber Lusim respondeu.

— Amém.

Ber Lusim sinalizou para que se acendesse o fogo.

Quando foram embora, a velha casa estava em chamas. Não como uma tocha, mas como um farol de tempos ancestrais, situado sobre uma colina para avisar aos cidadãos adormecidos que uma crise estava por vir.

Porém ninguém o interpretaria dessa forma, Ber Lusim sabia. O aviso passaria despercebido até que fosse tarde demais.

Naquele momento auspicioso, um pensamento lhe ocorreu. Em sua juventude, quando seu ardor havia por vezes sobrepujado sua discrição, ele ganhara o apelido de Demônio. Era muito mais que isso agora.

Contudo, quando as portas do inferno se escancarassem e todos os demônios se erguessem de uma vez, talvez a ironia fosse relembrada.

Parte 1

Uma Trombeta Profere o Julgamento

CAPÍTULO 1

Heather Kennedy, ex-detetive sargento Kennedy, registro 4031 na Divisão de Combate ao Crime Organizado da Polícia Metropolitana de Londres, agora sem posto, saiu do *hall* de entrada do número 32 da London Bridge, também conhecido como The Shard[1], ou "Caco de Vidro", para o brilhante sol do verão. Ela desceu os degraus muito apressadamente, mas, quando finalmente chegou ao fim da escadaria, deteve-se no meio da calçada, sendo empurrada aleatoriamente pelos transeuntes, sem saber o que faria a seguir.

Sua mão direita doía.

Sua mão direita doía porque os nós dos dedos sangravam.

Os nós dos dedos sangravam porque ela os havia ferido ao acertar o queixo do homem que até cinco minutos atrás havia sido seu empregador.

Era uma equação cujo resultado ela ainda estava tentando entender.

Kennedy estava decepcionada com o acesso de fúria que tivera, e muito surpresa. Normalmente, se o cliente tivesse feito algum comentário sexista, tentado tirar uma casquinha dela ou mesmo contestado sua integridade profissional, ela teria lidado com a situação de modo hábil e calmo, permanecendo imperturbável. De forma alguma, e sob nenhuma circunstância, ela teria dado um murro na cara dele.

No entanto não conseguia se lembrar da última vez que se sentira normal.

Massageando cuidadosamente a mão machucada, ela embarcou no fluxo constante de trabalhadores e turistas. Queria ir para casa e colocar a mão na água fria. Em seguida, queria tomar um bom drinque, bem forte, seguido por um mais forte ainda.

O único problema desse plano todo era Izzy. Kennedy não tinha certeza de quão pior seu dia poderia ficar sem chegar ao fundo do poço. Ou de quais seriam as consequências de topar com Izzy bem no meio de sua jornada de trabalho, sem aviso prévio. Da última vez que isso havia acontecido...

---

[1] O prédio mais alto da Europa ocidental, projetado pelo arquiteto italiano Renzo Piano e coberto por 11 mil placas de vidro. (N. T.)

Kennedy afastou na marra esses pensamentos, mas não antes de mais uma vez encarar a imagem mental que estivera tentando evitar e de ser atingida pelos mesmos sentimentos que essa visão sempre inspirava: uma raiva amarga sobreposta a um terrível vazio, como uísque barato servido com gelo.

Então, ela não foi para casa. Foi para um bar — um desses estabelecimentos de rede sem a menor personalidade, com um nome falso e extravagante que mencionava barris — e tomou aquele uísque não metaforicamente, mas para valer. Melancólica, ela o sorveu devagar, perguntando-se o que viria a seguir. O trabalho na Sandhurst Ballantyne era para ter sido o começo de algo bom, mas agredir fisicamente seu patrão reduzira significativamente as chances de ele indicá-la para os amigos. Então, aqui estava ela, com uma lista de clientes zerada, uma agenda de compromissos vazia e uma namorada infiel (talvez compulsivamente infiel). Seu futuro parecia brilhante.

A aparência bela e escultural de Kennedy e seu longo cabelo loiro logo atraíram a atenção dos outros bebedores diurnos. Seria isso ou aquele fetiche chato de sempre com a mulher de uniforme. O dela era severo ao extremo — um rígido macacão de segurança, azul como o dos policiais, com botas militares pretas —, no entanto, para alguns homens, o fato de ser um uniforme já é o suficiente.

Ela estava acabando de liquidar o uísque quando seu telefone tocou. Pegou-o com um lampejo momentâneo de esperança: às vezes, uma porta se abria logo depois que outra se fechava.

Mas era Emil Gassan. Ele era um acadêmico, historiador de uma universidade escocesa que ela conhecera no decorrer de um caso antigo — e essa era a única coisa sobre a qual ele sempre queria falar com ela. Kennedy recusou a chamada e jogou o telefone de volta na bolsa.

Pensou em passar o dia vagando à toa por Londres: visitar uma galeria, assistir a um filme. Contudo, isso seria ridículo. Ela não estava matando aula, estava desempregada, e não havia nenhum sentido em adiar suas decisões. Endireitou os ombros e se dirigiu para casa.

Sua casa ficava em Pimlico — era uma curta viagem de metrô, mas, em seguida, uma caminhada razoavelmente longa até a Vauxhall Bridge Road. Longa o suficiente, de todo jeito, para que, até o momento em que chegasse à porta da frente do seu apartamento, Kennedy tivesse revisto aquela pergunta retórica anterior. Onde exatamente *era* o fundo do poço hoje em dia? E será que ela queria mesmo saber?

Fez muito barulho com a chave na fechadura, arrastou os pés no chão e fechou a porta com um baque alto demais. Quando estava na metade do corredor, Izzy saiu para cumprimentá-la — da sala de estar, e não do quarto, para alívio de Kennedy.

Mais baixa e mais morena do que Kennedy, Izzy era ao mesmo tempo muito mais intensa: lasciva e ágil, dotada de um apelo sexual que seus largos quadris não faziam nada para diminuir. Irradiando surpresa e ao mesmo tempo desconfiança enquanto encarava Kennedy no outro extremo do corredor, ela retirou uma mecha de cabelo de seus olhos cor de chocolate.

— Oi — disse ela.

— E aí? — Kennedy replicou.

— Eu não ganho um beijo?

Era uma boa pergunta, mas Kennedy não tinha uma boa resposta — nem uma boa evasão. Sentindo-se culpada, avançou pelo corredor, beijou Izzy na bochecha e, em seguida, deixou-a para trás.

Izzy se virou para vê-la passar.

— Você veio mais cedo pra casa — comentou. — O que foi, está me vigiando agora?

— Não — respondeu Kennedy. — Por quê, eu deveria estar?

— Não.

— Tá bom, então.

Elas pareciam ter chegado ao fim daquela conversa. Kennedy entrou na sala e dirigiu-se à cozinha para colocar um pouco de gelo em um copo. Mas, quando abriu o armário de bebidas e viu-se encarando seu próprio olhar invertido no espelho, perdeu um pouco do seu entusiasmo. Já havia tomado um drinque hoje. Ficar de porre às 11 da manhã seria praticamente um grito de socorro.

Izzy a havia seguido para o quarto.

— Algum problema? — perguntou ela. — Não era pra você estar hoje na Sandbosta Valentina?

— É Sandhurst Ballantyne.

— Isso. Eles.

— Eu estava. — Kennedy voltou-se para encará-la, garrafa na mão.

— E você entregou seu relatório?

— Eu tentei.

Izzy inclinou a cabeça para um lado e pareceu intrigada de um jeito cômico. Em outro estado de espírito, Kennedy teria achado isso atraente. Agora, isso só conseguia irritá-la.

— O cliente recusou-se a ser informado. Ele me pediu para não apresentar o relatório. E se ofereceu para me pagar um "bônus por bom desempenho" se eu abafasse o caso e desse à porcaria do departamentozinho dele um atestado de saúde.

— Não entendi — disse Izzy.

Kennedy colocou a garrafa de uísque de volta no armário, depois a tirou novamente e, por fim, serviu-se de uma dose.

— Negação plausível[2] — ela murmurou enquanto servia. — O relatório diz que há pelo menos uma, provavelmente duas pessoas na empresa usando informações privilegiadas para valorizar ações do cliente. Se o Kenwood souber disso, vai ter de fazer algo a respeito. E, uma vez que um dos dois safados — o definitivo, não o provável — é o chefe dele, ele decidiu que prefere não saber.

— Então, por que é que ele contratou você, afinal? — Izzy exigiu saber. — Isso é idiotice.

Kennedy concordou e tomou um gole do forte uísque. Fez uma careta. O gosto de Izzy para bebida era notoriamente horrendo. Mas ela seguiu em frente mesmo assim, esvaziando o copo.

— A condescendência faz parte do trabalho dele. O cara precisava fingir que estava fazendo alguma coisa, mas tinha esperança de que eu voltasse de mãos vazias. Então, quando não fiz isso...

Ela ficou em silêncio.

— Então, você aceitou? — perguntou Izzy.

— Aceitei o quê?

— O bônus por bom desempenho?

Kennedy suspirou e baixou o copo vazio.

— Não, Izzy, não aceitei. Ele queria tirar o dele da reta e colocar o meu no lugar. Se eu aceitasse o suborno, e se um ou dois anos depois houvesse um inquérito interno ou uma investigação da FSA, ele poderia dizer que eu soneguei informações. Então ele ficaria livre e o departamento de combate à fraude viria atrás de mim.

— Ah. Tá bom. — A expressão de Izzy se alterou. — E depois?

Kennedy mostrou a ela os nós dos dedos cobertos com seu próprio sangue coagulado. Izzy tomou a mão dela e beijou-a.

---

[2] Negação plausível (*plausible deniability*) é um termo legal, criado pela CIA durante o governo Kennedy. Descreve o poder de uma pessoa ou instituição de negar conhecimento de um assunto ou ocultar informações de seus superiores para protegê-los de escândalos: se alegarem não saber, não podem ser culpados. (N. T.)

— Fez bem, amor — disse. — A menos que ele resolva te processar. Será que ele faria isso?

— Acho que não. Sempre que estou a sós com um cliente, eu ligo um gravador. Então, tenho toda a proposta dele numa fita de áudio. E vou enviar o relatório de qualquer maneira, para ele, o chefe dele e o CEO da empresa. Infelizmente, ele ainda me devia metade do meu pagamento. E, quando saí, não parecia que ele estivesse para me passar um cheque.

— Tem algum outro cliente em vista?

— Estou sem clientes em vista até o Dia do Juízo Final, Izzy. Eu esperava que esse trabalho me conseguisse um monte de indicações para outras empresas da cidade com problemas de segurança que não soubessem resolver sozinhas. Mas acho que isso não vai mais rolar.

Izzy parecia perversamente animada com a má notícia.

— Tá legal — disse ela. — Assim você pode ser minha teúda e manteúda por um tempo e viver dos meus ganhos imorais.

Ela estava brincando, mas Kennedy não conseguiu rir. Não se sentia capaz de dar a Izzy a menor colher de chá.

— Francamente — disse ela —, isso soa como ir parar no quinto dos infernos.

Percebeu nesse momento que viera para casa procurando uma briga — uma sessão de acusações sobre fidelidade e responsabilidade que provavelmente pareceria catártica nos primeiros cinco minutos, mas depois disso seria como se estivesse enfiando punhados de vidro quebrado goela abaixo da mulher que ela deveria amar. Precisava sair dali. Não havia lugar para ir, na verdade; apesar disso ela tinha de sair.

— Eu vou lá pra baixo — murmurou. — Vou encaixotar mais umas coisas do meu pai. Se eu ficar aqui, vou acabar atrapalhando você.

— Ou me inspirando — Izzy disse, contudo Kennedy já estava caminhando em direção à porta. — Heather...

— Estou bem.

— Não preciso começar o expediente agora mesmo. A gente pode...

— Eu disse que estou bem.

Ela percebeu outro som escapar de Izzy. Um suspiro, talvez, ou apenas sua respiração. Não olhou para trás.

No andar de baixo, em seu próprio apartamento, ela jogou objetos aleatórios dentro de caixas, abriu portas de guarda-roupas e fechou-as novamente com estardalhaço, andou de um cômodo a outro em uma inútil pantomima de agitação e propósito.

Ir morar com Izzy parecera a coisa mais lógica a fazer depois que o pai de Kennedy morrera. No último ano e meio de sua vida, Izzy havia sido a enfermeira de Peter Kennedy, ou talvez sua babá, ou talvez ambas. Fora isso que as unira. Na época, Kennedy era uma estrela em ascensão na divisão de detetives da polícia: seus turnos eram longos e imprevisíveis, e ela precisava de alguém à mão que pudesse vir rapidamente assim que ela pedisse. Izzy era perfeita, pois, embora já tivesse um emprego, tratava-se de um disque-sexo. Bancar a gatinha manhosa para que outros se masturbassem era um trabalho leve que ela poderia fazer praticamente de qualquer lugar. Tudo de que precisava como equipamento era um telefone celular e uma mente suja, e possuía ambos.

O processo por meio do qual as duas se tornaram amantes havia sido simplesmente inevitável. Começara mais ou menos na época em que Kennedy havia sido demitida de supetão da polícia, o que significava que ela passara a ficar muito mais tempo no apartamento enquanto Izzy estava lá. O relacionamento evoluíra ao longo dos meses seguintes e, após Peter finalmente morrer, parecia até natural que Kennedy fosse morar com Izzy. O apartamento que ela dividia com o pai parecia uma peça de museu, impregnado com as memórias associadas a ele. Sair dele — ainda que só mudasse para o andar de cima — havia sido, para ela, como uma fuga de pelo menos algumas dessas memórias.

No entanto a fuga dependia de uma porção de coisas e tinha suas próprias regras. Uma delas era que você não pode fugir de coisas que ainda carrega consigo. Por mais apelativo e degradante que fosse o trabalho de Izzy, ela nunca pensara em deixá-lo. Gostava muito de sexo, e, quando não estava fazendo, gostava de falar a respeito.

E, no final das contas, gostava de fazer sexo mesmo quando Kennedy não estava por perto.

A vida conjunta delas estagnara: tornara-se um retrato vivo do *adultério*, com Izzy correndo para se cobrir, um rapaz acanhado tentando entender o que estava acontecendo e Kennedy parada à porta, atordoada, de olhos arregalados.

Izzy nunca prometera ser fiel e, de todo modo, traçara uma distinção absoluta entre mulheres e homens. Mulheres eram amantes, parceiras, almas gêmeas. Homens eram uma coceirinha à qual ela ocasionalmente cedia. Kennedy nunca pensara que exigir promessas fosse necessário ou mesmo desejável. Na acidentada história de sua vida sexual, *um* era o número mais alto de amantes que ela já mantivera ao mesmo tempo, e geralmente parecera o suficiente.

Precisava perdoar Izzy. Ou precisava terminar tudo com algum comentário afiado do tipo "olha só o que você está perdendo, querida". Não conseguia fazer nenhuma das duas coisas. A culpa passivo-agressiva, a censura e o afastamento ranzinza constituíam o meio-termo horrendo e inescapável.

O telefone de Kennedy tocou. Ela olhou de relance para a tela e viu que era Emil Gassan novamente. Desistiu de evitá-lo e atendeu, mas apenas para lhe dizer que era um mau momento para conversar.

Gassan falou primeiro:

— Heather, tentei falar com você o dia todo. Estou tão feliz por finalmente ter conseguido!

Ela tentou interrompê-lo:

— Professor...

— Emil — ele contrapôs. Ela o ignorou. Não queria entrar nessa de usar o primeiro nome com Gassan: de alguma forma, parecia errado que aquele estudioso seco e agressivo até mesmo tivesse um primeiro nome.

— Professor, eu realmente não posso conversar agora. Estou no meio de algo importante.

— Ah.

Gassan pareceu mais desanimado do que de costume, e Kennedy sentiu um remorso momentâneo. Sabia por que ele estava ligando e o que isso significava para ele. Tinha a ver com aquele antigo caso. O maior achado de sua carreira acadêmica era algo que ele jamais poderia discutir, sob risco de morte, exceto com ela. De vez em quando, ele precisava desabafar. Precisava contar-lhe coisas que ambos já sabiam e ela tinha de ouvir — como um serviço personalizado. Isso lhe dava uma medida do tipo de coisa que Izzy deveria enfrentar ao longo de um dia de trabalho.

— É só que... sabe... as pressões profissionais — ela contemporizou. — Te ligo depois, esta semana.

— Então sua agenda está cheia? — Gassan perguntou. — Não está livre para aceitar um trabalho?

— Aceitar...? — Kennedy sentiu-se aturdida e, apesar de seu próprio humor azedo, deliciada. — Que foi, está precisando de um detetive,

Emil? Quer que eu encontre um livro perdido da sua biblioteca ou coisa assim?

— Sim. Mais ou menos. Se você estivesse livre, eu lhe pediria para fazer um trabalho, muito delicado e muito bem pago, para meu atual empregador.

Kennedy hesitou. Parecia hipócrita e ridículo mudar de ideia de forma tão rápida e sem-vergonha, mas ela realmente precisava do dinheiro. Mais que isso, precisava de algo que a mantivesse fora do apartamento até que conseguisse decidir o que faria em relação a Izzy.

— Então, quem é seu atual empregador, professor?

Ele contou, e as sobrancelhas dela se ergueram. Definitivamente aquilo era maior que um escândalo político.

— Vou para aí agora mesmo — Kennedy disse.

CAPÍTULO 2

O Grande Pátio do Museu Britânico era como uma galeria sussurrante, ampliando todos os sons ao redor de Kennedy, fazendo-a sentir-se cercada e envolvida pelas conversas de outras pessoas. Ao mesmo tempo, sons mais próximos pareciam chegar abafados e distorcidos a seus ouvidos: uma acústica perfeitamente disfuncional.

Ou talvez ela apenas odiasse o Grande Pátio porque, quando viera aqui com seu pai, quando menina, o local havia sido um pátio de verdade, a céu aberto. Lembrava-se de agarrar com força a sua mão enquanto ele a levava pela praça iluminada pelo sol para dentro da catedral do passado — um lugar onde ele havia se sentido animado, feliz e à vontade, e onde só por uma vez houvera algo que ele realmente quisera compartilhar com ela.

Agora o Grande Pátio tinha um teto de vidraças em forma de losango, irradiando-se para fora a partir de onde já havia sido a sala de leitura. A luz no interior desse espaço imenso, porém fechado, era cinzenta, como uma tarde de inverno com possibilidade de garoa. Era uma impressionante façanha da engenharia, mas ela não conseguia impedir-se de pensar que havia algo de perverso nisso. Por que esconder o céu e depois imitá-lo?

Kennedy sentou-se num dos três cafés do pátio e começou a contar os losangos enquanto esperava por Gassan. Conhecendo-o, ela se vestira de maneira formal, com um terninho azul-claro e botas cinza, e havia prendido os teimosos cabelos louros atrás da cabeça o mais forte que pôde. Formalidade e ordem estavam no topo da lista de virtudes cardinais de Emil Gassan.

Ela o viu muito a distância, cruzando apressadamente o espaço enorme com a dignidade intencional de um *maître*. Entretanto estava muito mais bem-vestido do que um *maître*: seu terno azul de três peças, com a inconfundível costura em zigue-zague de Enzo Tovare no bolso do peito, parecia novo e desavergonhadamente caro. Gassan estendeu a mão antes mesmo de chegar à mesa e a manteve no ar de forma que o precedesse.

— Heather, muita bondade sua ter vindo. Estou encantado de ver você novamente.

Ele realmente parecia estar, e ela foi desarmada por seu sorriso radiante. Ofereceu-lhe a mão, que ele agarrou, envolveu e apertou efusivamente.

— Professor — ela disse, e depois, cedendo: — Emil. Faz muito tempo. Eu nem tinha ideia de que você estava trabalhando em Londres.

Ele abriu os braços num gesto de *não sei de nada*.

— Nem eu. Até a semana passada, eu não estava. Ainda estava em St. Andrews, dando aulas de História da Alta Idade Média. Mas fui descoberto por um caça-talentos.

— No espaço de uma semana? — Kennedy ficou tão incrédula quanto ele parecia querer que ela ficasse.

— No espaço de um dia. A diretoria do museu me telefonou e perguntou se eu gostaria de me tornar o responsável pelo acervo armazenado. Bem, não me ligaram diretamente. Foi Marilyn Milton, da Fundação Validus, uma organização independente que financiou minha pesquisa nos últimos dois anos. A Validus é a maior patrocinadora do Museu Britânico e da Biblioteca Britânica. Sabia que essas duas costumavam ser a mesma instituição até a biblioteca se separar, em 1997?

Kennedy encolheu os ombros, indiferente. Ela não tinha certeza se sabia ou não disso, mas, em todo caso, não queria desacelerar Gassan incentivando mais explicações.

— De todo modo — ele disse —, uma oportunidade surgiu... em circunstâncias um tanto trágicas, lamento dizer. O encarregado anterior, Karyl Leopold, sofreu um sério derrame. E Marilyn entrou em contato comigo para sugerir que eu me candidatasse com a promessa de que ela avisaria ao comitê de nomeações que eu era um candidato aprovado pela Validus. Eu pretendia dizer não. Partir no meio do semestre, você entende, causa todo tipo de interrupções. Mas, no fim, a diretoria do museu estava tão interessada em me ter que fez um acordo separado com a universidade. Contrataram um professor para me substituir até... não, não se levante.

Kennedy estava de pé, indicando disposição para ir pegar um café para eles e, com isso, deter aquela torrente logorreica. Mas Gassan não quis saber disso. Ele saiu depressa em direção ao balcão e, quando voltou, a bandeja que trazia continha duas fatias de bolo de cenoura, assim como xícaras de café. Obviamente ele via isso como algum tipo de celebração, e Kennedy precisaria deixá-lo falar até cansar, antes que ela pudesse saber por que estava aqui.

— Então — ela disse. — Você está encarregado do... o quê, mesmo?

— Do acervo armazenado.

— E o que é isso, Emil?

— Tudo — Gassan disse alegremente. — Bem, quase tudo. Tudo o que não está sendo exibido. Como você pode imaginar, a coleção do museu é absolutamente vasta. A parte que está em exibição para o público representa aproximadamente um por cento do total.

Kennedy demonstrou polidamente seu espanto:

— Um por cento!

— Pode contar — ele sugeriu, brincalhão, erguendo um dedo ossudo. — Um. O resto da coleção está espalhado por mais de 20 mil metros quadrados de depósitos, e custa ao museu 12 milhões de libras por ano mantê-lo e administrá-lo.

Kennedy tomou um gole do café, contudo ignorou as tentações traiçoeiras do bolo. Quando era policial, o estresse e os rigores físicos do trabalho a haviam mantido esbelta, não importando o quanto comia ou bebia. Nos últimos anos, ela tivera de aprender a se abster.

— Você deve estar muito orgulhoso — disse a Gassan. — Por eles terem se esforçado tanto para contratá-lo.

O professor iniciou uma minipantomima de falsa modéstia, encolhendo os ombros e rolando os olhos.

— É como estar no auge, sob muitos aspectos — ele admitiu. — Sempre senti que lecionar era uma forma de diluir minha contribuição à área. Agora... eu terei permissão, até mesmo incentivo, para publicar, mas não terei nenhum dever público.

Kennedy ponderou sobre isso e lembrou-se do que dissera a Izzy sobre o quinto dos infernos: a ideia de passar a vida em um escritório subterrâneo, sem nenhuma razão para sair dele, fazia o rosário de obscenidades de Izzy parecer o paraíso na Terra.

— Então — ela disse, finalmente indo direto ao assunto. — Onde é que eu me encaixo?

Gassan havia acabado de abocanhar um pedaço de bolo, gerando o breve silêncio no qual ela fizera essa pergunta. Agora ele se esforçava para engolir tudo e responder.

— Houve uma invasão — contou por fim, limpando delicadamente o lábio inferior com a ponta de seu guardanapo. — Um mês atrás. Na noite de segunda-feira, 24 de julho.

— Nas estantes? — Kennedy perguntou. — Nos depósitos, e não no museu propriamente dito?

Ele balançou a cabeça enfaticamente, concordando.

— No acervo armazenado, sim... que agora é de minha responsabilidade. Quem quer que tenha sido, foi muito habilidoso. Foi capaz de entrar e sair sem disparar um único alarme.

— Então, como vocês souberam que alguém esteve lá? Espere, deixe-me adivinhar. Pelos vazios nas prateleiras.

— De forma alguma — Gassan garantiu. — Na verdade, até onde sabemos, nada está faltando. Não, descobrimos isso muitas horas depois de o fato acontecer, de uma forma inquietante. O intruso deixou para trás uma adaga. Um dos guardas a encontrou na manhã seguinte, simplesmente largada no chão. E parecia ter sido usada. Pelo menos havia sangue na lâmina. Depois disso realizaram uma busca completa por evidências e perceberam que uma câmera do circuito interno de TV havia registrado o invasor escalando um dos painéis de um teto falso ao ir embora.

— Espere — Kennedy disse. — Deixe-me ver se entendi. Vocês tiveram uma invasão sem que nada tenha sido roubado e uma faca suja de sangue sem que ninguém tenha sido ferido?

— Bem, presumimos que alguém deve ter sido ferido. Mas é verdade que não havia nenhum corpo na cena, graças a Deus, e não temos meios de saber quem foi ferido, ou como. É profundamente perturbador. E tivemos grande dificuldade para impedir que a história chegasse aos jornais. Algo assim geraria o tipo de matéria mais sensacionalista.

— Imagino que sim — Kennedy concordou. — Mas você disse que tem uma gravação do circuito interno desse invasor?

— Sim, mas ele usava uma máscara, e é difícil perceber qualquer coisa sobre ele além do fato de que é homem e saiu de mãos vazias. Se olharmos para a imagem bem de perto, ele parece estar carregando uma pequena bolsa, mas ela não poderia conter nada mais que alguns poucos itens. E um pequeno exercício de inventário mostrou que nada estava fora do lugar. Se bem que haja três milhões e um quarto de artefatos na coleção, então é inteiramente possível que tenhamos deixado escapar alguma coisa.

Kennedy pensou a respeito disso por alguns momentos. Um assaltante habilidoso passando por uma enorme quantidade de trancas e alarmes para penetrar numa coleção presumivelmente cheia de itens não só imensamente valiosos como imensamente portáteis. Mas não se importara em trazer uma sacola de compras decente consigo e não levara nada proeminente o bastante que o fizesse ser notado. Isso significava um autocontrole ferrenho ou um objetivo muito específico. E havia a adaga. Seria algum tipo de mensagem? Uma ameaça? Uma pegadinha de mau gosto? Qualquer que fosse o órgão que governava seus instintos de detetive, a sua presença era sentida. Ela só viera aqui como um favor para o professor e pelo dinheiro. Agora, precisava admitir que estava genuinamente interessada.

— Qual é a minha tarefa? — perguntou a Gassan.

O professor ergueu uma mão, com o dedo mínimo dobrado para dentro, depois usou o indicador da outra mão para contar os dedos.

— Três tarefas — disse. — Serão três tarefas, caso você aceite. Primeiro, queremos saber como se deu a invasão, para podermos resolver essa falha na segurança.

Kennedy assentiu. Ela imaginara isso.

— Segundo, queremos saber o que foi realmente levado, se é que algo foi. Se a resposta for nada, queremos saber o que o intruso esteve fazendo durante o tempo que ele, ou ela, passou no local. Se algo tiver sido vandalizado ou danificado, isso pode ser tão sério quanto um roubo. Ah, e gostaríamos de saber quem foi ferido, é claro — ele acrescentou como um pensamento tardio.

— E a terceira?

— Queremos que você encontre nosso intruso. E, se for apropriado, que o prenda.

— Não sou mais policial, Emil.

— Sei disso. E também sei, é claro, o porquê. Só lhe pedimos que reúna todos os fatos: o arquivo, as provas, tudo o que for encontrado. E depois deixe o resto conosco. Se considerarmos necessário, e desejável, levaremos o assunto à polícia.

— Posso fazer uma pergunta idiota?

— Sempre.

— Por que a polícia não está no caso agora?

Gassan brincou com o que restava de sua fatia de bolo.

— Esta é uma situação que eu herdei, obviamente — disse com cuidado. — Houve uma investigação policial, mas não foi considerada muito produtiva. Invadir uma propriedade não é um crime, a não ser que envolva um dano real, e esse foi o único crime que pudemos provar. A investigação gradualmente se esgotou e o museu permitiu isso. Já haviam decidido que seria melhor conduzir a questão de maneira mais discreta. Marilyn Milton insistiu que os curadores do museu queriam que eu cuidasse do assunto pessoalmente, e que eles preferiam que isso fosse feito sem recorrer novamente às instituições ou agências oficiais.

Kennedy teve de sorrir.

— Daí você pensou em mim?

Ele correspondeu ao sorriso.

— A pessoa menos oficial que eu conheço.

— Tá bom — ela disse. — Vou precisar tocar no assunto do dinheiro, porque...

— É claro! — Gassan exclamou. — Peço desculpas por não ter mencionado isso antes. — Ele enfiou a mão no bolso, de onde tirou um pedaço de papel que passou a ela por cima da mesa. Era um cheque, já com o nome dela, da conta bancária da Fundação Validus. A quantia, que estava impressa e não escrita a mão, era de 20 mil libras. Kennedy olhou para os quatro zeros idênticos. O fato de que havia outro número na frente deles imediatamente diferenciava este trabalho do que ela fizera antes.

— É aceitável? — Gassan perguntou.

— Sim — ela respondeu secamente. — Muito. Mas eu gostaria de uma carta definindo os termos do meu contrato. Sem ofensa, mas o item três — encontrar o intruso — pode acabar dando um trabalhão se eu não conseguir outras pistas sobre ele. Não quero ficar trabalhando neste caso para sempre. Nem ter que devolver o dinheiro.

— Isso é perfeitamente justo. Marilyn indicou que este seria o pagamento por quatro semanas do seu tempo, dedicado exclusivamente a nós, caso isso seja possível. Mas, se você tiver outros casos...

— Não tenho nenhum caso. Aquilo foi um blefe.

— Ah. Bem, você blefa muito bem.

— Obrigada. A quem devo responder?

— Você responderá a mim e eu responderei diretamente tanto à diretoria do museu como à Validus. Meu relacionamento com eles é quase como o de um agente, no que toca ao assunto, e o museu está muito confortável com isso. No que se refere a poderes, acredito que o que estou propondo fazer é que você aja em meu nome. Então, poderá fazer tudo o que eu posso fazer. Falar com toda a equipe. Ter passagem liberada por todo o edifício. Acesso completo a arquivos e informações.

— Consultar pessoas de fora do museu?

Os lábios do professor se apertaram ligeiramente.

— Quando apropriado. E desde que seja mantida absoluta discrição. Creio que essa seja uma condição razoável.

— Inteiramente. Aceito o trabalho.

— Fico feliz em ouvir isso. — Gassan jogou os braços para o ar e pareceu quase a ponto de se inclinar e abraçá-la.

— Tá bom — disse Kennedy, prevenindo-se contra essa possibilidade alarmante. — Quer me mostrar a cena do crime?

— Mas é claro.

O professor se levantou e indicou, com um movimento de braço, que Kennedy deveria acompanhá-lo.

CAPÍTULO 3

A imagem dos depósitos do museu que Kennedy tinha em mente era muito romântica, ela agora percebia. Imaginara vastos salões subterrâneos com tetos em arcos góticos, mas portas de aço ultramodernas como as de um cofre de banco. Ou isso ou o colossal armazém do primeiro filme de Indiana Jones, com maravilhas infindáveis seladas, empilhadas e embaladas em caixas idênticas: uma caverna de Aladim em tons camuflados.

A realidade era muito mais mundana. O principal local de armazenamento nem ficava no terreno do museu: era um edifício inteiramente separado, Ryegate House, na St. Peter's Street, em Islington, a dez minutos de táxi. Kennedy perguntou-se brevemente por que, nesse caso, Gassan a trouxera ao Museu Britânico, mas a resposta era óbvia. Ele queria exibir sua boa sorte, o prestígio de seu novo emprego, e claramente achava que o Grande Pátio era um palco melhor do que o lugar para onde estavam indo agora.

Ele estava certo. O edifício diante do qual o táxi parou era um bloco brutalista[3] anônimo com uma fachada de concreto que uma faixa de seixos alegrava apenas levemente. O efeito devia ter sido agradável quando o prédio era novo; agora, a maior parte das pedras arredondadas havia caído, deixando nichos esverdeados de musgo. O efeito era o de um rosto marcado por pústulas doentias.

Kennedy fez algum comentário sobre o orçamento de 12 milhões que Gassan havia mencionado. Deveria sobrar para um *lifting* facial naquele prédio, não?

— Ah, sobra, sim — o professor garantiu fervorosamente. — Mas não queremos chamar a atenção para o que está aqui. Preferimos passar despercebidos.

Ele apontou para uma placa ao lado da entrada. Dizia simplesmente RYEGATE HOUSE, e não fazia menção alguma ao Museu Britânico. Sim, isso deveria contar como uma eficiente camuflagem.

---

[3] Arquitetura que faz uso extensivo do concreto aparente, dos volumes puros e geralmente maciços, e não oculta a função das estruturas e dos serviços (encanamentos, conduítes etc.). O termo diz respeito, originalmente, à arquitetura do período final da obra de Le Corbusier (1887-1965) e dos seus seguidores. (N. E.)

No interior a coisa era diferente. O carpete do vestíbulo era fundo e macio, e as portas eram automáticas, abrindo-se diante deles com um suave sussurro de aquiescência. Kennedy podia sentir agora quão espesso era o concreto sob aqueles seixos erráticos. Estava ali, no achatamento da acústica, no instantâneo esmorecimento de todos os sons, tanto os de dentro quanto os de fora.

O balcão da recepção era do tamanho de um pequeno iate. A mulher atrás dele era uma ruiva atraente cuja blusa branca estava abotoada até o pescoço. Ela reconheceu Gassan e o cumprimentou muito cordialmente — até calorosamente —, mas lançou a Kennedy um olhar hesitante e inquisitivo que beirava a óbvia desconfiança. Kennedy perguntou-se se o professor sabia quão longe havia chegado em apenas uma semana. Se o resto das pessoas naquele prédio estava tão entusiasmado com ele quanto a recepcionista, havia se dado bem mesmo.

Gassan apresentou sua convidada com o orgulho de um proprietário:

— Esta é a sargento Kennedy, Lorraine. Ela está aqui a pedido da diretoria, para investigar a invasão. Você poderia ligar para Glyn Thornedyke e dizer a ele que precisamos de acesso à Sala 37?

Esperaram ao lado de uma barreira de catracas.

— A segurança é da minha alçada — Gassan explicou a Kennedy —, mas Thornedyke coordena a lista de visitantes e é o superintendente diário, respondendo diretamente a mim. — Para Kennedy, todo aquele discurso era bem típico de Gassan, apresentando-a como *sargento* apesar de ela não ocupar mais posto algum: ele gostava de usar as pessoas ao redor como plataformas para a construção de seu ego.

Uma porta se abriu ao lado deles e um segurança uniformizado apareceu. Ele parecia recém-saído da adolescência, com o visual magro e muito esticado que nas garotas é considerado agradável e nos garotos (se tiverem sorte) as pessoas educadamente deixam de notar. Seu cabelo claro tinha um severo corte militar, mas os olhos azuis tinham a cor límpida dos olhos dos bebês, o que minava esse efeito. Ele mal os cumprimentou enquanto se apresentava a Gassan:

— Rush, senhor — disse. — O Sr. Thornedyke disse que o senhor precisa abrir algumas portas.

— Na verdade — Kennedy disse —, acho que o que eu realmente preciso, antes de mais nada, é de uma excursão pelo prédio. Tudo bem, professor?

— Certamente — Gassan respondeu.

O rapaz pareceu em dúvida.

— Eu deveria fazer a segurança das portas — disse. — Eu provavelmente deveria falar com o Sr. Thornedyke antes de...

— É por ordem minha — Gassan bufou, descartando a objeção. — A sargento Kennedy é uma consultora profissional em segurança — uma especialista, com muitos anos de experiência policial. Temos muita sorte de tê-la conosco e precisamos facilitar sua investigação de todas as formas possíveis.

A excursão durou muito mais tempo do que Kennedy esperara. Pareceu cobrir todo o edifício ou a maior parte dele, mas era difícil saber, pois a estrutura de Ryegate House era tão homogênea que virava um pesadelo. Consistia em dezenas de salas mais ou menos idênticas, com teto alto, frias, com um sistema de iluminação econômico que clareava o ambiente de forma gradual, como o nascer do sol; centenas de metros de corredores com postos de verificação de identidade a cada curva e esquina, e ocasionais portas corta-fogo que reduziam os corredores a trechos curtos, como salas estreitas. Havia um cheiro sutil, porém penetrante, difícil de identificar. Era um pouco como o compartimento de passageiros de um avião, Kennedy decidiu por fim: como um ar que foi reciclado muitas vezes e que seria reciclado ainda mais algumas vezes antes que pudesse seguir seu caminho.

Enquanto caminhavam pelo edifício de armazenamento, Rush exaltava as maravilhas do lugar. Kennedy sentia que ele estava tentando demonstrar a certeza casual de um veterano, mas soava como um papagaio repetindo o que ouvira numa palestra de orientação. Os sistemas de segurança eram ótimos, ele dizia. Quase tudo de última geração. Havia alarmes de pressão e ruptura em todas as portas e janelas externas, sensores de movimento na maior parte das salas e pontos nodais ao longo do edifício, registros eletrônicos completos de cada chave usada, cada entrada e cada saída.

— E circuito interno de TV? — perguntou Kennedy. Ela ainda não vira nenhuma câmera.

— Ah, sim, por toda parte — Rush garantiu. — Mas, se está procurando as câmeras, não vai encontrá-las. Estão embutidas nos cantos, esquinas, molduras e coisas assim. Usamos um sistema chamado CPTED[4],

[4] Crime Prevention Through Environmental Design. (N. E.)

sargento Kennedy — Prevenção de Crimes Através do *Design* Ambiental. É assim, você mostra às pessoas onde estão as câmeras quando quer regular o comportamento delas em um grande espaço público, certo? Num *shopping center*, por exemplo, ou num estacionamento. Uma coisa meio "o Grande Irmão olha por você". Mas nós camuflamos nossas câmeras porque este é um local fechado. Ninguém consegue entrar aqui sem autorização a não ser que seja um invasor. Então, o circuito interno serve para pegar criminosos no flagra.

Inclusive seus próprios funcionários, pensou Kennedy. Pois câmeras visíveis podiam fazer as duas coisas: intimidar criminosos e registrar transgressões. O que não podiam fazer era regular o comportamento das pessoas que trabalhavam com o acervo diariamente. Este era um sistema que se antecipava a surpresas desagradáveis ao tratar todo mundo como inimigo.

O que Rush deixou de mencionar foi que no meio de todas essas maravilhas tecnológicas estava o acervo em si; mas, enquanto passavam de uma sala a outra, Kennedy não pôde evitar que seu olhar se desviasse, atraído por imensas esculturas, totens de indígenas norte-americanos, canoas de casca de árvore, armaduras. Os itens menores, como ela esperava, estavam seguros dentro de caixas de armazenagem alinhadas às paredes das salas ou empilhadas em metros e metros de prateleiras de aço. As coisas grandes e rígidas estavam bem ali, à vista.

Sob esse aspecto, a Sala 37 era uma das mais notáveis. Estava cheia de estantes e caixas, nada mais. Olharam para dentro dela, mas não entraram, pois Kennedy ainda não estava pronta para se concentrar nisso. Queria primeiro ter uma visão geral decente do lugar.

— Nosso controle ambiental também é de última geração — Gassan disse enquanto prosseguiam. — Temperatura, umidade, iluminação — todas são reguladas e monitoradas em tempo real.

— O que é isso? — Kennedy perguntou. Estava apontando para uma grande caixa cinza junto à parede, logo ao lado da já conhecida caixa vermelha que era o alarme contra incêndio. Era idêntica a esta em tamanho e forma, mas tinha o rótulo SEGURANÇA, enquanto na outra se lia FOGO. Como o alarme contra incêndio, tinha um encarte de vidro retangular com as palavras PRESSIONE AQUI.

— É outro dispositivo de segurança — Gassan respondeu. — Instalado por meu antecessor, o Dr. Leopold. Quebrar o vidro e apertar o botão aciona uma trava. Todas as portas internas são desativadas. As portas e as janelas externas se trancam e portas de aço são baixadas. O edifício torna-se essencialmente uma prisão.

Rush estava parado vários metros à frente deles, segurando uma porta aberta. Ele começou a andar ao lado de Kennedy depois que Gassan passou.

— Não que isso seja muito útil — confidenciou a ela num murmúrio.

Ela olhou para ele.

— Como assim?

— Bom, para começar, o sistema é operado manualmente. Não está ligado aos sensores de movimento ou às câmeras. Não há uma trava automática.

Em *sotto voce* ou não, o professor Gassan os ouvira.

— É por causa do risco de ferir o invasor — disse ele, lançando a Rush um olhar professoral de reprovação antes de voltar sua atenção para Kennedy. — Temos responsabilidades legais e éticas.

— O alarme está ligado a um posto policial local, senhor — Rush explicou. — E o tempo médio de resposta é de 12 minutos.

— A responsabilidade ainda seria nossa — respondeu Gassan.

Rush voltou a caminhar à frente deles. Sabia quando era derrotado.

Ele finalizou a excursão levando-os ao topo do edifício. Mostrou os alarmes de pressão e movimento, o equipamento do circuito interno de TV e a cerca de arame farpado com um metro e meio de altura, voltada para o lado de fora e em torno de todo o espaço acima do prédio.

— Isto tudo é novo — Rush disse a Kennedy. — Aqui em cima costumava ser um ponto muito vulnerável. Agora é...

— De última geração? — ela arriscou.

— Sim, é isso. É ótimo.

Kennedy perambulou por ali, procurando possíveis entradas. Havia dutos de ar-condicionado suficientemente grandes para comportar um corpo humano, mas as saídas eram cobertas por pesadas grades de metal, fixadas com rebites, e não havia sinal de que alguma delas tivesse sido tocada. A porta pela qual haviam chegado ao topo era uma chapa de aço e tinha um cadeado com combinação, uma fechadura e três travas de segurança com cadeados. Do lado de fora, não havia nem maçaneta.

Os dois homens esperavam pacientemente que ela completasse sua inspeção. Kennedy caminhou até a borda do teto, olhou para o chão abaixo e para as proximidades. O edifício não tinha vizinhos próximos. Ficava em terreno próprio, com cerca de pelo menos um metro e oitenta de espaço livre em cada lado. Nada de árvores nem postes de telégrafo, ou mesmo de luz, para que um intruso escalasse. Havia calhas de chuva, obviamente, mas, em intervalos ao longo de seu cumprimento, Kennedy pôde ver as pontas espinhosas de um cercamento especial antiescalada. Também conseguiu ver as câmeras girando de um lado para o outro em seus suportes, vigiando a paisagem abaixo delas.

Ela voltou para perto de Rush e Gassan.

— Imagino que vocês não registraram nada com elas, não é? — disse, apontando para as câmeras.

— Na noite da invasão, você quer dizer? — Rush balançou a cabeça. — Não. Verificamos todas as gravações da área externa, desde o momento em que trancamos as portas na noite anterior. Nada. Nem mesmo um passarinho.

— Tá certo — Kennedy respondeu. — Terminei aqui em cima. Obrigada por esperarem.

— Então, já descobriu alguma coisa? — Rush perguntou a ela, quase timidamente. Sua fé na capacidade dos detetives era comovente.

— Ainda não — Kennedy disse. — Mas eu gostaria de ver a gravação feita na Sala 37, o trecho onde o intruso aparece diante da câmera. E depois eu gostaria de voltar e dar uma boa olhada na própria sala.

Eles foram até a sala de vigilância, que tinha mais ou menos o tamanho de um quartinho de limpeza. Rush destrancou um armário de aço e selecionou um disco entre mais ou menos uma centena deles que estava guardada lá.

Havia apenas uma cadeira, onde Gassan insistiu que Kennedy sentasse, ainda que isso significasse que Rush precisaria se agachar para operar o aparelho de DVD. Ele inseriu o disco em um leitor que era uma placa lisa de aço sem nenhum botão de controle, abriu uma janela de interface no computador logo ao lado dela e digitou uma data e um horário. Uma segunda janela se abriu na tela: a gravação da câmera, mostrando uma área minúscula, mais ou menos do tamanho de um cartão de crédito.

Enquanto a imagem era exibida, Kennedy viu-se observando um espaço que poderia ter sido qualquer uma das dezenas de salas pelas quais ela acabara de passar.

— Sala 37 — anunciou Rush, com apenas uma ponta de melodrama. — Noite de segunda-feira, dia 24.

O ponto de vista era de cima, quase do teto. Uma estante dividia o campo de visão em dois, de forma que o que eles viam eram duas alas paralelas. Tudo estava tão quieto que a imagem poderia ser tomada por um quadro paralisado no filme, exceto pelos números que corriam no canto esquerdo, mostrando os segundos.

— Dá pra ampliar isso? — Kennedy pediu.

Rush dedilhou nos menus retráteis, mas nada aconteceu.

— Desculpe. Não conheço o sistema tão bem assim.

Uma figura surgiu abruptamente na tela. Vestida de preto da cabeça aos pés, com uma balaclava também preta, era o estereótipo do agente de operações especiais de cinema. A estranha incongruência causou um leve formigamento no couro cabeludo de Kennedy. Apesar do que Gassan havia dito anteriormente, era impossível dizer se ela estava olhando para um homem ou uma mulher — mas, quem quer que fosse, certamente era jovem e forte. A figura escalou a estante como se fosse uma escada, empurrou algo que estava fora da tela e, em seguida, arrastou-se para cima, sumindo de vista.

A sequência completa não cobria mais do que vinte segundos.

Rush fez o vídeo voltar ao momento em que a silhueta desaparecia no topo da tela e congelou a imagem.

— Um painel no teto — disse ele, tocando no monitor. — Ele entrou no forro rebaixado.

— E depois?

— Nem faço ideia. Olhamos lá em cima, mas não havia nada. Nenhum traço dele.

— E alguém foi autorizado a entrar na sala desde a invasão? — perguntou Kennedy.

— Bom, nós entramos. A equipe de segurança, quero dizer. Logo depois de termos visto as imagens da câmera. Em seguida, a polícia chegou e deu uma busca na sala. Enquanto os policiais ainda estavam aqui, alguns funcionários nossos fizeram uma contagem para ver se faltava alguma coisa, mas isso foi feito sob a supervisão da polícia. Desde então, a Sala 37 ficou totalmente fechada.

— Tá legal — disse Kennedy. — Então, acho que é pra lá que vamos.

CAPÍTULO 4

Foi nesse momento que Gassan se retirou, pedindo desculpas, para lidar com alguma outra tarefa que precisava terminar antes do fim do seu expediente. Pediu a Kennedy que passasse pelo escritório dele quando terminasse a inspeção — uma ordem que ela fingiu não ter ouvido.

No caminho para a Sala 37, ela tentou fazer com que Rush contasse algo sobre si mesmo. A maioria dos seguranças que ela havia conhecido era de ex-policiais, ex-militares ou, ocasionalmente, ex-criminosos apostando no esquema do ladrão que passou para o lado da lei. Ela estava curiosa para saber por que alguém escolheria esse trabalho logo depois de terminar a escola. Mas Rush era tímido e não se deixou convencer a falar do assunto.

A sala pareceu tão sem-graça agora quanto na primeira vez. Só fileira após fileira de caixas de madeira e de papelão, com uma escada portátil encostada na parede. Não havia nenhum daqueles itens maiores e visualmente mais apelativos que assomavam acima das prateleiras em algumas das outras salas.

Kennedy caminhou ao longo das fileiras. Como já lhe haviam dito, nada parecia ter sido tocado. Não havia nenhum espaço denunciador nas prateleiras, nenhuma caixa fora de lugar. O pó poderia ter registrado impressões digitais ou indicado onde um objeto havia sido movimentado, mas não havia pó. Depois de semanas trancado, o lugar ainda estava impecável.

Ela voltou para perto de Rush, que estava armando a escada portátil.

— Ali — ele disse. — Foi ali que ele subiu. O Cobbet e eu subimos depois para verificar enquanto esperávamos que a polícia chegasse aqui. Daí eles mesmos subiram, então não dá para dizer que ninguém mexeu em nada.

Ele passou a Kennedy uma lanterna elétrica, que trouxera consigo da sala de vigilância, e segurou firmemente a escada enquanto ela subia.

— Cuidado aí em cima — o rapaz pediu.

Embora Kennedy estivesse usando calça, percebeu que ele desviara o rosto modestamente do traseiro dela — exceto por um olhar de esguelha quando ela passou bem no nível dos olhos dele. Maneiras impecáveis. Ou, mais provavelmente, ela era apenas velha demais para ele.

O forro rebaixado era feito de painéis de poliestireno expandido encaixados numa rígida grade de metal. Ela colocou as mãos contra o painel que Rush havia indicado, empurrando-o para cima e depois para o lado. Do alto da escada, conseguiu enfiar a cabeça e os ombros no estreito espaço logo acima. Podia ver agora que havia uma brecha de cerca de 90 centímetros separando o forro rebaixado do verdadeiro teto acima dele.

Ligou a lanterna. A luz revelou uma vastidão abafada e inexpressiva de uns poucos centímetros de altura, mas, pelo que ela podia perceber, idêntica nas dimensões laterais à sala abaixo. Não havia aberturas, dutos, buracos ou grades por meio dos quais o intruso poderia ter escapado.

— Estou deixando passar alguma coisa? — Kennedy perguntou a Rush em voz alta. — Pra mim, não parece haver nenhuma saída aqui em cima.

— Também não encontramos nenhuma — ele gritou de volta. — As paredes são sólidas. O teto é sólido. Se ele achou algum buraco aí em cima, deve tê-lo fechado depois que saiu.

Kennedy deu mais uma boa olhada por ali com a lanterna, agora procurando não a rota de fuga do intruso, mas qualquer coisa ligeiramente fora de lugar. Não havia nada. Ela se inclinou para a frente para olhar mais de perto a parede mais próxima, que estava logo ao alcance da mão. Bateu nela com os nós dos dedos. Sólida.

— É tudo de tijolo? — perguntou a Rush. — Nada de reboco?

— Nada de reboco. Nenhum espaço vazio. Nenhum painel escondido. Nada além do que você está vendo, sargento.

Ela olhou para baixo, através do buraco, encontrando o olhar curioso e levemente apreensivo de Rush.

— Não sou "sargento" — disse. — Não mais.

— Ah. Certo.

— Pode me chamar de Heather.

— Tá bom.

Não parecia haver mais nenhum sinal digno de averiguação no espaço acima do forro, então ela desceu. De volta ao chão, pediu a Rush que lhe descrevesse toda a sequência de eventos desde o momento em que a invasão fora descoberta.

Ele pensou um pouco.

— Não há muita coisa a dizer, para ser honesto — respondeu. — Encontramos aquela faca — você ouviu falar da faca, né? — na primeira hora da manhã de terça-feira. Mas a invasão foi na noite anterior. O horário registrado naquela gravação que você viu era 23h58.

— Como a faca foi encontrada? — ela perguntou. — Vocês verificam cada sala todo dia?

— Sim, é o que fazemos. O funcionário encarregado sai às seis da manhã, assina a lista da escala de serviço e nos informa a respeito de qualquer coisa diferente. Daí, fazemos a verificação visual de cada sala. Não pelas câmeras, quero dizer que andamos mesmo pelo prédio todo fazendo isso. O Steve Furness encontrou a faca largada ali no chão da sala. Uma lâmina de uns 15 centímetros, mais ou menos. Muito, muito afiada. E tinha sido usada. Tinha sangue nela.

— Descobriram de quem era o sangue?

Rush balançou a cabeça.

— Acho que a polícia a examinou. Mas não nos contaram o que descobriram. Obviamente, procuramos um corpo, mas não achamos nada. Nem mesmo mais vestígio de sangue, só o que estava na faca. Não faltava ninguém da nossa equipe, nem da região. Dá pra ver na gravação que o cara não carregava um corpo quando saiu.

— Ele não parecia carregar muita coisa.

— Não — Rush concordou. — E, como você sabe, não notamos a falta de nada. Mas a questão é que estamos falando de centenas de milhares de itens, talvez até milhões, e alguns deles são realmente muito pequenos. Alguma coisa poderia sumir e demoraríamos muito para perceber. Os funcionários garantiram que todas as caixas ainda estavam lá e que nenhum dos lacres das coisas importantes havia sido rompido.

— Tudo está lacrado?

— Não. Só as peças pequenas mais valiosas. Talvez 10 ou 15 por cento do acervo. Fizemos a verificação visual de todas essas coisas. Mas ainda assim é possível que não tenhamos percebido alguma coisa. É mais do que possível.

Kennedy caminhou pela sala, olhando das estantes para o teto e do teto para as estantes.

— Quantas câmeras há aqui? — perguntou.

— Duas.

— Fixas?

— Todas as câmeras são fixas, sargento... Heather. Se estivessem em bases giratórias, teriam que ser visíveis.

Ela sabia que estava deixando de perceber alguma coisa, alguma anomalia que se aninhava à margem de sua atenção. Decidiu deixá-la onde estava por enquanto e permitir que ela se revelasse quando bem quisesse, em vez de arriscar afugentá-la no susto ao dar-lhe um bote.

— Mais alguma coisa aconteceu na segunda ou na terça? — perguntou.

— Nada de relevante.

— Esqueça a relevância. O que mais estava em sua cabeça naquele dia?

Rush pensou na questão por alguns instantes.

— Mark Silver — respondeu por fim.

— Quem?

— Um dos caras da segurança. É que ele morreu na noite de domingo. Só soubemos disso na segunda-feira.

— Morreu como?

— Um motorista bêbado o atropelou numa faixa de pedestres. Na segunda à tarde, algumas pessoas da equipe de recepção estavam para lá e para cá recebendo uma coleção de peças. O clima estava bem sombrio. Foi só algumas semanas depois que o Dr. Leopold — ele era o diretor antes do professor Gassan — teve o derrame. Todo mundo comentava sobre como as más notícias sempre chegam em trio. A invasão foi a má notícia número três.

— Esse cara, o Silver, era amigo seu?

— Não. Não de verdade. Eu o conhecia, mas nunca falei muito com ele. É só que pra mim ele morreu de um jeito tão estúpido.

Kennedy fez mais algumas perguntas inofensivas, guiando a conversa de volta a um território emocionalmente neutro. Nada daquilo parecia estar interligado, e ela pôde perceber que o rapaz considerava o assunto doloroso, então não via razão para forçá-lo a falar mais disso.

— Obrigada por toda a sua ajuda — disse ela, por fim. — Amanhã eu gostaria de olhar os registros dos funcionários e os perfis deles. Também vou interrogar todo mundo que estava trabalhando naquela segunda-feira. Você poderia passar no escritório do professor Gassan e dizer isso a ele?

— Certo — Rush disse. — Claro. Ou eu poderia levar você até lá pra dizer isso pessoalmente.

— Não precisa — ela respondeu rapidamente. — Fico feliz em deixar você informá-lo.

* * *

Quando Kennedy saiu de Ryegate House, três pessoas a observaram.

As duas primeiras estavam no interior de um Ford Mondeo prata — a cor mais popular no mais popular dos carros — a uns 45 metros da entrada frontal do edifício. Estavam vestidas de forma discreta, até mesmo monótona, mas havia nelas uma intensidade calma que compelia a uma segunda olhada.

Esperaram enquanto Kennedy fazia sinal para um táxi e enquanto o táxi acelerava, passando por eles, de volta para o centro da cidade. Então, o homem no banco do motorista ligou o motor e seguiu atrás do táxi com uma casualidade calculada. O homem ao lado dele espiava a rua com olhos experientes para ver se eles haviam sido vistos.

Haviam, mas ele não percebeu. A uma longa distância, Diema olhava do topo de um estacionamento fechado, através da folhagem que a escondia de olhares dispersos, mas dava-lhe uma visão mais ou menos desimpedida da parte da rua que lhe interessava.

Ela não os seguiu. Por enquanto, estava lá apenas para acompanhar e para avaliar o risco. Sua avaliação atual era de que havia muito pouco. Nem a própria Kennedy nem as pessoas que a vigiavam estavam cientes da presença de Diema, ou do fato de que a sua própria vigilância fazia parte de algo muito maior.

Quando chegasse a hora de agir, Diema agiria. E aqueles sobre os quais atuaria não a veriam chegar.

CAPÍTULO 5

Quando Kennedy voltou ao apartamento de Izzy, abriu a porta e entrou na sala de estar, foi ao som destas palavras:

— Ai, eu quero! Quero você dentro de mim agora, já! Você gostaria disso, querido? Gostaria de ficar dentro de mim? Aposto que aguento você inteirinho...

Isso teria sido alarmante se Izzy não estivesse sentada bem ali, na frente dela, sozinha, assistindo à telenovela *Coronation Street* com o som desligado. Ela segurava o celular em uma mão e uma xícara de chá Yorkshire forte na outra, e, embora seu rosto estivesse travado em uma careta de excitação e urgência, ela estava largada sobre a poltrona em uma pose muito descontraída.

Em outras palavras, ela estava trabalhando. Conduzindo um estranho rumo ao precipício do orgasmo pela pechincha de 80 centavos por minuto mais impostos. Uma vez que suas duas mãos estavam ocupadas, ela acenou para Kennedy com a perna esquerda.

— Tem chá no bule — murmurou sem voz, erguendo a xícara e indicando-a com um gesto.

Kennedy não sentia vontade de tomar chá. Serviu para si um uísque com água — da maneira mais furtiva possível, sem fazer nenhum som que o telefone pudesse captar. Levou o copo para o quarto, deixou a bolsa deslizar do ombro e cair sobre a cama. Ela desabou ao lado dela, tirou os sapatos e esticou o corpo inteiro, descansando a cabeça nos irritantes arabescos de ferro fundido da cabeceira de Izzy.

No quarto também havia uma TV. Automaticamente, ela a ligou só pelo conforto proporcionado pelo som. Mas estava na ITV, como a da sala, e a décima sétima reprise de como Frank Foster havia estuprado Carla Connor na noite anterior ao casamento deles lhe deu nos nervos. Ela zapeou pelos canais, pulou um documentário sobre natureza e um desses *quiz shows* estúpidos antes de decidir ficar com o noticiário.

Parecia haver apenas más notícias. Um incêndio em uma casa de campo no norte da Inglaterra havia deixado uma dúzia de pessoas mortas, embora o lugar supostamente estivesse abandonado. A polícia suspeitava de incêndio criminoso. Um grupo terrorista plantara uma bomba em uma igreja alemã e a havia acionado durante a missa de domingo. E um míssil terra-ar, acidentalmente lançado de uma instalação das Forças de Defesa de Israel perto de Jerusalém, havia passado em linha reta sobre o Domo da Rocha antes de explodir no ar — e, assim, por muito pouco não começara a mais sanguinolenta guerra religiosa desde a Terceira Cruzada.

Era demais. Loucura demais. Ela voltou a desligar o televisor e focou a mente em Ryegate House. Faria as coisas óbvias em primeiro lugar, só para poder eliminá-las de sua lista. E a coisa mais óbvia no momento era falar com Ralph Prentice.

Prentice atendeu ao terceiro toque, mas foi brusco.

— Estou afundado em trabalho até o cotovelo, Heather. Seja curta e grossa, senão eu vou desligar.

Uma vez que Ralph trabalhava no necrotério da polícia anexo ao edifício forense da New Scotland Yard, na Dean Farrar Street, Kennedy tentou não pensar no que exatamente ele havia afundado o cotovelo.

— Mês passado, Ralph. Da noite de segunda-feira, dia 24, para a manhã de terça-feira. Você recebeu algum cadáver com ferimento provocado por faca?

Uma cadeira raspou o chão e houve uma enxurrada de cliques ritmados do outro lado da linha.

— Não — respondeu ele. — De acordo com o grande livro de todas as coisas, foi uma noite muito tranquila. A última noite tranquila de que me lembro. Desde então, tem sido o apocalipse.

— Ah, é? Por quê? — Kennedy ficou interessada, a despeito de si mesma. "Apocalipse" era uma palavra incomum na boca de Prentice, normalmente um mestre do eufemismo.

— Carro-bomba na Surrey Street. Tiroteio em Richmond. E depois aquele incêndio em Yorkshire. Você ficou sabendo, não? Bombas incendiárias — um trabalho muito profissional, sob todos os aspectos. Qualquer coisa que aconteça com possíveis ligações terroristas, nós temos um acordo de reciprocidade. Então, um monte dos nossos caras está preso por lá, ajudando os locais a procurar pistas.

— Mas nada de facas.

— Nem umazinha, para ser honesto. Uma abundância de coisas desagradáveis aleatórias, mas tudo anda calmo no que se refere a ferimentos por lâmina.

— Você pode me fazer um favor, Ralph?

— Quer dizer, além de falar com você? Considerando o pé na bunda que a polícia lhe deu, Heather, isto aqui já é um favor.

— Eu sei. E sou grata. De verdade. Mas estou tentando resolver uma coisa aqui e não há mais ninguém a quem eu possa pedir.

Prentice fungou.

— É, eu deveria imaginar que não. — Ele não se preocupou em dizer *porque não lhe resta mais nenhum amigo no seu antigo departamento*: era óbvio demais para precisar ser dito. Kennedy havia apresentado provas contra dois colegas da Polícia Metropolitana envolvidos em um tiroteio, depois perdera dois parceiros em uma rápida sucessão de banhos de sangue pavorosos. Os banhos de sangue não haviam sido culpa dela, mas aos olhos da maioria das pessoas Kennedy era dedo-duro e pé-frio. No momento em que eles a forçaram a deixar a força, foi apenas uma formalidade. Ninguém teria concordado em trabalhar com ela mesmo.

Ela esperou que Prentice se decidisse. Eles haviam tido um relacionamento muito bom quando ela estivera na polícia, e Kennedy tomara o cuidado de não abusar da amizade desde então. Por sua própria estimativa, ela ainda tinha muito capital emocional no qual se apoiar.

— Tudo bem, então — o profissional forense murmurou afinal. — Do que você precisa, Heather?

— Veja se chegou alguma coisa de qualquer um dos hospitais — disse ela. — Algum ferimento suspeito com arma branca.

— No mesmo período?

— No mesmo período. Última segunda-feira, ou um ou dois dias depois.

— Só em Londres?

— Se você puder puxar também pelo resto da região, seria ótimo.

— Do que o seu último escravo morreu, Heather?

— De êxtase sexual, Ralph. É isso que acaba com todos eles.

Prentice suspirou.

— Comigo, acho que vai ser o colesterol — disse ele, melancolicamente. — Vou ver o que posso fazer.

A outra coisa fácil a fazer era ligar para um homem que Kennedy conhecia pelo nome de Jonathan Partridge. Era um engenheiro que havia estudado ciência dos materiais no MIT. Era também um polímata que gostava de enigmas e ajudara Kennedy em uma série de ocasiões, oferecendo *insights* estranhos e conexões misteriosas. Mas Partridge não estava em casa. Tudo o que ela pôde fazer foi deixar uma mensagem, depois de ser convidada a isso pela voz de matrona da secretária eletrônica, com jeito de Margaret Thatcher.

Quando ela desligou, Izzy entrou no quarto, sorrindo maliciosamente e tamborilando em seu relógio.

— Dois minutos e meio — ela se gabou. — Contando a partir de "qual é o seu nome, gato?" até "aimeudeus, aimeudeus, aimeudeus!". Eu gostaria que falar sacanagem fosse um esporte olímpico. Eu traria orgulho ao meu país!

Kennedy baixou o telefone.

— Você não é paga por minuto? — perguntou.

— Sim. Claro que sou.

— Então, quanto mais rápido você leva o cara aonde ele quer chegar, menos você ganha.

Izzy jogou-se na cama ao lado de Kennedy e aconchegou-se perto dela.

— Não tem a ver com grana, amor — disse ela. — Eu sou uma profissional.

— Claro.

— E o meu padrão é muito alto.

— Sei disso.

— É como se você não respeitasse um toureiro que deixou um touro em agonia em vez de acabar com ele.

— Claro. Porque isso seria desumano.

— Exatamente. Ou, em uma briga de galos, se você está com seu galo todo empolgado para a luta, e então...

— Será que — Kennedy perguntou — a gente pode parar com as comparações com animais?

Izzy rolou por cima dela e, em seguida, sentou-se, sorrindo para ela, montada sobre sua cintura.

— Mas eu nem cheguei ao cavalo xucro.

Kennedy levantou o telefone, como um advogado apresentando provas no tribunal.

— Estou trabalhando — disse.

— Não, não. — Izzy balançou a cabeça, ainda brincalhona. — Quando eu estou ao telefone, estou trabalhando. Quando você está ao telefone, está fazendo outras pessoas trabalharem para você.

— Assim como você faz outras pessoas gozarem para você — disse Kennedy. Uma vez dita, a frase soou muito mais fria do que soara dentro de sua cabeça.

— Bom, este é o nome do jogo, amor. — Izzy tentou salvá-las do clima ruim uma última vez: — Quer me ajudar a bater o meu recorde?

Kennedy sentiu-se claustrofóbica, presa não pelo peso de Izzy em cima dela (o qual poderia sustentar muito facilmente, e várias vezes ficara feliz em sustentar), mas com o convite para fingir uma intimidade fácil que, no momento, não conseguia sentir. Ela hesitou. Palavras reuniram-se em sua língua, no entanto sua mente recusou-se a analisá-las. Estava prestes a dizer algo terrivelmente doloroso e destrutivo.

O telefone a salvou. Ele vibrou em sua mão, emitindo o som de uma vespa presa sob um vidro. Kennedy deu de ombros em um pedido de desculpas pouco entusiasmado para Izzy, que saiu de cima dela e se sentou ao lado.

— Essa foi rápida — disse Kennedy, depois de ver o número na tela do celular.

— O que posso fazer por você, ex-sargento? — perguntou John Partridge.

Ela fingiu hesitação.

— Bom, é um favorzão, John. — Ela deixou que as palavras pairassem no ar por um momento, para ver se ele pretendia detê-la ou encorajá-la.

— Vá em frente, Heather. Timidez não combina com você.

Esse foi todo o incentivo de que Kennedy precisava. Ela fez um pequeno esboço do caso e depois foi direto ao ponto:

— Você costumava trabalhar na Swansea, não é, John?

— Eu estive no comando do programa de pós-graduação em Física deles durante três anos gloriosos. Antes de os conservadores chegarem, quando ainda havia financiamento. Por que você pergunta?

— Acha que eles deixariam você pegar emprestada a sonda de Kelvin?

Partridge riu — um latido curto e incrédulo.

— Não é caso de pedir a Kelvin, ex-sargento. É só um grande escâner de código de barras com um computador conectado a ele. Mas não adianta ter a Kelvin sem um operador. E aquelas senhoras e senhores lá são como os santos de uma nova religião. Geralmente, para conseguir que trabalhem em algo que não a pesquisa, é preciso reservar com seis meses de antecedência.

— Tudo bem — disse ela. — Perguntar não ofende.

— Eu não disse que não — ele ressaltou. — Vou ver o que posso fazer. Mas eles vão rir até cair das cadeiras quando eu lhes disser que eles devem investigar uma invasão de propriedade. Assassinatos em massa são mais o estilo deles.

— Muito obrigada, John. Você é um anjo.

— Caído. Diga olá para sua amada por mim.

— Pode deixar. — Kennedy hesitou. — Como anda o Leo?

— Quieto.

— Isso é bom, certo?

— Não, é só o jeito do Leo. Ele também é quieto quando está mal. Mas, neste caso, acho que ele está quieto por estar trabalhando. Então, talvez "inexistente" seja uma palavra melhor. Eu não tenho notícias dele há meses. Mas, se você precisa mandar uma mensagem, há um café em Clerkenwell que ele usa como posta-restante. Você é uma das três pessoas a quem estou oficialmente autorizado a dar esse endereço.

— Não precisa, obrigada. Mas diga a ele que mandei um abraço, da próxima vez que o vir.

— Farei isso. E aviso você quando souber do microscópio. — A linha ficou muda. Partridge considerava as formalidades da despedida uma perda de tempo.

— E aí, qual é o trabalho? — Izzy perguntou. Kennedy ergueu o olhar e a viu encostada no batente da porta, de braços cruzados. O flerte de antes havia desaparecido. Izzy tivera tempo para se desvencilhar dele e claramente não pretendia arriscar-se a ser rejeitada uma segunda vez.

— É difícil explicar — Kennedy admitiu. — Tenho que investigar um crime que talvez nem tenha acontecido.

— Adorei. Me conta tudo enquanto a gente bebe?

* * *

Elas foram ao Cask, na Charlwood Street. Era um *pub* um tanto caro, mas ficava perto, e agora, no começo da noite, ainda seria possível encontrar um lugar para sentar.

A conversa foi desconexa. Depois de contar o básico a Izzy, Kennedy desviou-se de todas as perguntas dela. Se tivesse energia ou imaginação para arranjar outro assunto, teria feito isso, mas nada lhe ocorria. Izzy tentou sustentar a conversa sozinha, mas acabou desanimando.

Após alguns minutos de silêncio, Izzy ergueu a mão e pousou-a no braço de Kennedy.

— A gente vai terminar, né? — disse. Sua voz estava calma, até mesmo resignada.

Kennedy olhou para ela.

— Não sei o que vamos fazer — respondeu.

Izzy balançou a cabeça.

— Ah, amor, você mente bem pra caramba, mas não comigo. Não consegue mais nem me olhar nos olhos. Estou aqui falando e você está planejando sua fuga.

— Não estou planejando nada, Izzy.

— Tá, então faça algo por mim.

— O quê?

— Me beije.

Kennedy olhou ao redor, para as outras mesas, metade das quais estava ocupada.

— A gente vai chamar a atenção — disse.

— E desde quando você liga pra isso? Me beija ou cai fora, Heather. Não fique enrolando no meu apartamento e me fazendo pagar, dia sim, dia não, só porque você é preguiçosa demais pra fazer as malas e se mandar.

Fazer as malas? As roupas, CDs e equipamentos pessoais de Kennedy haviam migrado lentamente pela escada, durante meses, para o apartamento de Izzy. O momento em que ela se mudara nem havia sido registrado formalmente. Ela presumira que sua partida seria igualmente prolongada: esbravejando e batendo portas tão gradualmente que seria preciso um vídeo em câmera acelerada para gravar tudo.

Assim que se deu conta disso, sentiu-se envergonhada, pois tudo o que Izzy estava dizendo era verdade. Por outro lado, refletiu, também era verdade que Izzy fora infiel — e com um homem. Então, era difícil ficar parada lá ouvindo sermão como se fosse ela a culpada.

— Não sei o que vamos fazer — repetiu. — Sério, Izzy, andei ocupada demais tentando conseguir um trabalho. Mas, se eu tivesse arranjado tempo, acho que teria imaginado que você estava preparada pra me dar um pé na bunda, já que foi você quem andou pulando a cerca.

Izzy fez uma careta.

— Pulando a cerca? Foi um cara só. Eu estava bêbada e com tesão e deixei um cara chegar perto demais. Fiquei sozinha por quase dois anos antes de você aparecer. Passei a encarar essas coisas de uma forma muito casual.

Kennedy não disse nada, mas deixou que seus sentimentos a respeito daquela afirmação transparecessem em seu rosto.

— Não sou galinha — Izzy disse.

— Não.

— Quando estou sem namorada, ainda sinto necessidade de transar de vez em quando. Não acho que isso seja crime.

— Quando está sem namorada — Kennedy disse —, aí não, não é crime. Mas você tem a mim.

— E o que eu fiz foi uma merda, e eu chorei, e já pedi desculpa... e eu botei o coitado pra fora sem os sapatos, se me lembro direito.

— Mas por sorte ele saiu com as bolas ilesas.

Izzy sorriu debilmente ao ouvir isso, embora Kennedy não estivesse brincando. Se ainda tivesse sua licença para portar armas, e sua arma, talvez tivesse feito uma besteira. Conseguia visualizar a cena facilmente. Era mais fácil do que lembrar o que realmente havia acontecido. Isto é, que ela havia ficado ali parada como um cervo no meio da estrada, observando o covardezinho babaca puxar a calça para cima, enquanto ele olhava dela para Izzy e de Izzy para ela. Como se estivesse tentando resolver uma equação e só conseguisse chegar à raiz quadrada de *hein?*

— Não sei o que mais posso fazer — Izzy prosseguiu. — Se você tivesse parado de me dar esse gelo e me deixado chegar perto, talvez eu tivesse conseguido convencer você de que realmente te amo... e de que uma meia horinha com o Zé Sem Sapato jamais mudaria isso. Mas você não deixou, daí eu não consegui, e aqui estamos nós. — Quando ela terminou de falar, seus olhos brilhavam, cheios de lágrimas, e uma delas começou a escorrer por sua bochecha.

— Onde quer que "aqui" seja — Kennedy disse.

— Amor, nós duas sabemos exatamente onde "aqui" é.

Kennedy ficou de pé. Nenhuma das duas havia acabado seu drinque, mas a ideia de ter de continuar com aquela conversa só para terminar de beber pareceu subitamente intolerável.

— Vou dormir no andar de baixo hoje — disse ela, como quem diz *hora da morte, 23h43*. — Amanhã eu subo pra pegar minhas coisas.

— Ou então a gente volta agora mesmo — Izzy disse — e eu trepo com você até seu cérebro derreter e você não lembrar mais nem por que estava tão brava comigo.

— Eu... — Kennedy não conseguia encontrar as palavras. — Izzy...

— Não — Izzy disse, erguendo as mãos como quem se rende. — Não precisa. Sem problema. Eu só achei que isso precisava ser dito. Faça o que quiser, Heather. E continue assim, bem no topo do seu pedestal de moral, tá? Você vai ficar bem enquanto houver oxigênio aí em cima.

As últimas palavras foram difíceis de entender, pois ela estava chorando demais. Izzy virou-se e foi rapidamente até a porta, fazendo uma cadeira vazia ricochetear e atropelando um cara cujos gestos expansivos puseram quase todo o seu corpanzil no caminho dela. O braço do homem balançou e a cerveja, inclinada, caiu no chão.

— Piranha desastrada! — ele gritou depois. — Se não aguenta, não bebe, droga!

Era o tipo de insulto grosseiro que Kennedy normalmente achava fácil ignorar. Normalmente, mas não esta noite. Ela segurou o topo do copo do sujeito e o virou, derramando o resto do drinque sobre a camiseta dele, onde se lia FIM DO CAMINHO. Então, aproximou seu rosto do dele.

— É um belo lema — disse.

O cara ainda estava gritando quando Kennedy saiu do *pub*, e ela meio que esperava que ele a seguisse, contudo a expressão em seus olhos quando o havia encarado provavelmente fora bem assustadora. Não houve passos atrás dela.

Nem Izzy à sua frente.

Kennedy olhou ao redor, aturdida. Ela só ficara 20 segundos para trás, e a rua estava vazia de ambos os lados. À esquerda, para onde Izzy deveria ter ido, redes de proteção penduradas em andaimes agitavam-se em torno da fachada do Windsor Court Hotel, cuja própria placa de EM BREVE SOB NOVA DIREÇÃO já estava precisando de uma reforma. À direita, varandas em estilo georgiano estendiam-se a distância, as portas elevadas acima do nível da rua por íngremes escadarias em arco, como uma linha de dançarinas erguendo as saias e fazendo o cancã.

O som de um salto de sapato raspando na pedra a fez voltar-se para o hotel, e desta vez ela viu o que não vira antes. Havia um corpo estendido no chão lá, metade dele sob as redes que cobriam toda a frente do edifício.

Kennedy gritou e correu. Em segundos, estava ajoelhada ao lado da forma imóvel. Era Izzy, deitada de costas, os braços e as pernas esparramados de forma assimétrica. Sua cabeça estava na sombra, mas Kennedy a reconheceu por uma centena de outras características.

Não movimente o corpo, recomendou a si mesma. E as implicações desse pensamento desceram sobre ela como uma onda. *O corpo. Ah, merda. Ah, merda.* Ela verificou a pulsação e encontrou-a, embora parecesse fraca. Procurou feridas e não achou nada.

— Izzy — ela balbuciou. — Amor, o que aconteceu? — Estava esfregando a mão de Izzy entre as dela, tentando acordá-la. — O que aconteceu com você?

Izzy não se moveu nem falou. Estava profundamente inconsciente.

Kennedy sacou o telefone. Estava discando 999 quando o andaime atrás de sua cabeça chacoalhou, produzindo a mesma música metálica que os trilhos do metrô, vibrando ao lado da plataforma, faziam ao anunciar a chegada iminente de um trem.

Ela olhou para cima. Sobre sua cabeça, uma silhueta negra e angulosa foi crescendo, eclipsando o sinistro brilho do poste de rua contra o qual ficara definida.

Houve um instante no qual agir, não tempo suficiente, na verdade, só que Kennedy de repente percebeu o que era aquilo e viu a piada de humor negro da bigorna caindo em mil desenhos animados da Warner Bros. Ela se jogou em cima de Izzy, agarrou as lapelas da jaqueta de couro dela, rústica-chique tipo Marc Jacob, e rolou de lado com ela em um esforço simultâneo e furioso de todos os músculos que pôde alistar.

Elas fizeram um giro completo, Izzy em cima dela, ao lado dela, então sob ela novamente. Logo ao seu lado, algo se chocou contra a calçada como um punho colossal, o golpe de ar atingindo Kennedy em cheio no rosto. Ela arfou, e sua boca se encheu de algo espesso e suave como pó de talco. Uma nuvem de pó envolveu instantaneamente as duas.

Em meio a ela, Kennedy finalmente ouviu vozes:

— Puta merda!

— Meu Jesus, você viu isso?

Kennedy tentou afastar o branco turvo e flutuante que a cegava e sufocava. Tinha um gosto amargo e fazia seus olhos arderem. Enquanto tentava se colocar de pé, sentiu o pó fino rangendo sob os dedos. Mãos vieram de ambos os lados, ajudando-a a se levantar. Pessoas que ela reconheceu vagamente como as do *pub* apoiaram seus braços, tirando a poeira de suas roupas.

— Sua amiga! — alguém exclamou. — Ela está...

— Eu não... — Kennedy tossiu, cuspiu e tentou de novo: — Eu não sei quão ferida ela está. Chame uma ambulância. Por favor!

Houve uma enxurrada de celulares, todo mundo vasculhando bolsas e bolsos e depois sacando os aparelhos ao mesmo tempo, como no clímax de um faroeste ruim. Livre das garras dos bons samaritanos, Kennedy ajoelhou-se novamente para examinar Izzy, tomando cuidado para não mover sua coluna vertebral. O pó branco, o que quer que fosse, estava assentando sobre o rosto dela. Removendo-o suavemente, Kennedy encontrou a contusão na têmpora de Izzy, já inchada, onde ela havia sido atingida. Encheu-se de horror e depois de uma ira incandescente.

Ela olhou para o que havia caído sobre elas — ou quase sobre elas. Jazia a poucos centímetros da cabeça de Izzy: um palete de construtor, com doze sacos de cimento empilhados sobre ele, frouxamente amarrado com um único laço de corda. Alguns dos sacos haviam se rompido. Era isso que estava flutuando no ar e penetrando em seus pulmões.

Era o tipo de coisa que poderia parecer um acidente terrível, mas evidentemente não era nada disso. Fora uma emboscada, improvisada às pressas, mas ainda assim eficiente. Podia-se presumir que o plano original fora pegar as duas assim que deixassem o Cask e caminhassem juntas para casa. Porém Izzy saíra primeiro, e o fato de ela ter sido usada como isca tornava absolutamente claro que a própria Kennedy era o verdadeiro alvo.

Ela olhou para o andaime e as redes acima. Nada se movia lá, e parecia improvável que seja quem for que tivesse deixado cair o palete ficasse ali para ver o resultado. Havia uma escada ao lado dos andaimes que ia até o primeiro andar. Provavelmente, fora por ela que o atacante invisível havia chegado lá em cima. Mas certamente ele não havia descido da mesma maneira.

Kennedy selecionou um homem quase ao acaso, de um grupo no qual todos exibiam o desleixo meticulosamente cultivado dos estudantes. Ela agarrou o braço dele e apontou para Izzy.

— Não deixe ninguém tocá-la — disse. — Fique perto dela até eu voltar. Você e seus amigos. Fiquem com ela. Ao redor dela. Entendeu?

— Tá bom — disse o homem —, mas nós nem...

Kennedy não ouviu o que mais ele disse. Subiu correndo os degraus até a entrada do hotel. Um painel grosso de aglomerado havia sido colocado lá no lugar da porta original, mas alguém o arrancara do lado esquerdo e o afastara da parede. Ela conseguiu entrar por ali, se espremendo.

No interior, nada havia além de escuridão e silêncio. Kennedy ficou parada, ouvidos atentos, mas ouviu apenas sua própria respiração. Quando seus olhos se adaptaram à escuridão, ela se moveu para a frente. A escada principal estava bem diante dela. Remexeu na bolsa até encontrar o *spray* de pimenta que sempre mantinha lá. Era um modelo militar Wildfire — ilegal no Reino Unido, mas nem de longe tão ilegal quanto uma arma sem licença.

Ela decidiu ser rápida em vez de furtiva, subindo os degraus de três em três. No primeiro andar, e depois no segundo, parou e olhou em volta. Depois do segundo piso, não havia mais aonde ir — exceto para o telhado, provavelmente, e a escada não levava para lá.

Ela se afastou, escondendo-se em um trecho de sombra. A luz de um poste de rua, do lado de fora, no mesmo nível das janelas dos quartos no andar de cima, transformou a cena à sua frente em um mosaico preto e branco.

Havia acabado de decidir que estava perdendo tempo ali quando algo se moveu. O movimento ocorreu à sua esquerda, onde não havia nada, exceto a parede da escada. Era uma sombra: o que quer que tivesse projetado estava lá fora, no nível mais alto dos andaimes. O caixilho da janela chacoalhou e depois rangeu ao ser aberto pelo lado de fora.

Kennedy esperou até que o homem estivesse no meio do parapeito antes de atacá-lo. Ela espirrou o *spray* de pimenta bem nos olhos dele, mas uma máscara preta cobria todo o seu rosto e ele nem sequer reagiu. Simplesmente se deixou cair e torceu o corpo, transformando o movimento em um giro surpreendentemente gracioso. E então ele estava dentro do quarto com ela.

Ela mirou um golpe no estômago do homem quando ele se levantou, mas o soco não o acertou. O estranho inclinou-se, desviando-se da mira com uma velocidade incrível. No mesmo ato, pegou o braço de Kennedy acima e abaixo do cotovelo, puxou-a para a frente, tirando-lhe o equilíbrio, e arremessou-a. Ela caiu com força sobre as tábuas do chão, atordoada.

Através da vista embaçada e lacrimejante, viu o homem de pé acima dela. Ele tirou algo do cinto e ela soube, pela maneira como o objeto brilhou à luminosidade branco-amarelada do poste de luz lá fora —

opaco-brilhante-opaco, tudo em um segundo —, que era uma faca. Ela tentou um bloqueio desajeitado, mas não poderia proteger todo o seu corpo. Estendida no chão como estava, ela era um alvo impossível de errar. Estava morta.

Contudo a faca não desceu sobre ela. O homem estava cambaleando, agarrando a máscara. O *spray* de pimenta havia finalmente penetrado nela. Estava queimando os olhos dele e cortando-lhe a respiração, e, por estar no tecido da máscara, não havia forma de o homem ficar longe dele.

Kennedy conseguiu firmar os pés e se levantar. Mas, mesmo cego e ferido, o homem a ouviu dar um passo para trás. Ele avançou em uma marcha de pés arrastados para o espaço que ela desocupara, pressionando-a até que a parede ficasse bem contra suas omoplatas.

Então ele a chutou, e ela atravessou a parede.

O pé dele acertou o peito de Kennedy com tanta força que provavelmente teria arrebentado suas costelas, se ela estivesse encostada a tijolos. Mas estava escorada contra gesso fino, velho e quebradiço, colado sobre ripas muito finas. Ela foi cambaleando para a sala ao lado, caiu estatelada de costas e rolou de lado, esperando que ele a seguisse.

No entanto, nada mais atravessou a parede. Ela se levantou e caminhou vacilante até o buraco de bordas desiguais, as mãos embalando o peito, tentando inspirar um pouco de ar.

O homem se fora. Aos tropeços, Kennedy fez seu caminho de volta até o quarto onde haviam lutado. Algo jazia no chão, uma massa escura e disforme. Kennedy foi até ela e a pegou. Então, fez uma careta e afastou-a do rosto. Encharcada, flácida e exalando um fedor azedo de oleorresina, era a máscara do homem, e ele havia reduzido metade dela a tiras rasgadas em sua pressa de arrancá-la do rosto.

* * *

Na rua, os inocentes espectadores, em sua maioria, haviam se dispersado como fantasmas ao raiar do dia, tendo cumprido seu dever cívico e satisfeito sua curiosidade. Mas o pequeno grupo de estudantes aos quais Kennedy dera ordens sumárias continuava a formar um anel defensivo levemente acanhado em torno de Izzy, que ainda estava inconsciente. Kennedy agradeceu a eles e os liberou de volta à vida civil. Agora, não havia mais nada a fazer senão esperar até que a ambulância chegasse.

Izzy despertou antes disso. Depois de alguns segundos sem saber onde estava ou que diabos acontecia ali, ela se sentou — ignorando as tentativas de Kennedy de detê-la —, esfregou os olhos e olhou em volta. Tossiu, lambeu os lábios e fez uma careta ao provar o gosto do pó de cimento que havia aderido a eles.

— Se você está tentando me matar pelo dinheiro do seguro, amor — disse ela em uma voz rouca —, desista. Não tem seguro. É difícil de acreditar, mas eu valho mais viva.

Kennedy a estreitou em um abraço.

— Cala a boca — murmurou.

Ficaram assim por um longo tempo, sentadas na beira da calçada, Izzy desajeitadamente inclinada no abraço de Kennedy, enquanto a poeira assentava ao seu redor. Uma sirene distante gritou e depois voltou a silenciar. Talvez fosse a ambulância delas a caminho.

— Eu gosto disso — Izzy sussurrou, a cabeça apertada contra o peito machucado e dolorido de Kennedy. — Gosto mesmo. Eu devia ter dado um jeito de tomar essa porrada há muito tempo.

CAPÍTULO 6

Glyn Thornedyke, o coordenador de segurança de Ryegate House, era um tipo de espectro corpulento, muito acima do peso, mas pálido e insubstancial e claramente em muito mau estado. O fato de um interrogatório em massa aos funcionários do edifício precisar de sua aprovação pareceu surpreendê-lo — olhando para trás, Kennedy lamentava ter perdido tempo pedindo isso a ele. Já eram quase 10 horas e ela sentia nos olhos aquele ardor que acompanha os tipos mais graves de cansaço. Dar depoimentos à polícia mantivera ela e Izzy acordadas até muito depois da meia-noite. Depois, outras coisas as mantiveram acordadas. Como resultado, Kennedy sentia-se tanto exausta como repleta de urgência — a sensação de que precisava tomar um ônibus que já havia partido.

— Vou querer todos os arquivos relativos aos funcionários — disse a Thornedyke. — Cópias impressas ou digitais, o que for mais rápido.

— Sim. Muito bem. — Thornedyke olhou de relance para os arquivos e papéis sobre sua mesa como se suspeitasse de que o que Kennedy pedia pudesse estar bem ali à sua frente. Ela se perguntou em que tipo de disputa territorial ele já se envolvera com Gassan. O professor parecera muito ávido em reivindicar o controle geral da segurança do prédio como parte de seu próprio trabalho. — Certamente posso providenciar cópias impressas. Vai precisar de mais alguma coisa?

O tom era equilibrado entre a esperança e o receio. Claramente, Thornedyke desejava que ela dissesse não e fosse embora.

Kennedy teve de desapontá-lo:

— Sim, Sr. Thornedyke. Também vou querer um escritório onde possa fazer os interrogatórios. E alguém para trazer as pessoas até mim. Não conheço o rosto de ninguém, nem onde cada um trabalha.

— Não posso lhe dar uma sala — Thornedyke respondeu em tom lamentoso. — As salas são agendadas na recepção. E, se pegar alguém da minha equipe, vou ficar com um rombo na escala.

— Bom, e se eu pegar o Ben Rush? — Kennedy perguntou.

— O estagiário?

— Sim. Ele. Seria um rombo aceitável para o senhor?

Thornedyke pensou um pouco.

— Suponho que sim. Sim. Desde que seja só por um dia.

— Ótimo. Ele vem pegar os arquivos com o senhor assim que eu estiver pronta.

O coordenador de segurança ainda não parecia nada feliz, mas Kennedy saiu antes que ele pudesse fazer mais alguma objeção.

O professor Gassan, ansiosíssimo para ajudar — e talvez para demonstrar o tamanho de seu novo império —, deu a ela a principal sala de reunião. O lugar era quase do tamanho de um campo de futebol, com uma mesa de reuniões tão longa e larga que obviamente precisara ser trazida para lá aos pedaços e depois montada feito um quebra-cabeça. Era uma mesa vaidosa, projetada para fazer os executivos do museu sentirem que estavam transitando e negociando em um mundo corporativo sério. O tapete espesso e felpudo e as cortinas plissadas tinham o mesmo tom de aveia.

Gassan também aprovara que Kennedy pegasse Rush emprestado por todo o dia, e o rapaz desengonçado apareceu cerca de 15 minutos depois com uma braçada de pastas de papel manilha. Ele as despejou em cima da mesa e enxugou a testa, fingindo exaustão.

— Obrigada, Rush. Olhe, você hoje foi destacado para trabalhar comigo. Espero que esteja tudo bem. É um trabalho de escritório, sem serviço pesado.

Rush assentiu.

— A mudança é tão boa quanto o descanso.

— Tá bom, então. Vou levar mais ou menos uma hora para ver todos estes arquivos e fazer anotações. Depois disso, vou pedir que você traga as pessoas para cá, uma de cada vez, e atue como acompanhante enquanto eu estiver fazendo os interrogatórios. Enquanto isso, já tomou café da manhã?

Rush deu de ombros.

— Uma xícara de chá. E duas torradas.

— É a refeição mais importante do dia, Rush. Tem algum lugar aqui onde sirvam café e *bagels*?

Rush assentiu.

— Tem o Sam Widge's, na Gerrard Road.

— Salmão defumado com *cream cheese* e um *espresso* duplo para mim. Para você, escolha o que quiser.

Ela lhe entregou uma nota de 20 libras e ele saiu.

Os arquivos do pessoal eram tão simples e banais quanto ela esperara que fossem, e Kennedy foi capaz de verificar todos eles dentro da hora que havia estipulado. O café ajudou. O flácido pãozinho de massa fina — acabaram os *bagels*, lamento —, nem tanto.

Toda a equipe de Ryegate House, tanto a que trabalhava o dia todo como a que fazia meio período, tinha um histórico profissional impecável. Ninguém ali tinha ficha criminal nem problemas com dívidas, ou, pelo menos, nada que tivesse aparecido na investigação bastante superficial que o museu fizera. A maior parte daquelas pessoas estava ali desde antes do dilúvio, e quase todas as que ocupavam cargos mais elevados haviam sido promovidas internamente.

Aparentemente, ninguém tinha podres a esconder.

Então Kennedy restringiu a busca, procurando padrões de repetição. Era um procedimento padrão da polícia com qualquer possibilidade de conspiração — ou quando se queria eliminar essa possibilidade — procurar um terreno comum onde ela poderia ter se desenvolvido: se dois ou mais funcionários de Ryegate House houvessem frequentado a mesma escola ou faculdade, tivessem trabalhado juntos em outro contexto ou fossem membros do mesmo clube ou associação, teria valido a pena acompanhar. Mas não haviam, não tinham, não eram. A única coisa que possuíam em comum era a própria Ryegate House.

Ela decidiu tomar outro rumo, procurando *hobbies* ou experiências de trabalho que pudessem traduzir-se em habilidades de roubo. Não havia muito: duas pessoas da equipe de segurança eram ex-militares, mas seu histórico — Corpo Real de Transportes e Guarda Domiciliar — não sugeria que nenhuma delas tivesse recebido algum treinamento em operações especiais.

Finalmente, sem um senso de direção maior do que quando havia começado, ela empurrou a pilha de arquivos sobre a mesa para o lado de Rush.

— Embaralhe e dê as cartas — disse. — Coloque os arquivos em algum tipo de ordem que faça sentido para você e, depois, vá passando-os para mim, um por vez.

Ele pareceu nervoso com tamanha responsabilidade.

— Pode ser em ordem alfabética? — perguntou.

— Não — respondeu Kennedy, em um impulso. — Me surpreenda.

As próximas horas foram extenuantes. Sem a orientação dela, Rush decidiu começar pelo alto escalão. O cargo mais alto ali — excluindo o de Emil Gassan — era ocupado por uma certa Valerie Parminter, que tinha o título de diretora assistente. Estava na casa dos 50 e era atraente de uma forma austera, com uma figura bem conservada e cabelos tingidos de rosa que faziam da própria falta de naturalidade uma virtude. A julgar por sua expressão, ela via aquela entrevista como uma imensa afronta à sua dignidade.

As respostas de Parminter às perguntas de Kennedy começaram como frases esparsas, mas rapidamente degeneraram em monossílabos. Sua face dizia: *Tenho que suportar isto, mas não tenho que esconder meu desprezo*.

Kennedy atacou a jugular sem o menor escrúpulo.

— Então — disse ela —, isso aconteceu debaixo do seu nariz, por assim dizer. No período entre a saída do antigo diretor e a chegada do professor Gassan.

Parminter fitou-a com um olhar frio e indignado.

— Não acho que o período seja relevante para qualquer coisa — retrucou.

— Ah — disse Kennedy.

Quem vive pelo monossílabo morrerá por ele. Parminter esperou por mais, e, quando nada veio, ela despejou seus sentimentos feridos no silêncio acusador.

— Para sua informação — disse acidamente —, eu sugeri uma revisão de segurança completa nove meses atrás. O Dr. Leopold disse que consideraria a ideia. O que, naturalmente, significava que ele a varreria para debaixo do tapete e a esqueceria.

— A senhora tinha dúvidas quanto à adequação das medidas de segurança — Kennedy resumiu, rabiscando notas enquanto falava.

Parminter se ajeitou na cadeira.

— Sim.

— Mas só as mencionou nessa ocasião. Uma pena, considerando o que aconteceu depois.

— Fui ignorada! Há um limite para quantas vezes você pode dar murro em ponta de faca.

Kennedy apertou os lábios.

— E essas preocupações. A senhora as expressou em um *e-mail*? Um memorando?

— Não.

— Em uma reunião com ata, então.

— Não. — Parminter parecia exasperada. — Foi uma conversa particular.

— Que o Dr. Leopold vai corroborar?

A mulher mais velha riu, atônita, indignada, falsamente deliciada, mas com uma ponta de nervosismo sob tudo isso.

— O Dr. Leopold sofreu um derrame. Ele não pode nem falar. Mas eu não estou em julgamento aqui. A segurança é da alçada do diretor.

— Claro — Kennedy concordou. — Ninguém aqui está em julgamento. É só que me pediram que apresentasse um relatório sobre o nível de atenção e eficiência da equipe, além do inquérito sobre este caso específico. Eu quero me certificar de fazer justiça a todos vocês.

Então comece a falar.

— Isso é um absurdo — protestou Parminter.

Kennedy encolheu os ombros com simpatia.

— Eu sei.

— Sofremos uma série de tentativas de arrombamento — Parminter disse. — Um enxame, todas de uma vez, cerca de sete meses atrás.

— Tentativas?

— Sim.

— Não houve perda ou dano real?

— Não. Mas fez com que todos nós ficássemos conscientes de que, em alguns aspectos, estávamos longe da eficiência ideal. Eu estive em um curso no ano anterior, no qual houve palestras sobre como proteger itens muito pequenos e muito valiosos. Expliquei ao Dr. Leopold que alguns museus e arquivos utilizam um sistema duplo cego de armazenamento. Quando um item precisa ser movido de uma das prateleiras para qualquer outra parte do prédio, primeiramente um formulário de requisição deve ser preenchido. Assistentes usam o código do item para gerar um endereço físico no computador, e a caixa com o item é trazida das prateleiras, selada. O curador que solicitou a caixa sabe o que há dentro dela, mas não onde ela está. O assistente sabe onde ela está, mas não o que há dentro dela.

— E isso tem o efeito de...

— Torna o roubo planejado impossível. Nosso sistema, por outro lado, depende de barreiras e obstáculos físicos. Que funcionam muito bem até que alguém descubra uma maneira de contorná-los. E, quando isso acontece, o ladrão sabe exatamente onde procurar. Bem, exceto pelos livros, é claro.

— Os livros?

— A coleção herdada da antiga Biblioteca Britânica. É disso que a Sala 37 está cheia, não é?

O interesse de Kennedy se vivificou, apesar de todo o sermão da mulher. Gassan havia dito que a Biblioteca Britânica e o Museu Britânico costumavam compartilhar as mesmas instalações. Na época, ela se perguntara de onde saíra aquele factoide aleatório.

— Por quê? — perguntou ela. — O que torna os livros diferentes?

— Bem, não dispomos de um catálogo dessas obras — disse Parminter, como se afirmasse algo estupidamente óbvio. — O catálogo e todos os códigos de acesso foram para o novo edifício da biblioteca, na Euston Road. Se eles quiserem encontrar um livro específico, precisam nos informar um local físico: sala, prateleira, posição, número da caixa. A única alternativa seria procurar dentro de cada caixa até encontrá-lo. — A mulher mais velha sorriu. — É irônico, na verdade.

— É mesmo? — perguntou Kennedy. — Por quê?

— Bem, a falta de um endereço físico significa que obtivemos para os livros um nível de segurança muito melhor do que qualquer coisa que temos para os outros artefatos. E ainda assim os livros, pelo menos os que ficaram conosco depois da mudança, são a parte menos importante do acervo.

— Eu não tenho certeza de que isso conta exatamente como ironia — disse Kennedy. — Mas entendo o seu argumento. Sra. Parminter, o que acha que o intruso queria?

— O que quer que pudesse pegar. — A resposta soou descontraída, mas foi dita com uma ênfase definitiva.

— O quê, a senhora não acha que ele tinha um plano? Um alvo específico?

— Não. Não acho.

— Por quê?

Parminter quase zombou.

— Bem, digamos apenas que, se ele tinha, e se ele acabou naquela ala e naquela sala, deve ter entrado no lugar errado.

Ela se levantou sem perguntar a Kennedy se a entrevista havia acabado e dirigiu-se à porta. Então disse por sobre o ombro:

— Ele teria tido mais sorte remexendo no nosso lixo.

* * *

Antes que Kennedy pudesse chegar ao entrevistado número dois, Izzy telefonou. Ela ainda estava no trem.

— Oi — Izzy disse, tentando soar alegre em meio à tristeza e à dor. — O que você está fazendo agora? Surrando malfeitores?

— Entrevistando testemunhas — respondeu Kennedy. — Surrar vem depois. Eu pensei que você já estaria lá agora.

— O trem ficou detido perto de Leicester. Nós vamos chegar logo.

Houve um silêncio fecundo.

— Diga a eles que mandei um abraço — disse Kennedy, por falta de outra coisa a dizer que tivesse um verdadeiro significado.

— Claro — Izzy respondeu. "Eles" eram o irmão de Izzy, Simon; sua esposa homofóbica, Caroline, que cruzava as pernas sempre que Kennedy entrava na sala, como se temendo que sua vagina estivesse sob ameaça direta; e seus filhos estranhamente quietos, mas em geral afáveis, Hayley e Richard. Viviam em um próspero subúrbio de Leicester, criavam coelhos e, considerados em conjunto, tinham uma espécie de serenidade provinciana que Kennedy observava com perplexidade e leve desconfiança. Caroline era conhecida na cidade, mas só de longe, ganhando uma grana preta trancada em uma sala no topo da casa que continha apenas uma mesa, um computador e três telefones. Simon cuidava dos filhos, dos coelhos, da casa e praticamente de todo o resto.

Fora ideia de Kennedy que Izzy passasse um tempo com seu único irmão e a família dele, ou, pelo menos, que ela mantivesse certa distância de Kennedy até que esta fosse capaz de estabelecer qual parte de sua vida pregressa havia voltado para persegui-la agora. Só podia ser isso. Era simplesmente inconcebível que o ataque pudesse ter algo a ver com seu trabalho em Ryegate House, que mal havia começado. Fora só aquele momento, e o perturbador eco visual do homem de traje negro, tão parecido com o que ela vira na gravação da câmera de segurança. Mas, mesmo que o intruso de Ryegate fosse louco o suficiente, e desesperado o bastante, para cometer um assassinato a fim de esconder o roubo, de jeito nenhum Kennedy representava uma ameaça crível o suficiente para motivar um ataque como aquele. Ela não sabia nada, não tinha pistas nem ideias.

Izzy demonstrara toda a sua indignação e seu escárnio com a sugestão de que precisava de proteção, mas achara deliciosamente atraente a ideia de Kennedy desejar protegê-la, ser sua amazona de armadura brilhante. Depois de as duas voltarem ao conforto e à privacidade do apartamento de Izzy, o sexo posterior àquela conversa havia alcançado picos e profundezas que surpreenderam a ambas.

Mas quando acabou, e elas ficaram deitadas lado a lado em um emaranhado de lençóis cheios de nós, como vítimas de um tornado muito condensado, aqueles dois assuntos espinhosos — o relacionamento e a experiência de quase morte — ainda estavam lá. Uma hora de transpirada apoteose não significava que elas estivessem a salvo, em terra firme. E o curativo na testa de Izzy era um poderoso lembrete de que alguém havia acabado de tentar selar o destino delas com cimento.

Kennedy viera com a ideia de uma separação experimental — em parte para que elas pudessem descobrir exatamente como se sentiam em relação uma à outra e, em parte, para que Izzy pudesse ficar fora de perigo, enquanto ela mesma tentava descobrir de onde vinha esse perigo e eliminá-lo.

Fora difícil convencer Izzy. O sexo maravilhoso e o desejo de Kennedy de protegê-la haviam mudado completamente seu prognóstico do relacionamento. Agora queria capitalizar aquelas reviravoltas para fazer com que Kennedy lhe desse o perdão.

— Não me peça para ir para a porcaria de Leicester! — Izzy havia implorado. — Eu posso me manter longe de encrenca aqui mesmo. Vou ficar com a Pauline e a Kes, lá no Brixton.

— Perto demais, fácil demais — Kennedy respondera sem rodeios. — E você ainda estaria vendo todas as pessoas que normalmente vê. Qualquer um que tentasse poderia encontrar você sem muito esforço dentro de um dia.

— Mas e quanto ao meu trabalho?

Kennedy pegara o telefone de Izzy, que estava no braço do sofá, e o acenara brevemente diante do rosto dela antes de jogá-lo na bolsa.

— Este é o seu trabalho. Você pode fazê-lo a 200 milhas de distância tão bem quanto aqui. Melhor ainda, não vai ficar tentada a convidar um cliente regular para um encontro cara a cara.

Fora deliberadamente cruel — um lance preventivo para acabar com a discussão. E funcionara muito bem, aliás. Izzy absorvera o golpe baixo sem uma palavra e começara a fazer as malas. Quando ela saiu, uma hora depois, as duas se abraçaram, mas de forma desajeitada e hesitante.

Assim como a conversa agora.

— Eu pensei em uma coisa — Izzy disse.

— No quê?

— Em transar com alguém.

— Izzy...

— Escute, amor. Eu estava pensando que eu poderia arranjar para você um encontro com alguém. Alguém bem bonita. E aí você poderia, sabe, se vingar sendo infiel também. E tirar isso da cabeça. Você nem precisaria curtir. Seria só para aliviar a tensão, sabe? Para que a gente pudesse voltar a ser como era antes.

— Izzy, essa é a coisa mais besta que eu já ouvi.

— Tá bom. — Izzy abandonou a ideia rapidamente, ganhando distância. — Eu pensei mesmo que era besteira. Eu só queria pôr pra fora.

— Tenho que ir.

— Tá.

— Ligo pra você hoje à noite.

— Amo você.

Kennedy desligou e pegou o próximo arquivo.

* * *

O segundo diretor assistente Allan Scholl — um sujeito bonachão de uns 50 anos com cabelos loiros desgrenhados que ele obviamente considerava ser seu ponto forte — era muito mais tranquilo do que Parminter e muito mais cortês. Mas tinha ainda menos a revelar. Ele fez questão de frisar seu papel fundamental no dia em que a invasão fora descoberta. Havia sido ele quem chamara a polícia, mandara a segurança lacrar a sala e organizara a busca preliminar no acervo a fim de descobrir o que havia sido roubado. Ele supervisionara o processo pessoalmente, pois seu assistente estivera afastado por motivo de doença e, embora ele tivesse voltado naquele dia, chegara atrasado.

— E o senhor descobriu que nada estava faltando? — perguntou Kennedy.

— Nada que pudéssemos verificar de forma definitiva — Scholl a corrigiu. — Fizemos uma busca mais detalhada desde então e tudo parece estar no lugar. Mas é difícil ser categórico nesse ponto.

— Por quê, Sr. Scholl? — Kennedy sabia a resposta, mas nunca fazia mal parecer mais ignorante do que realmente era: o princípio de Columbo[5].

— Porque existem literalmente milhões de itens no acervo. Assinalar cada um na lista demoraria muito. E a verificação visual pode não ser suficiente, em alguns casos. Se você quisesse roubar um artefato muito valioso para depois vendê-lo, uma das coisas que poderia fazer seria substituir o original por uma cópia para que a perda dele não fosse percebida. E, além disso, há os livros...

— Que não foram catalogados.

— Que *foram* catalogados, mas o catálogo está absurdamente desatualizado e nem é guardado aqui. Fica na Euston Road, em um local completamente diferente. Então, sim, nós achamos que nada foi levado, e essa é a nossa posição pública, por assim dizer. Mas, particularmente, sou descrente quanto a isso.

Kennedy voltou a pensar na gravação do homem de preto, com a pequena bolsa transversal pendurada no ombro. O que quer que ele tivesse vindo apanhar, não era um item dos mais volumosos. E ele tampouco saíra para fazer comprinhas aleatórias.

Assim, sua posição ia além da descrença. Ela tinha quase certeza de que algo havia sido levado. O intruso fora registrado na câmera e havia deixado cair uma faca (depois de tê-la usado, e essa era uma peça que não parecia se encaixar em nenhum lugar do quebra-cabeça). Mas ainda parecera sair de mãos vazias, e ela não tinha razão para supor que a missão fora abortada.

Qual fora a missão? E quem era ele? E como havia conseguido entrar e sair?

E, na esteira dessas perguntas: *ele tentou me matar ontem à noite?*

À medida que a manhã foi passando, ela retomou seu ritmo de trabalho. Em sua vida pregressa como policial, havia sido boa nesse tipo de coisa. Havia entendido, de forma intuitiva, que a questão não era fazer as perguntas certas. Não a princípio. Era só mantê-las brandas e gerais, e as pessoas acabavam revelando o que tinham em mente. As perguntas eram como as manchas de tinta em um teste de Rorschach.

---

[5] Detetive interpretado por Peter Falk na série televisiva *Columbo*, dos anos 1970, famoso por suas técnicas investigativas. (N. T.)

— Eu tive que trabalhar até tarde naquele dia — disse um homem de cabelos oxigenados, a compleição esbelta de um bailarino e olhos castanhos, intensos e enormes.

Kennedy olhou para o arquivo correspondente. Alex Wales. Ela fez uma conexão mental.

— Então você é assistente pessoal do Sr. Scholl?

O homem assentiu de forma enfática, como se Kennedy tivesse afirmado algo com que ele concordava profundamente, mas não disse nada. Talvez seus olhos não fossem demasiado grandes: eram apenas muito mais escuros que o rosto, de modo que chamavam a atenção.

— Você esteve afastado do trabalho durante todo o dia na segunda-feira — disse Kennedy. — Depois, na terça-feira, chegou à empresa em torno das 11 horas. Por que isso?

Houve um silêncio longo o suficiente para que ela o considerasse embaraçoso.

— Tenho anemia perniciosa — respondeu Wales por fim. — De vez em quando, eu desmaio. Tomo pílulas para manter a situação sob controle, mas mesmo assim o nível de ferro no meu sangue varia muito. Quando está muito baixo, não consigo nem sair da cama.

— Então você se ausentou na segunda-feira porque estava doente.

Outra pausa.

— Eu passei o dia todo deitado. E a terça-feira de manhã também. Depois, levantei.

Ele parecia estar escolhendo as palavras com cuidado, como se tivesse medo de ser acusado de alguma coisa — de mentir sobre ter ficado doente, talvez.

— O que estava acontecendo quando você chegou na terça-feira? — Kennedy perguntou.

— Você quer dizer, qual foi a primeira coisa que vi na terça-feira?

— Sim. Exatamente.

— A polícia estava por toda parte. Entrando nas salas.

— Então, o que você fez?

— Fui para a minha mesa e liguei meu computador.

— Como num dia normal?

— Sim — Wales assentiu.

— Não ficou surpreso ao ver todos aqueles policiais? Não parou para perguntar a alguém o que estava acontecendo?

— Eu pensei que provavelmente estavam investigando uma invasão.

— Você pensou nisso? Na mesma hora?

Kennedy recebeu outro olhar longo e duro daqueles grandes olhos escuros.

— Sim. Na mesma hora.

— O que o fez pensar assim?

— Bom, pareceu a explicação mais óbvia. Mas acho que poderia ter sido um monte de coisas piores.

— Como o quê?

Silêncio. *Encare-o. Espere.*

— Bom — Alex Wales disse. — A polícia nunca aparece com boas notícias, não é?

* * *

Antes que percebesse, ela havia terminado.

Estava esperando que mais um funcionário ou curador entrasse timidamente na sala, mas, quando a porta se abriu, foi Rush quem apareceu.

— Acabou — disse ele.

Kennedy olhou para o arquivo restante, que jazia sozinho ao lado da pilha daqueles pertencentes às pessoas que ela já entrevistara.

— E o Mark Silver? — perguntou, e sua memória despertou assim que ela disse o nome em voz alta. Respondeu à sua própria pergunta: — O Mark Silver está morto.

Rush assentiu solenemente.

— Sim. No fim de semana antes da invasão.

— Acidente de trânsito.

— Isso mesmo.

— Então, por que você me trouxe o arquivo dele?

— Desculpe — Rush disse. — Você me disse para colocar os arquivos em algum tipo de ordem, e que não poderia ser simplesmente alfabética, então eu ordenei tudo pelas datas de início. Sabe, as datas em que as pessoas passaram a fazer parte da equipe. Aquelas com quem você falou primeiro são as que trabalham aqui há mais tempo. Então, eu fiquei olhando para as datas em vez de observar os nomes. Caso contrário, eu teria tirado o Mark.

Houve um silêncio. Kennedy não conseguiu pensar em nada com que preenchê-lo.

— Quer que eu traga mais café? — Rush perguntou.

— Não, tudo bem — disse ela. A verdade era que estava cansada demais para se mover. Como se precisasse de uma desculpa para continuar sentada lá, abriu a capa do arquivo de Silver e examinou os detalhes. Nascido em Birmingham, educado em Walsall e Smethwick, ele depois escapulira para se juntar ao Exército Britânico no Reno. Obviamente, Mark sentira a necessidade de dar o fora de sua cidade natal e conhecer o grande mundo. Não se podia culpá-lo por isso.

Enquanto seu olhar vagava pela página, Kennedy viu-se atingida por uma leve sensação de *déjà-vu*. Era algo recente. Dragando o solo da memória, ela comparou o arquivo de Silver com um dos outros que havia pouco estivera olhando. Não era uma correspondência perfeita, mas próxima o bastante. Por ordem de data de início, Rush havia dito.

Kennedy ergueu o olhar para ele, que a fitava ligeiramente confuso, observando as expressões sucederem umas às outras no rosto dela.

— Aquelas invasões — disse ela.

— Invasão, você quer dizer. No singular.

— Não. As outras. As tentativas que não deram certo.

Rush franziu o cenho.

— Ah, tá. Essas. Já faz um tempinho. Acrescentamos algumas câmeras externas, no telhado. Você viu ontem. Quem quer que fosse, não voltou.

— Certo.

Ela havia entendido quase tudo agora. Uma parte, pelo menos. Mude a perspectiva e o impossível se torna trivial. Isso era coisa de Columbo ou de Sherlock Holmes?

— Vá preparando suas chaves — ela pediu a Rush. — Quero dar mais uma olhada naquela sala.

CAPÍTULO 7

Oito corredores paralelos de caixas. Nenhum espaço vazio nas prateleiras, embora Gassan houvesse dito que estavam usando apenas um terço da capacidade da sala. Essa foi a primeira coisa.

— Então algumas dessas caixas não têm nada dentro, né? — Kennedy perguntou a Rush.

— Todas as que estão do fim do corredor C em diante — ele confirmou. — Os funcionários normalmente preenchem o espaço a partir do começo. Mas provavelmente há mais algumas caixas vazias misturadas com as cheias. Espaços que não foram preenchidos ou coisas que foram levadas para novos locais e deixaram lacunas.

— Então, para que se preocupar em ter caixas sem nada dentro?

Rush pensou um pouco nessa pergunta.

— Acho que elas funcionam um pouco como uma cortina de fumaça — respondeu, por fim.

— Você quer dizer, porque obrigaria um ladrão a abrir cada caixa?

— Sim. Mas eu acho que tem mais a ver com espaço, para ser honesto. As caixas são rígidas, com laterais reforçadas, de alta qualidade. Elas não vêm desmontadas. Então, onde mais poderíamos empilhá-las? Seria besteira ter salas reservadas só para as caixas vazias quando podemos simplesmente colocá-las nas prateleiras aqui e deixar tudo pronto para receber as coisas novas à medida que chegam.

— É. Seria besteira mesmo — Kennedy concordou.

Ela fez com que Rush lhe mostrasse as duas câmeras fixas e, com a ajuda dele, caminhou para fora das áreas visíveis da sala a cada uma das câmeras. O espaço negativo, que as lentes não alcançavam, foi onde ela começou.

Ele a observou por um tempo, abrindo caixas e espiando o interior delas. Ficou perplexo.

— Essas estão vazias — disse a ela.

— Sim — Kennedy concordou. — E aposto que ninguém se preocupou em olhar dentro delas, né?

— Não sei. Não teria muito sentido, teria?

— Depende do que você estiver procurando.

Rush esperou por mais, mas Kennedy não tinha nada a dizer. Se ela estivesse errada, poderia muito ficar errada em silêncio. Havia centenas de caixas vazias nas infinitas prateleiras. As cheias eram todas do mesmo tamanho, já que possuíam o mesmo conteúdo: uma profusão de livros da Biblioteca Britânica. As caixas vazias haviam acabado de ser colocadas onde houvesse espaço para elas, então vinham em uma variedade de tamanhos que refletia a infindável variedade de itens no acervo do museu.

Kennedy só se deu ao trabalho de abrir as maiores, e encontrou ouro antes mesmo de chegar à metade do corredor D.

Ela fez sinal para que Rush se aproximasse e apontou para a caixa aberta. Ele olhou para baixo e seus olhos se arregalaram. A caixa continha um suéter preto e um par de *leggings* pretos. Botas pretas. A balaclava preta concebida para cobrir todo o rosto. E uma grande quantidade do que parecia ser cinzas.

— Jesus! — ele exclamou. — Eu não entendo. Era isso o que o intruso estava vestindo?

— Sim — disse Kennedy. — É isso.

— Então, por que é que ainda está aqui? Nós o vimos sair da sala.

— Não. Não vimos. Só o vimos subir para o espaço do teto. Mas ambos sabemos que não existe jeito de sair de lá de cima. Então, o que nós vimos não foi a grande fuga. Foi outra coisa.

Kennedy ainda estava encaixando as peças em sua mente, mas o fato de que havia entendido uma parte lhe deu confiança para procurar os outros aspectos mais esquivos do crime. Se é que aquilo fora mesmo um crime.

— A sala ficou trancada desde o dia após a invasão — disse ela. Era mais uma declaração que uma pergunta.

— Sim — Rush confirmou. — Eu já te disse isso.

— Os funcionários do escritório fizeram uma contagem do conteúdo, mas eles foram vigiados o tempo todo. Ninguém foi autorizado a entrar aqui sozinho.

— Exceto a polícia.

— Exceto a polícia. Anote o número da caixa, sim, Rush? E depois tranque a sala. Deixe tudo exatamente como está.

— Certo.

— E não diga uma palavra a ninguém.

— Certo. — Ele piscou rapidamente, lançando-lhe um olhar cauteloso.

— Vou falar com o professor — disse Kennedy. — E com o Thornedyke. Não estou pedindo que você minta para o seu chefe. Só não converse sobre isso com ninguém da equipe, tá? Senão a notícia vai se espalhar, o suspeito vai acabar ouvindo e aí estamos ferrados. Eu acho que esta é a nossa chance de resolver este caso.

Rush pareceu gostar da palavra *nossa*, mas precisava perguntar:

— Temos um suspeito? Desde quando?

— Desde cerca de cinco minutos atrás. Eu não vou te dizer nenhum nome, ainda não. Pois, se você vir essa pessoa, vai precisar se comportar de um jeito absolutamente normal para que ela não fique de sobreaviso. Mas eu prometo que você será o primeiro a saber, depois do professor.

De volta à sala de reuniões, Kennedy pegou os dois arquivos relevantes e os levou até o escritório do Gassan. Ela os deixou cair sobre a mesa e ficou de pé, com os braços cruzados, enquanto ele lia os nomes.

Gassan olhou para ela, uma expressão de completo assombro no rosto.

— Você não está dizendo que esses dois tiveram algo a ver com a invasão, está?

— Na verdade, professor, estou dizendo que eles são os responsáveis por ela. E acho que sei *como* fizeram isso. Um dentro, um fora. Provavelmente a única maneira como a coisa poderia ser feita. Mas preciso da sua ajuda para a próxima parte.

— Que seria?

— Descobrir *o que* eles fizeram.

Gassan esfregou a testa, como se estivesse com uma leve dor de cabeça. Claramente, a notícia de que a invasão poderia ter sido um trabalho interno não o alegrara. Ele olhou de um arquivo para o outro e depois novamente para o primeiro.

— Eu odeio apontar a falha no seu raciocínio, Heather — disse finalmente —, mas o Mark Silver já estava morto quando a invasão aconteceu. Você deve estar enganada.

— Talvez — ela admitiu. — Me dê os registros de entrada e saída daquele dia e nós saberemos. Porque, se eu estiver certa, os dois saíram ao mesmo tempo na noite da...

O telefone de Kennedy tocou algumas notas falsas de *jazz* — era uma mensagem de texto, não uma chamada — e ela fez uma pausa enquanto verificava a mensagem. Era de John Partridge — e era uma boa notícia:

A Swansea disse sim. Sonda de Kelvin e operador. Só um dia. Amanhã.

Ela pegou os arquivos de Gassan.

— Não precisa acreditar em mim — disse a ele. — Só me deixe prosseguir com o plano. Vamos saber muito mais amanhã. Porque, amanhã, nós vamos ser capazes de ir aonde eles foram. Ver o que eles viram e o que tocaram. Descobrir o que levaram, se é que levaram algo.

Gassan olhou para Kennedy com um ar de ceticismo muito aristocrático, como se ela tivesse acabado de lhe propor um negócio ilícito.

— E como é que vamos fazer isso? Por mágica?

— Quase isso — respondeu Kennedy.

CAPÍTULO 8

Isabella e Heather não podem atender no momento, mas, se quiser, deixe uma mensagem após o bipe. A gente liga pra você.

Ninguém deixara uma mensagem. Não havia a luz vermelha na base da secretária eletrônica. Kennedy só acionou o correio de voz para poder ouvir a voz de Izzy. O apartamento era assombrado pela ausência dela — uma quietude nada fantasmagórica, mas hostil.

Ela perambulou da sala para o quarto, depois de volta ao *hall*. Nenhum desses lugares parecia confortável.

Desde o momento em que descobrira quem eram os ciganos, quando tinha sete anos, Kennedy acalentara uma fantasia secreta que envolvia abandonar tudo o que possuía, exceto a roupa do corpo, e pegar a estrada. Quando estava deprimida, tendia a encarar espaços fechados como prisões. O sentimento lhe voltava agora, mais forte do que nunca.

Ela tirou o telefone da bolsa e olhou para ele como se esperando que tocasse, ou desafiando-o a fazer isso. Não tocou, mas ela notou outra mensagem de texto que não havia visto ao ler a de Partridge. Era de Ralph Prentice.

Talvez eu tenha algo para você. Sobre ferimentos a faca. Estou verificando agora. Provavelmente te ligo amanhã.

Ela teclou o número de Izzy. Deixou seu polegar pairar sobre o botão que completaria a ligação por um bom tempo.

Mas, no fim, apenas recolocou o aparelho no bolso.

* * *

A noite foi um horror. Kennedy tentou — numa rápida e inútil sucessão — ver TV, ler um livro e arrumar a casa. Sua mente recusou-se a se concentrar em qualquer coisa. Ela jantou — uma lasanha congelada e duas doses de uísque puro —, depois se deitou na cama sem mudar de roupa, fitando a rosácea de gesso no teto. Os loucos eventos da noite anterior ainda estavam por digerir em sua mente. Agora que ela vira as coisas de perto, a semelhança entre o traje utilizado pelo assaltante de Ryegate House e aquele usado pelo homem que a atacara era ainda maior do que ela pensara de início. Roupa preta é roupa preta, mas o desenho da balaclava era idêntico ao daquela que Kennedy segurara nas mãos depois do ataque a ela e Izzy.

Precisava encarar a possibilidade de que alguém quisera deter sua investigação — num momento em que ela mal tivera uma. E quisera isso o bastante para tentar matá-la. Esse pensamento despertou nela uma lembrança muito perturbadora. Ela conhecera pessoas que consideravam uma ninharia matar por um livro. E não queria de jeito nenhum encontrá-las novamente.

O calor era opressivo. Kennedy voltou à sala e preparou um drinque, depois se sentou diante da janela para sentir a brisa. Uma espessa camada de nuvens escondia a Lua, mas havia umas poucas estrelas visíveis perto do zênite do céu. Ela se imaginou no lugar delas, olhando para baixo — uma técnica que um psicólogo especialista em traumas lhe ensinara depois do incidente que lhe custara seu porte de arma. O objetivo do exercício era encorajar um saudável alheamento, de forma que se enxergassem os problemas em outra perspectiva. Nesse aspecto, Kennedy a considerava inútil. Mas aplicá-la lhe dava uma vaga e agradável sensação de vertigem.

Enquanto continuava sentada ali, tentando perder-se entre pensamentos inconsequentes para se defender dos aflitivos, uma ponta da camada de nuvens se dispersou, lenta e teatral, revelando a face da Lua. No súbito clarão, Kennedy viu algo se mover no topo do prédio oposto. Foi só por um segundo. Provavelmente um gato, ou coisa nenhuma, um pedaço de lixo leve o suficiente para ser deslocado pela brisa. O problema era que estava se movendo contra o vento.

Tão casualmente quanto possível, Kennedy tomou outro gole da sua bebida, pôs o copo de lado e saiu de perto da janela, passando pela porta e chegando ao corredor do apartamento de Izzy. Assim que ficou fora do possível campo de visão do outro prédio, correu pelo corredor, desceu os degraus de três em três e, dentro de 20 segundos, chegou à porta da rua.

Então, desacelerou e saiu num passo casual, cabeça baixa. Confiou à escuridão a tarefa de lhe dar cobertura. Desceu a rua, dobrou a esquina, rapidamente atravessou para a outra calçada e entrou num beco que levava à parte de trás do quarteirão oposto.

O prédio que ficava diretamente à frente do de Izzy era outro edifício residencial. Kennedy estava com sorte: dois adolescentes, menina e menino, saíram pela porta dos fundos quando ela se aproximou, e a menina amavelmente deixou a porta aberta para ela.

Encontrou a escada e subiu de forma rápida, em silêncio. No alto dela, havia uma saída de emergência que levava ao topo do prédio. Convenientemente ao alcance da mão, um extintor de incêndio jazia em um nicho da parede. Era um modelo à base de CO_2, pequeno e maciço o bastante para servir razoavelmente bem como arma. Kennedy o apanhou e escancarou a porta.

E descobriu que havia saído do lado errado. A porta abria-se para os fundos do edifício, não para a frente. No eco da porta que batera, ouviram-se outros sons — um raspar de pedra ou cascalho, depois o esboço de um farfalhar que rapidamente se desvaneceu.

Ela saiu correndo para a cobertura, contornando o abrigo baixo no qual a porta corta-fogo estava instalada. Não havia nada mais obstruindo sua vista e nenhum sinal de algo ou alguém que não devesse estar ali.

Ainda tensa e desconfiada, ela patrulhou toda a cobertura do prédio, olhando diretamente para as janelas do apartamento de Izzy. Podia ver onde estivera sentada, o copo vazio no parapeito, e a partir disso tentou entender onde é que vira o movimento deste lado.

No fim, descobriu. A superfície do prédio era de cascalho sobre placa mineral, e uma pequena área exibia marcas tanto do raspar de sapatos como de alguém que ficara sentado ou ajoelhado lá por um longo tempo.

Não era paranoia. Ela estava sendo observada.

E aparentemente o observador tinha asas, pois ela não via outra forma de ele sair daquela cobertura.

CAPÍTULO 9

Partridge estava esperando diante da entrada principal de Ryegate House quando Kennedy chegou, na manhã seguinte. Tinha a menor bituca de cigarro que ela já vira apoiada entre os dedos indicador e anular. Trazia dois acompanhantes, ambos parados nervosamente longe da fumaça do cigarro de Partridge: um jovem tímido, de aparência ligeiramente feérica, e uma mulher séria, de óculos. Ambos estavam na casa dos 20 anos e vestidos no que parecia ser suas melhores roupas, as da missa dominical. Partridge usava uma jaqueta gasta de trabalhador sobre uma camiseta branca lisa e calça azul-escura com mais bolsos do que qualquer pessoa poderia precisar. Ele apertou a mão de Kennedy e cumprimentou-a com cortesia arcaica.

Em seguida, apresentou os colegas:

— Kathleen Sturdy e William Price, da Escola de Engenharia da Universidade de Swansea.

Cada um deles estava de um lado de uma caixa de aço de aparência sólida, com fileiras de alças aparafusadas nas laterais e calços de espuma de borracha afixados em cada quina.

— Essa é a sonda Kelvin? — Kennedy perguntou.

— Isto é só a cabeça de leitura — Partridge respondeu. — Há muitos outros componentes. Estão dentro de uma *van* a algumas ruas daqui — o mais perto que conseguimos deixá-la. Meu Deus, odeio esta cidade.

— Isso só faz de você um cara ainda mais legal, John. — Kennedy voltou-se para a moça e o rapaz. — E imagino que vocês dois sejam os operadores. Muito obrigada por terem aceitado fazer isso.

— Na verdade, somos estudantes de graduação — a moça, Kathleen, respondeu. Sua voz tinha um sotaque galês tão delicado e musical que soava como se estivesse recitando um poema. — Mas somos qualificados para usar a sonda. Ambos estamos trabalhando em uma pesquisa sobre microscopia de força.

— E a universidade não podia enviar ninguém do corpo docente — Partridge resumiu. — Então, o William e a Kathy gentilmente concordaram em vir passar o dia na cidade e ajudar você. Em troca das despesas de viagem deles e de um pequeno cachê.

— É claro — Kennedy disse. — Estou grata aos dois. De verdade. Isso é simplesmente maravilhoso. — Ela não acreditava que Emil Gassan faria objeções às despesas extras, mas, se fizesse, ela mesma as cobriria com o dinheiro que já havia recebido. — Vamos entrar — sugeriu. — Vou mandar trazer um café para vocês e depois explicar do que preciso.

— Podemos perfeitamente pular o café — Partridge sugeriu, enquanto os dois estudantes levantavam a caixa de aço pelas alças espaçadas de maneira uniforme e a erguiam entre eles como quem carrega um caixão — e ir direto ao que interessa.

Mas não podiam fazer isso sem antes explicar a Gassan, e ele ficou novamente alvoroçado quando percebeu com o quê deveria concordar.

— Tem certeza de que isso é legal, Heather? — perguntou, puxando Kennedy de lado. — Soa como algo que pode tocar em questões de privacidade e liberdade de informação.

— Este é seu local de trabalho — ela explicou. — Tudo o que vamos fazer é examiná-lo em busca de evidências de acesso não autorizado. Não estamos presumindo que houve um crime, apenas uma invasão. Vamos dar uma olhada na Sala 37 e descobrir o que foi feito ali. Depois, quando confrontarmos nosso suspeito, vamos ter alguma base para isso. A invasão foi trabalho profissional, Emil. O cara não vai ceder, vai resistir até o fim. Se você quer ter alguma chance de descobrir o que aconteceu naquela noite, precisa conhecer boa parte da resposta antes mesmo de fazer a pergunta.

Ela esperou que Gassan pensasse a respeito daquilo, mas sabia que estava certa e não tinha dúvida quanto à decisão que ele tomaria.

— Está bem — disse o professor, por fim. — Vamos lá.

Por sugestão de Kennedy, fizeram Rush vir ajudar os dois estudantes a transportar da *van* o resto dos componentes de Partridge. Enquanto eles desembalavam e montavam tudo, Kennedy tentou explicar a Gassan o que a sonda realmente fazia, mas logo chegou aos limites de seu próprio conhecimento, e Partridge teve que vir em seu socorro.

— Na década de 1980 — disse ele a Gassan —, dois cientistas suíços desenvolveram um novo tipo de microscópio, que poderia fazer a varredura em um nível atômico. Chamaram sua criação de microscopia de força atômica ou MFA. E fizeram grandes coisas com ela. Podiam analisar imagens até uma escala nanométrica com enorme precisão. O único problema era que o tamanho da imagem, mesmo para uma varredura única, era colossal. A menos que você estivesse olhando para áreas extremamente pequenas, não era viável usar um dispositivo de MFA.

No canto, Kennedy pôde ver Rush parado um pouco à margem dos estudantes. Ele os ajudava sempre que precisavam, entregando-lhes componentes tirados das caixas, segurando firmemente o corpo principal da sonda enquanto Sturdy ou Price conectavam um cabo ou suporte a ele. Estava óbvio que ele se sentia atraído por Sturdy — e que não tinha a menor chance, porque ela e Price já formavam um casal. *A insensatez da juventude*, pensou Kennedy.

Ela voltou sua atenção para Partridge, que ainda estava falando sobre a sonda de Kelvin e sua história curta, mas ilustre.

— Mas, aí — disse ele —, a Universidade de Swansea interessou-se pela ideia original e começou a criar variações belíssimas. Eles meio que inventaram uma ciência chamada de nanopotenciometria. Ela mede com exatidão mudanças no potencial elétrico. A sonda analisa a condutividade da superfície de um objeto e cria um mapa do seu potencial elétrico.

Gassan balançava a cabeça positivamente, mas seus olhos estavam um tanto vidrados.

— Você pode usá-la para detectar impressões digitais — Kennedy disse a ele, indo direto ao ponto. — Ela faz um milhão de outras coisas também, mas para a polícia é uma máquina de impressões digitais.

Partridge pareceu aflito com essa simplificação excessiva, mas assentiu.

— A detecção tradicional de impressões digitais produz uma imagem a partir de resíduos oleosos da superfície da pele. Mas esses mesmos resíduos alteram o perfil eletromagnético de qualquer objeto que você toque com as mãos. Assim, a sonda de Kelvin elimina o intermediário e analisa diretamente a condutividade da superfície do objeto. Ela cria um mapa de potencial elétrico, no qual as impressões digitais se destacam como a luz de um farol. Sem precisar de agentes de desenvolvimento e resolução. Sem precisar nem mesmo tocar a superfície, de forma que não há perigo de destruir ou contaminar outros tipos de evidência, como DNA, enquanto procuramos pelas impressões. E você pode programar a sonda para reconhecer ou reagir a uma impressão específica — a do seu principal suspeito, por exemplo. É como uma lâmpada mágica. Só que é difícil de usar, pois é preciso ajustar a sensibilidade do leitor a um grau absoluto de precisão para excluir os outros tipos de variação aleatória ou sistêmica nas forças de campo elétrico. Para isso temos esses dois jovens entusiastas atrás de mim, trabalhando duro em um silêncio resignado.

Kathy Sturdy e Will Price olharam para cima, embaraçados, quando Partridge lhes fez esse elogio. Eles haviam desembalado os componentes da sonda e montado tudo ao lado da carcaça de aço. Agora Price estava ajustando suportes e parafusos no gabinete externo, enquanto Sturdy realizava leituras com um pequeno *tablet* que ela havia anexado ao dispositivo por meio de um cabo HDMI. Rush os observava, ou pelo menos observava Sturdy, com um olhar extasiado.

A sonda de Kelvin em funcionamento não se parecia com uma lâmpada mágica. Também não se parecia com um microscópio. Parecia mais a percepção de um artista sobre um aspirador de pó em um livro *pulp* de ficção científica publicado antes que aspiradores de pó tivessem sido inventados. Cada componente parecia duvidoso e improvisado. O único item que dava a impressão de alta tecnologia ali era a imagem no *tablet*, que de momento a momento se formava e reformava em uma teia de linhas verde-claras.

Sturdy ajustou a imagem usando controles deslizantes virtuais sobrepostos a ela. Fez isso por um longo tempo até, finalmente, sinalizar para Price. Ele pegou uma extremidade do aparelho — uma cabeça de leitura quase tão longa e grossa quanto uma régua, ligada a um cabo de três metros — e a passou ao redor de um extintor de incêndio fixado à parede ao lado dele.

A tela se apagou, as linhas verdes se rearranjaram e uma nova imagem apareceu. Era difícil distinguir o que mostrava. Seus planos de cor coagulada desafiavam a interpretação, até que Sturdy, com um gesto rápido sobre um dos controles deslizantes, reduziu o *zoom* da imagem, revelando a superfície curva do extintor de incêndio.

Ela deu um novo *zoom* e a superfície se dissolveu em nível após nível de complexidade fractal.

— Vinte? — Price murmurou para ela. — Vinte e cinco?

— Vinte e cinco — ela confirmou. — Vou aumentar o contraste em meio por cento.

— Certo. Devo deixar parado?

— Não, faça uma varredura lenta. Aí. Para cima. Suba só mais um... pare.

Price apontava o leitor para a base do extintor de incêndio. A ponta do dedo indicador de Sturdy tocou a tela e deslizou pelos controles virtuais. A tela se apagou e se refez em quadrados de alguns centímetros, fixando-se em um nível predefinido de ampliação. Kennedy e Gassan viram-se olhando para as saliências e os sulcos espirais de uma impressão digital.

— E *voilà* — disse Partridge, satisfeito.

— Impressionante — Gassan admitiu depois de uma pausa de genuína admiração.

— Mas isso é só o começo — Kennedy lembrou a ele e aos estudantes. — Vai haver muitas impressões por aqui. Estamos procurando um conjunto em particular, e vamos dar uma amostra dele a vocês. Rush?

— Ah. Certo. — Rush relutantemente desviou seu olhar de Sturdy. Enfiou a mão no bolso e tirou uma caneta-tinteiro de aço inoxidável dentro de um saco plástico para provas. Kennedy o havia mandado trazer um objeto metálico, se houvesse. Quanto maior a condutividade elétrica em uma superfície, melhor a sonda de Kelvin a leria.

Ela pegou o saco e o entregou a Sturdy.

— Como funciona essa parte? — Rush perguntou à estudante.

— Achamos uma impressão na caneta — ela respondeu, segurando cuidadosamente o saco por uma extremidade — e a inserimos no *software* de reconhecimento. Então, ajustamos o leitor para ignorar qualquer coisa que não combine com ela. Espero que possamos tirar uma impressão completa da caneta, pois aí teremos uma gama maior de partes identificáveis.

Kennedy voltou-se para o professor Gassan.

— E a partir daí — disse a ele — fazemos um mapa das ações que aconteceram dentro da sala. Descobrimos exatamente por onde seu intruso andou e no que tocou.

— Embora isso ainda não nos diga se alguma coisa foi roubada — Gassan redarguiu, duvidoso. — Como já conversamos, Heather, essa sala contém sobras do acervo da Biblioteca Britânica. E não temos um catálogo.

— Está ocupado, Rush? — Kennedy perguntou.

— Eu? — O rapaz voltou a cabeça para ela.

— Você.

— Eu... não. Estou à toa. O que você quer?

— Vá me arranjar um catálogo — Kennedy disse.

CAPÍTULO 10

Levou três horas. Ninguém na Biblioteca Britânica parecia ter a menor ideia do que Rush estava dizendo quando mencionou o acervo de relíquias em Ryegate House. Ou então tinha, mas não via razão nenhuma para se envolver com o problema dele.

Finalmente, um assistente entediado encontrou uma fotocópia velhíssima de algumas páginas das quais a primeira vinha com um rabisco a mão de uma única palavra: CAIXAS.

— Pode ser isto — ele disse.

Parecia ser mesmo, pois estava organizada por ordem de sala e as salas iam de 34 a 41. Também parecia ser de péssima qualidade, por estar organizada *apenas* por ordem de sala — não por corredor ou caixa. Mas era o melhor que Rush conseguiria ali, então ele aceitou a lista e voltou a Ryegate House.

Encontrou Partridge e os estudantes ainda examinando a Sala 37, enquanto Kennedy caminhava ao longo dos corredores pregando Post-its no chão ou nas estantes, marcando os lugares onde a sonda de Kelvin já havia encontrado impressões digitais compatíveis. O professor Gassan parecia estar presente na qualidade de supervisor — parado em um canto e assistindo a tudo com um misto de fascínio e preocupação.

Rush entregou a lista a Kennedy e esperou que ela tivesse um ataque, mas ela não pareceu surpresa. Apenas assentiu e devolveu a cópia a ele.

— Não tem muita utilidade — ele observou.

— Não — Kennedy disse. — Mas a esta altura eu ficaria surpresa se conseguíssemos coisa melhor. — Ela olhou de relance para Sturdy e Price, que haviam chegado ao fim da última estante e agora estavam escaneando a parede mais distante. — Estamos quase terminando — disse. — Vamos examinar o que foi encontrado aqui mesmo, depois vamos levar o suspeito à sala de reuniões e confrontá-lo. Quero você lá, Rush, e o professor Gassan, e talvez o seu chefe, Thornedyke. E continuamos não podendo contar nada a ninguém até que tenhamos certeza do que aconteceu.

— Certo — Rush respondeu.

Do outro lado da sala, Sturdy olhou para eles e esperou educadamente até que a notassem.

— Acho que terminamos — disse ela.

Kennedy caminhou até lá e conferenciou com ela, enquanto Rush olhava a sala. Pela primeira vez, ele pensou no que estava vendo ali: um mapa tridimensional dos movimentos de um intruso naquele espaço. Ou talvez quadridimensional, uma vez que aquela multidão de Post-its presumivelmente indicava quanto tempo ele passara em cada parte da sala.

Ele olhou para Kennedy, que percebeu seu olhar e o interpretou corretamente.

— Interessante, né? — ela disse. — Tudo volta para este ponto aqui. — Ela indicou o final do corredor B, onde os Post-its cresciam feito um matagal. — O que quer que nosso intruso estivesse procurando, definitivamente estava em algum lugar neste trecho. Mas ele não sabia exatamente onde.

— Sete caixas foram muito manuseadas — Sturdy acrescentou. — Estas sete aqui, todas em sequência, todas agrupadas. O resto nem foi tocado, exceto esta aqui, perto das outras. Tem uma impressão da palma da mão inteira, o que penso significar que foi empurrada para o lado e tirada do caminho.

Ela olhou para Kennedy ao dizer isso, um tanto nervosa, como se achasse que criar hipóteses fosse prerrogativa de Kennedy. Esta assentiu, encorajando-a.

— É o que eu diria. E então?

— Então ele sabia o que estava procurando, mas não exatamente onde estava.

Porque ele estava consultando esta lista, Rush percebeu de repente. *E ela separa os livros por sala, não por caixa. Talvez ele tenha começado em um ponto qualquer ou, talvez, tenha decidido arriscar baseado no cumprimento da lista completa e na posição ocupada nela por aquilo que ele procurava...*

O que significava...

Rush percebeu, então, que durante todo esse tempo havia entendido tudo ao contrário. Estivera considerando que o intruso passara pela Sala 37 ao sair do edifício e que a verdadeira missão dele fora empreendida em alguma outra sala. Mas a aglomeração de marcas era uma evidência.

O invasor viera atrás de um livro. Ou talvez vários livros.

— E o fato de que ele parou depois de mexer nas sete caixas — Kennedy comentou, os pensamentos dela seguindo paralelos aos dele — significa que achou o que queria.

— Na sétima caixa.

— Esta aqui. — Kennedy pousou a mão na tampa. — Emil, você se importa?

— Não, é claro, é claro. — Gassan estivera absorvendo tudo aquilo em um silêncio fascinado e perturbado. Ele gesticulou com pressa para que ela prosseguisse. Kennedy abriu a caixa e retirou dela o primeiro volume. Não era realmente um livro, mas um panfleto fino, o papel mofado com o tempo e esfarrapado nas bordas, dentro de um invólucro duro de filme plástico.

Ela o ergueu e o mostrou a todos. Era difícil distinguir o que dizia o título. Tudo estava escrito na mesma fonte, em uma grande variedade de tamanhos, com itálicos aparentemente distribuídos ao acaso.

Um presente de Ano-Novo
PARA O
PARLAMENTO
E O
EXÉRCITO:
MOSTRANDO
O que é o poder do REI
E que a CAUSA das pessoas
A quem chamam de
ESCAVADORES
É a vida e a essência da Causa
pela qual o Parlamento se Declarou
e pela qual o Exército Lutou

— "Um presente de Ano-Novo para o Parlamento" — Kennedy leu em voz alta.

— Por Gerrard Winstanley — Gassan concluiu.

Kennedy olhou para a capa.

— É — confirmou. — Esse mesmo. Você o conhece?

— Winstanley era um Escavador, ou Digger. Eles foram protocomunistas na época da Guerra Civil Inglesa. Acreditavam na posse coletiva da terra.

Rush consultou a lista. Encontrou o panfleto razoavelmente rápido.

— Metade do século XVII — confirmou ele. — Mil seiscentos e cinquenta e dois, de acordo com a lista.

Kennedy voltou para a caixa e pescou a próxima obra. Outro panfleto, muito similar ao primeiro, tanto na aparência quanto nas condições gerais: *A Lei da Liberdade em uma Plataforma*, Rush leu por cima do ombro dela. Kennedy guardou-o e retirou outro livro, devidamente encadernado e obviamente muito mais moderno, intitulado *Extremismo Político e Religioso no Interregno*. Ela virou o volume de lado para ler o número catalográfico na lombada.

— Talvez estejamos com sorte — disse. — É como se os livros tivessem sido colocados na caixa na ordem do catálogo. Agora que temos a lista para fazer a referência cruzada, temos uma boa chance de descobrir se algo foi roubado.

— Então, vamos continuar — Gassan disse. E pegou a lista das mãos de Rush, reclamando para si a tarefa.

Kennedy ficou com a caixa enquanto Gassan lia a lista. Rush, Price e Sturdy observavam em um silêncio solene e John Partridge retirava-se para um canto da sala para acender um cigarro rigorosamente ilegal. Levaram apenas dez minutos para descobrir o primeiro item desaparecido.

Título: *Uma Trombeta Profere o Julgamento, ou*
O Plano de Deus Revelado em Diversos Sinais
Autor: Johann Toller
Número catalográfico: 174583/762
Data: 1658

Na verdade, era o único item desaparecido. Daí até o fim da caixa, tudo estava na mais perfeita ordem.

Rush estava impressionado. Principalmente com o poder e a versatilidade da sonda de Kelvin, mas também pelo fato de que alguém fosse tão longe por causa de um livro.

— Suponho que seja valioso — Kennedy ponderou. — Tem 400 anos de idade.

— O que não é nada — Partridge retrucou secamente. — Não sei muito sobre o ramo de antiguidades, obviamente, não é o meu campo, de forma alguma, mas em uma estimativa generosa eu diria que um livro dessa época valeria... bom, não mais do que umas 100 mil libras. Professor Gassan, o senhor concorda?

— Não sou nenhum especialista no valor de mercado destas coisas — Gassan afirmou. — Mas ficaria surpreso se o seguro feito para essa caixa tivesse um valor maior do que 50 ou 60 mil.

Rush pensou nisso. Havia um grande número de livros naquela caixa cujo valor provavelmente era no mínimo esse, e eles nem pesavam muito. Então, teria sido fácil para o invasor agarrar um punhado deles e dar o fora.

Mas todos eles sabiam, pela presença das impressões digitais, que não fora isso que acontecera. Se você procura dentro de sete caixas, pega um item e depois para, obviamente esse item é o que você procura.

E depois? Você o *queima*? Porque o que Rush havia visto naquela outra caixa, umas duas fileiras depois, definitivamente eram cinzas.

Gassan olhava para Kennedy, ansioso. Agora que ela havia operado esse milagre, as expectativas dele em relação a ela estavam obviamente no topo.

— Muito bem, Heather — ele disse. — Você conseguiu as provas. Presumo que tenha um plano quanto a como usá-las.

— Acho que estamos prontos para falar com o suspeito — Kennedy respondeu. — Vamos precisar usar a sala de reuniões outra vez.

— A sala de reuniões? — Gassan franziu o cenho. — Meu escritório não seria mais discreto?

— Seria — Kennedy concordou. — Mas não vejo mal nenhum em ter um pouco de choque e espanto ao nosso lado.

CAPÍTULO 11

— Você começou a trabalhar aqui seis meses atrás — Kennedy disse.

Ela posicionara Alex Wales para que ele sentisse todo o efeito opressivo de um tribunal, sua cadeira de frente para a dela e as duas separadas pelo baluarte intimidador que era a mesa de reuniões. A própria Kennedy, Emil Gassan e o chefe de segurança, Thornedyke, sentavam-se lado a lado, mais ou menos ao centro da longa mesa. Sob ordens de Kennedy, Rush ficara do outro lado, perto do ombro de Wales, para enfatizar quão séria e oficial era a situação. Não havia nada nas maneiras dele que sugerisse que tinha algo a esconder. Estava de pé, ereto, ignorando a cadeira, os braços ao lado do corpo e a cabeça ligeiramente abaixada, como um ator em um teste.

— Sim — ele confirmou.

— E, anteriormente, você trabalhava na Biblioteca Britânica. — Rush achou que "anteriormente" fora uma bela escolha. Kennedy havia adotado um estilo forense.

— Sim — Wales respondeu novamente.

— Mas não disse isso ao se candidatar ao emprego. Você ocultou essa ligação, ainda que ela pudesse ter sido considerada uma experiência relevante. Por quê?

— Não fiquei muito tempo lá — Wales disse, dando de ombros. — E saí por razões particulares. Razões que não tinham nada a ver com minhas condições de trabalho. Eu realmente não queria responder a perguntas sobre isso.

— Certo — Kennedy concordou. — E quanto ao seu amigo, Mark Silver? Qual foi a razão dele para esconder que havia trabalhado lá?

Wales olhou para o professor Gassan, depois para Thornedyke, como se a pergunta fosse injusta e ele esperasse que algum dos dois a contestasse, defendendo-o.

— O Mark Silver não era meu amigo — respondeu. A pesada ênfase na última palavra permitiu que inferissem que houvera um relacionamento ali, mas não um que ele estivesse disposto a detalhar se ninguém perguntasse.

— Não? — O tom de Kennedy foi educadamente cético. — Vocês chegaram à Biblioteca Britânica juntos. Saíram de lá juntos. Depois, ambos conseguiram empregos aqui com umas poucas semanas de diferença um do outro.

— É mesmo? — Wales perguntou. — O Mark deve ter trabalhado em um departamento diferente do meu.

— Ele era segurança — Kennedy disse. — Teria sido difícil não percebê-lo.

Wales não respondeu — mas ela não havia feito realmente uma pergunta.

— Na verdade, houve um intervalo de tempo entre o momento em que cada um de vocês pediu demissão na biblioteca e as datas em que começaram a trabalhar aqui — Kennedy voltou à carga.

— Fiquei desempregado por sete semanas — Wales disse.

— E nesse intervalo, em fevereiro, houve algumas tentativas de invasão a Ryegate House. Tentativas que falharam.

— Sério?

— Sério.

— Não há nada que me ligue a essas tentativas — Wales disse.

— Talvez não — Kennedy admitiu.

Ela olhou de relance para o arquivo à sua frente, folheou-o e comparou suas páginas a outro papel sobre a mesa: a cópia de um documento eletrônico.

— Mas fiquei curiosa a respeito da compatibilidade de tempo — ela disse — e me perguntei se você ou o Mark Silver já teriam sido condenados por arrombamento e invasão. Eu não queria me fiar em algo que poderia acabar sendo só uma coincidência. Então, verifiquei a análise de antecedentes criminais que a biblioteca fez quando você começou a trabalhar lá. Sabe o que descobri?

— Nunca tive nenhum problema com a polícia.

— O Alex Wales nunca teve nenhum problema com a polícia — Kennedy o corrigiu. — Mas você não é ele, é? O verdadeiro Alex Wales viveu em Preston, até sumir de casa três anos atrás, aos 16 anos. A família dele o deu como desaparecido, mas foi só isso. Uma busca de rotina por antecedentes só procuraria condenações, então nunca encontraria uma lista de pessoas desaparecidas. Você ficaria a salvo a não ser que o Alex Wales aparecesse e pedisse a identidade dele de volta. E quais eram as chances de isso acontecer?

Kennedy ficou de pé.

— Quero te mostrar uma coisa — disse, indo para um extremo da sala, onde havia um objeto envolto em uma lona verde. Ela puxou a lona e a jogou de lado, revelando uma grande caixa de papelão.

Wales olhou para a caixa. Uma carranca permeou lentamente seu rosto. Encorajada, Kennedy deixou que o silêncio se prolongasse até ficar realmente desconfortável, mas Wales nada disse.

— Então, aconteceram aquelas tentativas de invasão em fevereiro — ela finalmente continuou. — E depois houve uma verdadeira invasão, algumas semanas atrás. Um trabalho muito profissional. A polícia não conseguiu oferecer uma explicação para como alguém teria conseguido passar por todo o sistema de segurança até ir parar em uma sala trancada. A resposta, é claro, é que o invasor não fez isso. Ele já estava no prédio quando o anexo foi trancado, após o expediente. Já estava na sala, na verdade. Encolhido dentro daquela caixa.

Wales sorriu friamente.

— Isso não parece muito plausível — disse.

— Não — Kennedy concordou. — Não parece mesmo, né? Era de se esperar que os registros de entrada e saída mostrassem que alguém não foi para casa naquela noite. A noite de sexta-feira, aliás.

— A invasão aconteceu na segunda-feira à noite ou na terça pela manhã. — Era a primeira vez que o professor Gassan falava. Ele parecia estar um tanto deslocado, claramente carente de informações, mas tentando parecer que estava a par de tudo.

Kennedy olhou brevemente para ele, balançando a cabeça.

— Não, professor, não aconteceu. Só pareceu que sim. Mas apenas porque deu errado. O Sr. Wales aqui se posicionou na sexta-feira, pouco antes do travamento noturno. Ele entrou na Sala 37, às 16h53. Sete minutos depois, na hora certa, ele finalizou o expediente e, para todos os efeitos, foi para casa. Mas não foi isso que fez, foi, Sr. Wales? O senhor deu seu cartão de ponto para seu amigo Mark Silver na porta da Sala 37. Ele bateu seu ponto no final do dia, enquanto o senhor ia para a caixa, cuidadosamente escolhida para ficar fora do campo de visão das duas câmeras de vigilância, entrava nela e esperava que todos fossem embora. Foi bem fácil de combinar, e, desde que o Silver escolhesse bem o momento de agir, provavelmente ninguém notaria um homem passando dois cartões de ponto, um depois do outro. Tudo o que ele precisou fazer foi registrar a própria saída, resmungar como se a máquina não tivesse reconhecido o cartão e depois registrar a sua saída.

Kennedy abriu a tampa da caixa e a inclinou, mostrando o interior a Wales e depois aos outros, um de cada vez. Ela virou a caixa entre as mãos de forma que eles pudessem ver as roupas descartadas e a fina camada de cinzas ao redor e embaixo delas.

Wales sussurrou algo inaudível. Rush não tinha certeza, mas soava como uma língua estrangeira.

Kennedy fitou o homem, curiosa.

— O que você disse?

Wales não respondeu.

— Não restou muito dos três dias em que você a ocupou — ela prosseguiu, tamborilando na caixa. — Você enfiou um cateter ou ficou usando fralda? De um jeito ou de outro, ainda foram três dias sem comer nem beber muito, porque há um limite para o que a gente consegue carregar no corpo.

Wales sustentou plenamente o olhar de Kennedy.

— Há limites para a maioria das coisas — disse ele. Seu tom de voz brando mitigava a ameaça implícita.

— O Sr. Wales queria ficar sozinho com os livros pelo tempo que precisasse — Kennedy disse, ignorando o comentário. — A intenção dele — seu único propósito lá — era vasculhar caixa por caixa até encontrar um certo item. Depois de achá-lo, tudo o que precisou fazer foi esperar o fim de semana acabar. Porque no início do dia, na segunda-feira, Mark Silver voltaria, passaria o cartão de ponto de Wales na entrada principal e, em seguida, iria à Sala 37 para deixá-lo sair.

— Heather — Gassan objetou —, o que estamos presumindo aqui? Que esses dois homens foram à Biblioteca Britânica em busca do livro de Toller e depois vieram procurá-lo aqui?

— Isso é exatamente o que eu estou presumindo. — Kennedy observava o rosto de Wales, que havia se alterado à menção de Johann Toller. A expressão dele se tornara primeiro mais intensa, depois mais fechada e resguardada. — Mas tudo o que eles conseguiram encontrar na biblioteca foi a mesma lista que o Rush trouxe para nós. Que só os levou até a Sala 37. A partir daí, tiveram que se virar sozinhos.

"E foi aí que as coisas começaram a dar errado. Porque Mark Prata não voltou na segunda-feira. Ele havia sido morto, durante o fim de semana, por um motorista que o atropelou e fugiu. O tipo de acidente que tem uma chance em um milhão de acontecer e para o qual nunca se está preparado. A esta altura, o Sr. Wales já tinha tomado posse do livro — aquele que ele estivera procurando o tempo todo..."

— *Um Trombeta Profere o Julgamento, ou O Plano de Deus Revelado em Diversos Sinais* — Glyn Thornedyke disse em um tom que soou ligeiramente pesaroso, lendo em voz alta do pedaço de papel que tinha diante de si.

— ... mas o momento chegou e Silver não apareceu. — Kennedy voltou-se para Wales. — O senhor não sabia que ele estava morto, é claro, mas soube que ele havia falhado. Então, agora precisava arranjar um novo jeito de escapar.

— Eu realmente não entendo — Thornedyke protestou. — Esse livro data do século XVII. Tenho certeza de que é muito raro, mas não é como se fosse um... uma Bíblia de Gutenberg ou um hinário de Caxton. Por que roubá-lo?

— Sim — Kennedy concordou. — Por que roubá-lo, Sr. Wales? Poderia nos contar? Estou pensando especificamente nas cinzas que estavam na caixa. O senhor roubou o livro ou o queimou?

Wales mantivera os braços ao lado do corpo o tempo todo. Agora eles os cruzara e baixara a cabeça novamente. Soltou um suspiro que soou resignado.

— Seria impossível fazer com que vocês entendessem — respondeu.

— Bom, a gente chega lá — Kennedy disse. — De todo modo, lá estava o senhor. Com a missão cumprida, mas preso na caixa e sem jeito de sair. O plano A obviamente tinha ido pelo cano. O plano B era a adaga, não era? A adaga manchada de sangue. Na verdade, é interessante que você estivesse carregando uma adaga — e tenho certeza de que não preciso lembrá-lo de que assalto a mão armada é bem diferente de arrombamento e invasão. Mas, de todo jeito, foi a adaga que o tirou daquela sala.

"Eu não saberia dizer, a princípio, como alguém que obviamente sabia onde estavam instaladas as câmeras de vigilância, e conseguiu manter-se longe delas por todo o tempo que passou na sala, poderia se ferrar de uma forma tão espetacular no fim. Se ferrar duplamente, na verdade — ao deixar que a câmera o registrasse e ao deixar a adaga para trás.

"Mas, àquela altura, certificar-se de que seria visto era sua prioridade. O senhor esperou até a noite. Então, feriu a si mesmo com a lâmina — no braço ou na perna, talvez. Algum ponto que não fosse muito visível. Deixou a adaga ali, onde certamente seria encontrada. E entrou no campo de visão da câmera ao subir até o teto da sala. Foi tudo de improviso, mas foi uma bela ideia. Fez parecer que o senhor estava empreendendo uma fuga.

"Na verdade, o que o senhor fez foi descer em uma parte diferente da sala, onde sabia que as câmeras não o veriam. E tudo o que precisou fazer depois foi voltar à sua caixa e esperar até a manhã seguinte. Foi quando a equipe de segurança encontrou a adaga e deu o alarme, exatamente o que o senhor precisava que fizessem. Pois sua única maneira de sair da Sala 37 sem a ajuda do Mark Silver seria se as restrições normais de entrada e saída de funcionários tivessem sido suspensas. E tinham que ser suspensas para deixar que a polícia entrasse e revistasse a sala."

Kennedy estivera segurando a caixa o tempo todo. Agora, deixou-a cair, emitindo um som oco e sinistro ao atingir o chão.

— Então, foi por isso que o senhor não esteve na empresa na segunda-feira, nem na terça de manhã, mas de repente apareceu no meio do dia. Não sei como escolheu o momento certo para sair da caixa. Estou imaginando que talvez tenha esperado até tudo ficar em silêncio e então se arriscado. Daí, ou o senhor saiu antes que pudesse ser visto, ou ficou bem ali na sala como se estivesse participando da busca. Teve que deixar seu traje na caixa, mas é claro que havia trazido consigo uma muda de roupa. É uma pena que a sala tenha sido lacrada depois e o senhor não tenha podido voltar a ela sem vigilância, para apanhar as peças pretas e se livrar delas. Estou perto de acertar?

Wales sorriu — o sorriso de quem sabia o que aconteceria a seguir e o acolhia.

— Muito perto — admitiu. — Muito perto mesmo.

* * *

Havia algo errado.

Kennedy interrogara dezenas de suspeitos durante seus anos na polícia e acompanhara de perto muitos outros interrogatórios. Ela aperfeiçoara suas habilidades tanto em exercer pressão sobre os suspeitos como em ler a linguagem corporal do homem ou da mulher que estivesse interrogando — pois praticamente tudo, em um bom interrogatório, resume-se à exatidão dessa leitura e a como você a permite moldar suas perguntas.

A expressão corporal de Alex Wales era totalmente equívoca. Medo ou arrogância teriam sido aceitáveis, e havia toda uma gama entre ambos que Kennedy teria reconhecido e com a qual saberia lidar. Mas o que Wales irradiava, apesar dos próprios esforços para disfarçar o sentimento, era algo inteiramente diferente. Era *expectativa*.

De vez em quando, ele se erguia apoiado muito ligeiramente sobre os calcanhares, só por um momento ou dois, e havia uma tensão residual em sua postura até mesmo quando ele fingia descaso ou resignação. Mostrava-se tenso e excitado em relação a algo que estava por vir, algo que ele sabia que aconteceria em breve. Mas Kennedy não tivera ideia do que seria isso, até o ponto em que mencionara a morte de Mark Silver.

Então, algo ocorrera nos olhos de Alex Wales. E Kennedy sentira um golpe de puro choque percorrê-la, do centro para as extremidades, como se alguém tivesse acabado de ligar o coração dela a uma tomada.

Os olhos de Wales tornaram-se avermelhados.

Ficaram raiados de sangue tão subitamente que era quase surreal. Como se o sangue estivesse brotando neles como lágrimas, esperando para ser derramadas.

Ela vira isso antes. *Hemolacria*. Era um efeito colateral da *kelalit*, uma droga muito potente da família das metanfetaminas. Três anos antes, quando ainda era policial, Kennedy havia esbarrado em um grupo de pessoas que consumiam essa droga, e todas exibiam essa inquietante característica. Chamavam-se os *Elohim*, ou Mensageiros, e eram os assassinos santos de uma tribo secreta — o Povo de Judas. Agora, ocorria a Kennedy que, quando Wales vira as cinzas na caixa, quando murmurara algo inaudível, a expressão dele havia mudado — tornando-se, por um momento, muito mais séria, até mesmo solene. Ele se parecera com um homem na igreja, ajoelhado diante do altar para a sagrada comunhão. E ela tinha certeza de que o que quer que ele houvesse dito fora dirigido às cinzas, não a alguma pessoa na sala.

Se Alex estava sob os efeitos da *kelalit*, o avermelhamento dos olhos indicava que o organismo dele estava se preparando para uma ação súbita e violenta. A droga lhe daria a velocidade e a força para matar feito um demônio liberto do inferno.

Kennedy sabia disso porque já vira acontecer. Vira seu próprio parceiro ser abatido por um desses monstros — ela mesma o enfrentara, em um caso no qual as atrocidades inescrupulosas daquele grupo haviam sido desencadeadas por algo tão banal e insignificante quanto a tradução de um evangelho perdido. Então, para que ela, Gassan, Thornedyke e o pobre coitado do Rush sobrevivessem aos próximos segundos, Kennedy teria de tirar algo da cartola *bem* rápido.

Nesse ínterim, ela continuou falando. Pois, se Wales quisesse mesmo matá-los de uma vez, eles já estariam mortos. Certamente havia mais alguma coisa que ele desejava.

— No começo eu fui adivinhando — Kennedy disse, improvisando descuidadamente. — Em relação ao alvo. O livro. O que havia de tão especial nele. Por que você teria todo esse trabalho para achá-lo e tomar posse dele. Identidades falsas. Invasões. Dormir numa caixa. Então, percebi que talvez não tivesse nada a ver com o livro em si.

Wales franziu o cenho em câmera lenta. Obviamente aquele palpite tinha ido longe demais. Claro que tinha a ver com o livro. Mas Wales ainda estava ouvindo.

Você quer saber o que nós sabemos, Kennedy pensou. *Quer ter certeza absoluta de que ainda estamos tateando às cegas antes de acabar conosco. Ou então quer saber quem mais, além de nós, precisa ser eliminado.*

E talvez eu possa retardar o seu avanço se você começar a achar que a lista de pessoas pode ser longa.

— Então, a essa altura — ela disse, empurrando a cadeira para trás e levantando-se —, comecei a cobrar alguns favores. De pessoas que eu ainda conhecia na polícia. Acadêmicos. Colegas na comunidade de inteligência. Dividi informações com amigos e contei a eles a história toda. Seu nome. O nome de Silver. O título do livro e meus palpites a respeito de quem vocês realmente são por trás desses pseudônimos.

Gassan arfou audivelmente. Olhava horrorizado para Kennedy.

— Heather — ele protestou fragilmente. — Nós especificamos discrição.

— Sim — ela disse. — Vocês especificaram. — Ela estava se movimentando agora ao redor da mesa, e Wales virava a cabeça para não perdê-la de vista.

— Você não tem ideia de quem somos — disse ele. Sua voz havia mudado. A humildade se desvanecera. A borda nua de algo completamente diverso estava à mostra.

— Eis o que eu sei — Kennedy disse, ainda caminhando em direção à cabeceira da mesa, mas nem sequer olhando para a porta, embora estivesse em seu caminho. — Sei que você e o Mark Silver não consideram nada do que fizeram como um crime e que você não sente nenhuma culpa por isso. Mesmo que precisasse matar alguém, o que você meio que esperava ter que fazer, estaria pronto para...

Ela só foi até esse ponto. Wales percebeu aonde Kennedy queria chegar, ou então adivinhou — como ela adivinhara — que algo não estava saindo conforme o planejado. Ele se colocou subitamente na frente dela e, quando os braços se descruzaram, tinha uma adaga em cada uma das mãos.

O segundo choque foi tão doloroso quanto o primeiro. Kennedy conhecia aquelas armas também: sica sem empunhadura. A forma perturbadora e assimétrica das lâminas povoava seus pesadelos.

— Thornedyke! — ela gritou. — Agora! — Não significava nada, era apenas uma distração. Thornedyke ergueu-se cambaleando e afastou-se da mesa, completamente apavorado. O professor Gassan, com mais presença de espírito, lançou-se ao telefone.

Rush atirou-se sobre Wales, e a rapidez dos reflexos dele foi o que salvou Kennedy de morrer naquele momento. Ele atacou o homem por trás, tentando prender os braços dele junto ao corpo. Por um momento, conseguiu, mas Wales dobrou os joelhos, escorregando para fora do aperto de Rush, depois jogou o braço esquerdo para cima e para trás. Seu cotovelo chocou-se contra a virilha de Rush e este se dobrou ao meio, perdendo o ar numa lufada de agonia. Wales ergueu-se quando ele caiu, o cotovelo ainda estendido para acertar o rosto de Rush com uma força sólida, doentia.

A essa altura, Gassan estava com o bocal do telefone junto ao rosto e a mão no teclado. Enquanto apertava 1 para fazer uma ligação externa, o braço de Wales esticou-se feito um chicote e, de repente, a adaga que estivera em sua mão estava no peito de Gassan. O professor caiu sentado, de olhos arregalados, as mãos agitando-se em um protesto descoordenado.

Kennedy jogou-se para a frente antes que Wales pudesse recuperar o equilíbrio e engalfinhou-se com ele. Não era um ataque, era mais um tipo de abraço. Ela esperava prender os braços de Wales contra o corpo, como Rush havia feito, e impedi-lo de usar a arma restante.

O homem contorceu-se contra ela e Kennedy pôde sentir a força intimidadora que ele possuía. Não conseguiria mantê-lo preso. O braço esquerdo de Wales se libertou e ele a empurrou fortemente contra a parede. Mas os dois estavam tão juntos agora que seria difícil para ele erguer a lâmina contra ela. Isso o fez dar um passo para trás.

Rush — milagrosamente ainda em atividade — chutou as pernas de Wales. Foi um golpe de raspão, com quase nenhuma potência, mas fez Wales tropeçar. Ele levou uma fração de segundo para se endireitar — tempo suficiente para Kennedy lançar seu braço esquerdo contra o vidro do alarme de segurança, quebrando-o. O som da fina placa partindo-se foi quase inaudível.

Já o som de todas as portas da sala trancando-se automaticamente foi bem mais alto.

Wales jogou Kennedy contra a parede usando todo o peso do próprio corpo e chutou as pernas dela, fazendo-a cair. Ao mesmo tempo, as janelas se fecharam, produzindo um guincho triturado de metal contra metal e acabando com a maior parte da luz.

— Tudo trancado — Kennedy chiou. Estava caída de barriga para baixo, dolorosamente pressionada contra o ângulo entre parede e chão. O joelho de Wales estava na base de sua coluna e o corpo dele sobreposto ao dela, de maneira que qualquer movimento que ela fizesse poderia ser previsto por ele. Wales mantinha a adaga pressionada contra a garganta de Kennedy. Ela sentiu a dor aguda quando a lâmina rompeu sua pele e algo semelhante a calor quando algumas gotas de seu sangue escorreram até a cavidade de seu peito. — Não tem jeito de sair, Alex. Então, não importa o que faça ou não conosco, você não vai escapar desta.

O homem estava curvado sobre ela, com o rosto quase no mesmo nível do de Kennedy e a não mais que uns poucos centímetros de distância. Os olhos arregalados dele, exóticos e inescrutáveis, olharam-na de soslaio. A maré vermelha transbordava por trás deles, ameaçando derramar-se pelo rosto.

— O tempo médio de resposta é de 12 minutos — Kennedy arquejou, lutando contra o impulso de se afastar da lâmina, como se o homem fosse um gato e qualquer movimento de sua presa pudesse provocar instintos mais fortes que o pensamento consciente.

Rush ainda estava caído, ou novamente caído, dobrado em torno de sua virilha dolorida. Emil Gassan tinha caído na cadeira, as mãos sobre o peito em um gesto incongruente de devoção. Thornedyke havia retrocedido até chegar à parede e estava petrificado, observando, sua mandíbula inferior pendendo em mudo horror e desalento.

— E ainda tem — Kennedy disse, forçando as palavras a sair dos pulmões que ela sentia como se fossem cuias vazias — seis ou sete portas entre você e a saída, é isso? Você é bom com fechaduras?

Era impossível dizer o que se passava por trás daquelas feridas abertas, marejadas de vermelho, que eram os olhos de Wales. Ele não disse nada e o fio da navalha na garganta de Kennedy não se moveu. Mas a expressão no rosto dele, agora, era de séria reflexão.

Rush falou, pela primeira vez, por detrás deles. Kennedy não se atreveu a voltar-se para ver o que o rapaz estava fazendo ou se tinha conseguido ficar de pé novamente. A voz dele estava tensa e trêmula.

— Alex — disse Rush —, me escute. O que você fez... foi só arrombamento e invasão. Talvez roubo. Talvez você nem vá para a cadeia. Mas, se o professor Gassan morrer, aí é assassinato. Você tem que parar com isso. Se entregue. Não seja burro. Ninguém liga se você pegou a porcaria de um livro.

Passos soaram do lado de fora e alguém bateu na porta — de forma hesitante no começo, depois com força. Um segundo depois, houve uma batida em resposta vinda de outra porta. A sala estava cercada. E a polícia estava chegando.

Wales pareceu considerar suas opções. Soltou um suspiro longo, lento e firme, mas seu braço esquerdo se tensionou. A lâmina enterrou-se mais alguns centímetros na carne de Kennedy, fazendo-a encolher-se e enrijecer.

— Juro por Deus — Rush voltou a dizer, desesperado. — Você não vai para a cadeia.

Wales se endireitou, tirando seu peso das costas de Kennedy.

— Não — concordou. — Não vou.

E passou a faca pela própria garganta.

CAPÍTULO 12

Algumas horas — talvez quatro, quem sabe cinco — passaram num *stacatto* nebuloso. Quadros paralisados e desconectados, com os intervalos entre eles preenchidos por reprises intermináveis daquele instante indelével. Kennedy tentou bloqueá-la com outros pensamentos, mas a cena escorria por cima e por baixo e através deles. Assim como o sangue de Alex Wales escorrera sobre a lâmina da adaga e pela camiseta dele e pela mesa e pelo carpete cor de aveia e pelas mãos de Kennedy e pelas de Rush, enquanto tentavam estancar a torrente infinita.

E em meio a isso tudo Wales havia sorrido para eles, divertindo-se desdenhosamente com as tentativas inúteis de mantê-lo vivo contra sua vontade.

Kennedy dera dois depoimentos, um à polícia metropolitana, outro a uma das muitas agências antiterroristas, que estavam todas em alerta máximo por causa da recente onda de incêndios, explosões e carros-bomba. Não havia chance de ela levar a culpa por aquela morte. O testemunho de Rush seguira de acordo com o dela em cada detalhe, e os oficiais da investigação examinaram os eventos à luz do ataque contra ela, duas noites atrás, o que só fazia com que parecesse mais plausível considerar Wales como o agressor. Thornedyke e Gassan corroborariam o relato de Kennedy também, sem dúvida, mas nenhum dos dois poderia ser abordado naquele momento. Thornedyke entregara-se a um ataque histérico imediatamente após o suicídio de Wales, continuara a mostrar sinais de aflição e pânico durante a remoção do corpo e, ao chegar ao hospital, fora posto sob efeito de sedativos. Emil Gassan fora levado à UTI e talvez não sobrevivesse.

A perícia também apoiava a hipótese de suicídio. O ângulo do talho na garganta de Alex Wales era compatível com uma ferida autoinfligida. E, embora ninguém tivesse dito isso a Kennedy, a essa altura obviamente haviam procurado impressões digitais no cabo da adaga e encontrado apenas as do próprio Wales.

Mas a equipe do pronto-socorro relutava ainda mais que a polícia em liberar Kennedy. Primeiro, estavam convencidos de que parte do sangue que havia secado e criado crostas sobre ela era o seu próprio sangue. Depois, ela devia estar em estado de choque.

E talvez estivesse, na verdade, todavia tomar um chá quente e doce não a ajudaria em nada. Precisava escapar daqueles espectadores solícitos e policiais profissionalmente neutros, e descobrir por si só o que tudo aquilo significava.

O Povo de Judas. O Povo de Judas investindo diretamente contra ela e Emil Gassan. Como é que algo assim poderia acontecer? Que tipo de mecanismo poderia ao menos começar a explicar isso?

Precisava telefonar para Izzy. Ter certeza de que ela estava bem. Certo, talvez isso não fizesse muito sentido quando se olhava mais de perto — por que ela não estaria bem? —, no entanto o instinto era forte demais. Incapaz de conseguir alta do hospital ou de persuadir os detetives amigáveis e curiosos a lhe dizer que podia ir embora, ela foi ao banheiro e, dentro de uma cabine, telefonou.

Izzy não atendeu e Kennedy começou a entrar em pânico. Mas, em meio ao processo de digitar novamente os números e deixar uma mensagem, seu telefone recebeu uma chamada.

— Desculpa, amor — Izzy disse. — Por pouco não atendi. Tudo bem com você?

Não estava tudo bem. Contudo, Kennedy sentiu a língua subitamente presa. Izzy ainda estaria mais segura onde estava. E contar a ela o que havia acontecido significaria uma briga, pois ela ia querer voltar e cuidar de Kennedy, ficar ao lado dela, e essa era a última coisa que Kennedy queria no momento. Os assassinos do Povo de Judas não trabalhavam sozinhos. Operavam em duplas ou trios. O homem que se chamara de Alex Wales estava morto e não se levantaria, mas poderia haver — certamente haveria — outros.

Por alguns minutos, Kennedy balbuciou mentiras bobas sobre como tudo estava bem e como nadinha de nada, bom ou ruim, havia acontecido com ela.

— Bom, Deus sabe que eu sei como você se sente — Izzy disse, mal-humorada. — Jogar jogos de detetive com o Hayley e o Richard tem sido o ponto alto da minha estada aqui. E eles têm *Trivial Pursuit* na edição familiar, amor, então me fizeram perder muita grana. *Você* já ouviu falar do Frankie Cocozza?

— Não — Kennedy respondeu. — Amor, preciso ir. Alguém acabou de entrar.

— Tá bom. Mas o que é esse eco? Parece que você está no banheiro. Se estiver no banheiro e alguém entrou, pode processar essa pessoa por assédio, sabia?

— Eu estou... num corredor. — A mente de Kennedy continuava a disparar ao acaso e ela percebeu, de repente, que os jornais do dia seguinte estariam repletos do violento suicídio na Ryegate House. Não havia maneira de impedir que Izzy soubesse disso. Então ela trocou de tática com um tom casual, abriu o jogo e contou a Izzy uma versão imensamente editada dos recentes eventos que culminavam com: alguém morreu.

— Bem na sua frente? — Izzy quis saber. — Alguém simplesmente morreu onde você estava? Não entendo.

— Foi... é difícil de explicar, Izzy. Mas eu estou bem. Totalmente bem. Ele se matou.

— Ele o quê?

— Ele se matou. Foi o cara que invadiu o depósito do museu. Nós o pegamos. Mas ele se suicidou.

— Ai, meu Deus. — O longo silêncio do outro lado da linha indicava quão perplexa Izzy estava: o silêncio não era seu estado normal. — Então, acabou?

— *Essa* parte do caso acabou.

— Então é seguro eu fazer as malas e...

— Não. Não, não é. Me dê só mais uns dias.

— Sério?

— Sério.

— "Só mais uns dias" é o tempo que eu vou durar, Heather, com a bruxa malvada me olhando torto toda vez que eu falo um palavrão.

— Tudo bem.

— Você sabe que eu digo muito palavrão.

— Tudo bem, Izzy.

— Não, amor. Não está tudo bem. Você me diz que está bem, mas não soa como se estivesse, e eu sei que você tem mania de se fechar. Deus sabe que eu paguei caro para descobrir isso. É só você dizer e eu vou para aí. Vou para aí agora mesmo.

— Não, Izzy. Fique onde está. Eu te ligo amanhã.

— Tá bom. Tá bom. Heather?

— Sim?

— Me ligue amanhã.

— Ligo.

— Prometa.

— Prometo que ligo.

— Sabe, algumas pessoas acham que telefonemas sacanas são catárticos. Se precisar dos meus serviços profissionais...

— Ah, pelo amor de Deus! Até amanhã, Izzy. — Kennedy desligou, ainda mais inquieta e confusa do que estava antes do telefonema. Sentia falta de Izzy, ainda se ressentia dela, temia por ela, preferia nunca mais vê-la e queria vê-la agora mesmo.

E depois tinha o Povo de Judas, que ainda não fazia sentido. Sentido nenhum.

* * *

Quando os médicos e os enfermeiros terminaram de distribuir sua solicitude aleatoriamente, concordaram, relutantes, em liberar Kennedy por ordem dela mesma.

Antes de sair, ela perguntou sobre os outros. Tanto Gassan como Thornedyke estavam inconscientes, um deles estável, e não haveria mais novidades até o dia seguinte. Rush fora liberado algumas horas antes.

Mas não havia ido muito longe. Quando Kennedy saiu para a rua, ele estava esperando por ela logo à entrada — apoiado em uma placa que informava que aquele era o hospital da University College, na Euston Road. Ela nem pensara em perguntar, e, se alguém lhe havia contado, ela não havia prestado atenção.

Rush parecia abatido e nocauteado de cansaço. O lado direito de seu rosto estava inchado, o olho quase fechado.

— Quero falar sobre o que aconteceu — disse a ela.

— Hoje?

— Hoje.

— Não dá pra esperar?

Rush deu de ombros — um gesto que abarcava os ferimentos dele, os dela, o hospital e toda aquela situação doida.

— Bom, me diga você.

Kennedy hesitou. De todas as perguntas que ele poderia fazer, havia bem poucas que ela ficaria feliz em responder. Entretanto, precisava admitir que havia muitas mais que ele tinha o direito de fazer. Ela olhou o próprio relógio: eram 21h30. A noite ainda era — grotesca e impossivelmente — uma criança.

— Tá bom — respondeu. — Vamos conversar.

Pegaram um táxi para voltar ao centro da cidade. Kennedy pediu ao motorista que os deixasse diante de um *pub* na Upper St. Martin's Lane, o Salisbury. Poderiam ter caminhado, mas a presença do taxista limitou a conversa e deu a Kennedy tempo para pensar no que diria a Rush.

O rapaz tentou pagar a rodada. Em vez disso, Kennedy mandou-o encontrar um lugar para os dois sentarem, pegou pessoalmente os drinques — uma cerveja *lager* para ele, um Jack Daniel's com gelo para ela — e foi juntar-se a ele. Rush escolhera uma mesa de canto e estava sentado fitando a porta. Seu rosto maltratado atraía muitos olhares curiosos ou incomodados das pessoas ao redor.

— Então, como está se sentindo? — ela perguntou.

Rush apenas balançou a cabeça. Ela interpretou isso como uma resposta incerta.

— Você sabia o que aconteceria — ele disse. — Uma parte, pelo menos. Sabia o que o Wales faria.

— Eu não tinha ideia do que ele faria.

Rush tomou outro gole e colocou o copo quase vazio na mesa.

— Mas você sabia que ele era perigoso. Que tinha uma arma. Você foi se aproximando do alarme antes que ele puxasse aquelas facas. Então, acho que pode me explicar que diabo foi o que eu vi hoje. Porque neste momento é como se eu estivesse me afogando. Não sei o que acabou de acontecer comigo. Quase morri, e é como se um meteoro tivesse caído do céu e me acertado na cabeça ou coisa parecida. Não faz o menor sentido pra mim, entende?

Kennedy balançou o copo, girando a bebida, e deixou o gelo tilintar contra o vidro, mas não sentiu nenhuma vontade de beber. Seu estômago se apertava feito um punho fechado.

— Você está num estado de choque leve — disse. — Talvez não deva voltar ao trabalho. Se eu fosse você, tiraria uns dias de folga. O que você acabou de enfrentar não foi uma coisa normal.

Ele a encarou, aturdido e infeliz.

— É isso que você vai fazer? Tirar uns dias de folga?

— Não — Kennedy admitiu.

— Não. Porque tem algo muito maior por trás disso, não tem?

— Sim.

Os olhos dele se arregalaram.

— Eu sabia. Sabia só de olhar para a sua cara. Quero que você me conte.

— Não posso fazer isso, Rush.

— Não pode?

— Não vou, então. Confie em mim, vai ser muito melhor para você se não souber. Se não se envolver nisso mais do que já se envolveu.

— O que isso significa? — Rush perguntou.

Kennedy tentou escolher as palavras cuidadosamente, mas sentiu-se estúpida e travada.

— É o tipo de coisa que... depois que você conhece, não pode simplesmente se afastar. Há consequências.

Foi a coisa errada a dizer. Ela pôde perceber pela expressão dele.

— Aceito o risco — o rapaz disse.

— Não — ela disse. — Olhe, eu sinto mesmo que te devo alguma coisa, Rush. Mas não é uma explicação, é um aviso. Você me perguntou se eu sabia quem o Alex Wales era.

— E sabe?

— Eu conheço a... família dele. Já os encontrei antes e sei como são. Eles vão querer se vingar pelo que aconteceu com ele. De todo mundo que estava naquela sala, assim que descobrirem quem estava lá. Então, sua melhor aposta é ficar longe da Ryegate House por um tempo e deixar a poeira baixar.

— E você acha que, se quiserem mesmo me encontrar, eles não continuarão procurando?

Droga. Ótima pergunta.

— Não — ela admitiu. — Vão continuar procurando.

— Exatamente. E você vai direto para lá amanhã de manhã reassumir a investigação, certo? Não sou burro, Heather. Não tão burro quanto pareço, pelo menos. Sei que há coisas que você ainda não descobriu. Perguntas para as quais ainda precisa de respostas.

O coração de Kennedy afundou.

— Rush, perguntas são praticamente tudo o que eu tenho — respondeu, permitindo que a exasperação se mostrasse em sua voz. — Essa gente entrou na caverna do Aladim e roubou um único livro. Ou talvez não tenham roubado. Talvez tenham entrado e *queimado* um livro. Você consegue imaginar uma explicação plausível para isso? Porque eu não consigo. E isso ainda vem antes de a gente chegar à parte em que deixei o Emil Gassan, a quem considero um amigo, ser esfaqueado — talvez fatalmente — bem diante dos meus olhos. Então, sim, eu ainda estou em atividade. Ainda tenho um trabalho a fazer. Mas o seu tipo de trabalho é um pouco diferente do meu.

— Eu não quis dizer nada disso — Rush afirmou.

— Não? Então, quis dizer o quê?

— O que eu quis dizer foi: por que o Wales ainda estava lá? Ele roubou — tá, roubou ou então destruiu — aquele livro três semanas atrás. Se ele terminou o serviço, deveria ter dado no pé.

— E daí?

— Daí que ele não terminou o serviço. Voltou porque ainda tinha alguma tarefa a cumprir, e, o que quer que seja, era algo que valia o risco de ficar ali no meio de uma investigação policial.

Kennedy havia chegado à mesma conclusão, mas não queria ter essa conversa com Rush. Só queria que ele entendesse quão próximo estava da borda de um precipício e que tivesse o bom senso de caminhar na direção oposta.

— Você vai ter algum dia de folga em breve?

— Folga? — Rush quase riu. — Eu nem terminei meu período de experiência. Ainda sou mão de obra informal.

— Então, continue informal — Kennedy disse. — Não apareça para trabalhar amanhã. Se levar bronca, finja que não é com você e fique longe. Você é jovem. Vai arranjar outra coisa. Fique longe da Ryegate House. E, se alguém te perguntar sobre o que aconteceu hoje, não responda.

— E se for a polícia? — Rush sarcasticamente quis saber.

— Se for a polícia, seja evasivo. Você não lembra, não viu, ninguém te contou nada. Você é só o pobre do estagiário.

— Você está presumindo um bocado de coisas.

— Tipo o quê?

— Que aquela morte significa para mim o mesmo que significa para você.

— A morte significa a mesma coisa para todo mundo — Kennedy disse rispidamente. — Que seu coração para de bater, seu cérebro para de pensar e as pessoas começam a se referir a você como "o corpo". Não existe essa coisa de boa morte, Rush. Só existem umas mortes piores que outras.

Rush tamborilou no copo de cerveja com o polegar, olhando mais para o vidro do que para Kennedy.

— Meu melhor amigo morreu em uma briga de faca na escola — disse ele em um tom quase casual. — Ele foi esfaqueado. E minha primeira namorada se matou com pílulas para dormir porque o padrasto dela a estuprava. Ela me mandou uma mensagem de texto dizendo adeus e eu não consegui chegar lá a tempo. Ela devia saber que eu não conseguiria, mas escreveu a mensagem mesmo assim. Eu ainda a tenho. Fui atrás do padrasto e quase o matei, só que, quando tive chance de fazer isso, não fui capaz. Não tinha a mentalidade certa, acho.

— Alguma dessas coisas foi mencionada na sua entrevista de emprego? — Kennedy perguntou laconicamente.

Ele deu de ombros.

— Foi há muito tempo.

Ela suspirou.

— Tá, entendi. Você está dizendo que já conhece essas coisas sinistras de adulto. Bom, talvez conheça mesmo. Se tem certeza de que quer a verdade, vou contá-la a você.

— Quero — ele disse de uma vez.

Então, ela revelou a história toda — ou, pelo menos, tudo quanto pôde.

Começou com a morte de Chris Harper, parceiro de Kennedy, que sangrara nos braços dela depois de ser ferido por uma das adagas envenenadas dos Mensageiros. Foi difícil manter a voz firme. Mesmo após três anos, ainda lhe doía lembrar.

Ela falou sobre o Povo de Judas pelo que deve ter sido uma hora ou mais. Contou a Rush como eles viviam em uma tribo separada do resto da humanidade. Como se escondiam nas cidades da Terra, escolhendo lugares onde houvesse densidade populacional suficiente para ocultá-los, e como haviam aperfeiçoado as artes da camuflagem a ponto de não deixar suas pegadas na história, nenhum registro de suas idas e vindas.

Rush ficou em silêncio na maior parte do tempo, deixando-a falar.

— E eles acreditam mesmo que são descendentes da serpente do Éden? — perguntou depois que ela terminou.

— Sim, via Caim e Judas — Kennedy respondeu.

— Mas a serpente era o demônio.

Ela deu de ombros.

— Essa é a nossa versão. A versão deles é que a serpente era um emissário do verdadeiro Deus que paira acima e fora da criação. Então, Caim era especial, e todos os descendentes de Caim são especiais, enquanto Eva gerou uma linhagem de pecadores e vagabundos. Mas eles chamam a si mesmos de Povo de Judas porque foi ele quem fez o pacto com Deus por eles.

— E qual foi o trato?

— Três mil anos no deserto. Durante todo esse tempo, os filhos de Adão são os guardiões da criação de Deus. Mas, depois que o tempo acabar, os fiéis — os verdadeiros herdeiros de Caim e Judas — receberão a recompensa. Que é tudo. O domínio sobre o mundo inteiro.

Rush passou alguns momentos em silêncio, absorvendo a informação.

— Três mil anos contados a partir de quando? — perguntou por fim.

— Bom, digamos que a esta hora Deus já deveria ter dado o prazo como acabado. Judas fez o trato cerca de dois mil anos atrás, mas a data usada como ponto de referência foi em torno de 1000 a.C. A época da unificação das tribos de Israel sob o rei Davi. Essa foi a pedra fundamental da história, no que diz respeito a Judas. Um momento a respeito do qual todo mundo soube e ninguém ia discutir. Então, foi o que ele e Cristo usaram como ponto de referência. Pelo menos, é o que o Evangelho de Judas diz.

— E eles esperaram todo esse tempo... — Rush refletiu.

— Ainda estão esperando. Não estão contentes com isso, mas a esta altura eles não têm muita escolha. O caso é que já não há muitos deles. E três mil anos é um tempo longo demais para manter o esquema de endogamia genética. Assim, de vez em quando, eles saem para o mundo. Quero dizer, alguns deles.

Rush estava olhando para ela com um tipo de expressão perplexa. Então Kennedy continuou, escolhendo as palavras com cuidado. Esta parte da história não era sua. Não cabia a ela contar como a família de Leo Tillman fora tomada dele e como, mais tarde, ele havia matado os próprios filhos na Fazenda do Pombal, em Surrey, sem saber quem eram eles. Esse segredo, pelo menos, ela pretendia levar para a sepultura.

— Eles enviam mulheres para fora, para engravidar. Para trazer novos genes. Elas encontram homens adamitas, casam e constituem família com eles.

— Adamitas? — Rush disse, fazendo uma careta. — O quê? Quem são esses? O resto de nós?

— O resto de nós, sim. E essas mulheres, esses "recipientes", as *Kelim*, engravidam três vezes. Assim que o terceiro tiver idade suficiente para viajar, elas simplesmente desaparecem. Voltam para a tribo levando as crianças com elas. Missão cumprida.

— Você está me zoando — Rush reclamou. — Ninguém faria isso. É doentio.

— Conhecer essas coisas — Kennedy volveu, impassível — é como entrar em outro mundo, Rush. Eles têm suas próprias regras. Seu próprio jeito de ver as coisas. E funciona para eles. Impede que todos eles morram por causa do duplo recessivo. Mas qualquer coisa pode acontecer com uma mulher sozinha por aí no mundo. Uma mulher criada na reclusão, totalmente sem as manhas das ruas. Então, há outros. Agentes especiais. Pessoas que agem como anjos da guarda para as *Kelim*, e em certa medida para toda a tribo. São chamadas de *Elohim*, que em aramaico significa "Mensageiros". E, se eles acharem que alguém sabe demais... bom, a especialidade deles é morte acidental, mas também trabalham numa boa com assassinato direto. Isso é o que o Alex Wales era.

Quando ela finalmente ficou sem palavras, Rush a encarou por alguns instantes de completo silêncio.

— Não sei por que fiquei aqui ouvindo toda essa loucura — disse afinal.

— Sabe, sim — Kennedy retrucou. — Porque você viu um homem se matar na sua frente e não consegue tirar essa imagem da cabeça. Está disposto a ouvir qualquer loucura possível se isso te ajudar a entender o que aconteceu.

— Seria ótimo se funcionasse de verdade. Mas eu não estou entendendo coisa nenhuma. É uma história idiota.

— Pois é, né?

— E você diz que aconteceu com você.

— E com você, Rush. Hoje mesmo. Você estava na sala. Com alguma sorte, eles não vão saber disso, mas talvez dê no mesmo você ter me feito contar tudo isso. Talvez agora você fique só um pouquinho mais paranoico num momento em que tem mesmo uma razão para ser paranoico.

— Obrigado — respondeu Rush melancolicamente. — Alguma coisa específica para a qual eu deva ficar atento?

— O que aconteceu com os olhos do Wales parece ser algo frequente com esses caras. Quando matam. Quando estão pensando em matar. Ou, às vezes, é só uma resposta ao estresse ou à emoção. Chama-se hemolacria. Eles choram sangue.

— Jesus!

— É por causa da droga que usam. É tóxica e, no fim, ela os mata. Mas antes torna-os mais rápidos, mais fortes e mais resistentes à dor. Acredite em mim, é jogo duro tentar derrubar um desses caras.

— Como você disse — ele a lembrou —, eu estava na sala. — Ele ponderou, fitando o interior vazio de seu copo. — Mas, então, por que ele simplesmente não matou todos nós? O Wales, quero dizer. Não teria sido muito difícil.

Kennedy sentiu o peso da culpa e da inquietação descer sobre ela.

— Ele poderia ter feito isso, se quisesse. Mas acho que ele não queria ser interrogado. Eles se escondem dos holofotes. Eu disse aquele monte de coisas na esperança de que ele fugisse. Não me ocorreu que ele se mataria para evitar ter que responder a perguntas constrangedoras.

Ela apanhou a bolsa, endireitou a jaqueta e, de forma geral, fez as coisas que indicam que uma pessoa está prestes a ir embora. Rush ignorou os sinais.

— O que fazemos agora? — perguntou a ela.

Kennedy franziu o cenho.

— Não fazemos coisa nenhuma — ela respondeu. — Vamos para nossas camas e dormimos. Nenhum de nós está em condições de tomar decisões de vida ou morte.

Rush soltou uma risada oca.

— Você acha que vai caber a nós decidir? Sério?

Kennedy ficou de pé.

— Acho que temos que esperar para ver — disse ela. — Se tivermos sorte, a coisa acaba aqui.

Mas não seria assim. É claro que não. Fora por isso que ela pedira a Izzy para não voltar para casa ainda. E por isso contara a Rush o suficiente para deixá-lo alerta. Não havia acabado. Não poderia acabar assim.

Ela e Emil Gassan. Não era coincidência. Ela havia sido tragada para dentro de algo por uma força que não podia enxergar ou definir. Estava naquela situação por um motivo e, com certeza, não por suas próprias razões.

— A gente conversa amanhã — ela disse a Rush. — Preciso dormir.

— Tá bom.

— Você vai ficar?

— Preciso de outro drinque.

— Só se certifique de que ainda consiga caminhar até em casa — ela disse. — Te vejo amanhã.

No entanto, enquanto ela se voltava para sair, ele chamou seu nome outra vez. Ela olhou para trás por cima do ombro.

— É Ben — disse ele.

A voz já estava pastosa o bastante para que a princípio ela não o entendesse.

— É o quê? — perguntou.

— Benjamin. Ben. Meu primeiro nome. Fui batizado, sabe.

— Tá bom. — Ela fez um gesto com a mão, cedendo. — Desculpa. É tarde demais pra isso. Pra mim, você é o Rush.

Ele suspirou profundamente.

— Qual é o segredo de uma boa piada? — perguntou a Kennedy.

— Fazê-la no momento certo.

— Certo. Então, acho que não sou bom nisso.

* * *

Ela só teve tempo para embarcar na Linha Piccadilly em Leicester Square e depois fazer a baldeação para Pimlico no último trem rumo ao sul.

Os pés de Kennedy pareciam pesados e, por todo o caminho escada acima, ela se sentiu indecisa quanto a onde dormiria. Na noite anterior, estar na cama de Izzy sem Izzy lhe dera a sensação de pisar em um planeta alienígena. Mas ela suspeitava de que sua própria cama pareceria uma cripta.

No fim, foi para o quarto de Izzy. Pelo menos a cama estava arrumada e ela podia simplesmente cair deitada nela. Se dormiria ou não era uma questão que responderia a si mesma em alguns instantes.

Abriu a porta e entrou, imaginando, por um momento, por que o mecanismo da fechadura parecera um pouco mais frouxo que o habitual. Um pino chacoalhara levemente dentro dela.

Ao passar pela soleira, viu a porta da sala de estar diante dela escancarada. Tinha certeza de que a deixara fechada de manhã. Então, agora sabia por que a fechadura estava frouxa.

Ficar ou correr? De todo modo, um profissional não daria a ela a chance de fugir. E, se fosse um assaltante comum — por favor, Deus

—, ela provavelmente poderia enfrentá-lo. Enfiou a mão na bolsa em busca do *spray* de pimenta.

Braços vieram de trás e fecharam-se ao redor do corpo dela, prendendo suas mãos dos lados. Algo foi pressionado contra seu rosto e, embora ela tenha lutado para não inalar, a consciência desvaneceu-se antes que ela pudesse ao menos registrar o cheiro da droga.

CAPÍTULO 13

O mundo voltou a existir fragmentado, muito mais lentamente do que desaparecera.

Kennedy tomou consciência dos sons primeiro: lentos, discretos, em um tom muito grave. Porém não eram palavras — e continuaram não sendo, não importava quanto ela focasse nelas.

Então, um azedume que era metade cheiro metade sabor surgiu de toda parte e de parte alguma, ao redor e dentro dela. Ela se encolheu, rejeitando-o.

— *Mistakh he. He met e'ver.*

— *Ne riveh te zi'et. Hu vihel veh le tzadeh.*

Mãos agarraram-lhe a cabeça e os ombros. Kennedy tentou se desvencilhar delas, mas elas a viraram de lado. O estômago se apertou, enviando uma onda peristáltica corpo acima. Ela vomitou debilmente, sentindo o líquido quente transbordar pelos lábios *e* pela língua.

Havia tecido sob sua bochecha. Sob o corpo. Macio e fresco. Deslocara-se levemente quando ela se movera. Estava em uma cama.

Um ponto de luz difusa apareceu, mais ou menos centralizado em seu campo de visão. Expandiu-se. Então, houve movimentos transversais diante da luz.

— Consegue me ouvir? Consegue ouvir o que estou dizendo? — Era a voz de um homem, profunda e melíflua.

Kennedy fingiu-se de morta enquanto reagrupava laboriosamente suas memórias recentes, montando um tipo de sequência. As escadas. A porta. A cama. Não, estava pulando um passo. Alguém se movera atrás dela, os braços prenderam os dela, um lenço fora pressionado contra seu rosto. Daí a cama. Bom.

Nada bom.

— Acho que ela acordou. — Uma voz diferente, não mais áspera, mas sem vida, sem afeto: uma voz que realmente a assustou, dadas as implicações de por que ela estava deitada em uma cama e por que havia, afinal, sido atacada.

— Então, vamos começar.

Mãos a tocaram novamente. Ela estava fraca demais para resistir enquanto a faziam rolar, ficando de costas, e seus braços eram puxados acima da cabeça. Algo se fechou sobre seu pulso esquerdo com um estalo. Houve um tilintar e um raspar metálicos; depois, *clack*, algo se fincou no pulso direito, forte e súbito o bastante para fazê-la encolher-se. Quando tentou flexionar as pernas, descobriu que já estavam de alguma forma imobilizadas. Ela estava de braços e pernas esticadas na cama — e absolutamente indefesa.

— *Ni met venim, ye sichedur.*

— *Nhamim.*

Se essa língua, qualquer que fosse, era a que seus agressores usavam um com o outro, Kennedy perguntou-se por um instante por que eles a haviam trocado por inglês pouco antes. A resposta veio rapidamente:

— Vamos começar.

Era algo que esperavam que ela ouvisse e a atemorizasse. Entender o estratagema lhe deu uma migalha de conforto.

Abriu os olhos. Não parecia haver nada a ganhar fingindo-se inconsciente.

A maior surpresa — embora não devesse ter sido nenhuma surpresa — foi que estava no quarto de Izzy. Ela provavelmente não ficara desmaiada por tanto tempo assim, e não faria sentido emboscá-la no apartamento se depois os agressores tivessem de levá-la para outro lugar. Ainda assim, o cenário familiar acentuou a estranheza e o terror da situação.

Havia apenas dois deles — os que ela já havia diferenciado pela voz. Ambos eram jovens, mas um era *muito* jovem, talvez ainda um adolescente ou rapaz de 20 e poucos anos. Tinha compleição leve e era bonito, com cabelos negros na altura dos ombros, bigode e barba bem aparada.

O outro era maior e mais robusto, com um rosto de bebê rabugento. Também tinha cabelos negros, mas trazia-os curtos e em um corte curiosamente retrô, dividido do lado.

Ambos vestiam terno de linho rústico em um tom que poderia ser chamado de castanho-claro e ambos mostravam a palidez anormal da tribo de Judas, cuja vida era vivida, em sua maior parte, no subterrâneo. Olhavam para ela com uma intensidade solene, acompanhada, no caso do homem maior, de algo semelhante a nojo.

— Nós vamos lhe fazer algumas perguntas, Srta. Kennedy — o homem de barba disse gentilmente. De forma nada surpreendente, era ele quem tinha aquela voz atraente e culta. *Esse aí é o "tira bom"*, Kennedy pensou. Mas ela não daria a ele o benefício da dúvida. — Sobre o trabalho que a senhorita foi contratada para fazer no Museu Britânico e sobre os eventos desta tarde.

Kennedy não respondeu. Torceu o pescoço para olhar-se de cima a baixo, registrando o que haviam feito com ela. Seus pulsos estavam presos — com um único par de algemas que atravessava a cabeceira de ferro fundido da cama. Algemas cor-de-rosa e peludas: equipamento de *bondage*. As pernas estavam presas afastadas uma da outra, por algum tipo de barra de contenção. Mas ela estava completamente vestida. Eles nem haviam tirado sua jaqueta. Os sinais misturados a confundiam. Por que deixá-la pronta para um estupro e parar no meio do caminho?

— Não sei... do que você... está falando... — Kennedy balbuciou. Sua boca e a parte inferior do rosto ainda estavam anestesiadas por causa da droga. Era difícil formar as palavras. Mas, em todo caso, parecia uma boa ideia deixar que fluíssem naturalmente para ela.

O homem maior soltou um xingamento que ela não entendeu. Ele enfiou a mão dentro do casaco e tirou uma adaga. O coração de Kennedy martelou o peito quando ela viu a forma assimétrica da arma, a ponta curva onde se afilava e a parte sem fio, rústica, exatamente do mesmo metal que a lâmina, que servia como cabo. Era a sica novamente.

Esses homens eram Mensageiros — os assassinos profissionais da tribo de Judas.

O maior deles pressionou a bochecha de Kennedy com a lâmina.

— Ouça-me, imunda — disse ele entre dentes cerrados. — A cada vez que mentir para nós, cortarei você. A cada vez que não responder rápido o bastante, cortarei você. A cada vez que não gostarmos da resposta, cortarei você. E, quando não tivermos mais perguntas, cortarei sua garganta.

— Samal. — O homem mais jovem disse a palavra suavemente, mas seu parceiro retesou-se na mesma hora e olhou para ele, mostrando a Kennedy quem era quem na questão da hierarquia, que até o momento estivera em aberto. Ele fez um gesto e o homem corpulento afastou a adaga do rosto de Kennedy, baixando-a ao lado do corpo. O tira bom mandava no tira mau.

O mais jovem sentou-se ao lado dela na cama, em uma postura quase empertigada, e olhou-a nos olhos. Ele sorriu — e o sorriso era muito mais perturbador do que a ferocidade do grandalhão. Era o sorriso de alguém tão seguro de sua própria retidão que a culpa e a vergonha jamais poderiam golpeá-lo.

— Meu nome é Abydos — disse a ela. — E aquele homem ali, com a adaga, é meu amigo Samal. Samal é um homem que, como você pode imaginar por sua conduta, não se esquiva de trabalhos desagradáveis. Mas, apesar do que ele diz, serei eu a questionar você. E só permitirei que Samal a machuque se você me forçar a isso. Refiro-me ao caso de você me fazer acreditar que machucá-la fará com que nos conte mais ou que não minta. Entende? Se cooperar, haverá menos dor. Talvez nenhuma dor. E o fim, quando chegar, virá mais rápida e facilmente.

Ele parou, como se esperasse que Kennedy respondesse. Como ela não o fez, ele prosseguiu:

— Além disso, posso lhe oferecer um consolo adicional. No momento, com apenas mais alguns ajustes de cenário, sua morte parecerá um jogo sexual que fugiu do controle. Mas, se nos contar a verdade, sem subterfúgios, então, antes de sairmos daqui, nós removeremos *esses*... — ele gesticulou, com um sorriso tenso e desconfortável — ... acessórios de seu corpo e a deixaremos plenamente vestida. Você não será desonrada.

— É, mas ainda vou estar morta — Kennedy retrucou. — Detesto parecer ingrata, mas... você sabe. — Descobriu que falar fazia sua garganta doer. Sua voz saiu como um grasnido desagradável.

O jovem deu de ombros.

— Você é uma mulher inteligente — disse. — Se eu prometesse deixá-la viver, estaria trapaceando. Ambos saberíamos que é mentira, e então você não acreditaria em nada mais que eu lhe dissesse.

Kennedy lambeu os lábios secos e resmungou alguma coisa em voz baixa, do fundo da garganta. Quando o jovem se inclinou amavelmente para a frente para tentar compreender as palavras, ela cuspiu no olho dele. Era toda a rebeldia que era capaz de demonstrar, mas ela viu, pelo horror e pelo nojo que chamejaram na expressão dele, que havia dado conta do recado.

O homem apanhou um lenço e com ele limpou o rosto.

— Muito bem, então — disse com a boca retorcida. — Talvez eu tenha me enganado. Talvez seja impossível, afinal, conduzir esta conversa por um caminho racional. — Olhou para o outro homem, que permanecia parado com a adaga na mão. — Samal, corte um dedo.

O grandalhão inclinou-se sobre ela. Expressões contraditórias — avidez, repulsa, medo, ódio — sucediam umas às outras na face dele.

— Eu falo — Kennedy disse depressa. — Não precisa me cortar. Eu conto o que vocês querem saber.

Abydos gesticulou para Samal, que se deteve outra vez. Ele nem mesmo a tocara e parecia aliviado por não ter de fazê-lo, mesmo considerando quão facilmente manejava a adaga. Ela tinha certeza de que ele já matara. Também tinha certeza de que a tortura não representava exatamente um terror para ele. Não havia nada parecido com compaixão no rosto do homem, e o que ele parecia sentir por ela era um asco visceral. Em um impulso, ela lutou contra as algemas e deixou que seu antebraço roçasse, como por acidente, nas costas da mão de Samal. O homem pulou como se tivesse tomado uma ferroada.

Mulheres, Kennedy pensou. *Você tem medo de mulheres.*

— Muito bem — Abydos disse. — Vamos começar por esta tarde. Você convocou uma reunião na Ryegate House. O que aconteceu lá?

Kennedy lambeu novamente os lábios secos e tentou ao máximo manter a voz firme.

— Eu acusei um homem, Alex Wales, de roubo.

— Roubo do quê?

— De um livro.

— Diga o nome do livro. — A ênfase de Abydos foi tão precisa que Kennedy hesitou, de sobreaviso. Ela sabia quão importante a palavra escrita era para o Povo de Judas. Na verdade, já lhe haviam contado, nos seminários antiterrorismo, do tempo em que estivera na polícia, que isso valia para a maior parte dos fanáticos religiosos. Para a mentalidade fundamentalista, a palavra era literalmente matéria da criação, e qualquer dano ou desrespeito causado a ela era um ataque direto à divindade.

Então, guiada por um instinto semiexplorado, ela mentiu:

— Não conseguimos descobrir — disse. — Só percebemos que havia uma discrepância. Que faltava algo em uma das caixas naquela sala. Alguma coisa tinha sido roubada.

— E vocês sabiam que Alex Wales havia roubado tal coisa.

— Sim. — Disso com certeza eles sabiam. Seu agente, o outro membro de seu grupo, não havia se apresentado após a missão — desaparecera do mapa. A morte dele estaria nos noticiários muito em breve, se já não estivesse. Mentir nesse caso não ajudaria Kennedy.

— *Como* souberam? — Abydos perguntou.

Ela ofereceu uma explicação desajeitada. As datas consecutivas dos arquivos pessoais. A hipótese do homem infiltrado. A coincidência da morte de Silver.

— Muito bem — Abydos disse, como se fosse um professor, ou um padre conduzindo-a no catecismo. — E você revelou essas coisas a ele. A Wales.

— Eu o interroguei. Sim.

— Como ele reagiu?

— Não reagiu. Ele se recusou a responder a todas as minhas perguntas. Depois, quando eu o tranquei na sala e chamei a polícia, ele se matou com a própria adaga.

Samal emitiu um ruído, um gemido ululante, do fundo da garganta. Abydos olhou para ele e o repreendeu na língua deles, qualquer que fosse:

— *Ne eyar v'shteh. De beyoshin lekot.*

Certamente soava como o aramaico adulterado do Povo de Judas.

— *Ma es'irim shud ekol* — Samal respondeu, a expressão trágica e suplicante como a de um cão açoitado.

Abydos o cortou com um gesto brusco de comando. Depois, voltou-se para Kennedy como se não tivesse havido interrupção.

— Mas isso não servirá — disse a ela. — Você é muito cuidadosa ao dizer "*eu* fiz isso" e "ele não respondeu *a mim*". Como se vocês dois estivessem sozinhos naquela sala. Mas não estavam. Diga-nos, por favor, quem mais estava lá.

Kennedy percebeu, com um choque súbito e frio, que isso — tudo isso, tudo o que estava acontecendo a ela nesse momento e o que aconteceria a seguir — era a razão pela qual Alex Wales não a matara quando tivera chance. Depois de decidir tirar a própria vida, ele havia considerado essencial deixar que Kennedy vivesse para que esses homens pudessem interrogá-la.

— Eu pensei que o Wales teria mais chance de contar a verdade se eu conversasse com ele sozinha — ela respondeu. Sua voz falhou, ziguezagueando entrecortada entre notas, e não houve nada que ela pudesse fazer para impedir isso.

— Não — Abydos disse. — Não creio nisso.

— É a verdade.

Houve uma longa pausa.

— Perguntarei mais uma vez, Srta. Kennedy. Quem mais estava lá? Conte-me e poupe-se dessa dor.

— *É a verdade* — ela repetiu.

— Bem... — Abydos disse. E meneou a cabeça para Samal.

Kennedy se preparou, mas conhecia o suficiente sobre tortura para ter certeza de que qualquer preparativo que fizesse seria inútil assim que a dor começasse.

Imaginou que o homem precisaria de alguns instantes para reunir coragem, mas ele simplesmente enfiou a adaga no lado esquerdo do corpo dela, fundo, até chegar a uma costela e ranger contra o osso. Kennedy abriu a boca para gritar. Abydos, que estivera esperando por isso, empurrou um pedaço de pano — um lenço, talvez — para dentro da garganta dela. O grito tornou-se um falsete embotado, mais vibrante que sonoro. O homem a observou de perto, clinicamente, enquanto ela lutava e gorgolejava contra a mordaça.

— Outra vez — disse ele.

Samal baixou a lâmina e Kennedy entrou em inúteis espasmos, o pânico e o terror expulsando dela toda a capacidade de raciocinar.

Entretanto a adaga não a tocou, pois ambos os homens ficaram paralisados ao escutar um ruído súbito, absurdo e invasivo, vindo de fora do quarto. Houve quatro batidas, secas e sucessivas, no ritmo de uma melodia popular.

— Izzy? — Era uma voz feminina, jovem e um tanto impertinente, vindo do outro canto do apartamento — da porta de entrada. — Amor? Você está aí?

CAPÍTULO 14

Abydos reagiu um pouco mais rápido que Kennedy, e essa minúscula diferença foi crucial. Quando ela retesou o corpo no início de algum movimento violento o suficiente para precaver a recém-chegada, as mãos dele agarraram seus pulsos com força e ele sussurrou uma única palavra para Samal:

— *Rishkert*.

A essa altura, as pernas de Kennedy haviam se levantado da cama, mas Samal segurou os tornozelos dela no ar e os forçou outra vez para baixo, lenta e inexoravelmente. Ela não conseguiu fazer nenhum barulho além do que veio da torção de seu corpo contra os lençóis.

— Izzy? Você está aí? — A voz pareceu um pouco desconfiada e infeliz. — A porta não estava trancada...

Abydos lançou um olhar fumegante a Samal e este voltou o rosto como se tivesse levado um tapa.

Ouviram passos na sala, aproximando-se.

— Izzy?

A essa hora, quem quer que fosse já deveria ter visto o facho de luz sob a porta do quarto. Mas ninguém simplesmente entraria no quarto fechado de outra pessoa sem convite. Ninguém seria insano, descarado ou grosseiro o suficiente para isso, a menos que tivesse certeza de que havia um convite implícito.

A maçaneta girou e a porta se abriu alguns centímetros.

— Tá legaaal... — A voz havia mudado de hesitante para provocativa, embora ainda houvesse um subtom de incerteza. — Se estiver com alguém aí dentro, eu te dou dez segundos para entrar debaixo das cobertas. Nove... oito... sete... Ah, pro inferno com isso!

A porta foi escancarada, e uma mulher jovem — *muito* jovem — deu um passo para dentro do quarto. Não poderia ter mais que 19 anos. E, mesmo em meio ao pânico extremo, uma parte da mente de Kennedy encontrou tempo para o espanto e a indignação.

Caramba, Izzy.

A mulher estava usando *jeans* e uma camiseta branca — simples, até monótona — e coturnos pretos que já não estavam na moda havia tanto tempo que só podiam ser um artifício retrô. O cabelo dela era curto e escuro e cheio de pequeninos cachos. Os olhos eram escuros e, naquele momento, estavam arregalados, do tamanho de pratos. O que quer que ela estivesse esperando encontrar no quarto, o que na verdade encontrou foram dois homens de rosto pétreo e uma mulher amarrada, e Samal havia ficado de pé e se voltado para encará-la, com um revólver na mão (substituindo a adaga — quando é que isso havia acontecido?) apontado diretamente para o meio do corpo da garota.

— Eu... eu... — ela gaguejou. — Eu estava...

— Entre no quarto — Abydos disse. — Venha. Não vamos machucá-la. — A voz dele era firme, porém com uma cadência lenta, tranquila, reconfortante. Não fez nenhum gesto na direção dela, mas olhava-a nos olhos. — Entre, ou esta mulher morrerá.

A garota olhou de Abydos para Samal, depois para a arma. Tinha a expressão de uma vítima de trauma, inerte de choque. *Corra*, Kennedy pensou e tentou dizer, mas o único som que escapou pela mordaça foi um grunhido desesperado, quase sem voz.

— Entre — Abydos disse na mesma voz gentil. — Feche a porta.

A garota deu um passo. Ao menos, colocou um pé adiante, contudo seu corpo ficou onde estava, na soleira da porta, paralisado.

— Minha mãe sabe que estou aqui — disse ela, mas fez isso em um tom ascendente, como o de uma pergunta ou súplica.

— Tudo bem — Abydos respondeu. — Está tudo bem. Feche a porta.

No entanto a garota parecia ter perdido a motivação.

— Eu só queria... — disse. — Eu só ia devolver os livros da Izzy.

Ela ergueu uma coisa que Kennedy não vira até então: cores vivas, até espalhafatosas, com um forte lustro no qual a luz da lâmpada momentaneamente pareceu piscar em código Morse.

Era uma revista pornográfica. *Bush League*. Duas mulheres seminuas enroscavam-se na capa, pélvis roçando pélvis, o corpo de uma ridiculamente retorcido para exibir os seios gigantes e causar a melhor forma possível.

— Você quer ver? — a garota disse, mostrando a revista. Samal retraiu-se diante da imagem como se tivesse visto uma cobra. Então, uma série de coisas impossíveis aconteceu em rápida sequência.

Sob a revista, que se inclinou subitamente na mão da garota, dois fios brilhantes partiram para acertar Samal bem no meio do peito.

Houve um som como o tique-taque de um relógio, mas rápido demais, alto demais. Samal dançou desajeitadamente, movendo-se para trás pelo quarto em três passos bruscos e vacilantes, até seus ombros acertarem a parede. Nela, ele escorregou, soltando o ar em um gemido de agonia.

Nesse ínterim, Abydos lançara-se em direção a alguma outra arma, mas a jovem havia largado tanto a revista pornô e o Taser usado, saltara por sobre a cama feito uma atleta e estava bem na cara dele, mandando soco atrás de soco como chicotadas, o que o forçou a usar as duas mãos para se defender.

As mãos foram suficientes, a princípio, mas a garota estava em constante movimento, seu corpo oscilando para a frente e para trás, seus punhos indo e vindo, rápidos como luzes a piscar, forçando Abydos a recuar. Então, houve um momento em que ele deteve dois golpes baixos, deixando a parte superior do corpo sem defesa. A garota aproveitou a brecha e meteu a testa no rosto dele.

Abydos cambaleou para trás, cego e dolorido. A garota deu uma pirueta, sua perna esquerda girando com a graça de uma bailarina e acertando a lateral da cabeça dele com um ruído abafado. Ele caiu de joelhos. Depois, desabou de corpo inteiro.

Um movimento mais próximo desviou a atenção de Kennedy. Samal estava tentando apanhar a arma caída. Agindo puramente por instinto, Kennedy torceu-se para o lado na cama e deixou suas pernas caírem sobre a cabeça dele. Então ela juntou os joelhos de forma que a barra de contenção o acertasse na garganta.

Se ele não estivesse grogue pelo efeito do Taser, teria se defendido desse ataque desajeitado em um instante. Mas, como estava, teve de lutar com o peso morto de Kennedy por alguns segundos antes de conseguir erguê-la toda e atirá-la para longe de si. A essa altura, a garota havia atravessado o quarto de novo, pegando o abajur de cabeceira de Izzy *en passant*. Ela nem havia desacelerado o passo para olhar para o abajur, pensou Kennedy, mas, com a base de aço inoxidável, o peso e o formato, a peça supria suas necessidades com perfeição. Ela o mandou para trás de si sem soltá-lo, como uma bola de boliche, tomou impulso e o lançou para a frente e para cima, usando o peso do próprio corpo e acertando com força espantosa o queixo de Samal. O golpe ergueu-o a alguns centímetros do chão e ele se estatelou de costas no piso do quarto, que tremeu sob seu peso.

A garota o rodeou, cautelosa. O grandalhão ainda estava consciente. Ele rolou de lado, tentando levantar-se mais uma vez. Sem pressa, mas com precisão clínica, ela desferiu três golpes devastadores na parte de trás da cabeça dele. Isso o enfiou no tapete felpudo de Izzy como um martelo enfia um prego em uma tábua. Depois de uma última avaliação, ela o acertou mais uma vez.

Então, finalmente, soltou o abajur e flexionou as mãos, como se tê-lo segurado com tanta força as tivesse ferido.

Em algum momento, durante aqueles últimos segundos aterrorizantes, Kennedy, em pânico, havia inspirado tão profunda e subitamente que engolira parte do lenço de Abydos. Agora, sufocava-se com ele. Ela se contorcia na cama, tentando inalar um ar que não estava lá.

A garota observava os dois corpos inertes com um interesse silencioso e imparcial, mas finalmente percebeu a situação de Kennedy. Aproximou-se da boca de Kennedy para pescar o lenço pela ponta que ainda estava visível.

Kennedy inspirou de forma bruta e trêmula, convertendo o ar — quando ela o soltou novamente — em soluços ásperos de choque.

— Está tudo bem — a garota disse, soando exatamente como Abydos soara alguns momentos atrás. — Acabou. Mas você tem que ir embora.

— Quem... — Kennedy arquejou — ... é... você?

— Sou Diema — a garota respondeu simplesmente. Vasculhava os bolsos de Samal, depois os de Abydos, em busca de uma chave, mas Kennedy não entendeu isso até vê-la, até que a garota abrisse as algemas nos pulsos dela e a barra em seus tornozelos. — Você precisa sair daqui — ela repetiu enquanto trabalhava. — Esses homens vieram sozinhos, mas haverá outros. Provavelmente muito em breve.

Kennedy sentou e começou a massagear as mãos e os antebraços dormentes, tentando reanimá-los. Baixou o olhar para Samal, temendo — apesar do que vira, apesar do que sua mente racional lhe dizia — que ele pudesse levantar e atacá-la novamente.

— Desculpe, mas não estou entendendo — disse ela quando sentiu que poderia voltar a confiar na própria voz. — Quem é você? Por que me ajudou? Você é... você é mesmo amiga da Izzy?

A garota lançou-lhe um olhar ligeiramente espantado, momentaneamente confusa.

— Amiga da sua amante? Não seja ridícula. Apenas escute o que estou dizendo. Encontre um lugar sobre o qual eles não saibam. E depois outro lugar, e depois outro. Continue em movimento. Mude seus hábitos. Não dê a eles um alvo fácil.

A polícia, pensou Kennedy. *Preciso chamar a polícia.*

A mesa de cabeceira estava tombada e o telefone, no chão. Ela esticou a mão para ele, mas o pé da garota se enterrou em seu pulso antes que pudesse tocá-lo. Ela deixou que todo o seu peso caísse sobre a mão de Kennedy, fazendo-a ofegar de dor e choque.

— Não — disse a garota.

Presa, Kennedy ergueu o olhar para ela. O rosto da garota, calmo e distante a despeito da violência que ela havia infligido, franziu-se em uma careta determinada.

— Você sabe quem eu sou? — perguntou a Kennedy. — De onde vim?

Kennedy empurrou a resposta entre os dentes:

— Não. N-não sei mesmo.

Os olhos da garota relancearam por um momento para os corpos no chão. Depois, voltaram a Kennedy.

— Do mesmo lugar de onde *eles* vieram. E todos juramos manter o local em segredo. Então, sabe o que eu teria de fazer com você se você pegasse esse telefone e ligasse para a polícia.

Ela retirou o pé. Cautelosamente, Kennedy flexionou os dedos da mão. Doíam como o diabo e ela mal conseguia movê-los, mas nenhum estava quebrado.

— Pense nisso — disse a garota. — Esses homens vieram aqui para interrogar e depois matar você. Eles falharam, portanto outros virão. Supondo que você realmente falasse com as autoridades, duvido que elas pudessem ajudar muito. Seria difícil até que acreditassem em você. Saia agora. Deixe para trás tudo de que não precisa. Pense para onde irá. Com quem falará. A trilha que deixará atrás de si. Pois haverá pessoas seguindo essa trilha, pessoas muito habilidosas naquilo que fazem.

— Então não devo voltar a Ryegate House? — Kennedy perguntou. — Está me mandando ficar longe?

A careta da garota ficou ainda mais marcada. Ela olhou para Kennedy como se esta fosse louca.

— É claro que deve voltar. Termine o trabalho que lhe deram. Encontre o livro e faça o que deve ser feito. Por que acha que estive dedicando meu tempo a vigiar sua retaguarda? Por que outra razão valeria a pena salvar você?

Ela girou nos calcanhares e partiu, pisoteando a revista pornô com imenso desprezo.

CAPÍTULO 15

Na Escócia, quatro funcionários dados como desaparecidos são encontrados mortos. Sua morte espelha a de quatro apóstolos de Jesus: Mateus (perfurado por uma lança — neste caso, um dardo de arremesso esportivo), Tadeu (espancado até a morte com uma pedra), Tiago (decapitado) e Pedro (crucificado de cabeça para baixo). A polícia escocesa classifica esses assassinatos como crimes de ódio.

Na Úmbria, uma ponte desaba. Carros caem feito chuva forte em um desfiladeiro íngreme, no fundo do qual há outra estrada, apinhada com o tráfego da hora do *rush*. Duzentas pessoas morrem.

Na Califórnia, todos os animais de sangue quente do Zoológico de San Diego morrem em um período de três dias, exibindo sintomas similares aos do ebola. Quando os agentes virais são examinados, descobre-se que são diferentes em quase todas as espécies, como se criados sob medida ou adaptados para a máxima suscetibilidade. Em uma manhã, as aves simplesmente vão embora, suas gaiolas abertas para o céu. Uma busca por todo o estado não consegue encontrar nenhuma delas.

Em Pequim, o Portão Tiananmen, com sua estrutura tão fragilizada que desafia a compreensão, desmancha-se em diversos blocos enormes de rocha, que esmagam um grupo de turistas alemães e três estudantes que iam de bicicleta à faculdade. Os corpos reduzidos a polpa são removidos com baldes, gerando protestos dos familiares contra o manuseio insensível dos restos de seus entes queridos.

Sete jovens exploradores em Auckland entram em uma caverna para iniciantes, com profundidade máxima de sete metros. Todos são encontrados mortos com severo caso de doença da descompressão e embolia gasosa arterial, condizentes com um mergulho de mil metros e um retorno quase imediato à superfície.

Por todo o mundo, a ondulação se propagava. *Mas esta é justamente a metáfora errada*, Ber Lusim pensou. Ondulações tornam-se mais e mais fracas à medida que se afastam de sua fonte. Isto — ele observou com certo prazer — se parecia mais com um *tsunami* ganhando força, ou como uma corrente de retorno no mar arrastando mais e mais nadadores incautos para dentro de suas valas invisíveis, mortíferas.

Não que ele se deleitasse na dor e na degradação pelo que eram. Outrora, talvez. Um pouco. Mas já não era esse homem, não era mais pura e simplesmente o Demônio. As palavras do profeta haviam transformado sua essência sem alterar nem mesmo uma fração de sua trajetória. Ele fazia todas as coisas que sempre havia feito, flagelando a carne e o espírito, mas agora significados diferentes estavam atrelados a seus atos. Era o milagre de Shekolni, e prova suficiente de que ele fora tocado pelo divino.

O profeta encontrou o velho amigo sentado no catre de seu dormitório. O quarto era tão vazio quanto a cela de um monge, então, de fato, não havia outro lugar onde sentar. Fácil e espontaneamente, Shekolni sentou-se no chão de pedra diante de Ber Lusim.

Ber Lusim estivera lendo, mas agora ficara de pé de um salto e oferecia a cama a Shekolni — que recusou com um aceno de mão. Ber Lusim retomou seu assento, fechou o livro e deixou-o de lado. Era *o* livro, é claro: o livro que havia se tornado o ponto focal da vida e das aspirações deles, sua tábua de salvação e seu severo capataz.

— Por que está tão pensativo, Ber Lusim? — o profeta perguntou. — Você apertou o gatilho, agora, e a bala foi disparada no mundo. Não pode alterar o curso dela.

Ber Lusim ergueu uma sobrancelha.

— Tais coisas são mais da minha alçada que da sua, Santo. E não tenho certeza de que concordo. Quando se usa uma bala, como você diz, todo pensamento e todo cuidado são levados em consideração antes que ela seja disparada. Depois disso, só se pode observar o que acontece.

— Então? Não é isso o que estamos fazendo?

— Perdoe-me, Santo, mas o que fazemos está mais para tortura. Uma série de intervenções cuidadosas e esmeradas para obter um efeito cumulativo.

Shekolni sorriu.

— E é isso que está vincando sua testa? Está reconsiderando?

— De forma alguma! — Ber Lusim ficou chocado com a insinuação. — Tortura é algo em que sou muito versado. Não estou me opondo ao plano, apenas tentando entendê-lo.

Ber Lusim fitou Shekolni, ali, na escuridão da cela, que era absoluta, a não ser pelas chamas de três velas que queimavam em um nicho ao lado da cama. As sombras cobriam a face do profeta como um véu. Sua expressão era insondável.

— Você às vezes pensa em nossa infância? — ele quis saber, por fim. *Quando você era apenas um homem*, foi o que quis dizer. *Quando ainda havia mistérios que não podia compreender.* Mas não disse tais coisas. Tato e humildade eram importantes ao lidar com o divino encarnado.

O profeta riu.

— Eu nem mesmo estava vivo naquela época. Não me lembro de coisa alguma. Minha vida começou no dia em que tive minha primeira visão. Nada que tenha ocorrido antes disso tem significado para mim.

Ber Lusim assentiu como se entendesse, embora aquela afirmação mostrasse quão totalmente diferentes os dois homens eram. Ambos, pela violência de sua natureza e pela força de sua vontade, haviam se entregado a destinos peculiares. Mas, enquanto Ber Lusim havia abraçado essa violência e feito dela seu vestuário, Shekolni abrira a dele como uma porta, passara por ela e chegara a um lugar incognoscível.

— Crianças são cruéis — Ber Lusim murmurou. Estava pensando em si mesmo — em seus primeiros experimentos com os limites da dor de outrem, que haviam permitido que ele conhecesse a si mesmo.

— Todos os homens são cruéis — o profeta disse. — E todas as mulheres também. Se não fôssemos, não precisaríamos de Deus.

Ele voltou a ficar de pé. Seus movimentos eram misteriosamente similares aos de um ancião, embora não houvesse nem um mês de diferença entre sua idade e a de Ber Lusim. Talvez o manto de santidade fosse mais pesado do que os homens comuns imaginavam.

— É importante compreender — disse ele. — Ter um modelo mental para as ações de alguém que leve tudo em consideração e responda a todas as objeções. Estou prestes a pregar para seus companheiros de armas. Você deveria vir e ouvir.

* * *

— Convido-os a pensar em um milagre — o profeta disse, as palavras voando pelo vasto salão quase como coisas físicas, cada uma em um invólucro de ecos. Uma centena de homens o observava e ouvia, ávidos por revelações, imunes à fraqueza e à dúvida. — O milagre do nascimento.

"Nenhum de vocês tem esposa ou filhos. Nenhum jamais terá, agora, não porque possuam alguma fraqueza ou falha, mas pela contingência da história e pela forma inalterável do Plano.

"Mas deixem-me garantir a vocês que seu nascimento, visto muito de perto, é uma coisa muito feia. A mãe, nas agonias do parto, enche o ar com seus gritos — os balidos e berros de um animal. Às vezes ela perde o controle de seus intestinos. A criança recém-nascida, quando finalmente surge, vem coberta pela imundície das entranhas da mãe, e muito frequentemente com seu sangue. O bebê mal parece humano quando é trazido à luz. Para ser humano, precisa ser purificado. Para ser humano, precisa respirar. E, para ser humano, precisa ser apartado do ventre que o carregou e nutriu. Separado com uma lâmina.

"O que enxerga o médico que empunha a lâmina? A glória ou a ruína e os restos de sangue? Que cheiro sente ele — o do incenso ou o do excremento? Que ouve ele: gritos ou o cantar dos anjos?"

Avra Shekolni fez uma pausa teatral para as respostas que não viriam.

— Vocês são esse médico. No futuro, aquilo que espera para nascer dependerá inteiramente de sua presteza com a adaga, sua habilidade. Precisará que vocês cortem aquilo que outrora foi tão precioso, tão necessário, e agora é somente peso morto. Precisará que vocês enxerguem além do sangue, por mais abundante que seja, e vejam a luz — a luz infinita.

Ele ficou em silêncio. Seus braços, que ele havia jogado no ar como se para abraçar todos eles, caíram dos lados do corpo. Os seguidores de Ber Lusim ficaram de joelhos em um só gesto. A maioria estava chorando, e todos faziam o sinal do nó corrediço.

Ber Lusim ajoelhou-se também. Seu coração cantava. O sangue rufava em seus ouvidos.

Ele havia servido o paraíso em um único movimento — os mandamentos de Deus gotejando e penetrando as mentes e vozes de homens falíveis.

Agora, ele era a palavra de Deus.

Parte 2

Um Soldado

CAPÍTULO 16

Nunca havia ocorrido à garota que ela seria escolhida. Outrora, talvez, ela tivesse brincado com a possibilidade, na época em que ainda estava na faixa etária apropriada para tais coisas. As pessoas que conhecia haviam sido selecionadas aos 12, 13, 14 anos.

Mas ela chegara aos 16 e ninguém viera. Então, ocorrera uma grande perturbação, o *y'siath*, quando o Povo deixara o local onde vivera por sete gerações e partira para uma nova cidade.

Chegando lá, haviam desembalado suas coisas novamente e tentado fazer do local seu lar. Mas não era seu lar. A própria garota, assim como as pessoas que conhecia (não que conhecesse muitas; era solitária por natureza), sentira-se agitada e inquieta. Tudo parecia ter acabado e nada parecia ter começado ainda. O compasso da vida, que afinal era a própria vida, havia sido interrompido.

A garota tentara expressar esse sentimento nas pinturas e esculturas que fizera — e esperara que a percepção normal das coisas, a meada ininterrupta dos pensamentos, das associações e dos atos que constituíam seu mundo, a curasse.

Houvera caos no Sima, o conselho dos anciãos. Vozes se ergueram no Em Hadderek, o local de reuniões. A normalidade os rondava a distância, como um pássaro que deixa o ninho por causa de uma desordem e agora não consegue mais se acomodar nele.

A garota estava blindada contra o caos ao seu redor, pelo menos até certo ponto, mas era difícil não se sentir perturbada enquanto sábios e tolos gritavam, raivosos, um com o outro, e todos proclamavam desdém pelos anciãos. O amor era tanto o alicerce da sociedade quanto sua argamassa: se isso lhes faltasse, o que restaria?

As vozes dissidentes diziam que o Povo não devia ter deixado Ginat'Dania, o Jardim do Éden que havia sido seu lar; que Deus não aprovara essa mudança. Isso levara inexoravelmente a debates a respeito do que exatamente Deus *havia aprovado*, e sobre as falhas dos Mensageiros, ou, antes, do pastor e comandante supremo deles, o Kuutma-que-se-foi. Ele havia traído o Povo, diziam os rumores, ao apaixonar-se por uma mulher que estivera sob seu comando, e ao entregar-se demais ao luto após a morte dela. Seu discernimento fora contaminado. Ele permitira que os inimigos do Povo sobrevivessem e se fortalecessem e se aliassem uns aos outros. Até que, finalmente, ele mesmo havia tombado em batalha contra o mais forte desses inimigos, o pai-externo Leo Tillman e a *rhaka*, a loba Heather Kennedy. Fora por causa dessas falhas que o Povo tivera de se mudar, em uma caravana de caminhões fechados, de seu lar sob a Cidade do México para a atual Ginat'Dania, milhares de quilômetros ao norte e ao leste daquele lugar.

O novo Kuutma ficara alheio a essas alegações, atento à dignidade de seu cargo.

Mas o estrondo do protesto crescera, e finalmente rompera o próprio Sima. Um dos três anciãos do conselho expressara a mais terrível das heresias, a abominação das abominações. Seus pares não tiveram escolha senão expulsá-lo da câmara. Mais tarde, nesse dia, soube-se que ele deixara a cidade — partira para o mundo, desautorizado, desacompanhado, sem nome, bênção ou missão.

Com isso, a cidade se sacudira loucamente, como um barco que alguém abandona ao pisar na praia, deixando-o leve demais, alto demais na água. O Povo estava paralisado e sem fôlego, ouvindo os ecos de um som que ninguém jamais ouvira.

E então, inexplicavelmente, muito depois de ela ter deixado de pensar que algo assim seria possível, a garota fora convocada. Não pelo conselho dos anciãos, mas pelo próprio Kuutma, conhecido como "o Brand", a Marca — o líder e comandante dos *Elohim* —, que tinha toda a verdade em seu coração e toda a vingança em sua mão.

A convocação veio no momento em que ela estava menos preparada para acatá-la. Vinha trabalhando em uma tela imensa, a maior que já havia tentado fazer. No alto de uma escada, salpicada e manchada de tinta da cabeça aos pés, ela estava pintando o rosto de um anjo quando dois anjos surgiram para ela.

Eram Alus e Taria, as assistentes pessoais do próprio Kuutma, bem como guarda-costas. Sua chegada repentina ao estúdio da garota quase fez com que ela caísse da escada, tal o choque.

— Você é solicitada — Alus disse simplesmente.

Elas esperaram em silêncio enquanto ela se lavava, nervosa e um tanto envergonhada de estar nua diante delas.

Caminhando entre as duas mulheres pelas ruas movimentadas ao redor do Em Hadderek e depois descendo a imensa escadaria além dele, a garota olhou com timidez, mas também com anseio, primeiro para uma e então para a outra.

— Vê algo de que gosta? — Taria lhe perguntou, atrevida.

O rosto da garota corou até a raiz dos cabelos.

— Eu gostaria de pintar você — disse. — Seus músculos são tão bonitos.

Os anjos acharam isso hilariante e disseram que poderiam considerar a ideia de posar para a garota um dia, quando estivessem livres. Mas então, em um tom mais sério, Alus lembrou-a que era com Kuutma que ela falaria, e era melhor que agora mantivesse os pensamentos concentrados nisso.

Elas a levaram aos aposentos de Kuutma, no nível mais baixo da cidade — que, no jargão do Povo, era às vezes chamado de *het retoyet*, "a escória". Kuutma tinha um modesto apartamento lá, muito inferior ao que teria por direito. Mas, como seu antecessor, ele era um homem de gostos simples.

Era, além disso, um guerreiro, que sobrevivera nas fileiras dos *Elohim* por mais tempo do que a maioria e tinha as cicatrizes para provar isso. Não no corpo: embora este Kuutma tivesse sido designado para matar muitos no mundo exterior, ele nunca (até onde todos sabiam) fora ferido de forma alguma. As cicatrizes estavam em sua alma. E a garota pôde vê-las no momento em que olhou nos olhos dele pela primeira vez.

Era um homem firme, compacto, um pouco abaixo da estatura média, mas de ombros largos e com um quê de solidez que, como as feridas, não era puramente, nem mesmo primariamente, físico. Na verdade, suas mãos eram enormes e seus antebraços eram cobertos de músculos. Mas seu rosto largo e achatado — incomum entre o Povo, sugerindo talvez um pai-externo eslavo em algum ponto de sua linhagem — denotava a quietude da profunda meditação. Ele era calvo, como o último Kuutma havia sido, mas o que parecera marcial em seu antecessor neste homem era como a ascese de um monge ou eremita: um rebaixamento do orgulho físico, uma redução ao essencial.

— Obrigado por vir — ele disse à garota. Sua voz tinha um sotaque curioso, com vogais adiantadas e alongadas — provavelmente uma reminiscência do último local onde tivera seu posto, que em breve desapareceria, agora que ele estava de volta ao lar em meio ao Povo.

— Claro — a garota respondeu, corando um pouco, pega desprevenida pela gentileza e consideração de Kuutma.

O que ele disse a seguir a surpreendeu ainda mais:

— Eu lhe devo desculpas.

Aquilo parecia inverossímil. Ele era Kuutma, afinal. Era um dos nomes, e tinha o destino do Povo nas mãos. Insegura quanto ao que dizer, a garota somente balançou a cabeça, negando.

— Sim — disse Kuutma. — Eu devo. Em nome do último Kuutma. Você foi avaliada e os resultados foram impressionantes. Deveria ter sido convocada ao serviço, assim como seus irmãos foram. Sua mente e seu temperamento a tornam apta a isso. Você tem a resiliência para sobreviver fora de Ginat'Dania. Para se adaptar, entre os não escolhidos, sem perder-se entre os costumes deles. Também tem, muito obviamente, uma imaginação poderosa que a capacitará a inovar em situações para as quais seu treinamento não a houver preparado adequadamente. De todo modo, eu a chamei hoje para corrigir essa omissão que permitiu que você definhasse aqui, sem ser utilizada.

Os batimentos cardíacos da garota subitamente se tornaram audíveis para ela, saindo de um fundo imperceptível para um martelar pesado em seu peito. Era difícil respirar. *Não as Kelim*, ela pediu a um Deus que raramente importunava. *Por favor, por favor, não as Kelim. Não permita que minha vida siga o caminho da vida de minha mãe.*

— Eu sinto que o que faço aqui é valioso — ela disse em uma voz que, a seus ouvidos, soou desprezivelmente fraca, quase suplicante.

— É claro — Kuutma concordou, ainda gentil. — Está na sua natureza. Aonde quer que vá e o que quer que faça, você encontrará uma forma de ser útil. Mas há lugares onde é mais necessária do que aqui.

Por favor.

— Então, decidi que você se tornará uma de meus *Elohim*.

Quase. A garota estremeceu. O alívio a inundou. Depois, a alegria. Ela fora convocada — e para seguir uma vocação pela qual ela se entregaria sem reservas. As *Kelim* serviam o Povo somente com o ventre, e no processo eram depreciadas (embora todo mundo fingisse que não). Os *Elohim* serviam com corações, mentes e mãos. Uma adaga ou arma de fogo, ela imaginou, era exatamente como qualquer outra ferramenta — como os pincéis que usava ao pintar, só que estes estavam limitados a um único efeito, a uma cor por vez. Ela não temia a violência. Pintar já era uma violência. Ela estava repleta de violência, até onde sabia.

Não era necessário que aceitasse: ela estava sendo informada de uma decisão, não uma oferta. Ainda assim, disse:

— Aceito, Kuutma. Aceito com alegria.

— Fico feliz — Kuutma respondeu solenemente. — Estes não são tempos de alegria. Estamos inseguros e divididos. Mas pode ser, irmãzinha, que você se torne aquela que nos reerguerá.

— Apenas me diga o que devo fazer — a garota disse.

Kuutma sorriu diante da urgência do tom dela. Não era um sorriso condescendente, mas um reconhecimento — uma admissão — da paixão que a preenchia.

— Primeiro, você deve ser treinada — disse ele. — E isso não é algo simples. Depois... bem, eu tenho um plano, e você é parte dele. Quando estiver pronta, eu o explicarei. E então a enviarei para fora.

Ele ficou de pé e indicou que ela deveria sair, mas, por um momento, ela não conseguiu se mover.

— Se assim desejar, Kuutma — ela disse. — Enviar-me para onde?

Ele a fitou com uma expressão complexa, indecifrável. Tomou as duas mãos dela nas suas e juntou-as como se estivesse outorgando uma bênção, ou então convidando-a a juntar-se a ele em uma prece.

— Para sua provação, irmãzinha — disse solene, até tristemente. — Para a tarefa e o teste que são seus, e somente seus.

CAPÍTULO 17

Kuutma dissera que o treinamento não seria algo simples. Na verdade, foi um ordálio que quase a venceu.

A garota descobriu, como esperava, que nem a mecânica nem a ética da arte de matar eram intimidadoras. Ela sempre preferira uma vida solitária, com poucas e fugazes relações humanas: tinha a noção de que poucas coisas duravam, e que amores românticos e familiares eram ou ilusões reconfortantes ou peças que as pessoas pregavam em si mesmas. Então, foi possível para ela aprender — em detalhes precisos — muitíssimas formas de dar fim a vidas, sem que suas emoções ou consciência se envolvessem nisso. Era tudo teoria, até ali, mas uma teoria à qual ela se dedicou com entusiasmo e sem culpa.

As exigências físicas do treinamento eram outra questão. A garota teve de suportar 17 horas diárias de treino e prática, de ginástica e séries de exercícios, de aulas de sabotagem, uso e manutenção de armas, infiltração, sistemas de combate desarmado, sobrevivência no campo de batalha, rastreio e vigilância.

Então, essas lições terminaram e outra sequência começou: história do mundo, política, idiomas, psicologia, sociologia, comunicação não verbal, até moda. A garota sabia qual era o propósito dessas disciplinas suaves e aparentemente triviais. Portanto, não se queixava. Quando outro estudante fazia um comentário desdenhoso, a treinadora, Ushana, o fazia levantar-se e, diante de todos os recrutas, repreendia-o impiedosamente.

— Você pode viver até dez anos entre os não escolhidos — Ushana dizia — e matar uma única vez. Então, diga-me, criança, de que forma distribuiria seu tempo entre combate e infiltração.

A garota mantinha-se cabisbaixa e dedicava-se assiduamente ao aprendizado de coisas que pareciam tolas e impenetráveis, as sílabas absurdas de uma língua estrangeira. E gradualmente o espaço vazio entre os fatos discrepantes era preenchido por mais fatos. Caminhos de lógica abriam-se entre os sertões loucos e ela começava a vislumbrar o mundo maior, o mundo adamita, fora de Ginat'Dania, como ele realmente era: um reflexo horrivelmente distorcido do mundo real, no qual ela vivia.

Além disso — e esta era a única coisa que realmente a amedrontava —, aprendeu a enxergar as diferenças de escala. O Povo vivia em um espaço de um punhado de quilômetros de extensão e muitos níveis de profundidade — uma grande cidade que, para a maioria deles, constituía o mundo inteiro. Mas sabiam que existia outro mundo, com o qual Deus havia presenteado os filhos de Adão, mas que prometera, no devido tempo, entregar a seus verdadeiros escolhidos.

O que a garota nunca havia estimado até então era quão maior que seu próprio mundo era o outro, o exterior. Enquanto o explorava em jogos de longo alcance, que começaram nas cercanias imediatas de Ginat'Dania e depois a levaram mais e mais longe, ela viu que isso era verdade. O mundo era tão grande que parecia infinito, país após país e então mais países cobrindo uma distância que a mente dela, ao menos no princípio, era simplesmente incapaz de sondar.

Kuutma contou a ela, mais tarde, que essa impressão era comum, mas longe de ser trivial. Muitos jovens treinados para ser Mensageiros experimentavam um tipo de paralisia conceitual quando pisavam pela primeira vez fora de Ginat'Dania e seguiam para a imensidão das Nações. Alguns nunca superavam isso e, portanto, não eram capazes de se juntar aos *Elohim*. Alguns pareciam se adaptar, mas, uma vez lá fora, desabavam para a psicose. Era um problema que parecia, na verdade, se tornar mais agudo a cada geração — talvez porque, com o tempo, o abismo entre Ginat'Dania e o mundo dos não escolhidos só se tornara maior.

A garota sobreviveu à crise existencial ao encarar o mundo como uma composição estética. A escala era um dispositivo que um artista poderia empregar de forma que causasse um efeito. Quão grandioso era Deus, então, que pintara uma tela tão imensa que milhões e milhões de homens e mulheres podiam viver sua vida nela!

Os ensinamentos continuaram. A cada semana, a cada dia, ela parecia colocar-se mais à frente daqueles com os quais treinava. No combate desarmado, era sua rotina humilhar oponentes muito maiores e mais fortes que ela. Sua vontade era como um fio enrolado várias e várias vezes ao redor de si mesmo dentro de seu corpo compacto. Então, sua pequenez física ocultava uma imensa, inflexível vastidão.

Destacou-se no uso de armas.

Destacou-se no pensamento tático e estratégico.

Destacou-se na perseverança.

Destacou-se na inteligência e na retenção de informações.

Para seus colegas de classe, tornou-se uma questão de extremo orgulho acompanhar o ritmo da garota em tudo. Superá-la, ainda que temporariamente, era uma façanha da qual poderiam gabar-se por meses.

Muitos dos garotos do grupo expressaram interesse romântico por ela — e muitas das garotas, igualmente, já que o Povo não tinha tabus a respeito do que os adamitas chamavam de homossexualidade. A garota deixou claro, em todos os casos, que as atenções dos colegas não eram bem-vindas. De fato, temia a intimidade assim como os outros pareciam temer a solidão. Deixar que alguém entrasse em sua vida e sua cama e revelasse pensamentos descuidados no calor de atos igualmente descuidados — essa era uma ideia que a excitava e a nauseava em igual medida. Mas, de perto, assim que percebia seu interesse por alguém se avivar, fosse garoto ou garota (mais frequentemente garoto), a náusea sobrepujava a excitação. Ela podia imaginar o ato físico do sexo. O resto era enervante demais para considerar.

Quando ela finalmente se entregou, pareceu mais um ato de violência que de amor. Estava no terceiro e último dia de um teste de campo, competindo contra uma equipe superior que vencera a dela desde o início. Se a própria garota fosse a líder da equipe, sabia que ainda teria podido controlar as coisas — forçado uma vitória ou, na pior das hipóteses, um empate. Mas os líderes haviam sido sorteados, e o de sua equipe, um garoto impulsivo e nervoso chamado Desh Nahir, não estava à altura da tarefa.

Então, no terceiro dia, o pelotão da garota ficou preso em uma posição indefensável no fundo de um barranco raso e dizimado por um ataque contínuo de fogo de enfiada, que os deixou cobertos da cabeça aos pés pela tinta vermelha que representava o sangue.

Subsequentemente, a garota teve de passar três horas deitada, inerte, no lugar onde fora abatida, antes que o apito soasse anunciando o fim da batalha do dia.

Assim que teve permissão para se mover, encontrou o líder de sua equipe despindo-se no vestiário e atracou-se com ele. Não empurrou, nem chutou, nem bateu nele: apenas pressionou o corpo contra o do garoto, deixando o uniforme dele saturado da tinta vermelha e obrigando-o a compartilhar da desonra que por direito era dele, não dela.

Mas o tumulto dos sentimentos dela, ainda que dominado por raiva e frustração, tinha também outros componentes. A pressão de seu corpo contra o de Nahir começou a incitar sentimentos que não eram inteiramente desagradáveis. Quando ele a beijou, hesitante, temendo que a garota o censurasse, ela correspondeu ao gesto.

O relacionamento durou cinco semanas. Tempo suficiente para a garota decidir que estivera certa em sua opinião: os incômodos e provocações causados por deixar que alguém chegasse tão perto excediam quaisquer prazeres possíveis. Ela disse a Nahir que estava tudo acabado, para grande desgosto do rapaz, e, quando ele chegou ao extremo de abandonar a própria dignidade e implorar por ela, ela se afastou.

Houve outra aventura, com uma garota quatro anos mais velha que ela. Ela concordou em tentar só para ter certeza de que da primeira vez não havia simplesmente escolhido a pessoa errada. Os resultados foram quase os mesmos, embora este relacionamento tenha durado um pouco mais e tido um fim um pouco mais turbulento.

A garota treinou por três anos. O treinamento não durou o bastante, de forma alguma, contudo ela sabia que não havia tempo. Percebia isso pelo modo como os professores conduziam os alunos e pelo fato de que, às vezes, quando erguia o olhar dos exercícios na arena ou na sala de aula, via ou o próprio Kuutma ou um de seus dois anjos observando-a de perto, com expressão solene e absorta.

Os professores não se incomodavam com os altos níveis de desgaste. Um por um, os alunos ficaram para trás após falhar nesta ou naquela prova, ou então simplesmente pararam de frequentar as aulas por alguma razão que a garota desconhecia.

À medida que o terceiro ano passava, começaram a consumir a droga, *kelalit*. Da primeira vez que a garota a tomou, deixando apenas uma gota do líquido cair do conta-gotas para sua língua, foi como ter o cérebro banhado em nitrogênio líquido. Tudo se tornou incrivelmente nítido, incrivelmente claro — e incrivelmente lento. Sentiu-se forte e morta ao mesmo tempo, como se aquilo que fora seu corpo tivesse sido preenchido com metal fundido, que agora resfriara e endurecera, criando uma terrível máquina na forma exata da garota.

Levaram-na para a arena e enviaram três oponentes para enfrentá-la de uma só vez — todos *Elohim* como ela própria, mas sem o benefício do fármaco. A luta durou 19 segundos.

Mais tarde, a garota vomitou tudo o que havia em seu estômago. Depois, passou a maior parte da noite acordada, tremendo e suando.

— É um veneno — a professora Ushana lhe disse quando ela perguntou. — A fórmula exata é conhecida apenas pelos químicos que a fabricam, mas todas as substâncias aparentadas são inteiramente letais. Os adamitas as consomem por prazer e se tornam viciados nelas. Tomam doses cada vez mais altas e, no fim, suas mentes e corpos são destruídos pelos efeitos cumulativos das toxinas.

A garota, a contragosto, ficou chocada e com medo. A perda de controle estava no topo de sua lista pessoal de pecados mortais.

— Em que a forma como usamos a droga é diferente? — perguntou, esperando ser reconfortada.

— Não sentimos prazer com ela — Ushana respondeu.

— Não — Kuutma lhe disse mais tarde. — Há mais do que isso. A droga que consumimos, *kelalit, a maldição e a bênção*, não é uma substância só. É um composto, feito de muitas drogas, e algumas delas estão em guerra contra as outras. O composto principal induz a ímpetos de euforia, um sentimento de onipotência, mas nubla a mente e embota os sentidos. A *kelalit*, em contraste, eleva os sentidos e acelera os processos fisiológicos. O fluxo de informação passando pelos nervos do corpo é imensamente realçado, o que significa que tanto percepção quanto ação são muito mais rápidas. Dessa sensação de poder e alegria, resta depois o suficiente para que o usuário deixe passar despercebida uma dor que normalmente poderia distraí-lo ou mesmo incapacitá-lo. A partir de uma indulgência imoral e vergonhosa, os artesãos do Povo criaram a ferramenta de um guerreiro, flexível e poderosa.

Mas ainda assim mortal. A maioria das mortes dos *Elohim* nas Nações se dera pelos efeitos cumulativos da *kelalit*.

Por semanas e meses, a garota habituou-se a usar essa ferramenta de dois gumes, essa bênção traiçoeira. No final do terceiro ano, já era capaz de suportar uma dose completa de *kelalit*, apesar de sua massa corporal relativamente pequena, e operar naquele elevado nível de percepção e ação por horas seguidas. Tornou-se mais hábil, também, em administrar o abalo fisiológico e emocional que vinha em seguida.

Novamente, ela era o exemplo exibido a todos os outros, o modelo que deveriam seguir e pelo qual deveriam se moldar. No entanto, quando outra garota em treinamento, Esali, morreu de uma *overdose* de *kelalit*, seu corpo rígido e cinzento foi carregado pelo dormitório em meio a um silêncio ensurdecedor e descrença e negação, e a garota percebeu que ser a melhor da classe tinha seu lado negativo. Esali estivera tentando ser como ela.

A garota isolou-se ainda mais depois disso. Nunca havia encorajado os colegas a cultuar seu heroísmo, mas agora repelia todas as tentativas de aproximação com rudeza deliberada. Não queria mais mortes formando uma fila nos portões de sua consciência, não importando quão fortemente esses portões fossem defendidos.

Ela aguentou. Progrediu. Absorveu cada ensinamento dos professores, internalizou-os e, como uma aranha, ofertou o que tinha na forma de um único fio de seda. Só o professor mais velho, Rithuel, que lhe dera algumas aulas de psicologia, deixou-lhe uma nota menos do que exemplar. Na verdade, negativa. Quando a garota o procurou para perguntar o porquê, ele foi brusco e — na opinião dela — enigmático.

— Para fazê-la parar e pensar — foi tudo o que disse.

— Parar para pensar no quê? — ela exigiu saber.

Rithuel abriu as palmas das mãos e exibiu-as, vazias.

— Não sei — admitiu.

— Então...

— A inércia pode ser tão importante quanto a ação. A pausa antes da ação é repleta de muitas coisas, e uma delas é a verdade.

— Mas eu não falhei nas suas provas — a garota protestou. — Respondi a cada pergunta. Não acredito que tenha cometido algum erro significativo.

— Você não cometeu nenhum erro. Foi precisamente isso que me incomodou. Acho que pode ajudá-la, um dia, saber que não é perfeita. Às vezes, estar tão perto da perfeição pode ser uma coisa perigosa. Perigosa para a alma.

E havia ainda mais uma prova, sobre a qual todos os alunos trocavam boatos malucos, especulações vazias e piadas insossas. Aconteceria quando menos esperassem, a maior parte deles concordava. E poderiam falhar nela por uma única palavra ou movimento fora de lugar.

Certa noite, após comer sua refeição da noite no refeitório, a garota foi abordada por um mensageiro que dizia que Ushana estava esperando por ela no ginásio. Quando chegou lá, encontrou a professora esperando no escuro. Aos pés dela estava um homem — um garoto, na verdade. As mãos e os pés dele haviam sido presos por correntes ao mais alto cavalo de exercícios, onde anéis de ferro haviam sido instalados — provavelmente, a garota agora percebia, para este fim. O garoto tinha a idade dela, mas os cabelos muito claros, que quase nunca se viam entre o Povo. Estava ligeiramente acima do peso e vestido como um forasteiro, com calça curta e uma túnica sem mangas que exibia a frase sem sentido CERVEJA CASEIRA TEM MAIS SABOR! Estava aterrorizado, com marcas recentes de lágrimas nas bochechas.

A garota soube na mesma hora o que se esperava dela, mas nada disse. Apresentou-se à professora curvando-se em reverência e ignorando completamente o garoto, até que Ushana indicou-o com um meneio de cabeça.

— Este é Ronald Stephen Pinkus — disse ela. — Diga-lhe olá na língua dele.

— Qual é a língua dele, *Tannanu*? — a garota perguntou. Sabia que não deveria presumir que o rapaz falasse inglês só porque esse era o idioma das palavras em sua roupa.

— Inglês — Ushana disse. O tom era de aprovação.

A garota voltou-se para ele.

— Boa noite, Ronald Stephen Pinkus — disse.

O rosto do rapaz passou por uma convulsão de surpresa e esperança.

— Caramba — ele ganiu. — Você fala inglês. Ah, graças a Deus! Olha, rolou algum tipo de engano. Acham que eu sou outra pessoa, mas não sou ninguém. Me pegaram no meio da rua, e, tipo... eu não sei. Não sei o que eles querem.

A garota voltou-se novamente para Ushana.

— Mate-o — disse a professora.

A garota curvou-se para ela, aquiescendo, mas não saiu do lugar. Queria ter certeza.

— Por qual crime? — perguntou.

O rapaz não tinha ideia do que estava sendo dito. Olhava dela para Ushana e desta para ela. Talvez pensasse que ela estava explicando à mulher o que ele dissera.

— Por crime nenhum. Mate-o porque eu mandei.

E ela o fez. Com as próprias mãos, pois nenhuma arma fora especificada. Depois, embora tenha chorado, chorou em silêncio, e ninguém no dormitório teve a menor suspeita disso.

Ronald Stephen Pinkus não era do Povo. Era errado chorar por ele. E vergonhoso. Ela prometeu a si mesma que, da próxima vez, faria melhor.

***

E assim, no devido tempo, ela foi enviada de volta para Kuutma, com um bilhete de seus professores que era notável pela brevidade: "Ela está pronta".

Ele a recebeu com um abraço paternal, expressando grande satisfação pelas conquistas dela. A garota agradeceu graciosamente. Nenhum dos dois mencionou a nota que Rithuel dera a ela em psicologia, então ela foi poupada da necessidade de criticar um de seus professores.

Kuutma serviu-lhe frutas frescas e água temperada com cravo e canela. Ofereceu vinho também, mas a garota não gostava da bebida. O álcool interferia na absorção da *kelalit* em seu corpo, desacelerando--a de forma imprevisível.

Ficaram sentados em um silêncio amistoso por algum tempo, na mesma sala onde haviam conversado três anos antes.

Aquele encontro estava nos pensamentos de Kuutma também.

— Uma vez eu lhe disse que tinha um plano para você — relembrou ele. — É chegada a hora de esse plano ser realizado.

A garota experimentou um momento de desorientação estranhamente agradável, uma alteração em suas perspectivas mentais repentina o bastante para induzi-la a uma leve vertigem. Se Kuutma a havia convocado para dar-lhe uma incumbência, então agora ela era uma Mensageira. Aquelas palavras simples eram sua cerimônia de graduação, seu ingresso nas fileiras dos *Elohim*.

— Estou pronta — ela disse.

— Ótimo. — Ele encheu o copo dela novamente com água, depois o seu. O vinho aparentemente fora trazido só para o caso de ela aceitar. — Mas você precisa saber que esta é uma missão incomum — uma situação incomum, sob todos os aspectos — e que é seu direito recusá-la.

A garota assentiu. Perguntou-se o que Kuutma poderia lhe pedir, em nome da cidade e do Povo, que ela seria capaz de recusar — ou mesmo hesitar antes de dizer sim.

— Você sabe que um dos anciãos nos deixou. Um ancião, eu diria, apenas no nome. Na verdade, ele é mais jovem que eu.

— Sim — ela respondeu. Depois: — É claro.

— Ele foi o *Yedimah* — Kuutma continuou. — A Semente. Aquele a quem, nas reuniões do Sima, cabe olhar para o futuro e argumentar a favor de mudanças. Mas ele foi privado dessa tarefa, é claro, e do nome. Agora ele é quem já foi. Avra Shekolni.

"Shekolni levou a própria opinião longe demais com o resto do Conselho dos Anciãos, questionando o mais profundo e sagrado dos princípios pelos quais vivemos. Sua premissa, essencialmente, era de que o Povo interpretou incorretamente a natureza da barganha que Deus fez conosco — que todo o nosso modo de vida está fundamentado em um mal-entendido. Deus nos prometeu a Terra, Shekolni disse, mas não prometeu entregá-la a nós: Ele esperava que agíssemos por nós mesmos para realizar Sua vontade. Entende qual é o problema desse posicionamento, irmã?"

A garota entendia, e confirmou isso.

— Então, esclareça-o para mim.

— Os adamitas superam nossos números em muitos milhares para um. E a história deles é de guerra ininterrupta; por isso, suas armas são muito mais avançadas do que qualquer coisa que possamos apresentar. É por isso que nós nos escondemos. Se tentássemos lutar, não poderíamos vencer. Então, esperamos. Aguardamos o julgamento de Deus.

— Um excelente resumo — disse Kuutma. — E o conselho falou com Shekolni a respeito disso, procurando corrigir o pensamento dele. Mas, como você sabe, ele não aceitou essa correção. Foi expulso do Sima. E então abandonou a própria Ginat'Dania. Não se sabe como foi capaz de sair da cidade sem sanção ou permissão, mas ele certamente o fez. Procuramos incansavelmente por ele desde então, mas não encontramos nenhum rastro.

A garota assentiu, mas nada disse. Só faria perguntas se fosse convidada a fazê-las.

— Embora isso já seja ruim — Kuutma prosseguiu —, sabemos que há algo pior. Shekolni fez contato, entre as Nações, com um Mensageiro, ou melhor, um Convocador, comandante de Mensageiros, que parece compartilhar das visões não autorizadas dele. O comandante em questão, Ber Lusim, foi um grande homem em sua época, tão formidável e, eu me atreveria a dizer, tão cruel que algumas vezes foi chamado, por aqueles que o conheceram, de Demônio. O Kuutma anterior confiava inteiramente nele. Mas então, cerca de dez anos atrás, Lusim caiu em desgraça. Ele falhou em seus deveres sagrados. Houve mortes, de nossa gente, não dos adamitas, que poderiam ter sido evitadas.

"O antigo Kuutma chamou Ber Lusim de volta para que pudesse ser punido, mas ele se recusou a vir. Quando Mensageiros foram enviados para abordá-lo, ele desapareceu. Só então percebemos quão forte havia se tornado o culto à personalidade dele — pois muitos Mensageiros que o conheceram e haviam atuado ao lado dele entre as Nações agora o seguiam no exílio. Eles sumiram de nosso radar; tornaram-se nativos, pensamos na época, embora na verdade o oposto disso é que parece ter acontecido. Eles ainda se mantêm distantes dos adamitas, apesar de terem repudiado todo contato com o Povo e com Ginat'Dania. A existência deles deve ser intoleravelmente solitária.

"Mas, de alguma forma, como eu disse, Avra Shekolni encontrou Ber Lusim. A princípio, foi apenas um palpite: Shekolni desapareceu tão completamente que especulamos que ele devia ter recebido ajuda. Então, Ber Lusim nos contatou pessoalmente e disse que Shekolni havia sido enviado a ele e a seus seguidores por Deus — e nos agradeceu por termos contribuído para que esse presente fosse entregue. Ele nos avisou que não deveríamos procurar por Shekolni e nos disse — cito as palavras exatas — que nos preparássemos para o julgamento."

Kuutma parou por um momento e tomou um gole de água. Ele a rodopiou dentro da boca, como se estivesse tentando se livrar de um sabor amargo. Depois, engoliu.

— Eu mandei uma resposta a Ber Lusim — disse ele em voz baixa. — Ou, pelo menos, enviei um de meus *Elohim* para um momento e um lugar nos quais imaginei, corretamente, que Ber Lusim certamente o interceptaria. Avisei a Lusim que Shekolni era um herege. E o instei a voltar para Ginat'Dania, para junto do Povo, onde é seu lugar.

— Ele ignorou o chamado — a garota adivinhou.

— Sim, ignorou. Mas há mais. Isto irá angustiá-la, irmã. Lembre-se de que Deus estabelece as coisas e faz com que o bem surja do mal. Ber Lusim maculou o rosto de meu emissário com lâminas e ferros quentes, tornando-o tão medonho que todos os que o viam recuavam e desviavam o olhar. Marcar meu servidor dessa forma foi um insulto dirigido a mim. O rosto desse homem inocente foi apenas o papel no qual Lusim escolheu escrever sua mensagem.

A garota estava habituada à violência, mas ainda assim isso a chocou profundamente. Seu estômago se contorceu e a bile ergueu-se amarga em sua garganta. Ela perdeu algumas das palavras de Kuutma enquanto lutava para recuperar a serenidade.

— ... claramente impossível, agora, que esse homem saia novamente para o mundo. Ele foi forçado a abandonar sua vocação. E, além disso, a vergonha é imensa. Ele solicitou permissão para tirar a própria vida, mas eu lhe pedi que refletisse um pouco e passasse algum tempo com sua família e amigos. Espero que isso baste para devolver a ele o ritmo normal da vida, que tem em si um enorme poder de cura.

— Esse Ber Lusim é um monstro — a garota disse, sua garganta ainda apertada e ferida pelo ácido que ela forçara a retroceder.

— Talvez — Kuutma suspirou pesadamente. — Depois dessa atrocidade, proferimos a *hrach bishat*, a execração, contra ele. Como você sabe, essa maldição outrora esteve reservada àqueles que considerávamos possuídos. Significa que Ber Lusim passou a ser considerado, desse momento em diante, um demônio em vez de um homem. Finalmente conquistou o título que já lhe havia sido conferido. — Kuutma pareceu hesitar. — Diga-me, irmãzinha: enquanto você crescia no orfanato, alguma vez experimentou a crueldade ou a discriminação em razão de suas origens?

A garota o fitou, titubeando por causa da súbita mudança de assunto.

— Às vezes — ela respondeu por fim. E em seguida: — Isso foi há muito tempo.

— As outras crianças a chamavam por nomes feios?

A garota procurou lembrar-se. Sim, é claro que fizeram isso, mas havia significado muito pouco. As amas-educadoras é que a haviam magoado, com sua frieza e desdém. Até que ela aprendera a encontrar o local dentro de si que elas não eram capazes de tocar — e a amar a cor, o tom, a textura e o padrão mais do que amava pessoas.

— Do que a chamavam? — Kuutma perguntou.

— Isso foi há muito tempo — a garota repetiu.

— Mas você se lembra, tenho certeza — ele a incentivou.

— Eles me chamavam de bastarda. — E de mestiça, ilegítima, pústula, aborto, acidente, coisa híbrida, peido de *Kelim*, pomo de Adão. Uma centena de coisas, todas variações da mesma ideia. *Sua mãe saiu para o mundo e abriu as pernas, esperou que um qualquer a engravidasse e, agora, aqui está você.*

— Ber Lusim também é filho de uma mulher *Kelim*. Talvez o abuso que ele sofreu por isso tenha sido o que endureceu seu coração contra as *Kelim*.

Kuutma ergueu seu copo, como se para tomar outro gole de água, mas então meramente o fitou e, por um longo tempo, nada disse.

— Talvez Shekolni estivesse certo a respeito de uma coisa — murmurou por fim. — A mudança... a mudança pode chegar a nós, queiramos ou não. Nem tenho certeza de que isso seria ruim. A estagnação é provavelmente nosso pior inimigo neste momento. A estagnação e a decadência.

Ele fez um esforço visível para afugentar de si o humor sombrio, olhou para a garota e ergueu o copo um pouco mais, em um brinde.

— Eu não deveria falar dessa maneira — disse — neste dia do seu triunfo. Eu a observei durante todo o seu treinamento. Não sei se você está ciente disso.

Ela estava muitíssimo ciente, é claro, mas negou-o com certa modéstia.

— Sim — Kuutma disse. — Eu a observei e fiquei satisfeito. Orgulhoso. Deliciado. Você sofreu tudo o que há de pior em nós, e incorporou tudo o que há de melhor. Espero viver para vê-la elevar-se tanto quanto você merece.

A garota sentiu-se desconfortável com tantos elogios.

— O que devo fazer? — perguntou, tanto para mudar de assunto como porque estava desesperada por saber.

— Enviarei você contra Avra Shekolni e Ber Lusim — Kuutma disse simplesmente. — Quero que descubra quantos seguidores possuem agora, onde estão e o que estão fazendo.

— E que os traga para cá para serem julgados?

— Não. — Kuutma balançou a cabeça. Havia um brilho de suor em sua testa calva, que fazia com que reluzisse mesmo à luz turva da sala. — Ou, pelo menos, não imediatamente. Ber Lusim é um oponente formidável por si só, e não sabemos com certeza quantos outros estão ao lado dele. Você não poderia esperar triunfar contra eles sozinha. Considere como estaria em desvantagem em tal encontro. Considere quão pouco conseguiria realizar.

— Então, me dê companheiros fortes o bastante para a tarefa — a garota disse. Nem lhe ocorreu duvidar que ela seria a líder de tal time: ela não subestimava as próprias habilidades, e, de todo modo, Kuutma não conversaria dessa forma com um simples soldado raso.

— Sim — Kuutma respondeu. — É o que farei. — E, enquanto ele explicava seu plano, ela começou a entender por que ele havia lhe oferecido a opção de rejeitar a incumbência. Mas não tinha a menor intenção de fazê-lo. Sabia que os escrúpulos de Kuutma pelo bem dela estavam errados e que as coisas que ele considerava difíceis para ela seriam mais fáceis do que ele jamais imaginara.

Ele terminou de falar e esperou em silêncio que ela respondesse.

— Preciso de um novo nome — ela disse, afinal.

Kuutma ficou surpreso com o comentário aparentemente aleatório.

— Nada disso funcionará se eu contar a eles quem sou — a garota explicou, sustentando o olhar dele para mostrar que os detalhes de sua missão não a haviam abalado ou confundido nem um pouco.

Kuutma pareceu pensar.

— Não — concordou. — Talvez você esteja certa.

— Então, serei Diema — a garota disse. Significava semente de sicômoro, algo leve que viaja por longas distâncias no vento. Ela queria tanto o sentido literal quanto o irônico. Cobriria uma longa distância, contudo pretendia deslocar-se somente pela própria vontade.

Nunca havia gostado do nome Tabe, de todo modo. Lembrava-lhe demais sua mãe.

CAPÍTULO 18

Diema partiu por entre as Nações e aprendeu seus costumes. Pensava já conhecê-los, mas havia uma diferença, ela agora percebia, entre as viagens controladas conduzidas por seus professores e esta — ela procurou por uma palavra — *odisseia*, esta grande jornada rumo ao desconhecido.

Para sobreviver ao mundo adamita, na maior parte do tempo completamente só, Diema não teve escolha senão acompanhar a velocidade dele — que era agressiva e existencialmente aterrorizante. Ela imergiu em reuniões aleatórias, aglomerações sociais casuais, conexões frouxas e banais. Grupos de autoajuda, encontros-relâmpago, noites de *karaoke*, congressos de negócios, concertos de *rock*, aulas noturnas, reuniões públicas e grupos de oração: disparou dentre eles como um raio cósmico em um detector de partículas, atraindo para si toda a massa e induzindo a rotação dos corpos ao seu redor. Dominou seu papel.

Sendo jovem e (assim parecia) razoavelmente atraente, e não controlando inteiramente os sinais sociais que emitia, ela se viu mais de uma vez em situações nas quais poderia ter corrido o risco de um estupro ou assalto. Entretanto era perita em frear os homens que a ameaçavam e criteriosa na reação, deixando-os feridos, mas não aleijados. Cada um desses incidentes era uma experiência de aprendizado. Ela nunca havia imaginado quanto o sexo era importante como moeda social entre as Nações, quão imensa era a parte das interações diárias baseadas nele.

Essa parte da tarefa de Diema, que Kuutma chamara de aclimatação, não tinha uma duração definida. Cabia à própria garota decidir quando estaria pronta para o próximo passo. Levou três meses. Parte dela se rebelava contra a perda de tempo e impulso, mas ela aprendera com seus professores quão crucial essa fase seria ao lutar para firmar-se em um ambiente. Se você se inclinasse para fora de seu centro de gravidade, até um adversário fraco poderia fazer com que tombasse. Ela não cometeria esse erro básico.

Ou talvez estivesse apenas protelando. Algumas das coisas que ela descobrira aqui, na terra devastada que eram as Nações, a afetaram de forma completamente inesperada.

A televisão, por exemplo. A primeira vez que ligou um televisor em um quarto de hotel, sentindo necessidade de algum ruído de fundo, e viu-se olhando para um gato estilizado que perseguia um rato estilizado em uma casa que era magicamente infinita, ela ficou lá por cinco minutos, hipnotizada. Como essas pequenas obras de arte insanas e anárquicas poderiam existir? Quem eram os *idiots savants*[6] que as criavam?

Desenhos animados tornaram-se o único vício de Diema. Sempre que precisava matar o tempo em um lugar onde houvesse uma TV, ela passava rapidamente por todos os canais até encontrar uma emissora infantil. Então ficava ali por horas, culposa e completamente absorta naquele mundo de coelhos e patos falantes, bombas com o rótulo de BOMBA, mortes temporárias, peripécias tragicômicas e a maravilhosa companhia Acme, que fabricava tudo o que você pudesse querer e enviava para onde quer que você estivesse.

Os cartuns eram uma barricada, às vezes bem-sucedida, às vezes não, contra os pesadelos. Na maioria das noites ela sonhava em matar o rapaz (cujo nome, Ronald Stephen Pinkus, ela não conseguia convencer-se a esquecer). Só que, em seus sonhos, a morte dele era um trabalho de Sísifo que ela sempre precisava recomeçar assim que terminava. Acordava com lágrimas banhando a face e odiava-se por elas. Eram os sinais visíveis de uma terrível falha íntima, que ela precisava identificar e erradicar. Ronald Stephen Pinkus havia posto uma mínima parte dela em guerra contra o resto. Mas ela era forte e resiliente e acreditava que poderia derrotar aquele fragmento enganador. Saberia que vencera quando os sonhos parassem.

E finalmente, pesadelos à parte, ela decidiu que estava pronta. Havia lido os documentos instrutivos que Kuutma lhe dera — infinitamente, obsessivamente, até sabê-los de cor — e escolhido por onde começar.

O principal sacramento dos Mensageiros era o consumo da *kelalit*. Ber Lusim e seus seguidores não teriam renunciado a isso, e, embora pudessem obter armas e suprimentos de onde quer que desejassem, os ingredientes básicos do fármaco letal e indispensável eram muito difíceis de encontrar. Diema considerou uma quantidade de comerciantes que Ber Lusim provavelmente conhecia e escolheu um — co-

[6] Idiotas sábios. (N. E.)

nhecido por sua discrição e usado pelo Kuutma-que-se-foi na época em que Ber Lusim ainda estava entre os escolhidos.

Essa primeira escolha não deu frutos. Nem a segunda. Porém a magia do número três operou a seu favor. Na terceira casa, em Paris, não fazia nem uma semana que estava espiando quando viu o mensageiro de Ber Lusim (um homem que ela reconheceu dos arquivos de Kuutma) vir coletar uma compra. Seguindo-o a distância, descobriu o canteiro de obras cujas cabanas simples, temporárias, eram a residência do Demônio na França.

Ela se aproximou, cautelosa e lentamente. Não superestimaria suas chances. Observou, calculou e esperou o momento certo. Era um soldado agora, e seu coração rejubilava-se na tarefa que lhe fora confiada.

Ao longo de muitos meses, ela montou uma imagem da rede de contatos de Ber Lusim.

Era muito menor do que a de Kuutma, é claro. Só podia ser, já que era constituída sobretudo pelos membros da própria equipe de Lusim que haviam se separado do Povo ao mesmo tempo que ele.

Diema soube desse cisma ao ouvir as conversas deles. Possuía um amplificador direcional ScopeNet do Exército dos Estados Unidos, equipado com camada após camada de filtros de ruído inteligentes. Podia ajustar o aparelho para captar os sons através de duas ou três paredes e janelas interpostas, e em relação ao ângulo dela para cada novo falante no ambiente. Fez a maior parte de suas ações de escuta clandestina deitada de barriga para baixo no telhado dos vários esconderijos de Ber Lusim, de olhos fechados, isolada do mundo, focada na paisagem sonora que chilreava e sussurrava.

Conseguiu o que queria.

Mapeou a estrutura de comando de Ber Lusim, que era imensamente descentralizada. As tropas à disposição dele eram muito menos numerosas que as dos legítimos *Elohim*, embora ainda fossem maiores do que ela imaginara. Era chocante que ele tivesse sido capaz de recrutar outros Mensageiros anteriormente considerados fiéis. Evidentemente, Shekolni estava longe de estar só em seu descontentamento com a nova Ginat'Dania.

Ela soube que Ber Lusim se apoiava fortemente em dois tenentes — Elias Shud, tão brusco, brutal e perigoso quanto um trem desgovernado, e Hifela, a "Face da Caveira", que era ainda mais perigoso e quase tão veloz quanto o próprio Ber Lusim.

Soube também sobre o livro de Toller, o que talvez não devesse surpreendê-la. Os *Elohim* já conheciam Toller, e seu apelo para uma mente como a de Ber Lusim era óbvio.

Mas não era Lusim quem estava conduzindo aquilo. Era Shekolni, o ancião que caíra em desgraça (embora Lusim e sua gente se referissem a ele simplesmente como "o profeta"). Lusim parecia ter sido relegado ao papel inferior de um capataz, com seu próprio consentimento, e a perversa, porém feroz, lealdade de seus próprios seguidores havia sido transferida para o outro homem. Tratavam-no com ávida reverência e obedeciam a cada palavra sua.

O mais impressionante era o que ele estava mandando que fizessem.

Diema voltou para Kuutma e contou o que havia descoberto. Que os *Elohim* renegados estavam queimando cada cópia do livro de Toller existente no mundo, exceto a sua própria, e matando todos fora de suas fileiras que pudessem tê-lo lido.

Kuutma nem mesmo fingiu estar surpreso.

— Fizemos coisas semelhantes para proteger nossas próprias escrituras — ele a lembrou.

— Para protegê-las, sim — Diema concordou. — Mas isso vai muito além da proteção. — Então, contou o que Shekolni estava fazendo e o que ele esperava conseguir com isso.

E Kuutma riu. Contudo foi uma risada amarga, incrédula.

— É fantástico — disse ele. — Tantos milhares, de um só golpe. Milhões, talvez. Ele desafia Deus a intervir, ao mesmo tempo que finge se curvar à palavra divina. É como o jogo da galinha, disputado contra o céu.

— Jogo do quê? — Diema perguntou. E Kuutma explicou a ela as regras daquele jogo. Como dois homens embarcam em ações que destruirão a ambos — por exemplo, dirigindo um carro contra o outro em velocidade suficiente para causar uma colisão fatal. E o perdedor é aquele que desviar o veículo para o lado.

— Não creio que Deus jogue esse tal jogo da galinha — ela disse sombriamente.

— Irmãzinha — Kuutma volveu —, Ele com certeza joga. Mas não dirige o carro pessoalmente. Escolhe representantes. A esta altura, que não haja engano: Ele escolheu você.

— Você me escolheu, *Tannanu*.

— É verdade. Mas quais foram as circunstâncias que a tornaram a escolha certa? Não fui eu quem as causou, nem você. A Providência atua sobre nós, em sua própria direção, e o faz em tamanho desacordo com nossas decisões que — para o bem ou para o mal — sua passagem pode nos ferir além de qualquer possibilidade de salvação. Podemos apenas esperar que estejamos inteiros quando Sua vontade estiver cumprida. Não podemos pedir compreensão.

Ele observava Diema atenta e pensativamente.

— Você realizou grandes coisas em um período relativamente curto.

— Obrigada, *Tannanu*.

— Mas uma das coisas que você fez não me alegra, irmãzinha. Ela me enche de temor.

Diema manteve a expressão impassível, embora seu estômago se apertasse.

— Não fiz nada que comprometesse seu plano, *Tannanu* — disse. Uma defesa ínfima.

— É claro que não fez — ele concordou. — Mas, em certos momentos de suas viagens, você se afastou de sua tarefa para dedicar-se a uma questão irrelevante.

Diema baixou a cabeça — em parte para esconder o rosto e não deixar que ele lesse a culpa estampada nele, em parte por genuína vergonha.

— Não acontecerá outra vez — disse, tensa.

— Ronald Stephen Pinkus — Kuutma disse, colocando espaços audíveis entre as três palavras do nome. — O rapaz que você matou. Você esteve investigando a família dele. Os pais e a irmã. Por que fez tal coisa?

Diema forçou-se a encarar o olhar de Kuutma.

— Apenas por interesse fútil — ela disse. — Nada mais. Nossos professores nos ensinaram a ser curiosos a respeito do funcionamento de sistemas no mundo adamita. A família do garoto é um sistema. Minha ação mudou isso. Eu quis ver como o sistema reagiu a essa mudança.

— Não mais que isso?

— Não mais que isso, *Tannanu*.

Kuutma assentiu.

— Você deu a si mesma o nome da semente do sicômoro — ele a lembrou. — Estude-a. A leveza é a virtude que melhor a servirá. Flutuar em meio à vida deles sem tocá-los ou ser tocada. Digo isso não para admoestá-la, mas para ajudá-la.

— O que faço agora? — Diema perguntou, desesperada por mudar de assunto.

— Reúna sua equipe — Kuutma disse vivamente. — Todos eles, no padrão e na ordem predefinidos, conforme conversamos.

E ela o fez. Deixou a Providência fazer seu trabalho.

Deixou o martelo descer sobre o prego.

Parte 3

O Martelo

CAPÍTULO 19

A Southampton Row já estava movimentada às 7h30 da manhã. As lojas tinham suas portas semierguidas de forma que os empregados pudessem passar por baixo delas e começar a arrumar as prateleiras. Cafeterias e lanchonetes de alto padrão estavam apinhadas dos madrugadores a caminho das lojas e escritórios no West End. As mais baratas serviam café da manhã a faxineiros cansados e seguranças que iam para casa após o turno da noite.

Kennedy caminhou entre eles, uma transeunte que não pertencia nem ao mundo da noite nem ao do dia. A fadiga e o mau humor a distanciavam de tudo. Sentia-se como se alguém tivesse esfregado seu cérebro com uma palha de aço, e no processo o órgão houvesse ficado tão frouxo dentro do crânio que rangia quando ela caminhava.

Deixara o apartamento de Izzy na noite anterior sem nada além das roupas que estava usando. Ambos os agressores ainda estavam profundamente inconscientes, e Samal, em particular, parecia precisar de muitos cuidados médicos caso quisesse voltar a tocar piano — ou formar uma frase com mais de uma sílaba. Mas os nervos de Kennedy estavam sobrecarregados e ela não tivera coragem de arrumar uma mala com os dois homens deitados lá, tendo de passar por cima dos corpos inertes para caçar as próprias blusas e calças no meio dos vestidos de festa e da *lingerie sexy* de Izzy.

Então ela simplesmente saíra dali, trancando a porta atrás de si.

Fez uma rápida parada em seu apartamento no andar de baixo, onde jogou algumas calcinhas e camisetas em uma bolsa transversal.

Ela já contara a Izzy sobre a necessidade de quebrar o próprio padrão. Quando alguém nos persegue, a pior coisa que podemos fazer é nos atermos aos contatos e hábitos de sempre. Do contrário, mais cedo ou mais tarde, na esquina de um caminho familiar, haverá um barbante esticado para nos fazer tropeçar e um poço com estacas afiadas de bambu no fundo. Ela seguiu o próprio conselho. Afastou-se uns 800 metros do apartamento antes de pegar um táxi.

— Para onde, meu bem? — perguntou o taxista.

— Onde pegou seu último passageiro? — Kennedy perguntou a ele.

— Hein? — O motorista pareceu ver algo de sinistro na pergunta.

— Quem entrou aqui por último. De onde estava vindo?

— Entrou na Talbot Square. Perto da Estação Paddignton.

— Ótimo. Me leve para lá.

Acabou sendo uma boa escolha. A Talbot Square levava à estrada Sussex Gardens, onde uma em cada duas casas era um hotel. Kennedy pegou alguns suprimentos de emergência em um minimercado 24 horas da Praed Street. Depois, registrou-se em um dos hotéis, cujo nome reconfortante era Bastion, o baluarte, com pilastras emboloradas dos lados da porta e uma placa enfiada no canto inferior da janela que prometia INTERN SEM FIO DE GRAÇA. O E e o T provavelmente estavam escondidos pela borda da moldura.

Ela pagou pelo quarto em dinheiro. O recepcionista quis ver algum documento de identidade em nome de Conroy, que foi como Kennedy se apresentou, mas ela desviou a curiosidade dele com duas notas de 20.

O quarto tinha uma forma recortada e estranha, aparentemente feito de partes cortadas dos quartos adjacentes. Kennedy tirou algumas horas para dormir um sono leve na estreita cama de solteiro, porém a dor da ferida no lado do corpo a acordava a cada vez que ela mudava de posição. Por fim, desistiu. Ficou simplesmente deitada de costas, olhando para o gesso manchado do teto e tentando entender como é que as coisas haviam dado tão errado, tão rápido.

Não por acidente. Não por serendipidade[7]. Nem por mero acaso. O raio não acertava o mesmo lugar duas vezes sem uma porcaria de boa razão.

A tribo de Judas havia mandado seus Mensageiros, seus *Elohim*, para matá-la.

Mas a garota que a salvara também havia se identificado como uma Mensageira.

Era estranheza após estranheza, e tudo indecifrável.

Quando a alvorada penetrou pelas cortinas de estampa *paisley*, ela levantou e tomou uma ducha. Só havia água morna, mas foi o suficiente para fazer com que a ferida superficial em seu flanco sangrasse novamente, criando veios vermelhos na água a seus pés. Kennedy experimentou uma incongruente sensação de alívio. O corte havia cria-

[7] Serendipidade é um anglicismo que se refere às descobertas afortunadas feitas, aparentemente, por acaso. (N. E.)

do uma crosta e só estava sangrando porque ela o fizera abrir-se novamente. Fora sorte os Mensageiros usarem adagas diferentes para tortura. As que eles usavam para assassinatos normalmente eram untadas com um poderoso anticoagulante que tornava até mesmo ferimentos rasos potencialmente fatais.

Ela se enxugou, arruinando a toalha no processo, depois desinfetou e enfaixou a ferida. Era hora de enfrentar o dia. E de voltar a ficar bem ali, na linha de fogo.

Porque sua primeira parada seria Leo Tillman.

* * *

O Pantheon Café, na Montague Street, tinha uma fachada tão estreita e modesta que o nome devia ter sido concebido como uma espécie de gesto irônico. Quando Kennedy entrou, descobriu que era a única cliente no lugar, mas, de todo modo, a lotação máxima teria sido de umas oito pessoas. Logo ao passar pela porta, viu duas mesas cobertas com toalhas de plástico xadrez, iguais às duas do lado de fora. Depois delas havia um refrigerador que era grande demais para o minúsculo espaço e bloqueava metade do igualmente minúsculo balcão. Na parede oposta à máquina de bebidas, um quadro branco muito manchado anunciava os especiais do dia — falafel no pão sírio, charutos de folha de uva, salada com queijo feta. Para um café grego, não parecia lá muito especial.

Atrás do balcão, um homem de compleição esguia e atlética, cabelos muito lisos e um bigodão mexicano que parecia ter saído do rosto de outra pessoa estava organizando fatias de *baklava* na forma de um mosaico tosco em uma bandeja oval.

— Oi — Kennedy disse. — Estou tentando entrar em contato com o Leo. Leo Tillman.

O homem não afastou o olhar de seu trabalho.

— Sim — respondeu. — E?

— E me disseram que eu poderia deixar uma mensagem para ele aqui.

— Ah.

Kennedy esperou, mas ele não disse mais nada.

— Então, se eu deixar a mensagem com você — continuou ela —, talvez você possa passá-la para o Leo da próxima vez que ele aparecer. Se não for muito trabalho.

— Ah — repetiu o homem. — Se.

— Olhe — disse Kennedy. — Você conhece o Leo ou não? Se não conhecer, eu desapareço da sua vida.

O homem olhou para ela pela primeira vez — um olhar analítico, avaliador.

— Você não está *na* minha vida, minha bela — disse ele solenemente. — Se eu vir esse homem, digo a ele que você o está procurando. — Ele deu de ombros e sorriu tristemente para ela. — É tudo o que posso fazer.

Kennedy o olhou bem nos olhos.

— Então, o que você vai dizer a ele? Eu nem te informei meu nome.

— Digo a ele que uma mulher muito bonita está procurando por ele. E descrevo seu belo rosto e seu belo corpo para ele com tantos detalhes que ele vai saber de quem estou falando.

A tolerância de Kennedy a esse tipo de conversa era baixa. Ela abriu a boca, já preparando uma carreira de palavrões para disparar, mas percebeu que o homem estava olhando por cima do ombro dela.

Tillman estava atrás dela, apoiado no batente da porta, as mãos imensas no fundo dos bolsos.

— É bom te ver, Kennedy — ele disse. — Venha para o meu escritório.

* * *

Kennedy pensou que Tillman estivesse falando do café, mas, no final das contas, o "escritório" dele era o Coram's Fields — um retalho de verde mais ou menos na forma perfeita de um X, virando para o oeste na Gray's Inn Road. Na época em que o Coram's fora um orfanato, o campo havia sido parte de seu terreno, inundado de órfãos urbanos descobrindo a sensação de deitar na grama. Atualmente, estava mais cheio de estudantes estrangeiros da escola de intercâmbio London House e funcionários de escritórios de advocacia em horário de almoço.

Tillman sentou-se em um banco no topo de um monte relvado e gesticulou para que Kennedy sentasse ao lado dele. Por um momento, ela ignorou o convite. Tillman estava com ótima aparência, ela precisava admitir. Ou talvez fosse só porque, da primeira vez que o vira, ele já passara treze anos em uma missão monomaníaca que desintegrara o corpo e a mente dele, um átomo por vez. Ainda parecia um estivador irlandês que tinha o pavio curto, mas agora parecia mais um estivador irlandês a caminho da igreja, em vez de a caminho do suicídio. Sentou-se com as mãos enormes repousando educadamente nos joelhos. Seu cabelo cor de areia — agora prateado nas têmporas — estava penteado para trás em algum tipo de formato, em vez de espetado e voando para todo lado feito uma moita em chamas.

— Tá bom — Kennedy disse. — Eu só queria te deixar um recado. Me disseram que o Pantheon era sua caixa de correio. Mas você sabia que eu viria, né?

— O John me disse que você estava querendo falar comigo — Tillman admitiu.

— E depois? Você decidiu acampar naquele café até eu aparecer? Se tem tanto tempo assim para desperdiçar, Leo, bom pra você. Eu não tenho. Por que você não me ligou, simplesmente?

— O Manolis está me ajudando numa coisa — ele respondeu. — Um projeto em andamento. Ligar pra você seria a próxima coisa que eu faria, Heather. Assim que eu terminasse com isso.

O tom dele era moderado, calmante. A verdade era que a raiva de Kennedy não tinha nada que ver com ele. Sentira-se desamparada na noite anterior, amarrada de pernas abertas na cama, enquanto dois homens a ameaçavam e agrediam. Era verdade que depois ela vira ambos serem socados até virarem purê, mas isso não ajudara a reconciliá-la com a dor e a humilhação.

— Estou tendo uma semana ruim — disse a Tillman. — Desculpe. É bom te ver também.

Ela sentou ao lado dele, reprimindo o impulso inquieto que a impelia a permanecer de pé e em movimento.

Ele não tentou tocá-la. Não era homem de ficar muito aos abraços e beijos. Quando estivera procurando por sua família, vivera como um monge por tempo suficiente para transformar a solidão em seu estado natural. Você não abandona esse tipo de hábito de forma leviana, não depois de deixar que ele o impregne até o miolo, como Leo fizera. Ele também não tentou persuadi-la a falar. Apenas esperou, sabendo que ela o faria a seu próprio tempo.

— Então, o que você estava fazendo lá no café? — ela perguntou novamente. — O John Partridge disse que você estava com um trabalho. O que "trabalho" significa para você hoje em dia?

Tillman riu levemente.

— Nunca pareceu significar a mesma coisa duas vezes. Mas não é exatamente um trabalho. É mais um efeito colateral do trabalho. Alguém anda me vigiando. Estou tentando descobrir quem pode ser e o que pretendem fazer, mas eles são muito bons e parece que nunca consigo pegá-los no flagra.

Kennedy ficou perturbada e ele percebeu isso em sua expressão. Novamente, esperou em silêncio que ela explicasse.

— Tá bom — disse ela. — Não gosto nem um pouco disso. Pode ser que não tenha nenhuma ligação com o que me trouxe até aqui, mas não acho muito provável.

Contou a Tillman sobre os eventos dos últimos dias, concisamente, mas com todos os detalhes circunstanciais que pôde oferecer. Queria que ele visse tudo do mesmo ponto de vista do qual e a vira, como as peças se encaixavam e gritavam aquela conclusão impossível e indesejada para ela. Mas parou na morte de Alex Wales. Não conseguiu falar o que havia acontecido depois disso, depois que saíra do hospital e fora para casa. Não com Tillman. Não ainda.

— O Povo de Judas — Tillman murmurou depois que ela terminou. Falou com um tipo de admiração entorpecida, como se aquilo fosse de alguma forma inesperado e óbvio ao mesmo tempo, como se um cavalo favorito ganhasse de fato a corrida depois de você ter apostado em um azarão.

— Sim — Kennedy disse, um pouco irritada com a calma dele. — O Povo de Judas, Leo. Aqueles que mataram meu parceiro, roubaram sua família de você e quase... — Ela se deteve, percebendo um toque de histeria na própria voz. — Não estou lidando muito bem com isso — admitiu, afirmando o óbvio. — Foi há três anos, e fiz o melhor que pude para esquecer essa coisa toda. Agora... é como se nunca tivesse ido embora. Como se a gente nunca tivesse voltado do México.

— Mas voltamos — ele a lembrou. Lançou-lhe um olhar impiedoso. — Heather, eles jogaram tudo o que tinham contra nós e ainda escapamos com vida. Não é a mesma coisa. Você só ultrapassou o limite de algo em que eles estão envolvidos. Podem até não ter somado dois e dois. Podem até não saber que é você. Que você é... alguém que já sabe sobre eles.

— Gostaria de poder acreditar nisso — Kennedy disse tristemente. — Mas não acredito. Nem você. Se fosse só eu, até acreditaria. Talvez. Poderia ser o pior dos azares. Mas não sou só eu, somos eu e o Emil

Gassan. Duas das três pessoas no mundo que sabem que a tribo de Judas existe. Isso meio que altera as chances, né?

Tillman bufou.

— Talvez.

— Talvez?

— Daria para montar um caso. Tudo isso parece ter que ver com aquele livro, de alguma forma, né? E a especialidade do Gassan é decifrar textos antigos. Então, não acho que seja tão esquisito que ele estivesse por perto quando o livro foi roubado. Ou destruído. Ou o que quer que tenha acontecido com ele.

— Só que ele não estava. Foi trazido depois, como eu.

— Mesmo assim. Textos antigos são a área dele. Fazia sentido ele estar lá. E, quando pediram a ele que chamasse um investigador particular, quantas pessoas você acha que ele tinha na lista? Só você, Heather. É a única pessoa que ele conhece que trabalha nisso.

— Só coincidência, então.

— Só coincidência. Porque a alternativa é pensar que o universo todo se modifica só por sua causa. E, se começar a pensar desse jeito, terá meio caminho andado para algum tipo bem sério de transtorno de personalidade.

Kennedy não quis dizer que ele era o roto falando do rasgado.

— Bom, obrigada por aparecer com uma explicação racional, Leo — disse ela. — Mas não é o que parece de onde eu estou olhando. Deve haver uma centena de paleógrafos que o museu poderia ter chamado. E o fato de o cara encarregado do acervo ter sofrido um derrame e o roubo ter acontecido logo em seguida... Eu diria que já estamos fora do território das coincidências aqui. — Ela se fortaleceu. — De todo jeito — disse em voz baixa —, tem mais.

— Acha que não percebi isso pela sua cara? Desembucha.

— Vieram atrás de mim ontem à noite. Quando voltei para casa, estavam esperando por mim.

As sobrancelhas de Tillman ergueram-se um milímetro, o que no caso dele era uma expressão de extremo assombro.

— Conhecendo as habilidades deles — disse —, foi sorte você ter visto que estavam lá.

— Eu não vi — Kennedy disse. — Caí direto na armadilha. Eles iam me matar. Iam me interrogar primeiro e me matar quando já tivessem todas as respostas. Mas aí aquela... aquela *garota* apareceu. E tenha em mente, Leo, que eu não chamo mulheres de garotas o tempo todo. Ela era muito jovem. E era melhor que eles. Salvou minha vida. Deixou aqueles dois Mensageiros mais mortos que vivos. E usou praticamente só as mãos e a mobília do quarto.

Ela deixou a informação assentar por alguns minutos. O rosto de Tillman mostrava que ele estava ponderando o que aquilo significava. Mas Kennedy concluiu por ele:

— Ela era uma deles. Uma *Elohim*.

Ele batucou com o polegar nas costas do banco, seu olhar vagando na distância. Não aleatoriamente, Kennedy percebeu. Ele escolhera este ponto do parque por causa da vista que oferecia. Estivera monitorando todas as pessoas que passavam enquanto os dois conversavam. Ainda estava fazendo isso, certificando-se de que não estavam sendo vigiados ou ouvidos, verificando ângulos de visão e padrões de movimento.

— Duas facções — ele disse finalmente, depois de um longo silêncio.

— Essa é a conclusão óbvia — Kennedy concordou. — Mas que diabo isso quer dizer? Um grupo dissidente da tribo de Judas, assim como o Provos saiu do IRA original? Essa gente manteve toda aquela merda junta por 2 mil anos. O que aconteceu de tão especial para causar uma separação?

— Sabemos que eles levantaram acampamento. Levaram a cidade oculta do México para algum outro lugar. Isso deve ter gerado um baita estresse. Centenas de milhares de pessoas de mudança, deixando para trás tudo o que conheceram. Tendo que construir suas casas de novo, do nada. Provavelmente é seguro pensar que estão passando por alguma revolta social neste momento. Águas agitadas para o povo escolhido.

— Isso foi há três anos — Kennedy o lembrou.

— Não importa. As ondas de choque podem levar uma geração inteira para desaparecer. Mais que isso, até. Uma coisa desse tamanho, Heather, é lenta demais para mensurar. Acredite em mim. Várias das minhas missões para o Xe aconteceram em momentos de pós-guerra. Então pude ver um monte de gente — um monte de culturas — passando por maus bocados. Tudo é jogado para o alto e depois cai no chão virado do avesso. O que aconteceu lá não foi uma guerra, é claro; foi um êxodo. Mas aposto que em alguns aspectos foi comparável a uma guerra.

Kennedy sentiu que se rebelava contra esse argumento. Talvez nutrir simpatia pelos desgraçados que haviam feito de tudo para arruinar a vida de Tillman e tentado acabar com a dela fosse uma façanha que exigisse uma elasticidade moral além da sua capacidade.

— Comparável a uma *guerra*? O único jeito de fazer essa comparação seria se eles tivessem se tornado tão tacanhos — tão rígidos no modo de pensar e de viver deles — que qualquer tipo de mudança os partiria em pedaços.

— Bom — Tillman disse, olhando ao longe outra vez —, é só uma hipótese. Os fatos sugerem que eles estejam lutando uns contra os outros. Nisso podemos concordar. As razões... bom, de um jeito ou de outro, nunca vamos saber, né? Se você perguntasse e eles respondessem, teriam que matar você em seguida.

Ele disse isso em tom de brincadeira, mas Kennedy não riu — e Tillman não estava mesmo fazendo graça. Ele ficou de pé e olhou para ela em silêncio.

— Que foi? — Kennedy perguntou.

— O que você quer de mim, Heather?

— Neste momento? Nada. Só estou avisando você, pois para mim parece que, se eles estiverem mesmo cuidando de assuntos inacabados — e isso for mais do que mera coincidência —, então virão atrás de você em seguida. E agora parece que já vieram. Aposto que são eles que andam te vigiando.

— Não — Tillman disse.

— Como assim, não? A única pessoa que eles odeiam mais do que a mim só pode ser você, então é meio que inevit...

— Quero dizer que você não veio aqui pra me avisar.

— Não vim?

— Bom, não só pra isso. Conte o resto. Quer que eu te dê cobertura?

Kennedy ficou estarrecida.

— Não — disse ela. — Leo, não. Jesus, depois do que você passou? Não estou tentando te envolver nisso. Não... — *Não para combatê-los*, ela queria dizer. *Não para matar mais nem um deles*. Mas, se seguisse essa linha de pensamento, com Tillman bem ali na sua frente, não havia jeito de prever o que sua expressão entregaria. Ele ainda não tinha ideia de que os dois Mensageiros que havia matado na Fazenda do Pombal haviam sido seus próprios filhos. Ela estava determinada a nunca deixar que ele descobrisse.

Na verdade, havia apenas um contrapeso para essa determinação, e esta era a verdadeira razão pela qual ela viera: mais importante que os filhos mortos era a filha viva. Tabe. Talvez fosse impossível, ao olhar para o rosto da garota e escutá-la falar, não ver as semelhanças, ouvir os ecos. Mas ela estivera com Diema tão rapidamente, em um momento no qual seus pensamentos eram um tumulto. Poderia facilmente estar enganada. A idade estava certa, mas que diabo isso significava? Todos os Mensageiros eram jovens. As drogas que consumiam para aumentar sua força e velocidade os matavam antes que ficassem velhos.

— Tem mais uma coisa — ela admitiu. — Algo que preciso te contar, mas ainda não posso. Não sei se estou certa, e se eu estiver errada vai ser... — Ela parou de falar. O assunto havia entrado num terreno muito perigoso, muito rápido. — Eu juro, Leo — disse, ciente da reverberação oca em suas palavras evasivas —, assim que eu tiver certeza, conto pra você. E aí, bom, aí, sim, vou querer que você se envolva. Aí você *vai ter* que se envolver.

— E, até lá, tenho que simplesmente confiar nos seus instintos?

— É.

— Beleza — disse Tillman. — Porque eu confio. — Soltou o ar em um longo suspiro. — Engraçado. Por muito tempo, eu pensei estar em paz. Sabia que Rebecca estava morta. Sabia como ela havia morrido e por quê. Sabia que meus filhos estavam bem, que estavam felizes, mesmo que estivessem com aqueles maníacos. Pensei que isso fosse suficiente. Mas ultimamente tem me incomodado. Tipo, como é que eu fiquei sabendo que eles estão pelo mundo e não saí para procurá-los? Mesmo que eu os visse só de longe, significaria tanto. Você vir aqui me ver... é estranho, mas estranho de um jeito bom. É como se tudo o que eu pensei que tivéssemos deixado morto e enterrado estivesse voltando.

Nem tudo, Kennedy pensou. *Não Ezei. Nem Cephas.* Era por isso que ela morria de medo de deixá-lo aproximar-se demais. Amplificava o risco de ele descobrir o que havia feito, e ela tinha certeza, sem sombra de dúvida, de que saber disso o mataria.

— Leo — disse, tentando interceptá-lo —, nós achamos o lar deles uma vez e eles o arrancaram pela raiz e o mudaram de lugar. Não há a menor chance de deixarem que você o encontre de novo. Acho que você deveria enfiar isso na cabeça. E, acredite em mim, por favor, eu realmente não vim aqui para te arrastar para o meio da minha bagunça. Vim avisar que é melhor você se cuidar e... Não, só isso. Só se cuide. Se tiver a opção de se esconder em algum lugar, faça isso. Quando tudo tiver acabado, deixo uma mensagem naquele café, ou seja lá onde for. Aí eu venho te contar o que aconteceu. Talvez... talvez eu tenha novidades pra te contar.

— Heather — disse Tillman brandamente —, com todo o respeito, e espero que você saiba o quanto te respeito, não acho que é assim que vai ser. Mesmo que eu ficasse feliz em sentar e esperar, sou a única pessoa a quem você pode pedir ajuda que sabe como esses desgraçados operam.

— Não estou pedindo — Kennedy disse, agora um pouco desesperada. — Não estou pedindo sua ajuda. Na verdade, estou pedindo que você não me ajude. Eu preciso... estou cuidando de um assunto. Um assunto complicado. Se você entrar metendo a cara, pode estragar tudo. Por favor, Leo. Fique longe até eu terminar.

— Um assunto complicado.

— É.

— Alguma pedra no sapato?

— Eu te contaria se pudesse.

Tillman riu.

— Caramba, Heather. Como é que você foi uma policial de homicídios por todos esses anos e não aprendeu a mentir direito? Não consegue nem me olhar nos olhos. Olhe, você precisa de mim, e eu estou me oferecendo. De livre e espontânea vontade. Não tem que dizer sim ou não agora. Só mantenha contato e, quando eu tiver terminado essa outra coisa que estou fazendo, vou estar disponível para todo tipo de apoio ou serviço pesado que você precise. Onde você tem ficado? Não em casa, imagino?

— Não — Kennedy respondeu. — Em nenhum lugar onde possam me encontrar.

— Bom, não fique à vontade demais, mesmo assim — ele a avisou. — Mas devemos manter contato, ainda que você não queira que eu me meta nos seus assuntos. *Especialmente* se não quer que eu me meta. Você tem papel e caneta? Anote seu endereço pra mim.

Assim, ninguém que estivesse usando uma escuta de longo alcance poderia ouvi-la dizer em voz alta, Kennedy percebeu. Ela hesitou, mas na verdade não havia um bom motivo para não dar a Tillman o endereço do Bastion. Se algo acontecesse mesmo — se os *Elohim* surgissem na vida dele também —, seria melhor se ele pudesse avisá-la rapidamente. Ela escreveu o nome e o endereço do hotel nas costas de um recibo que encontrou na bolsa. Entregou-o a Tillman e ele o enfiou no bolso sem olhar.

— A gente se fala de novo em breve — ele prometeu.

— Eu grito se precisar de você — Kennedy contrapropôs. — Deixo uma mensagem no café. Fique longe de mim e longe de tudo isso até ouvir notícias minhas.

— Sem promessas — disse ele. — Mas vamos manter contato de todo jeito. Vai ser melhor se cada um de nós souber mais ou menos onde o outro está, no mínimo, caso aconteça alguma coisa. Então, vou presumir que posso te encontrar nesse endereço a não ser que você me diga que vai ficar em outro lugar. Tá certo?

Kennedy assentiu.

— Tá certo.

— E eu te aviso se descobrir alguma coisa sobre as pessoas que andam me vigiando. Pode não ter nenhuma conexão, como você disse. Só os negócios inacabados da minha juventude desperdiçada. Se não for isso, eu te mantenho informada.

Despediram-se. Mas, enquanto Kennedy se afastava, ele a chamou:

— Heather.

Ela se voltou.

— Como nos velhos tempos — disse ele.

As palavras exatas do Gassan, Kennedy pensou. Na época, havia discordado.

— É — respondeu tristemente. — Bem por aí.

CAPÍTULO 20

De Coram's, Kennedy seguiu para Ryegate House. Já passava das 9h30 agora, mas o edifício ainda estava fechado para o mundo, com placas de aço selando as portas deslizantes da entrada frontal e três carros de polícia estacionados em fila logo adiante. Ela tocou a campainha algumas vezes sem obter nenhuma resposta. Então, contornou o prédio até a parte de trás, encontrou a entrada de serviço que Rush havia mencionado e martelou a porta de aço tão alto quanto pôde.

Finalmente a algazarra gerou um resultado. Houve um chocalhar de chaves do outro lado da porta. Esta se abriu e um guarda uniformizado apareceu por ela, olhando inexpressivamente para Kennedy.

— Aqui é a entrada de serviço — disse ele friamente.

Ela passou por ele sem lhe dar tempo para reagir.

— Estou em serviço — ela disse. — Trabalho para o professor Gassan.

— Um documento, por favor — o guarda pediu com atraso.

Kennedy mostrou sua carteira de habilitação.

— Eu quis dizer um documento interno. Você está registrada aqui? Se não...

— Eu confirmo que está — Ben Rush disse, surgindo para juntar-se a eles no estreito corredor de serviço. — Está tudo bem, Cobbett. Ela está investigando o caso.

— Pensei que a polícia estivesse investigando — o outro homem respondeu. Ser contrariado não parecia ter ajudado a melhorar seu humor.

— Ela é investigadora particular. Responde diretamente ao professor. Rush responsabilizou-se por ela e a levou consigo.

— Se bem que seria complicado fazer isso agora — resmungou severamente.

— Alguma notícia dele? — Kennedy perguntou. Estava envergonhada por não ter ligado pessoalmente para o hospital, mas sobreviver teve de ser o primeiro item na sua programação do dia.

— Nenhuma boa. A Lorraine já ligou para lá umas dez vezes. Não quiseram contar muita coisa porque ela não é parente do professor, mas parece que estão tendo dificuldade para mantê-lo estável. Tem um monte de policiais no hospital, mas eles não informam nem as horas. O Sr. Thornedyke ainda está sedado e a Valerie Parminter está fora, fazendo um curso. Então não tem ninguém tomando decisões sobre coisa alguma; só a polícia e um monte de gente correndo que nem barata tonta. A Lorraine vai te dar um cartão de entrada diário e depois a gente pode trabalhar.

Ele conduziu Kennedy por um labirinto de corredores e escadarias e finalmente por uma porta dupla, chegando à recepção. Lorraine estava de pé atrás da mesa, com os punhos cerrados dos lados do corpo e soluçando com tanta força que seu corpo inteiro se sacudia.

A recepcionista pareceu incapaz de formular uma frase completa, mas, dos fragmentos que conseguiu emitir, Kennedy entendeu que Emil Gassan estava morto. Fora uma combinação de toxemia e perda de sangue, ambas provavelmente agravadas por um alcaloide não identificado na lâmina da adaga de Alex Wales.

Rush ajustou o painel de telefonia da recepção para uma mensagem de *por favor, ligue mais tarde* enquanto Kennedy tentava acalmar a mulher perturbada. Dragando o solo das memórias dos interrogatórios que fizera com a equipe, sugeriu que Lorraine fosse falar com Allan Scholl, o próximo na hierarquia, e avisasse que ele estaria no comando por enquanto.

Essa atividade toda ajudou Kennedy a manter as próprias emoções sob controle até que ela se sentisse um pouco mais preparada para lidar com elas. Soubera que a morte era uma possibilidade no momento em que Gassan fora ferido. Então não estava surpresa. O que sentia, na verdade, era o peso doentio da culpa e da vergonha por ter deixado que aquilo acontecesse. Gassan havia morrido porque ela estivera completamente despreparada. Porque decidira, toda alegre e descuidada, montar uma armadilha para um coelho e não tinha nenhum plano B à mão ao perceber que havia capturado um tigre.

Depois que Lorraine saiu, Rush voltou-se para Kennedy.

— Não podemos chegar perto da mesa do Alex Wales — disse. — A polícia embalou e levou tudo, depois voltou e embalou a própria mesa. Está toda embrulhada naquele plástico que eles usam em aeroportos quando uma mala estoura, e com a fita de isolamento da polícia por cima.

Kennedy forçou-se a pensar de maneira prática.

— E o computador dele?

— Foi a primeira coisa que levaram.

— O armário?

— Ah, sim. Eles estão muito à nossa frente.

Teria sido surpreendente — e até ligeiramente escandaloso — se não estivessem. Os policiais tiveram a noite toda para trabalhar naquilo, afinal, e era o trabalho deles. Kennedy precisava lembrar-se de que não era o dela. Não mais. Não agora que havia se tornado um caso de assassinato. A única coisa sensata a fazer era afastar-se.

E passar o resto da vida vendo Gassan levar uma facada no peito, em uma reprise infinita.

— Você ainda quer fazer parte disso? — ela perguntou a Rush.

— Não importa o que eu quero — respondeu ele. — Eu *estou* nisso.

Kennedy não podia discutir lógica, especialmente agora. Com a morte de Gassan, as apostas pareciam muito mais altas hoje do que na noite anterior. Os Mensageiros estavam mesmo tentando matá-la — e viriam atrás de Rush assim que descobrissem que ele estava envolvido.

— Tá bom — disse ela. — Você conhece alguém do departamento de TI aqui?

O rapaz pensou longamente.

— Eu meio que conheço o Matthew Jukes. Quero dizer, a gente já saiu pra beber uma vez ou outra.

Kennedy pegou a carteira, tirou dela duas notas de 50 libras e estendeu-as para ele.

— Se a rede de computadores deste lugar tiver algum tipo de *back-up* armazenado, talvez a gente possa chegar aos arquivos do Wales assim. Veja se esse tal de Jukes aceita suborno.

— E se não aceitar?

— Dê um jeito de roubar as senhas dele.

Rush assobiou.

— A coisa está piorando bem rápido, hein?

— Veja se o suborno funciona, de todo jeito — Kennedy disse a ele. — Se não der certo, depois a gente pensa em outra coisa. Me ligue quando tiver algo pra me contar e a gente se encontra em algum lugar que não seja aqui.

Ela saiu pelo mesmo caminho por onde havia entrado. A porta de serviço não estava sendo vigiada, e o guarda que a interceptara ao entrar estava fazendo um intervalo para fumar no pátio externo. A disciplina foi para o inferno.

CAPÍTULO 21

Depois que Kennedy o deixou, Tillman voltou ao Pantheon Café. A esposa de Manolis, Caitlin, estava atrás do balcão. Ela meneou a cabeça para ele, apenas esboçando civilidade, e destrancou a porta da sala dos fundos.

Tillman sabia que era melhor nem perguntar a ela se Manolis já havia voltado. Caitlin considerava Tillman parte de um passado vergonhoso do qual o marido deveria ter se afastado muito tempo antes, e seu recente reaparecimento na vida de Manolis havia sido o motivo de várias discussões cheias de sussurros e rosnados que Tillman educadamente fingira não ouvir.

Mas Manolis era um dos melhores profissionais de vigilância oculta que ele conhecia. Certamente não havia igual em Londres — pelo menos, não fora da cadeia. Então Tillman se aproximara dele, um tanto apreensivo, e lhe oferecera um pagamento em parcela única por um trabalho rápido e provavelmente livre de risco.

Tudo isso acontecera antes de Kennedy aparecer. Mas o que ela havia acabado de contar se encaixava com uma nitidez perturbadora nos problemas atuais do próprio Tillman — e essa era a verdadeira razão pela qual ele não a havia pressionado a dar mais informações. Já estava de posse de alguns fatos pertinentes e no processo de adquirir mais.

Na sala dos fundos, sentou-se a uma mesa toda marcada de cocô de mosca e jogou paciência com um baralho ao qual faltava o dois de paus. Era um jogo sem sentido, mas tinha seu valor do ponto de vista da meditação zen. Depois de três jogadas, a porta se abriu e Manolis entrou, ainda com o traje de couro e o capacete de motociclista. Largou uma mochila na mesa diante de Tillman, que colocou o baralho de volta no bolso.

— E aí? — perguntou.

Manolis meneou a cabeça.

— Tinha alguém atrás dela?

Manolis ergueu a mão, o polegar e o indicador afastados só por um ou dois centímetros.

— Só uma pessoa — disse. — Bem discreta. Tenho quase certeza, Leo. Era a mesma garota que estava te seguindo duas noites atrás.

Não consegui tirar uma boa foto do rosto dela, mas a altura e o porte são idênticos. Vou te mostrar.

Ele tirou as luvas e depois o capacete. De dentro dele, removeu, com muito cuidado, uma pequena placa de plástico preto que havia sido afixada por dois suportes de aço presos no forro do capacete. Em uma ponta do dispositivo, a única interrupção em sua superfície lisa, havia um pequeno círculo de vidro: a lente da minicâmera.

Manolis retirou da placa a pastilha ainda menor que era o cartão de memória. Ligou o computador no canto da pequena sala e fez o cartão deslizar para dentro de um leitor na parte da frente da máquina.

Uma janela se abriu e começou a se encher de imagens em miniatura. Manolis inclinou-se para junto da tela, mirando as imagens com olhos apertados e uma concentração furiosa.

— Aqui — disse ele por fim. A um clique do *mouse*, uma das imagens se expandiu. Mostrava a parte da Hunter Street que ficava atrás de Coram's Fields. A foto estava levemente inclinada, o que não surpreendia, já que havia sido tirada de uma motocicleta em movimento. O que surpreendia era a ausência de qualquer desfoque de movimento, só uma leve distorção do tipo olho de peixe, por causa da curvatura da lente. Manolis conhecia seu equipamento e do que ele era capaz.

Ele ampliou um canto da imagem. Uma mulher — Heather Kennedy — andava para longe da câmera, o rosto virado de perfil. Uns 45 metros atrás dela havia uma figura mais baixa, uma garota de compleição muito leve, vestindo *jeans* preto e camiseta branca. Estava de costas para a câmera, o rosto impossível de ver.

Manolis clicou novamente e a tela piscou, uma imagem substituindo outra, fazendo com que as figuras se movessem espasmodicamente em quadros congelados. Ao mesmo tempo, os ângulos e localizações mudavam. Manolis passara ao lado da garota e continuara a tirar fotos enquanto isso. A foto inclinou-se mais ainda, mas o foco manteve-se agudo mesmo quando ele deu um *zoom* a ponto de a cabeça dela preencher a tela inteira.

A cabeça, mas não o rosto. Como se tivesse pressentido a câmera, ela se virara para o outro lado e Manolis conseguira registrar apenas sua nuca e a curva da bochecha.

— Eu teria dado mais uma volta — disse ele a Tillman em tom de desculpa. — Mas não achei que conseguiria escapar. Sabe, às vezes você simplesmente percebe se alguém está de olhos e ouvidos ligados, e ela pareceu estar. Eu não queria afugentá-la. Mas para mim parece ser a mesma garota.

— A mesma — Tillman disse. — Definitivamente. E ela também não me deixou ver direito o rosto dela. Então me vigiava e agora vigia a Heather. Você conseguiu segui-la para ver aonde foi?

Manolis fechou e abriu os punhos e baixou a cabeça obstinada.

— Desculpe, Leo. Eu a perdi. Não acho que ela tenha me visto, só acho que é bem malandra. Ela fica andando em zigue-zague, e eu estava no meio do trânsito. Ela desceu a Onslow Street. Tem uns degraus que saem da pista principal. São altos. Não dá pra enfiar a moto lá. Se eu descesse da moto e a seguisse, ela me veria e saberia por que eu estava lá. Tive que deixá-la ir. Tentei dar a volta pela Saffron Hill, mas nem sinal. Ela já tinha sumido.

— Não esquenta com isso, Mano. O que você conseguiu está bom. Muito bom. Mas fique disponível. Posso precisar que você faça mais uma coisa pra mim.

— Está dentro do preço. Trabalho pra você por mais três dias.

— Você já me deu tudo o que pedi. Se topar mais essa, vou te pagar um bônus. Mas tudo bem se você disser não, porque o nível de risco da missão acabou de mudar radicalmente.

— Eu nunca disse que queria segurança, Leo. O único jeito de evitar *todos* os riscos é estar morto. O que quer que eu faça?

— Por enquanto, nada — Tillman disse. — A Heather disse que foi atacada na noite passada e essa garota foi quem tirou o dela da reta. Quero investigar isso. Talvez encontre algo que a gente possa usar. Porque o que eu realmente quero fazer, no momento, é encontrar essa menina e perguntar que raios ela pensa que está fazendo.

Manolis deu de ombros.

— Estou aqui quando você precisar — disse. — Mas só uma coisa, Leo. Se você precisar falar com sua amiga de novo, é melhor que seja em outro lugar.

Tillman ficou surpreso.

— Por que isso, Mano? Eu achava que a Heather fosse exatamente o seu tipo.

— Sim, exatamente — Manolis concordou. — A Caitlin também acha.

CAPÍTULO 22

Matthew cedeu bem rápido assim que o dinheiro foi oferecido, mas a lista de arquivos de Alex Wales que ele entregou furtivamente a Rush, no canto que abrigava a máquina de café, tinha mais de 50 páginas, e os nomes dos arquivos não davam a menor pista sobre seu conteúdo.

— Tem algum jeito de ver esses arquivos em outro computador? — Rush perguntou a Jukes.

— Onde você quiser — ele respondeu. Normalmente era um sujeitinho antipático, mas a combinação de dinheiro e uma oportunidade de se exibir o havia tornado magicamente amistoso. — Tudo isso está no *mainframe*. Mesmo quando você salva arquivos nas pastas C ou D do seu computador, é feito um *back-up* de 100% deles. É a política padrão.

— Então, você pode me mostrar os arquivos do Wales no meu próprio computador?

— Seria um prazer.

Na verdade, Jukes fez melhor que isso. Simulou uma ID de administrador de rede temporário para Rush, que lhe deu acesso completo não só aos arquivos de Alex Wales, mas também a seus registros de uso. O que significava que Rush podia acessar o que ele havia feito e quando havia feito, que arquivos mantivera abertos por mais tempo e até mesmo quais imprimira.

E os resultados eram surpreendentes. Como assistente particular de Allan Scholl, a maior parte do tempo de Wales deveria ter sido dedicada à agenda e à caixa de entrada de Scholl. Mas, na verdade, Wales parecia ter tirado seu ganha-pão do caminho bem no começo de cada dia, ligando o computador às 7 da manhã. Depois, deixava que os *e-mails* ficassem onde quer que caíssem enquanto olhava páginas e mais páginas de algo que não parecia ter sentido — sequências aleatórias de números e letras separadas ocasionalmente por barras.

— Registros de bancos de dados — Jukes disse descuidadamente. — Têm essa aparência a não ser que você os veja a partir do servidor. Não pode abri-los como arquivos, como se fossem documentos do Word ou coisa assim.

— Por que não?

— Por causa da arquitetura. É EDA.

— Jukes, eu não tenho a menor ideia do que você está falando.

— Isso é óbvio — Jukes debochou, sua capacidade de ser desagradável vindo à superfície por um instante. — Tudo bem. Digamos que você faça uma pergunta, como "quantas pessoas existem no mundo?"

— Tá. Digamos que fiz.

— Então qual é a resposta?

— Não existe resposta — Rush disse. — O número muda o tempo todo. Já mudou no tempo em que você levou para me fazer a pergunta.

— Exatamente. Aqui é a mesma coisa. EDA, ou arquitetura dirigida por eventos, significa simplesmente que o sistema se ajusta em tempo real. Eventos externos geram atualizações. Então, toda vez que você faz a pergunta, obtém uma resposta diferente. Não pode abrir o arquivo porque não existe um arquivo. O que existe é um conjunto de dados que mudam o tempo inteiro.

Rush desceu a barra de rolagem por páginas e páginas do mesmo tipo de bobagem. Ocasionalmente via algo que parecia um sobrenome acrescido de iniciais. MILTONTF. LUBINSKIJJ. SPEEDWELLNM. O resto era impenetrável, um vômito alfanumérico.

— Então, que pergunta ele estava fazendo? — Rush quis saber. — Existe um jeito de nós sabermos?

— Talvez. — Jukes gesticulou para que ele deixasse a cadeira e tomou seu lugar. Por alguns minutos, abriu janelas na tela e observou enquanto um texto branco em fundo negro passava por elas. Às vezes, digitava sequências de letras em resposta a solicitações feitas pela máquina.

Acabou chegando a mais um conjunto de símbolos aleatórios, mas balançou a cabeça como se aquilo fizesse sentido.

— Aí está — disse, apontando.

A ponta de seu dedo tocou a palavra USUÁRIOS?, seguida de mais ou menos uma dúzia de números. Rush pôde ver que a palavra reaparecia por toda a tela, pelo menos uma vez a cada duas ou três linhas.

— Usuários de quê? — perguntou.

Jukes digitou mais um pouco, inclinando-se para perto do monitor como se tivesse mais chance de decifrar seus segredos se diminuísse a distância.

— Não sei — admitiu, afinal. — Espere. Não. Sim, eu sei. Estes são dados antigos. Tipo, totalmente defuntos. Não me admira que o Alex tenha conseguido acessá-los tão fácil.

— Foi fácil?

— Tente acessar os dados atuais e você vai ver. Isto aqui é... sim, é uma parte do banco de dados da Biblioteca Britânica.

O coração de Rush fez alguma coisa surpreendente e alarmante dentro do peito.

— Que parte?

Jukes lançou-lhe um olhar curioso.

— Está ficando animado agora, é?

— Qual parte, Jukes?

Tecla. Tecla. Tecla.

— Usuários — ele disse.

— Essa parte eu entendi, merda.

— Fica calmo aí, tá? Significa pessoas que solicitaram um livro do acervo. O Wales estava tentando gerar uma lista completa, mas o sistema não deixou, porque os dados não estavam mais sendo atualizados. Tudo havia sido desagregado, retirado do conjunto de dados que você pode usar para preencher um formulário. Qualquer pessoa do setor de TI poderia ter simplesmente alterado a *flag* e recuperado os dados, mas o Wales não tinha as senhas.

— E daí? Aliás, eu só estou entendendo um terço disso.

— Daí que ele teve que mergulhar no conjunto de dados e ler tudo. Ele procurava pelo código de identificação de determinado livro e, sempre que o encontrava, checava os registros do usuário até descobrir quem o havia solicitado. — Jukes ergueu o olhar para Rush, piscando rápida e arritmicamente — era seu tique quando fazia força para pensar. — Quero dizer, quando o livro estava lá. Antes de terem fechado a sala de leitura do Museu Britânico e tirado tudo o que havia nela. Devia haver um formulário preenchido a mão que o usuário levava para o atendente. Então, quem quer que estivesse atendendo naquele dia escaneava o cartão desse usuário e...

— Não — Rush disse. — Não, Jukes. Não fique me explicando todo o sistema. Só me diga se estou certo. O Wales estava tentando fazer uma lista dos nomes de todo mundo que já leu determinado livro.

— Não.

— Não?

— Ele estava tentando fazer uma lista de todo mundo que já preencheu um formulário pedindo para ver o livro. Essas pessoas não necessariamente o leram.

— Certo. Você está certo. Tá, então agora me diga se ele conseguiu. A lista completa está por aqui em algum lugar?

Jukes piscou mais um pouco.

— Não sei — disse. — Acho que poderíamos entrar com alguns desses nomes de usuários e dar uma busca pelo resto dos arquivos do Wales para ver se eles aparecem em mais algum lugar.

— Faça isso.

Jukes fez.

— Não. Nada. Talvez ele tenha anotado a mão. Ou talvez... espere. Vou dar uma olhada nos arquivos deletados dele.

— Você consegue fazer isso?

Jukes soltou uma risadinha diabólica.

— Ah, sim. A não ser que você use um programa como o Eraser, apertar a tecla Delete é o mesmo que "salvar para ver mais tarde". E ninguém aqui pode instalar *softwares* não autorizados nas máquinas, então normalmente tudo acaba sendo... Tá bom. Aqui.

Uma profusão de janelas se abriu na tela. Jukes foi fechando todas metodicamente, até restar apenas uma.

— Aqui está sua lista — disse ele.

Rush percebeu uma coisa só ao primeiro olhar: *Uma Trombeta Profere o Julgamento* nunca havia sido um *best-seller*. Havia só cerca de 20 nomes na lista e, se as datas junto deles eram as datas em que os usuários haviam pedido o livro, o período para o qual ele estava olhando cobria mais de 50 anos. O primeiro nome, FOSSMANH, vinha com a data 17/4/46; o último, DECLERKJO, 2/9/98.

— Existe algum jeito de conseguirmos o endereço e o número de telefone dessa gente? — Rush perguntou.

— Ah, sim — Jukes disse. — Dois jeitos, na verdade.

Rush esperou.

— E? — perguntou. — Quais são eles?

— Uma lista telefônica ou mais cem libras. Seu crédito comigo acabou de expirar, cara.

CAPÍTULO 23

A porta da rua do número 276 da Vincent Square, em Pimlico, era controlada por um sistema de interfone, mas alguém — supostamente os dois assassinos que haviam passado por ali na noite anterior — inutilizara o painel, de forma que agora ele pendia quase três centímetros para fora da moldura, recusando-se a trancar. *Você devia ter reparado nisso, Heather*, Tillman pensou. *Que vacilo.*

O apartamento de Isabella Haynes, ele sabia, era o número 11 e ficava no terceiro andar. A fechadura havia sido cutucada até abrir, não forçada, e Tillman estava preparado para usar sua própria gazua para isso, porém não precisou. Encontrou uma chave extra debaixo de um vaso de palmeira que ficava junto à janela perto da porta: o terceiro lugar mais provável depois do tapete e do batente da porta.

Lá dentro, silêncio, quietude e penumbra. O *hall* do apartamento não tinha janelas e não permitia ver o mundo exterior sob nenhum ângulo. Tillman pegou uma lanterna e ligou-a, lançando o facho de luz pelo espaço fechado. Nada se movia, e não havia nada para ver que não fosse agradável e óbvio. Estante de livros. Aparador com escultura de nudez baseada em *O Beijo* de Klimt. Alguns casacos pendurados em ganchos na parede.

O ar parado tinha um cheiro ligeiramente velho, de coisa presa. Ainda assim, depois de fechar a porta, Tillman fez uma rápida busca preliminar, movendo-se pelo corredor com uma furtividade que contradizia sua massa corporal e espiando dentro de cada quarto e em torno de cada ângulo. Estava verificando a existência de ciladas, mas o ar não havia mentido. Ele estava sozinho no apartamento.

Agora Tillman estava razoavelmente confiante de que não seria perturbado, entretanto ainda se ateve ao plano que havia definido de antemão: começar na cena do crime e ir expandindo o raio de ação. Ele foi direto para o quarto e entrou.

Não havia corpos ali, vivos ou mortos. Novamente, isso apenas confirmava o que o nariz já lhe havia dito. Se os atacantes de Kennedy tivessem morrido aqui, e seus corpos não tivessem sido removidos, os complexos aromas de decadência já seriam perceptíveis.

Mas eles ainda poderiam ter morrido e sido levados por alguém. Tillman examinou os detritos e sinais no quarto e começou a interpretá-los. O sangue nos lençóis ele assumiu ser de Kennedy. Havia uma grande mancha escura a mais ou menos um terço do caminho da cabeceira até os pés da cama, compatível com uma ferida larga e superficial na parte superior do corpo. Ela parecera preferir apoiar-se no lado esquerdo quando eles se encontraram. Agora ele sabia por quê.

Mais sangue no tapete, em duas áreas. Logo ao lado dele, entre a cama e a porta, e mais adiante, no outro canto do quarto, perto da parede.

Primeiro, a mais próxima. Ele se ajoelhou para olhar para os pontos e traços escuros no tapete bege: o discreto código Morse de uma espetacular violência. Tillman viu vários grupos distintos de manchas escuras e um espirro prolongado de riscas coaguladas que se alargava a partir de um ponto próximo à mesa de cabeceira. Alguém havia sido atingido várias vezes nesse local, provavelmente com mais de uma arma e de mais de um ângulo. A grande variação na área e o ângulo da dispersão sugeria que a vítima estivera de pé quando o ataque começara, mas que este havia continuado — talvez por algum tempo — depois de a vítima ter caído.

Tillman atravessou o quarto para examinar as outras manchas de sangue. Havia menos delas ali, e a história que contavam era diferente. Uma grande aspersão de pintas quase invisíveis, distribuídas de forma irregular entre grandes lacunas: um golpe contra a parte superior do corpo, mais provavelmente a cabeça, em um espaço onde objetos — que não estavam mais presentes — absorveram os respingos de sangue. Ele visualizou uma luta rápida e furiosa, um golpe de sorte (ou muito bem preparado) quebrando o septo do nariz de um lutador, ou então um corte na bochecha ou na testa.

Na parede imediatamente atrás dos respingos de sangue havia uma área danificada, mais ou menos circular, pouco abaixo da altura da cabeça de Tillman. Algo havia se chocado contra o reboco ali com força suficiente para deixar uma cratera de impacto. Um punho fechado, ou a parte de trás de uma cabeça.

Agora que podia ver quão estreito e limitado era o espaço, tornou a maravilhar-se com a habilidade da garota desconhecida. Derrubar dois adversários armados, quando um deles já está apontando uma arma para você... é um baita desafio, mesmo quando você tem todo o espaço livre que poderia desejar. Neste pequeno quarto, onde o campo de batalha incluíra o corpo esparramado da mulher que ela viera salvar, a vitória da garota chegava a ser um milagre.

Mas ela tivera uma vantagem sobre eles. Era um lobo em pele de cordeiro.

Algo vivamente colorido captou a atenção de Tillman. Estava enfiado debaixo da cama, onde teria sido invisível da maioria dos ângulos. Ele se ajoelhou e pegou o objeto. Era um pedaço rasgado de papel brilhante, mostrando parte de uma fotografia, a curva de um seio feminino e parte do ombro.

Não fora só impotência. O disfarce dela havia ido mais longe que isso. Ciente de que estava lidando com — o quê? ascetas? misóginos? fanáticos religiosos? todas as opções anteriores? —, ela se blindara com iniquidade e trouxera seu Taser para o quarto sob a manta improvisada de uma revista pornográfica.

Então, onde ela a obtivera? Tillman olhou ao redor e encontrou o resto da revista onde havia caído ou sido jogada: atrás de um gaveteiro. *Bush League. Amazonas em ação. Mandy e Celeste aprontam todas com brinquedos — e meninos!* Não havia etiqueta de preço, nada que desse uma pista da origem da revista.

Ele recuou para o corredor, apontando a lanterna para o chão ao redor. Depois de alguns instantes, encontrou os restos de uma embalagem de plástico rasgada. Em um canto havia uma etiqueta verde, impressa com as palavras *Pornô pesado: só £ 3,99.*

Valia ouro. Por assim dizer. Era um produto local, trazido para suprir as necessidades da ocasião.

Tillman virando a esquina encontrou a loja, na Fynes Street. Supostamente era uma revistaria, tabacaria e loja de conveniência, mas também era uma espécie de armazém geral meio desanimado, exibindo uma única estante com latas de feijão cozido, milho em conserva Green Giant, molhos *curry* Vesta, biscoitos digestivos e embalagens plásticas de detergente líquido velhas o suficiente para terem vertido lágrimas verdes fluorescentes pelos lados. Uma parede, atrás do balcão, tinha prateleiras de cigarros até o topo. A parede oposta continha uma estante de revistas, cujas últimas duas prateleiras, no topo, eram uma cornucópia de sacanagem. Uma câmera de vigilância em um suporte articulado de aço inclinava-se do teto em um ângulo absurdo. O ângulo devia-se ao fato de o suporte estar solto, e metade do dispositivo supostamente inviolável havia escorregado dele. Contudo a câmera só parecia estar vitimada por um impulso voyeurístico, inclinada daquele jeito para apreciar a pornografia.

Entre os cigarros e as revistas estava um homem aborrecido e flácido com óculos grossos, pele esburacada e olhos vidrados. Estava afundado em si mesmo como se estivesse encolhido de medo da própria caixa registradora. Então Tillman percebeu que tanto a expressão quanto a postura do homem tinham a mesma explicação. Ele estava assistindo a uma pequena TV portátil, um modelo antigo na forma de um telescópio retangular. A TV falava em ondas de estática sussurrada, mas supostamente havia palavras ou música por baixo do ruído.

— Você vende isto? — Tillman perguntou ao homem. Ergueu a revista e o balconista inclinou-se para a frente para espiá-la. Continuou olhando por muito mais tempo do que pareceu necessário, primeiro fitando a imagem da capa e depois — a julgar pelos movimentos dos olhos — lendo não só o título, mas também o resto do texto.

— Pode ser — disse afinal. — Vendemos muito disso aí.

— Mas a maior parte para homens — Tillman disse. — Certo?

O homem passou do olhar das amazonas apaixonadamente entrelaçadas para o rosto de Tillman.

— Claro que para homens — ele disse. — Não vendo para criança, né? Você é do conselho comunitário?

— Não, não sou. Você estava trabalhando aqui ontem à noite?

— Sim.

— Até a meia-noite?

— Aqui fica aberto 24 horas. Está na placa.

— Bom, na noite passada você vendeu para uma mulher. Uma mulher jovem.

O homem piscou e seu pomo de adão saltou um pouco.

— Ah — disse. — Ela. Tá bom, sim. Agora eu lembro.

— Do que se lembra? — Tillman perguntou.

— Uma mocinha bem antipática, ela.

— Vá em frente.

— Bom, eu tentei fazer alguma piada com ela. Não lembro o que disse, mas foi alguma coisa inofensiva, sabe. Uma coisa leve. E ela olhou pra mim como se eu fosse merda debaixo do sapato dela.

— Essa molecada de hoje, hein? — Tillman disse, com expressão pétrea. — E aquilo ali funciona? — Ele indicou a câmera com um gesto de cabeça, e o balconista seguiu seu olhar.

— Sim, funciona.

— E estava funcionando ontem à noite?

— Fica ligada o tempo todo. Direto.

— Eu gostaria de dar uma olhada na fita.

O homem pareceu escandalizado.

— Não posso deixar. Meus clientes valorizam a privacidade.

— É por isso que eles compram revista pornô em loja de doces? E se eu te disser que ela era menor de idade?

Uma fagulha de insegurança passou pelo rosto do homem, mas ele se recuperou rapidamente.

— Eu pedi para ver a identidade dela — disse. — Para mim, pareceu correta.

— E isso também está na fita, certo? — Tillman perguntou.

— É... eu... sim... Eu acho que pode ter sido em outra ocasião, quando ela... — o homem gaguejou, procurando um porto seguro onde atracar sua mentira.

— Não sou do conselho — Tillman disse. — E não ligo para o que você vendeu a ela. Sou assistente social e quero ter certeza de que realmente era ela. Me mostre a fita e eu dou o fora.

— É digital — o homem disse. — Está em um disco. Eu não entendo como funciona. Vou ter que chamar nosso Kevin.

Tillman assentiu.

— Boa ideia — disse.

* * *

A tela da TV portátil tinha uns sete ou oito centímetros quadrados e a imagem era tão ruim quanto o som. Oferecia vislumbres de um mundo frágil, sitiado, ligeiramente inclinado para fora da realidade e dominado por ondas periódicas de interferência, como nevascas de *pixels*.

O adolescente esguio e calado que atendia — ou, em geral, não atendia — por "nosso Kevin" mexeu nos controles da TV, no tocador de CDs e na TV outra vez. A imagem ganhava e perdia foco, mas depois de um tempo se tornou óbvio que tentar dar-lhe maior nitidez acrescentaria apenas mais contraste, em vez de mais detalhes. Eles fizeram o vídeo passar rapidamente pela gravação do dia anterior, reduzindo 12 horas de tempo vivido a uns poucos minutos de cenas bruscas. O homem com os óculos fundo de garrafa parecera estar trabalhando pela maior parte do tempo, tirando umas duas pausas para ir ao banheiro que duravam, cada uma, quatro ou cinco quadros, durante os quais quem ficava atrás do balcão era nosso Kevin.

— Aí — o homem disse por fim, enfiando seu indicador atarracado na tela.

Kevin congelou a imagem, mas congelou-a entre quadros, e a garota pareceu oscilar entre dentro e fora da loja, o pé passando a soleira da porta e voltando, depois passando outra vez. O garoto resmungou um palavrão, apertando PLAY e PAUSE alternadamente até que pudesse estabilizar a imagem.

No entanto a resolução era tão ruim que o congelamento da imagem só fez remover uma camada de informação. Tillman passou na frente de Kevin e apertou PLAY novamente, observando toda a sequência do começo ao fim. Podia-se ver melhor a garota quando estava em movimento. Havia cuidado e economia em seus gestos, a rigidez de uma mola helicoidal ou de uma bailarina esperando sua deixa.

Ele fez o vídeo voltar ao começo e observou de novo enquanto a garota entrava na loja, pegava a revista — depois de uma olhada rápida e desinteressada na prateleira superior e a trazia para o homem atrás do balcão.

— Então, é ela? — o homem perguntou a Tillman. — A garota que você está procurando?

— Dá pra dar um *zoom*? — Tillman perguntou a Kevin, ignorando a pergunta.

— Um pouco — o garoto murmurou. Ele apertou um botão e a parte central da imagem se ampliou até que o rosto da garota, visto de cima e de lado, enchesse a tela.

Era um rosto razoavelmente atraente, até onde Tillman podia perceber naquela sopa de *pixels*. Tinha forma de coração, com olhos grandes e escuros, emoldurado por um emaranhado de cabelos curtos e espetados feito arame farpado. Mas era muito pálida — o suficiente para você pensar que ela era anêmica ou estava se recuperando de uma doença recente. *Ou que cresceu no subsolo*, Tillman pensou, *em uma cidade que nunca se abriu para o sol e nunca viu nada de antinatural nessa privação.*

Então, o que pensa do mundo exterior, princesa? Não muita coisa, provavelmente, já que só te deixam sair para caçar.

Ele voltou o vídeo e observou de novo, mas foi longe demais, passando do ponto em que a garota entrava na loja. Do lado de fora da janela, pegos na gravação, mas quase invisíveis, borrões horizontais foram sucedidos por borrões verticais. Então, a porta se abriu e a garota entrou, rápida, metódica, correndo contra o tempo — a caminho de salvar a vida de Kennedy.

O que ele havia acabado de ver?

Voltou o vídeo mais uma vez e considerou os borrões. Algo que se movia na calçada ou na rua. Vindo de lado para o campo de visão. Depois, um salto ou um mergulho: a sensação de um movimento rápido para baixo, que acabou tão rapidamente quanto começara.

E a porta se abrindo.

De novo. Ele ainda não conseguia entender. De novo. Ligou o som, esperando por outra pista contextual, e ouviu um estrondo, como o de uma britadeira em baixa velocidade. Parou antes de a garota entrar na loja. Na verdade, parou logo antes daquele rápido salto.

Claro que parou.

Tillman voltou-se para o balconista.

— Ela estava em uma motocicleta quando chegou — disse. — Certo?

O rosto do homem se acendeu em uma súbita animação.

— Isso — concordou. — Ela estava. Lembro disso porque ela não estava de capacete. Foi isso que eu disse a ela. Eu disse: você vai tomar um tombo qualquer dia desses, saindo sem capacete. E ela me olhou daquele jeito, como se eu não tivesse nem o direito de falar com ela.

— Lembra de algo a respeito da moto?

O homem deu de ombros.

— Desculpe. Não entendo nada dessas coisas.

— Nada mesmo? A cor? Algum item decorativo? Um ou dois escapamentos?

O homem deu de ombros novamente.

— Era só uma moto.

— Na verdade — Kevin disse —, era uma Ducati Multistrada 1200. A versão Sport, vermelha e prata, com quadro híbrido. Pneus Pirelli Scorpion Trail, o da frente e o de trás. Também tinha os alforjes.

Houve uma pausa durante a qual os homens o fitaram, o balconista pasmo perplexo e Tillman de modo semelhante a respeito.

Kevin corou furiosamente sob esse escrutínio.

— Mas ela tirou o para-brisas — murmurou ele.

CAPÍTULO 24

H. Fossman. N. O. DeClerck. P. Giuliani. S. Rake. J. Leavis. D. Wednesbury. A. Davies. E por aí vai.

Rush não tinha muito com o que iniciar o trabalho, mas imaginou que a maioria das pessoas que havia procurado por *Uma Trombeta Profere o Julgamento* o teria feito por razões profissionais, não recreativas. Instalado no escritório de Emil Gassan, onde pensou que provavelmente não seria incomodado, começou digitando cada um dos nomes em um mecanismo de busca da internet, acrescentando uma quantidade de termos adicionais como "guerra civil", "história inglesa" e "século XVII".

Muito poucos se encaixavam em todos esses critérios. Eram historiadores que haviam publicado obras como: uma biografia de Oliver Cromwell (Nigel DeClerk), uma história dos dissidentes religiosos no norte da Europa (Phyllida Giuliani) e um estudo atrevido do interregno na Inglaterra, chamado *O Reino sem Governo* (Stephen Rake). O resto não parecia ser famoso em nenhum campo que o Google achasse relevante. Eram enigmas teimosos — até Rush se lembrar de que com certeza haviam pedido outros livros da Biblioteca Britânica e provavelmente ainda estariam no banco de dados dos usuários. Isso lhe forneceu nomes completos e detalhes de contato, abrindo uma porção de outras possibilidades.

E a maior parte delas se fechou com a mesma rapidez.

Quando Rush viu o padrão emergir, xingou em voz baixa. Ligou para Kennedy em um estado de histeria mal reprimida, dizendo que havia uma coisa sobre a qual precisava falar com ela imediatamente. Ela lhe pediu que se encontrasse com ela na Union Chapel. Ele agarrou o casaco e correu a maior parte do caminho.

Kennedy estava sentada diante do púlpito, com as costas apoiadas na parte de trás de um banco e os pés no assento do banco logo atrás. Mesmo em uma igreja secularizada, isso era levemente chocante para Rush, cuja educação católica o equipara com uma cota de demônios e culpas suficiente para três pessoas.

Ela estava falando ao telefone e, a julgar pela metade da conversa que ele conseguiu ouvir, era com um namorado.

— Não, é claro que estou com saudade. É só que ainda estou... Se eu pudesse ir até aí te ver, iria. Você sabe que eu iria.

Houve guinchos e chiados da voz do namorado. Era aguda.

— Eu entendo, amor. Mas não sei e não posso prometer.

Guincho. Chiado, chiado, guincho.

— Izzy — Kennedy disse, interrompendo a torrente. — Isabella. Para. Eu tenho que ir. Te ligo mais tarde. — Chiado. — É. Eu te amo também. Bom, mantenha essa ideia em mente e logo a gente a põe em prática.

Ela fechou o telefone com um estalo e o guardou. Rush a encarou. Ele havia percebido que o namorado era uma namorada e tentava processar a informação.

— Que foi? — Kennedy disse.

Ele se recompôs e entregou a ela os impressos que trouxera.

— O Wales estava obcecado com aquele livro — disse. — *O Plano de Deus Revelado* e a trombeta falante e tudo mais. Ele estava tentando montar uma lista de todo mundo que já tivesse lido ou pegado o livro da prateleira. Então eu tentei descobrir quem foram essas pessoas. Algumas já estão mortas, mas isso...

— Recentemente? — Kennedy o cortou. Ela ficara alerta no mesmo momento, de uma forma que mostrou a Rush que a confirmação dessa suspeita não a surpreenderia.

— Não — disse ele. — Não recentemente. Por quê?

— Esqueça. Continue.

— Bom, estou falando das pessoas que pegaram o livro nos anos 40 ou 50. Seria meio surpreendente se ainda estivessem vivas. Mas tem uma coisa estranha. Alguns dos nomes continuaram aparecendo em reportagens arquivadas. No começo eu ignorei isso, pensei que provavelmente fosse só coincidência. Mas comecei a notar que todas as notícias eram sobre gente desaparecida. Umas doze pessoas que estavam na lista do Wales desapareceram. E está vendo as datas? São todas deste ano, separadas por um ou dois meses. Não parece coincidência.

— Não mesmo. Parece uma conspiração. Mas sequestro em massa?

— Um minuto atrás, você parecia pronta a acreditar em assassinato em massa — Rush disse. — Qual é a diferença?

Kennedy deu de ombros.

— Assassinato em massa já é parte do *modus operandi* do Povo de Judas — respondeu. — Mas normalmente eles disfarçam as evidências e fazem com que pareça acidente. Se pessoas desapareceram, significa que alguém está procurando por elas.

Rush lançou-lhe um olhar perplexo e um tanto escandalizado.

— Está dizendo que eles matariam pessoas só porque aconteceu de elas terem lido um determinado livro?

— É justo dizer, mesmo com a minha experiência limitada, que esse é o cerne das competências deles — Kennedy respondeu.

— Sério?

— Sério. Rush, eu disse a você no que estava se metendo. Se quiser cair fora, agora é o momento perfeito. Vieram atrás de mim ontem à noite e eu tive a sorte de escapar inteira.

Ela contou a ele sobre os dois *Elohim* e a garota ninja assustadora. Rush ficou tanto abalado quanto fascinado, interrompendo-a com perguntas frequentes. Quando ela terminou, ele balançou a cabeça como se para clarear as ideias.

— Jesus — disse. — Então, o que a gente faz agora?

— É óbvio, né? — Kennedy respondeu. — A gente lê o livro.

CAPÍTULO 25

— Isto aqui — Manolis disse. — Vai ser um arrombamento.

Tillman ruminou aquelas palavras e descobriu que não gostava muito delas.

— Não tem jeito de fazer isso discretamente? — perguntou. — Entrar e sair sem ninguém perceber?

Estavam na sala dos fundos do Pantheon e Manolis novamente estava sentado diante de seu computador. Ele saíra da interface Linux que normalmente utilizava e fizera o sistema voltar à estrutura básica de *prompt* de comando. Na tela, o texto verde sobre fundo preto se movia rápido demais para os olhos acompanharem. Na verdade, telas: havia uma verdadeira rede recursiva delas, abrindo-se umas dentro das outras e fechando-se em uma cascata fractal.

— Bem que eu queria — ele resmungou distraidamente. — Mas não tem ninguém que possa acessar esses dados em tempo real. Nem mesmo o governo. Você precisa entender, Leo, que isso não é um sistema de câmeras. São milhares de sistemas, milhões de máquinas individuais, a maior parte delas instalada por conselhos locais para controle de tráfego ou para monitoramento da ordem em espaços públicos. A polícia, o exército, o MI5, o MI6 e o NaCTSO[8], todos fazem pedidos de busca nesses sistemas, o tempo todo, e são atendidos. Mas eles seguem protocolos, usam os canais certos e esperam. O que estamos fazendo é diferente. O que estamos fazendo é interrogar todos os sistemas simultaneamente.

— E você pode fazer isso funcionar? — Tillman perguntou.

Manolis soltou a respiração em uma lufada audível.

— Com certeza posso. Mas não por muito tempo. Assim que eu tiver entrado, cada sistema vai reportar uma violação e cada operador vai primeiro tentar me bloquear e depois rastrear a origem dessa violação para me encontrar. E vão conseguir, com certeza, se dermos a eles tempo suficiente. Servidores *proxy* — até mesmo os melhores — não foram projetados para resistir a esse nível de interrogatório. En-

[8] National Counter Terrorism Security Office, ou Escritório Nacional de Segurança Antiterrorismo. (N. T.)

tão, antes que descubram nossa localização no mundo real, a gente pega o que quer e cai fora. Os números, por favor.

Tillman entregou a ele uma folha de papel dobrada, na qual havia escrito cinco números de registro. Manolis digitou cada um deles em uma pequena janela de busca no canto inferior direito da tela. Fez isso com um cuidado escrupuloso, conferindo o papel após cada toque no teclado. Todos os números pertenciam a motocicletas compradas no Reino Unido nos últimos seis meses: especificamente, todos pertenciam a motos Ducati Multistrada Sport com pintura vermelha e prata, alforjes e pneus Pirelli Scorpion Trail na frente e atrás. Tillman ouvira a absoluta certeza na voz de Kevin, bem como o desejo e a avidez, e apostaria sua vida na exatidão do que ele descrevera. Mesmo nessa configuração básica, a Multistrada era um brinquedo caro. A máquina que causara tamanha impressão em Kevin devia ter sido encomendada, não fabricada em massa. Essa era a única coisa que dava a eles uma chance de vitória nesse caso.

Havia 4,2 milhões de câmeras de vigilância funcionando nas ruas da Grã-Bretanha e outras tantas sendo instaladas o tempo todo. E uma imensa proporção delas usava algum tipo de sistema de reconhecimento ótico de placas de veículos. Então, em teoria, se eles agrupassem todas as listas de registro das redes de câmeras que Manolis pudesse invadir, terminariam com cinco linhas pontilhadas espalhadas por tempo e espaço, cada uma representando o caminho percorrido por uma das cinco motocicletas. Só uma das cinco linhas passaria pela revistaria e tabacaria Smoker's Paradise na Fynes Street, Pimlico. E essa seria o alvo.

Manolis voltou-se para Tillman com uma expressão ligeiramente tensa.

— Pronto?

— Como assim, "pronto"? Tudo o que tenho a fazer é ficar parado aqui, Mano. Comece quando sentir em sua alma que é o momento.

Manolis pressionou uma tecla.

— Sou ateu — murmurou. — Mas um ateu péssimo. Vamos esperar que Deus leve isso em conta.

As janelas na tela agora pareciam estar se misturando como cartas de baralho, a pilha remodelando-se em ondulações peristálticas a cada atualização de tela.

— Entramos? — Tillman perguntou.

— Tem alguma resistência. Mas, sim, basicamente, nós entramos. E espere... espere... é, acho que já temos uma ganhadora.

— Temos?

Manolis arrastou uma das janelas para fora da pilha.

— Estes são registros do centro de Londres — disse. — E esta moto, TC62 BGZ, está por toda parte aqui.

— Ela esteve em Pimlico ontem à noite?

— Eu te digo assim que souber. Mas estava em Clerkenwell no dia anterior. É ela, Leo. Sinto na minha alma.

— Na sua alma ateia.

— Você acha que os cristãos têm o monopólio, é? Sim, minha alma ateia. — Manolis ficou em silêncio por um momento. Depois, xingou: — Puta merda.

— Qual é o problema? — Tillman quis saber, mas percebeu que o tempo estava acabando.

— Já me viram aqui. Segurança boa. Boa demais para se deixar enganar. Nem estão tentando me rastrear, só estão finalizando e reiniciando os sistemas para romper a conexão. Então...

— Então?

— O arrombamento vira roubo de carro. — Os dedos longos e elegantes do grego dedilharam o teclado com uma delicadeza etérea. — O volante é meu. Agora, sou o controlador de tráfego de toda a área da Grande Londres. Me dê os parabéns, Leo.

— Você é o cara — Tillman respondeu concisamente. — Mas isso não nos torna mais fáceis de encontrar?

— Sim. Depois que eu sair. Por enquanto...

Manolis voltou a ficar em silêncio, concentrando-se na abertura de novas telas e nos fluxos de informação que estava conseguindo controlar e mesclar, momento a momento, em uma única reserva de dados. Tillman nada disse, só o deixou trabalhar.

— Pronto — Manolis disse afinal. — Quase pronto. Leo, tire aquele *flash drive* da máquina quando eu disser.

O *flash drive* era amarelo berrante e tinha o desenho de um pato sorridente. Não era uma ironia, era só parte de um lote que Manolis havia comprado mais barato de um atacadista. A capacidade de armazenamento lhe interessava mais do que a estética. Tillman manteve a pequena peça de plástico entre o indicador e o polegar e esperou até que Manolis dissesse:

— Agora.

Ele retirou o *drive*. Na mesma hora, Manolis espalmou ambas as mãos sobre o teclado e pressionou quatro ou cinco teclas simultaneamente. Manteve a pose enquanto as janelas remanescentes estouravam feito bolhas de sabão, uma por uma, até restar apenas uma. Nesta, o falecido ator Wilfrid Brambell movia os lábios sem emitir som contra um fundo de estruturas metálicas e pneus descartados.

Manolis ergueu as mãos do teclado e flexionou os dedos.

— Pronto — disse. — Morte aos tiranos.

— Morte? — ecoou Tillman.

Manolis deu bruscamente de ombros.

— Bom, não exatamente morte. Depende da sua opinião a respeito de *sitcoms* inglesas clássicas. Pessoalmente, eu considero *Steptoe and Son* o auge. Então, estou dando ao departamento de controle de tráfego um *download* grátis da primeira e da segunda temporadas. Isso deve impedir que eles completem o rastreio da nossa localização. É muito difícil nadar contra a corrente, mesmo quando a "corrente" passa por cabos de fibra ótica.

Com o computador principal *off-line*, Manolis teve de usar um *laptop* velho e maltratado para examinar os dados que havia roubado. Seu primeiro instinto provou estar correto: a placa TC62 BGZ havia sido registrada por uma câmera na Vincent Square às 23h30 da noite anterior. Não havia câmeras na própria Fynes Street, mas a outra estivera próxima o bastante — e os deslocamentos da moto pelos últimos dois dias forneciam ampla confirmação. Fora registrada uma dúzia de vezes em Isligton, na St. Peter's Street, e estivera na Onslow Street naquela mesma tarde.

— Não é de se admirar você tê-la perdido de vista — Tillman disse. — Pensou que ela ainda estivesse a pé. E, enquanto fazia a volta, ela subiu na moto. Provavelmente passou bem do seu lado.

— Não, provavelmente não — Manolis protestou. — Posso até não ver algumas coisas. Mas essa moto eu não perderia.

— Desculpe — Tillman disse secamente. — Eu não pretendia questionar sua perícia profissional. Tá legal, Mano, vamos ao próximo passo. Quero saber mais sobre essa garota. Quão perto você pode me ajudar a chegar?

— Posso fazer você pousar no quarto dela leve feito uma pluma.

Isso fez Tillman retrair-se um pouco, tanto porque a garota devia ter metade da sua idade como porque ele já vira, pelas evidências sangrentas, o que ela era capaz de fazer em um quarto.

— Eu me contento com a porta da frente — respondeu. — E vou chegar fazendo barulho, pra ela saber que estou lá. Não estou a fim de cometer suicídio.

O telefone tocou e Manolis atendeu. Ele disse "sim" duas vezes, depois entregou o aparelho a Tillman.

— Sua amiga — disse.

— Qual amiga? — Tillman quis saber.

— Aquela que a minha esposa não aprova.

Tillman apanhou o telefone.

— Oi, Heather.

— Você pediu para eu te avisar se fosse para outro lugar.

— Então, para onde vai mudar?

— Avranches. Na Normandia. É uma viagem de um dia.

— Tá bom. Avise quando voltar.

— Pode deixar, Leo.

Tillman desligou e devolveu o telefone a Manolis.

— A Caitlin não tem com o que se preocupar — disse a ele. — A Heather tem um gosto refinado.

O grego balançou a cabeça tristemente.

— Que pena. A gente teria se divertido.

— Preste atenção no seu trabalho — Tillman sugeriu seriamente.

Manolis o fez. E Tillman jogou paciência com aquele baralho de 51 cartas por três horas enquanto seu antigo sargento de comunicações operava entre fluxos intermináveis de dados, eliminando e comparando.

— Aqui — disse ele por fim. — Acho que consegui, Leo. Este é o lugar onde a garota ficou a maior parte do tempo nos últimos três dias — o tempo que ela passou enquanto vigiava você e sua loira refinada.

— Onde fica? — Tillman perguntou, deixando as cartas de lado. — Onde ela mora?

— Em um depósito, aparentemente — Manolis disse com muito menos confiança. — Em uma propriedade industrial em Hayes. — Ele lançou um olhar duvidoso a Tillman. — Talvez seja o ganha-pão dela.

CAPÍTULO 26

Kennedy achou muito mais difícil do que esperava desencavar uma cópia do livro de Johann Toller para ler. Usando um computador da Biblioteca de Charing Cross e tentando não incomodar os bêbados que usavam a sala de leitura como albergue, ela conseguiu encontrar 23 cópias de *Uma Trombeta Profere o Julgamento*, que haviam sido listadas ao longo do tempo nos catálogos das bibliotecas do mundo. Isso tornava o livro só um pouco menos raro do que a Bíblia de Gutenberg.

Mas, no fim, era ainda mais raro. Porque, assim que começou a fazer telefonemas para toda parte, Kennedy descobriu que cada uma daquelas cópias havia sido comprada, queimada, roubada ou simplesmente extraviada durante os últimos anos. Não havia nenhum exemplar do livro de Toller que pudesse ser obtido por favor ou por dinheiro.

Bom, talvez por dinheiro. Ela ligou para John Partridge, que resmungou que Kennedy estava pedindo a ele que procurasse uma agulha no palheiro e que ele cuidaria disso quando tivesse tempo — mas ligou para ela menos de uma hora depois para contar que havia encontrado um exemplar do livro. Ou, acrescentou cuidadosamente, algo quase igualmente bom.

— O que isso quer dizer? — Kennedy perguntou, desconfiada.

— Bom, eu tentei o mais óbvio — Partridge respondeu. — Pensei que seria a coisa mais fácil do mundo encontrar o livro em versão digitalizada ou eletrônica. A maior parte dos livros que perderam os direitos de reprodução já passou por um escâner com reconhecimento óptico de caracteres e foi disponibilizada *on-line*. Mas dei de cara com a parede. E não foi por falta de tentativa. Vários *links* que deveriam ter levado ao livro estavam fora do ar. Os *sites* foram completamente apagados. Havia marcadores nos motores de busca, mas nada nas URLs.

— E daí?

— Erradicação digital, Heather, meu amor. Alguém foi atrás desses *sites* com malícia premeditada, abateu-os e depois cobriu o chão com sal.

— Claro que poderia não ter nada a ver com o nosso texto — Kennedy pensou em voz alta.

— Se fosse um *site* só, as chances favoreceriam a coincidência. Depois de meia dúzia, seria apostar em um azarão.

— E quantas vezes isso aconteceu, John?

— Muito mais do que meia dúzia. No final, tive sorte — até certo ponto, pelo menos — ao especificar como alvo dados não atualizados. Em outras palavras, velhos *downloads* de conjuntos de dados de *sites* defuntos ou *sites* que não podem ser acessados diretamente pela internet. E é daí que vem a boa notícia.

— Há uma boa notícia?

— O lugar onde achei os dados foi o museu Scriptorial, em Avranches, no norte da França. Eles não têm uma verdadeira cópia do livro, mas uma transcrição completa.

— E eles podem enviá-la para mim? Isso é o máximo.

— Calma aí, ex-sargento. Eles se recusam absolutamente a disponibilizar a transcrição *on-line* ou enviá-la em forma de arquivo porque já não possuem o texto original para compará-la com ele. Costumavam ter um exemplar do verdadeiro livro, mas foi arruinado em um acidente, alguns anos atrás. Não há meio de verificar a autenticidade da transcrição e os curadores não querem ser responsáveis por má prática acadêmica. Mas deixam que você examine a transcrição se for até lá pessoalmente. O encarregado do departamento de preservação do museu é um homem chamado Gilles Bouchard. É amigo de um amigo de um amigo de alguém que já foi muito minha amiga, em tempos remotos. Por ela, ele deixará as regras de lado para você.

— Será que acabei de ouvir uma história subliminar de amor, John? — Kennedy perguntou. — Não, eu sei: um cavalheiro nunca conta detalhes. Olha, isso é ótimo. De verdade. Se eu já te devia um drinque antes, agora te devo uma cervejaria inteira.

— Destilaria, por favor. Meu veneno preferido é *usquebaugh*.

— Malte puro ou misto?

— Surpreenda-me. Mas não tão ao norte. Os invernos e a artrite são minha ruína.

Kennedy desligou e fez mais alguns telefonemas. O último deles foi para Rush.

— Como é que é? — ele perguntou. — Você vai para a França?

— Já agendei a passagem. A viagem é longa. Vou de Eurostar até Paris, depois pego o trem regional até Rennes e ainda pego outros 18 quilômetros com um carro alugado. Volto amanhã.

— Eu devia ir com você. — Rush manteve o tom leve e sarcástico, mas ela pôde perceber o anseio dele. — Você vai precisa de alguém pra te dar cobertura e meter bala neles caso te encontrem de novo.

— É — Kennedy respondeu —, mas não posso arcar com o seu cachê. — *Nem com mais mortes na minha consciência.* — Veja o que você consegue descobrir sobre a vida do Johann Toller — sugeriu.

— A vida dele, Kennedy?

— Isso. Pense. Eu caço a obra, você caça o homem. Somos como os chifres na cabeça de um búfalo, Ben.

— Você é os chifres do búfalo. Eu sou a cauda do búfalo, balançando pra lá e pra cá e espantando umas moscas. Os chifres do búfalo não ficam procurando coisas na Wikipedia. Porque é isso que você está me pedindo para fazer.

— Estou falando sério — Kennedy disse. — Acho que podemos supor que o Toller seja importante para o Povo de Judas por alguma razão. Se soubermos quem ele foi, talvez tenhamos a chance de descobrir qual é essa razão.

Rush ainda estava infeliz, mas deixou-se persuadir. E Kennedy não se ressentiu do tempo que levou para persuadi-lo, pois ele estava essencialmente certo a respeito dos motivos dela. Estava mandando que ele fizesse um trabalho secundário enquanto ela prosseguia com a investigação.

Esse era o plano, afinal.

CAPÍTULO 27

Na internet, Johann Toller era um enigma. Contudo, em meio ao entulho exibido pelo motor de busca, Rush encontrou alguns pedaços da verdade. Um deles era um verbete de enciclopédia que não parava de aparecer, infinitamente reciclado de um *site* para outro e sem nenhuma citação ao autor original.

> Johann Toller (????-1660) tornou-se proeminente como membro do movimento dos pentamonarquistas, um grupo de dissidentes políticos e religiosos da Inglaterra no século XVII, vinculado a grupos similares espalhados pela Europa continental. Pouco se sabe sobre sua vida pregressa. Toller escreveu diversos livros e panfletos criticando o governo pós-revolucionário de Oliver Cromwell por não elaborar leis em prol da total liberdade religiosa. Foi executado em 1660, após falhar em seu atentado contra a vida de Sir Gilbert Gerard, ex-tesoureiro do Exército do Parlamento.

Onde quer que Rush procurasse, o mesmo resumo exíguo acenava para ele. Ninguém havia se importado em listar as diversas obras de Toller ou em dizer algo mais sobre como o homem havia vivido e morrido.

Mudando a busca para IMAGENS, descobriu que uma única figura predominava. Não era um retrato de Toller, mas uma reprodução do frontispício de seu livro. Abaixo do título havia um entalhe ou gravura de uma pequena cidade aninhada na base de um rochedo. Parecia vagamente familiar.

A figura era legendada com algumas palavras em uma tipografia muito ornamentada, quase ilegível. *De agoni ventro veni, atque de austio terrae patente*. Rush avaliou-as como estrangeiras e quase desistiu de entendê-las, mas inseriu a frase em um *site* de tradução automática para ver no que dava. *Do ventre da besta eu vim, e da boca escancarada da Terra.*

Deu uma busca por pentamonarquistas e descobriu que eles eram apenas um entre uma centena de movimentos religiosos radicais na Inglaterra do século XVII, rotineiramente perseguidos e marginalizados por suas crenças. Para Rush, não pareciam assim tão radicais, mas ele se perdeu entre os detalhes. Em geral, só pareciam estar dizendo que a segunda vinda de Cristo aconteceria às 14 horas na terça-feira. Ou talvez às três da manhã na quinta. Ou entre esses dois dias. Mas todas as épocas tiveram seus malucos do Apocalipse, não? Ou isso era algo que acontecia ciclicamente, como nuvens de gafanhotos?

Nesse ponto, ele chegou a um filão mais rico de informações a respeito de um homem chamado Robert Blackborne, outro membro dos pentamonarquistas. Blackborne contava todo tipo de anedotas a respeito de Toller. Por exemplo, que alegava ter "nascido na escuridão e sido entregue à luz" e tinha conversas habituais com anjos. E, apesar de seu sotaque e seu modo de falar, Blackborne parecia ter certeza de que Toller nascera em algum lugar exótico, pois tinha um jeito peculiar de fazer o sinal da cruz, que tentou fazer com que os outros pentamonarquistas adotassem. *Ele levava a mão à garganta, depois ao coração, então ao estômago, e depois disso fazia um círculo, voltando para o ponto onde havia começado. Quando eu o admoestei por isso e mostrei-lhe a forma correta, disse-me ele que a bênção era assim praticada pelos anjos no alto céu, e não tinha escolha senão honrá-la.*

Blackborne também tinha meio que uma história sobre a origem de Toller. Parecia que ele estivera viajando através dos Alpes uma vez, havia caído em uma ravina e quase morrido. *Ficou muito ferido, e também preso em um lugar estreito e terrível, de modo que pensou que não viveria para ver um novo dia. Assim, encomendou a sua alma a Deus e entregou-se à solene oração, preparando-se para comparecer perante o trono do julgamento.*

Mas então um anjo havia aparecido e contado a Toller verdades eternas, as quais ele achou que precisava transmitir ao resto da humanidade.

Rush copiou e colou tudo em um arquivo principal. Estava começando a sentir que chegava a algum lugar. Pensou em ir até a Biblioteca Britânica e ver o que poderia encontrar lá — idealmente sob nome falso, considerando o que acontecera a todas as outras pessoas que expressaram interesse na vida e na obra de Toller.

Então, ocorreu-lhe que havia outra opção. Era estúpida a um primeiro olhar, mas ridiculamente fácil de fazer.

Ele desceu à Sala 37. Por três vezes, ao longo do caminho, passou por policiais parados de pé ou conversando ou andando em uma direção diferente, mas eles apenas o cumprimentaram com mudos meneios de cabeça.

Ele se esgueirou para dentro da sala e foi diretamente à caixa que Alex Wales havia assaltado.

Como já havia percebido, ela continha uma mistura de textos antigos e comentários modernos. Serviu-se de um calhamaço do que parecia ser histórias e biografias relevantes e bateu em rápida retirada.

Entretanto, assim que voltou ao escritório de Gassan, viu-se incapaz de ler. De repente, foi atingido pela morbidez do que fazia — o fato de que sentava-se à mesa de um homem morto, quando este ainda nem havia sido enterrado.

Foi como se, até aquele momento, não tivesse percebido que Gassan estava *realmente* morto. Fora um fato abstrato e agora era subitamente concreto: eram esta sala, esta mesa, este silêncio. De uma foto com moldura prateada, o professor sorria para ele com um triunfo incongruente, segurando uma placa de bronze. Talvez houvesse ficado em terceiro lugar em algum concurso de arqueólogos.

Quanto mais Rush olhava para a foto, mais sinistro ficava o sorriso. *Sei de algo que você não sabe*, Gassan parecia dizer.

Só o que você sabe é como se sente quem está morto, Rush disse à foto. E isso todo mundo acaba descobrindo.

CAPÍTULO 28

Do terminal da Eurostar para o trem, depois a Paris, depois a Rennes via Le Mans e Laval em um trem da SNCF: era, como Kennedy havia dito a Ben Rush, uma longa viagem. Ela pretendera manter-se ocupada com o resumo do livro de Toller fornecido pelo Scriptorial d'Avranches via John Partridge. Contudo, quando finalmente abriu o arquivo no pequeno *notebook* que ele lhe emprestara, viu que era uma leitura muito mais rápida do que esperava.

Ainda no túnel hermeticamente fechado que cruzava o Canal da Mancha a cem metros sob o fundo do oceano, em uma velocidade de mais de 300 quilômetros por hora, ela leu isto:

> O autor declara como seu tema o fim da história humana e o início do reinado de Cristo na Terra. Afirma que este é iminente, com base em observações extraídas da história recente.
>
> Depois, Toller passa à previsão dos eventos que ocorrerão à medida que se aproxima o ano de 1666 (ao qual, segundo ele, o *Apocalipse* de João se refere). Os "diversos sinais" do título são esses eventos futuros, que anunciam e pressagiam o retorno de Cristo à Terra.

Havia mais, mas tudo no mesmo nível abstrato. Previsões sobre coisas que haviam ou (diziam os entendidos) não acontecido três séculos e meio atrás. Se você estivesse procurando pela definição de "inutilidade", certamente a encontraria ali.

Assim que saiu do túnel pelo lado francês, Kennedy verificou seus *e-mails*. Com a exceção de um, todos eram de Izzy. Lidos em sequência, formavam uma saga fascinante de frustrações, humilhações e atrocidades. Os personagens — a bruxa má Caroline, o marido submisso Simon, Hayley e Ben coestrelando como as crianças perdidas no bosque — eram maiores do que a vida, mas retratados com verdadeira convicção. Era melhor que um teatrinho de Natal. Ou teria sido, se o subtexto não tivesse sido tão alto e claro: *Sou sua namorada, me tira daqui!*.

E ela não podia fazer isso. Depois do que havia acontecido no apartamento na noite anterior, nem sequer se atrevia a responder às mensagens. Não havia como prever que partes de sua vida o Povo de Judas estaria rastreando. Izzy já havia quase morrido uma vez. Colocá-la novamente na linha de fogo neste momento era algo em que Kennedy não ousava pensar.

Então, voltou-se para o *e-mail* restante, que era de Ralph Prentice. Ele dizia:

> Olha, eu disse que talvez tivesse algo para te contar sobre ferimentos a faca. Não quis dizer mais nada até verificar pessoalmente, pois parece que estamos em uma estação meio doida. Muitos acidentes horrorosos, mas alguns mais desconcertantes que horrorosos. Quem é que tem tempo para cortar a cabeça de mil ratos? E onde arranjar tanto rato, aliás?
>
> Mas estou divagando. Você deve lembrar que conversamos sobre um incêndio em Yorkshire, não? Era um edifício tombado como patrimônio histórico — Nunappleton Hall. Já tinha sido um convento, depois uma mansão, depois foi esvaziado e supostamente abandonado. Estava vazio até o momento do incêndio, na verdade.
>
> A polícia local está tratando o assunto como um ataque terrorista porque o material usado lá foi extremamente sofisticado. Chamaram a Polícia Metropolitana para ajudar na perícia e uma boa parte da papelada veio parar na minha mesa — incluindo os relatórios de autópsia.
>
> Você deve estar imaginando por que haveria relatórios de autópsia se o incêndio aconteceu em um prédio abandonado. A resposta parece ser que os terroristas trouxeram alguns reféns e mataram todos ali mesmo. O método de execução — e estou usando esta palavra deliberadamente — foi com uma faca em cada um dos casos. Houve graves danos aos olhos também, possivelmente feitos com a mesma ferramenta. Mas a causa da morte de todas as 12 pessoas foi uma incisão profunda na garganta. Uma lâmina muito afiada passada de um lado a outro.

Prentice não se furtou aos detalhes aterradores do exame *post mortem*. Mesmo endurecida como era, Kennedy percebeu-se de boca seca enquanto lia. As vítimas haviam sido amordaçadas. Suas mãos e seus pés, amarrados. Provavelmente foram mortas depois de se ajoelharem, lado a lado, em um espaço fechado — uma despensa de pedra atrás da cozinha principal da casa. Cegadas e sacrificadas, muito provavelmente, uma de cada vez, pois alguns dos corpos haviam caído com os membros sobrepostos de uma maneira que seria improvável se todos os 12 homens e mulheres anônimos tivessem sido mortos ao mesmo tempo.

Não eram anônimos, porém. Todos os corpos haviam sido identificados ou pelo DNA ou pela dentição. Kennedy observou os nomes rapidamente, mas nada significavam para ela — ou, no mínimo, significavam menos que a imagem terrível e indelével das 12 pessoas esperando em silêncio, forçadas, aterrorizadas, enquanto o algoz passava de uma para outra.

Kennedy fechou o *e-mail*. Estaria isso de alguma forma relacionado ao roubo do livro de Toller? Haveria um único fio de lógica insana conectando a invasão a Ryegate House a essa chacina que acontecera a mais de 300 quilômetros dali? Roubar um livro e depois massacrar uma sala cheia de mulheres e homens? Para a maioria das pessoas, esses crimes não seguiam o mesmo paradigma. Mas, para os Mensageiros da tribo de Judas, que vinha matando havia séculos para proteger a santidade de seu evangelho, seria facilmente possível.

Uma terrível suspeita lhe ocorreu. Ela enfiou a mão no bolso outra vez e pegou a lista de Ben Rush: os nomes dos usuários da Biblioteca Britânica que haviam solicitado o livro de Toller e depois desaparecido. Comparou-os aos das baixas em Nunappleton Hall. A lista de desaparecidos de Toller era idêntica à lista de mortos de Ralph Prentice.

Kennedy tinha estômago forte. Era sua cabeça que se rebelava contra essa atrocidade. Não era sequestro, então. Era mesmo assassinato em massa. E executado com cuidado e precisão medonhos. O Povo de Judas, que via seus assassinatos como sagrados, em vez de pecaminosos, estava novamente à solta pelo mundo.

Não. Eles nunca haviam partido. Ela procurou por Nunappleton Hall *on-line*. Não ficou nada surpresa ao descobrir que passara de convento a propriedade privada logo depois da Guerra Civil Inglesa, quando um dos ex-generais de Cromwell começara a procurar um lugar onde se estabelecer e cultivar rosas no jardim — e quando Johann Toller havia começado a pregar por toda a Inglaterra a respeito da Segunda Vinda de Cristo.

Fez mais uma coisa. Procurou por "ratos com cabeças decepadas". Não tinha ideia do que Prentice estivera falando, mas o mecanismo de busca mostrou que aquele era um dos tópicos mais comentados nos noticiários e redes sociais. Alguém havia forrado o chão de Whitehall, em Londres, com ratos decapitados — cerca de mil deles. A polícia dizia que era ou um protesto pelos direitos dos animais ou algum trote estudantil nojento. Os ratos haviam sido cuidadosamente posicionados diante de um edifício chamado Banqueting House, que havia sido projetado por Inigo Jones, diziam algumas matérias de jornal, e terminado em 1622.

Para Kennedy, foi como ver as peças de um padrão, as pedras individuais de um complexo mosaico, mas ela estava perto demais para enxergar o que ele realmente representava. Significava algo. Ela só precisava encontrar o ponto de observação ideal a partir do qual os detalhes insanos se fundiriam em um rosto, uma palavra, uma resposta. Havia um nível no qual tudo isso faria sentido.

Essa ideia, quando trazida à luz e analisada, era a mais assustadora de todas.

CAPÍTULO 29

Tillman estava em meio ao grosso mato observando o armazém através de binóculos. Estava deitado de barriga para baixo e mantinha-se tão imóvel quanto possível. As manchas de cor em seu traje camuflado o esconderiam de um olhar casual, mas, até que o céu escurecesse completamente, qualquer movimento ainda poderia traí-lo.

O armazém não estava exatamente fervilhando de atividade, no entanto havia pessoas se deslocando lá dentro. Duas vezes, durante o dia, um caminhão havia chegado e recebido permissão para entrar, através de um compartimento de carga logo à esquerda do centro no campo de visão de Tillman. Um dos dois voltara a sair, com um homem diferente ao volante, e partira pela estrada secundária, passando a uns três metros dele. O outro veículo continuava lá dentro. Presumivelmente, estava sendo ou carregado ou descarregado, porém a porta do compartimento fora puxada para baixo e fechada, de modo que era impossível saber.

Ao longo do dia, as pessoas movimentavam-se por trás das janelas, rápidas e determinadas. No pátio, sete carros — todos razoavelmente novos, mas comuns — estavam lado a lado. Deviam pertencer a funcionários do armazém ou gerentes, uma vez que ficaram lá por todo o tempo que Tillman passara observando e ninguém havia se aproximado deles em nenhum momento.

Este era o lugar até o qual Manolis havia rastreado a moto, contudo não havia sinal dela aqui — nem da garota, aliás. Havia uma margem de erro, é claro, e Mano fizera questão de frisar que esse era apenas seu melhor palpite. As câmeras não haviam registrado o local onde a moto passava a noite. O armazém era apenas o nexo das últimas posições da moto registradas em cada dia. Às vezes, a garota chegara do oeste, mas geralmente vinha do norte ou do leste. O importante, porém, era que ela viera aqui todos os dias, em torno da meia-noite ou um pouco após, e a moto não havia aparecido na câmera em lugar nenhum depois disso até as 6 ou 7 horas da manhã seguinte. Se ela não estava no armazém, estava em algum lugar próximo o bastante para que o edifício em si valesse mais do que um olhar de relance.

No papel, o armazém pertencia a uma empresa de transporte de cargas, a High Energy Haulage. O nome e o logotipo eram exibidos sobre as portas da frente e de trás do edifício. O logotipo parecia um dos trílitos em Stonehenge: uma ampla barra horizontal, com duas barras verticais mais ou menos do mesmo comprimento abaixo. A barra à direita tocava o início do traço superior, mas havia um intervalo estreito entre este e o topo da barra esquerda. Tillman não sabia o que aquilo deveria ser, entretanto a coisa cutucava sua memória de forma irritante. Já vira isso antes, ou algo parecido, e na época também não havia gostado.

Na verdade, não havia muito de que gostar neste lugar. O fato de estar cheio de gente atarefada, mas com quase nada entrando ou saindo, cheirava muito mal. Ele ansiava por descobrir o que estavam aprontando e sabia que sua única chance seria esta noite. Era por isso que ainda estava aqui, no meio da grama alta, com cãibras nas pernas e com seixos pontudos sob o corpo, pressionando-lhe o peito.

Tillman havia direcionado os binóculos à porta dos fundos e à seção de carga e descarga, às janelas, ao telhado. Havia câmeras de segurança, porém ele conseguia visualizar dois caminhos por onde poderia passar sem ser registrado por elas. Havia um sistema de alarme, mas não parecia nada capaz de lhe dar muito trabalho. O painel externo mostrava as palavras WESTMAN SECURITY SYSTEMS. Tillman tinha uma noção muito boa do que havia dentro daquela caixa, do que ela faria e do que não faria. Se não tivesse passado por ajustes em suas especificações básicas, seria só um cão de guarda que não late.

Contudo provavelmente também haveria cães de verdade. E guardas. Poderia até haver um turno da noite, e nesse caso ele precisaria rever seu plano.

Mas, à medida que o céu escurecia e os funcionários do armazém, um a um, seguiam para seus carros, vestiam jaquetas e casacos longos e partiam, Tillman ficava mais otimista em relação às suas chances.

O pátio estava vazio agora, mesmo assim ele esperou um pouco mais. Depois de 15 minutos, um homem de uniforme preto saiu pela porta de trás, trancando-a, caminhou ao longo de todo o perímetro, o que levou dois minutos e meio, e voltou para dentro. Uma hora depois, saiu novamente e fez a mesma coisa.

Desta vez, quando a porta se fechou, Tillman ficou de pé, massageou os músculos doloridos e começou a andar em direção ao prédio.

* * *

Diema o vigiava assim como havia vigiado Kennedy, a uma distância suficiente para que ele só pudesse tomar conhecimento de sua presença se ela cometesse um erro grosseiro. Estava a uns 600 metros dele, atrás de uma muralha de caixas e caixotes descartados em um trecho de terreno inutilizado, entre dois *kits* de produtos feitos para apresentação a clientes — um dedicado a dispositivos antirroubo para carros, o outro à fabricação de implantes mamários de silicone. Toda a lógica do mundo dos adamitas espalhada ali como a moral de uma fábula.

Ela gostava dessa analogia. Mas não estava sentindo o desprezo e a sensação de superioridade que isso implicava. A verdade, embora ficasse exasperada ao perceber tal fraqueza em si mesma, era que Tillman a deixava inquieta.

Sabia quem ele era, claro. Kuutma havia contado tudo a ela, precavendo-a contra surpresas. Tillman era o pai de sua carne. Fora ele quem engravidara a mãe de Diema, Rebecca Beit Evrom, quando ela fora enviada ao mundo exterior como uma *Kelim*, cumprindo um propósito que estava acima e além dele. O homem era, nesse caso, como um asno que carrega o fiel até o local de oração. O asno não tem ideia do que o peso em suas costas realmente significa, da razão pela qual trabalha. Apenas cumpre sua parte, controlado por chibata e palavras, e depois é deixado no pasto.

Diema havia passado toda a vida entre o Povo, os pais e mães de sua alma. Embora seu genitor fosse um pagão e sua mãe tivesse morrido quando ela era jovem demais até mesmo para pranteá-la, habitara entre os escolhidos e fazia parte de suas fileiras. A menor das fileiras, era verdade, e trataram de garantir que ela soubesse disso. Mas, ainda assim, essa verdade superava todas as outras verdades. Era sua fundação e seu propósito, a própria carne de seu corpo. Então, não é que sentisse algum parentesco com Tillman por causa de uma tarefa animalesca que ele havia realizado adequadamente 19 anos antes. Quando muito, a contemplação do papel dele em sua concepção a enchia de asco e algo parecido com vergonha — a sensação de ter tocado, indiretamente, algo rançoso.

Contudo ela não podia evitar. Estava surpresa, e até um tanto abalada, pelo que ele havia conseguido fazer. Ele havia percebido que ela o estava seguindo e, de alguma forma, havia descoberto o suficiente sobre ela para segui-la também. Só que, por sorte, ela não havia voltado a seu esconderijo nem uma só vez nos últimos três dias. Havia dividido seu tempo entre seguir Tillman e a *rakha* e vigiar este lugar — que, ela tinha quase certeza, pertencia a Ber Lusim.

Então, agora Tillman estava investigando a investigação *dela*, o que obviamente era parte do plano principal de Kuutma. Mas, ainda assim, ele a deixava inquieta. E a inquietude e o asco eram como água e óleo: não se misturavam.

Ela se imaginou matando-o. Isso ajudou um pouco.

CAPÍTULO 30

A maior parte do trajeto de carro de Rennes até Avranches seguia por estradas principais em meio a uma região industrial em ruínas ao redor de Fourgères. Mas, quando Kennedy chegou à costa, viu a vastidão do estuário espraiando-se de ambos os lados e o castelo de contos de fadas no Mont Saint-Michel atrás de seu ombro.

Olhou de relance para a baía, uma planície alagadiça tão ampla que não se viam seus extremos. O Mont Saint-Michel a protegia com zelo anacrônico, seus declives inferiores incrustados de restaurantes baratos e lojas de lembranças, porém a abadia de La Merveille exibia-se alta e clara no topo de tudo, como um anjo sobre um monturo.

Devia ter trazido Izzy aqui. Sua namorada não sairia andando por aquela praia de argila nem por um milhão de euros e um Cadillac cor-de-rosa, mas teria marchado penosamente até a abadia e voltado, reclamando por todo o caminho, e teria bebido conhaque de maçã com ela em alguma espelunca local até Kennedy precisar praticamente carregá-la de volta ao hotel para uma transa de fim de semana, doida e desajeitada e de fazer parar o coração, como da primeira vez.

O Scriptorial não foi difícil de encontrar. A estrada levou Kennedy direto para a cidade e o edifício estava bem ali, na frente dela. Um canto da antiga muralha da cidade o envolvia em dois lados e uma antiga torre quadrada erguia-se atrás dele, mas o Scriptorial em si era um túmulo triangular de cantos arredondados, como um formigueiro construído pelo homem.

No interior daquele espaço, Kennedy sabia, havia uma mostra permanente dedicada à história dos livros e da encadernação. A glória que literalmente a coroava, no último andar do edifício, era uma seleção dos livros resgatados da livraria de La Merveille na época em que o governo revolucionário decidira que bíblias davam um bom combustível para lareiras.

Kennedy apresentou-se na recepção e, enquanto esperava, deixou o olhar passear pelas peças em exibição. Havia maquetes de La Merveille mostrando os estágios de sua construção ao logo de um punhado de séculos, esculturas de pedra e entalhes em madeira furtados de sua capela e mapas da área em diferentes momentos históricos. Mas ela estava cansada da viagem e agitada demais para absorver muito do que estava vendo.

— Srta. Kennedy.

A voz era culta e com um mero resquício de sotaque — apenas o suficiente para acentuar o *ri* de *senhorita*. Kennedy voltou-se e Gilles Bouchard estendeu-lhe a mão.

A longa convivência com Emil Gassan a havia condicionado a esperar alguém mais murcho e empertigado. Todavia Bouchard era jovem — talvez da idade dela —, de compleição robusta e vestido de maneira muito casual, com um suéter cinza de gola alta e calça *jeans* imaculadamente branca. Os cabelos eram longos, finos e loiros. O rosto, estreito, bronzeado como o de um astro de cinema.

Ela apertou a mão dele.

— Sim, sou Heather Kennedy. E o senhor é o Dr. Bouchard?

— Gilles.

— Gilles. Obrigada por concordar em falar comigo assim, de última hora.

— O prazer é meu. Acredito estar retribuindo um favor por meios um tanto bizantinos.

Kennedy sorriu.

— Sim, foi o que me deram a entender.

— Também me disseram que a senhorita talvez não tivesse muito tempo.

— Estou aqui dentro dos seus termos. Mas, se o livro já estiver à mão, eu adoraria dar uma olhada nele.

— O livro — Bouchard disse. Deu à palavra um tom ligeiramente satírico. — Sim. Bem, vou lhe mostrar o que temos e explicar como o obtivemos. Por favor, venha comigo.

Ele a guiou da área da cronologia e dos níveis mais baixos da mostra até uma porta, que se abria para uma escadaria com paredes pintadas de vermelho. Os degraus eram de aço e retiniam sob seus pés.

— O Scriptorial dentro do Scriptorial — Bouchard disse. — Segue no sentido horário, enquanto as salas abertas ao público vão no sentido anti-horário — ou *widdershins*, para usar essa encantadora palavra inglesa. Chamamos este lugar de *le filetage administratif*: a rosca administrativa. Entende a metáfora? Como a rosca de um parafuso. — Ele gesticulou com o dedo indicador, movendo-o em espiral.

— Entendo a metáfora — ela confirmou.

— É aqui que mantemos a maior parte de nosso acervo — ele disse —, bem como instalações dedicadas à preservação e ao restauro dos itens. Muitos de nossos livros vieram da abadia, como a senhorita provavelmente sabe — e nossa inclinação, talvez por isso, é lidar com obras religiosas. Aqui. Separei esta sala para seu uso.

Ele destrancou a porta e indicou que ela entrasse em uma sala que não era mais que um cubículo. A mesa e a cadeira de costas retas que ali estavam preenchiam a quase totalidade do espaço. Atrás da mesa havia uma estante embutida na parede. Paredes e teto estavam pintados de um verde hospitalar desolador.

A sala era tão estreita que, se Bouchard a tivesse seguido, os dois teriam ficado desconfortavelmente próximos. Então, ele permaneceu na soleira da porta, mãos nos bolsos, e indicou com um gesto de cabeça o magro documento deixado bem no centro da mesa.

— O livro — disse, com a mesma inflexão levemente zombeteira de antes.

Kennedy sentou-se e puxou a obra para si. Era um feixe de folhas A4, um tanto gastas e carcomidas nos cantos, unidas por um prendedor no canto superior esquerdo. O título *Uma Trombeta Profere o Julgamento* estava grosseiramente centralizado na página, datilografado em letra Courier corpo 12.

— E esta é uma transcrição completa? — ela perguntou.

— Sim, é o que achamos. Mas não sabemos. É uma anomalia, para ser honesto. Provavelmente nós a teríamos jogado fora, só que perdemos nosso único exemplar do livro — o livro verdadeiro — em circunstâncias bizarras, e não conseguimos substituí-lo. Já que isso é tudo o que temos, nós o mantivemos. E, já que lhe falta até mesmo a mais básica autenticação, não anunciamos que existe.

Ele pediu licença cordialmente, ciente da tensão e da urgência dela, mas educado demais para comentar sobre isso, e deixou-a com a transcrição.

Kennedy tirou o prendedor e virou a página — ou melhor, ergueu a página, já que as folhas não estavam encadernadas. Ficou surpresa ao descobrir que a segunda página era uma fotocópia turva do que devia ter sido o frontispício do livro original. Era um desenho, feito apenas com contornos e uma habilidade indiferente, de um paredão rochoso com uma cidade na base. Sob a figura havia um epigrama em latim. *De agoni ventro veni, atque de austio terrae patente.* O latim de Kennedy só era bom o suficiente para entender *saúdam-te aqueles que morrerão*, e de todo modo ela nunca havia gostado muito dessa frase.

Retirou a folha para ver a próxima página, de número 1.

Uma vez que este Novo Mundo prove ser tão semelhante ao Velho, e dado que os nossos recém-cunhados Governantes sejam de um metal ordinário, que um homem poderia morder e ver a marca dos seus Dentes na moeda, digo-vos agora: cansei-me deles, por ora e para sempre. Eu e cada Homem Sensato. Assim, ponho-me sobre a Montanha das Musas, rogando a elas Inspiração, embora minha verdadeira musa seja Deus, o Altíssimo. E aqui Ele entrega, através de mim, indigno que sou, Seu Julgamento final.

Pois veio a nós o Reino de Cristo, e em verdade veio mais tarde do que alguns sábios esperavam. E agora, pois Ele ama Seus servos, Ele permite que eu veja Suas pegadas onde quer que eu olhe. Ele caminhará entre almas inglesas e comerá do pão inglês, e vós, que me ledes, tudo vereis, quer observeis do topo de Münster ou dos caixilhos escuros de Westminster. Não podeis escolher, pois primeiro ele falará em Fogo e Água e por último em Terra e Ar.

As palavras do salmista (114:4) provar-se-ão corretas. Não menos certas hão de ser as de João (1:12 e 5:6). Atentai e escutai, como também aconselhou João: àquele que tem ouvidos para ouvir, Deus ordenou que ouça. Não importa nem um pouco que ele o deseje ou não.

Kennedy olhou mais adiante. A última página da pilha tinha o número 86. Seria uma noite longa — e péssima.

CAPÍTULO 31

Tillman aproximou-se usando um caminho que o levava entre os campos de visão das câmeras de segurança. Talvez não houvesse ninguém observando o monitor de nenhuma delas, ou o monitor poderia estar programado para alternar-se ciclicamente entre uma câmera e outra, mas ele evitaria riscos o quanto pudesse.

Foi até um lugar que já havia escolhido a distância — o canto de uma parede, onde um ponto invisível às câmeras correspondia a um denso trecho de sombra entre duas lâmpadas. Ele se apertou bem rente à parede, parcialmente protegido por uma calha à sua esquerda, e esperou.

Quando o guarda saiu para sua terceira ronda, Tillman estava pronto. Deixou que o homem passasse por ele.

— Ei — disse. — Que horas são?

Não estava bancando o espertinho. O movimento rotacional aumentava as chances de um nocaute rápido, pois, quando você se vira rapidamente, seu cérebro, envolto em uma bolha de fluido protetor, flutua relativamente fixo dentro de seu crânio. Quando o guarda girou para encará-lo, Tillman acertou toda a lateral da cabeça dele com um cassetete. Os joelhos do homem cederam. Tillman o pegou enquanto ele caía dobrado e o baixou cuidadosamente ao chão.

Pegou rapidamente a jaqueta e o boné do guarda. As chaves estavam bem à mão, nos bolsos da jaqueta: ótimo. Não havia tempo para tirar a calça. Se alguém *realmente* estivesse vendo as gravações das câmeras, o espaço antes que ele surgisse novamente precisava ser curto o suficiente para não levantar suspeitas. Amarrou as mãos e os pés do guarda com arame plastificado e amordaçou-o com fita isolante. Rápido e improvisado, mas duraria um tempo.

Então ele saiu para a luz, a cabeça ligeiramente virada para longe das câmeras, e caminhou ao redor do edifício em direção à porta dos fundos.

Estava apostando que haveria um cadeado simples no qual uma das chaves do guarda serviria, e mesmo assim sabia que precisaria acertar na primeira ou segunda tentativa. Do contrário, teria de dar um tiro no cadeado e enfrentar quem quer que estivesse lá dentro.

Trazia sua arma, um Mateba Unica, já fora do coldre quando se aproximou da porta.

Mas estava com sorte. O guarda não apenas deixara a porta destrancada como pusera um calço de madeira no chão para mantê-la aberta. Esse nível de desleixo e estupidez era um presente de Deus, e Tillman o aceitou. Ele nem sequer interrompeu o passo quando empurrou a porta e entrou.

Lá dentro havia um vestíbulo estreito e completamente vazio, a não ser por um relógio na parede e uma prateleira de cartões de ponto. O relógio marcava 6 horas e, presumivelmente, estava fazendo isso havia um bom tempo. Os cartões tinham uma camada de poeira, alguns tinham caído de seus compartimentos para o chão e havia pegadas de botas passando por eles. Quem quer que trabalhasse neste local agora não se preocupava em bater ponto.

Havia uma porta vaivém dupla diante de Tillman. Uma luz jorrava da fenda entre as duas lâminas. Ele as empurrou e passou por elas.

Chegou a um espaço muito maior, iluminado por painéis de holofotes. Grandes estantes de madeira e aço elevavam-se para além das luzes, perdendo-se na escuridão de um teto que deveria estar pelo menos 12 metros acima dele. Nas estantes, caixas e tambores e objetos volumosos envoltos em embalagens de plástico reforçado.

Perto dele, outro guarda surgiu quando a porta escancarada bateu na parede.

— O que foi... — disse ele. Então, notou a calça camuflada de Tillman, ou talvez apenas sua face dura e fria. Arregalou os olhos.

Tillman o acertou na mandíbula com o cabo de seu Unica, derrubando-o de costas contra a estante mais próxima. Era solidamente construída e nem se sacudiu. O guarda conseguiu manter-se de pé, mas cometeu o erro de tentar pegar a arma ao lado do corpo. Tillman chutou as pernas dele, passando-lhe uma rasteira.

Não houve necessidade de outro soco. Tillman prendeu o guarda em uma chave de pescoço, sua mão livre segurando o braço do sujeito junto do corpo para que ele não pudesse erguer a arma, e aplicou uma pressão firme.

Depois de 30 segundos, o guarda não se movia mais. Depois de 40, Tillman o soltou, amarrou e amordaçou como fizera com o outro. Colocou-o fora do caminho, deitado em uma das prateleiras no nível do chão.

Sem chance de esses caras serem *Elohim*: eram gente contratada e nem trabalhavam muito bem.

Agora, tardiamente, Tillman fez o reconhecimento que, em um mundo perfeito, teria feito antes de entrar. Primeiro de tudo, ele verificou se havia câmeras de vigilância ou cabeamento de alarmes sensíveis a pressão ou contato. Não havia nada disso, o que não o surpreendia, agora que já tinha visto o padrão do pessoal de segurança. Em seguida, encontrou as outras portas fora deste enorme salão, que era quase um hangar — sete, no total —, trancou as que podiam ser trancadas com as chaves do guarda e memorizou a localização das outras. Uma levava a um escritório interno cuja janela, que ia do chão ao teto, fora projetada para permitir que quem sentasse lá supervisionasse tudo o que acontecia no armazém. Agora, estava escuro e vazio.

Tillman verificou também a porta de rolar da área de carga e descarga. Não era um espaço separado, mas uma área dentro da sala maior, com uma plataforma embutida ao lado e uma rampa de descarga para itens maiores. Um guindaste de ponte pendia sobre ela. Em silhueta, parecia a cabeça curvada de um tiranossauro adormecido.

Então, por que nossa garota passaria as noites aqui?, ele se perguntou. *E por que não está aqui agora?*

Mas talvez uma pergunta mais importante fosse: *Que lugar é este?*

Ele seguiu para as prateleiras mais próximas e deu uma olhada no conteúdo. Os itens volumosos e embalados pareciam componentes de máquinas, entretanto não era fácil adivinhar que máquinas seriam. Abriu algumas das caixas com seu canivete alemão de paraquedista, que trazia em uma bainha na bota. Continham moldes, parafusos e juntas de metal — o mais básico denominador comum entre garagens e oficinas do mundo inteiro.

Mas, em uma garagem ou oficina, algumas das caixas estariam abertas e em uso. Mesmo em um armazém atacadista era de se esperar que algumas delas tivessem sido retiradas de suas embalagens plásticas para atender a pedidos. Tillman usou os dedos para percorrer caixa após caixa. A poeira era espessa o suficiente para formar pregas sob seu toque e, a não ser pelos locais onde sua mão passara, estava intocada.

Então, o que quer que estivesse rolando aqui, o material nas prateleiras era só fachada. Mas para quê?

Tillman pensou em um único lugar onde poderia procurar respostas: o caminhão. Se tivesse sido carregado, não fora com essas coisas.

Ele se aproximou da seção de carga e descarga e examinou as portas traseiras do caminhão. Trancadas com cadeado. Porém não demorou a encontrar um pé-de-cabra, e o ferrolho do cadeado se abriu no terceiro tranco. Ele escancarou as portas.

O interior escuro do caminhão estava apinhado até o teto com caixas. Ele pegou uma lanterna da mochila, acendeu-a e apontou o facho para os rótulos nas caixas mais próximas.

C (CH2OH) 4 PENT
B-HMX 95% MANUSEAR COM CUIDADO
1,3 BUTADIENO ELAST.
MISTURA NITR. AMN

Ele arfou. Nada bom. Algumas dessas substâncias — como o nitrato de amônio, que constituía uma ampla porcentagem da maior parte dos fertilizantes comerciais — poderiam parecer razoavelmente inocentes sozinhas. Mas havia apenas um contexto no qual todas elas poderiam surgir juntas, e era o de fabricação de bombas.

O caminhão era uma fábrica de bombas por encomenda sobre rodas.

E não era só isso, Tillman descobriu conforme ampliava sua busca. Também havia longas caixas de madeira, de um tipo que ele imediatamente reconheceu de sua época como mercenário. Eram as embalagens nas quais pistolas, revólveres e rifles às vezes eram transportados, envoltos em lubrificante e plástico para mantê-los a salvo da ferrugem caso ficassem guardados por muito tempo. Ele abriu uma das caixas, rompeu o selo interno e retirou de lá um fuzil de assalto FN Mark 16. Havia seis na caixa. Uma caixa menor na pilha adjacente continha lança-granadas de 40 milímetros. Pareciam encaixar-se perfeitamente nos FNs. Tirar aquela caixa da frente fez com que ele desse de cara com outra, cujas laterais exibiam em letras militares: CBU-94/B TMD LEVE. O TMD no meio desse monte de abreviaturas era Tactical Munitions Dispenser, ou dispersor tático de submunições. Em outras palavras: bombas de fragmentação com seus próprios lançadores.

Bombas. Armas. Munições portáteis. Tudo o que alguém poderia precisar para começar uma guerra. Tillman retrocedeu. Os trabalhadores muito ocupados que haviam enchido aqueles caminhões com alta tecnologia mortal durante a maior parte da tarde provavelmente não estavam levando as caixas e caixotes muito longe. Com algumas dessas coisas, o contato humano era minimizado ao máximo, sob a alegação de que, se a mão de alguém escorregasse, de repente não haveria mais humanos — só filé triturado pingando sangue. Então, em algum lugar próximo, provavelmente dentro desta sala, havia um esconderijo.

Sabendo disso, foi absurdamente fácil para ele encontrar. Em um extremo da sala, separado das estantes fixas, ele descobriu um conjunto de prateleiras móveis, do tipo usado para armazenamento em bibliotecas. Estavam apertadas feito sardinhas em lata, sem corredores entre elas. Mas cada unidade podia ser movimentada sobre trilhos e tinha uma roda instalada, de forma que podia ser empurrada para a esquerda ou para a direita, criando um corredor sempre que necessário.

Movendo as prateleiras para suas diversas posições possíveis, Tillman encontrou o que esperava encontrar: um alçapão no nível do chão, com três fechaduras igualmente espaçadas ao longo de uma das bordas.

Arriscando-se a fazer barulho, ele atirou nos cadeados, um por um. Depois, levantou a tampa até a metade. Automaticamente, luzes se acenderam lá embaixo, iluminando uma câmara subterrânea tão grande — mas não tão alta — quanto aquela na qual ele estava. Ladrilhos de pedra no chão, alguns deles rachados, e paredes brancas tratadas com cal. Degraus de madeira, largos e resistentes, levavam para baixo, e ao lado da escada havia um sistema mecânico de carga com corrente e roldanas. Um cheiro composto de mofo, lubrificante e água sanitária elevou-se para cumprimentar Tillman, forte, pesado e insinuante.

Ele pensou por alguns instantes. Queria descer e encarar o pior. Entretanto este lugar — não só o porão escondido, mas todo o edifício — poderia facilmente se transformar em uma armadilha. Precisava tomar algumas precauções mínimas, pelo menos — sua própria versão do alarme de barbante esticado e atado a algumas latas vazias. O instinto estava arraigado demais nas profundezas de quem ele era para que o ignorasse.

Tillman deixou que o alçapão se escancarasse. A tampa bateu na parede, onde um toco de madeira havia sido aparafusado no lugar para apará-la. Ele caminhou de volta à área de carga, procurando algo que pudesse usar.

A 11 quilômetros dali, uma luz vermelha piscou em um painel ao pulsar acelerado de um alarme eletrônico.

CAPÍTULO 32

Diema murmurou uma praga. Não era exatamente uma praga, já que o Povo via imprecações como uma chaga na alma de quem as proferia, mas havia um forte sentimento por trás dela.

O alarme do armazém estava silencioso, mas a luz vermelha piscando no painel denunciador logo acima das portas da área de carga mostravam que Tillman o havia acionado — provavelmente ao forçar um cadeado ou passar diante de um sensor de movimento. Agora, era apenas uma questão de tempo. Ele ainda poderia se retirar antes que eles chegassem, mas apenas se soubesse o que havia feito, agisse agora e agisse rápido.

A garota esperou, nervosamente, que as consequências inevitáveis se desenrolassem. Levou 11 minutos para que uma *van* preta, alta e sem janelas, viesse da Estrada A312 para a propriedade industrial deserta, percorresse metade da via de acesso até o depósito e parasse, bloqueando-a. O único outro caminho ficava em terreno aberto, ao sul ou ao leste.

Um minuto depois, um Volvo S60, também preto, passou ao lado da *van*. Com isso, a *van* adiantou-se, passando por sobre a borda da calçada e entrando no terreno, rodando lentamente e contornando o edifício até o outro lado.

Diema observou esse desastre em curso com um misto de exasperação e fatalismo. Precisava obter mais de Tillman; então, neste momento, a morte dele seria um imenso retrocesso. Por outro lado, talvez mostrasse quão falho ele era — quão inferior ao que haviam contado a ela. Havia uma grande quantidade de relatos e especulações nos arquivos de Kuutma a respeito dos talentos especiais de Tillman — suas habilidades de combate, sua intuição, sua obstinada coragem, sua engenhosidade infinita e insana. Agora, parecia ter falhado ao primeiro obstáculo, e de uma maneira tão óbvia! Não poderia ter procurado alarmes? Não poderia ter dedicado algum tempo a um reconhecimento decente do terreno?

Homens — só homens e não mulheres — estavam saindo da *van* e do carro agora e caminhando em direção ao depósito. Quase todos eram os mesmos homens que haviam trabalhado ali durante o dia, mas entre eles Diema viu dois de um tipo bem diferente. O homem magro feito um esqueleto, de cabelos claros como cinza, era Hifela, a Face da Caveira. O homem musculoso ao lado dele, parecendo um imbecil ou um açougueiro, era Elias Shud. Eram executores especialmente treinados, que respondiam apenas ao próprio Ber Lusim.

Então, estava acabado. A não ser que ela arriscasse tudo para resgatar Tillman da trapalhada que ele mesmo causara. E ainda assim...

Ela contou dez. Dez *Elohim* — dois deles entre os melhores que o Povo já havia gerado.

Estava acabado, quer ela agisse, quer não agisse.

CAPÍTULO 33

O que Tillman encontrou no compartimento subterrâneo não o impressionou, mas só porque ele já tivera a grande surpresa ao abrir o caminhão. Além de mais explosivos e materiais para montagem deles, havia lança-mísseis RPG-Komar, granadas incendiárias de fósforo, facas de combate do exército belga, lança-chamas portáteis M2 e — parecendo quase envergonhada da pobre companhia que fazia ao resto — uma caixa de relógios despertadores digitais prontos para ser usados como mecanismos de temporização. Era um arsenal de imensa extensão e terrível variedade, reunido por alguém que sabia o que queria causar (presumivelmente, o Armagedom) e exatamente qual era a receita certa para isso.

Tillman não era dado a deixar que a imaginação corresse solta, mas viu-se explorando mentalmente as situações que seriam geradas se essa caixa de pandora se abrisse e ao menos um décimo de seu conteúdo visse a luz do dia.

Entretanto essa era uma operação em andamento. Não parecia um estoque de sobrevivência montado para resistir a um futuro apocalipse. Era bem o oposto. Dois caminhões haviam chegado, um havia saído. O outro, cheio até o teto com instrumentos de morte e caos, estava na seção de carga, pronto para partir.

Perturbado, Tillman voltou ao piso superior.

Estava se lembrando da garota pequenina e independente que ele vira na gravação da câmera de vigilância da revistaria em Pimlico. Era difícil vincular aquele rosto bonito e solene a esta casa de horrores. Mas, novamente, pelo que Kennedy havia dito, a garota era tanto a bela quanto a fera.

Balançando a cabeça para livrá-la do fedor de amônia, Tillman seguiu para o escritório. Não se preocupou em experimentar chaves desta vez, já que não havia a menor chance de sua visita ao local passar despercebida. Simplesmente chutou a porta frágil, arrancando-a das dobradiças, e entrou.

Havia um armário de arquivo verde-escuro discretamente deixado no canto da sala. Tillman tentou abrir a gaveta superior; estava trancada. Mais uma vez, pensou: *Para o inferno com sutileza*. Ainda tinha o pé-de-cabra na mão e o usou para entortar a borda da gaveta para fora e para baixo.

As pastas de arquivo no interior estavam etiquetadas com caracteres alfanuméricos — TN1, GF3, KB14. Ele tirou alguns papéis e os examinou. A maior parte eram relatórios de remessas, faturas e documentos de itens que saíam do armazém. Parafusos, correias e juntas indo para Bergen, Berlim, Bogotá, Bruxelas, Brisbane. Ou não havia a letra A ou tudo aquilo estava fora de ordem. O logotipo da High Energy Haulage estava em cada página, o endereço da sede constando cada vez em uma cidade diferente, todas elas muito distantes de Hayes, Middlesex.

Tillman abriu a próxima gaveta e a seguinte. Encontrou mais do mesmo. Nada incriminador, nada relacionado, de maneira alguma, ao verdadeiro negócio conduzido neste lugar. Mas por que haveria? Ele examinou mais e mais daquela papelada, tentando extrair uma impressão sobre qual seria o propósito desta operação a partir dos itens que foram enviados e recebidos e os lugares para onde foram.

Contudo não havia explicação. A maior parte dos destinos eram as grandes cidades, mas alguns eram cidadezinhas das quais ele mal ouvira falar. San Gimignano. Bardwell, Kentucky. Darling, África do Sul. La Orotava. Ele olhou para a mesa do escritório. Havia dois computadores nela, lado a lado. Talvez fossem a melhor aposta.

Mas, enquanto cruzava o recinto e se debruçava para ligar a máquina mais próxima, ouviu um ruído alto e metálico atrás de si, o badalar nada musical de latas vazias de tinta e lubrificante. Ele havia colocado essas pequenas armadilhas em todas as portas até ali, no entanto a direção do som sugeria que vinha das portas duplas pelas quais ele entrara.

Seu tempo havia acabado.

CAPÍTULO 34

Diema esperou e observou.

Não havia nada mais que pudesse fazer.

Viu Hifela e seu esquadrão entrar no armazém pela porta dos fundos. Viu a maior parte deles voltar para fora e contornar o edifício até a frente, provavelmente para pegar Tillman entre as duas saídas.

Um minuto ou dois se passaram sem mais nenhum som.

Então, houve um estrondo único, ressoante.

Leo Tillman acabara de ser eliminado. Executado.

Diema pensou nisso e tentou decidir como se sentia em relação a ele estar morto antes que as circunstâncias chegassem mesmo a forçá-la a falar com ele. Mas, enquanto ponderava, franziu o cenho.

Não, isso não fazia sentido. Sua primeira impressão devia estar errada.

CAPÍTULO 35

Elias Shud pensava frequentemente na parábola dos talentos. Talvez demais, para ser honesto consigo mesmo. Na parábola, o homem que não usava aquilo que Deus lhe dera era repreendido: as bênçãos do Senhor iam para aqueles que exploravam diligentemente o que já possuíam.

Hoje em dia, os talentos do próprio Shud mantinham-se geralmente ocultos, pois ele havia escolhido seguir Ber Lusim no exílio — e, na década que se seguira a isso, Ber Lusim o havia mandado somente atrás do mais fácil dos alvos.

Então, um homem que era capaz de enfrentar os mais poderosos combatentes das Nações e terminar com o sangue deles nas mãos fora usado, em vez disso, para eliminar homens e mulheres — e, ocasionalmente, até crianças — que nem mesmo sabiam que eram alvos e haviam morrido ou ignorantes ou surpresos. E então, mais recentemente, depois que Shekolni havia pregado seu evangelho de preempção, ele havia gerado horror em maior escala, mas ainda sem nenhum compromisso pessoal digno de ser assim chamado.

Assim, Shud passara a considerar-se, nos últimos anos, um homem cujo serviço ao Mundo consistia principalmente no rebaixamento de seu orgulho — da glória que se obtém ao renunciar à glória.

Hoje não era diferente. Estavam reagindo a um alarme disparado no armazém. Dez deles. Um *minyan* de Mensageiros! Correndo para cuidar de algum fio mastigado por um rato ou de um guarda que havia caído da cadeira enquanto cochilava.

Mas, assim que se aproximaram da porta traseira do edifício, souberam que não era nada disso. A porta fora deixada aberta, o que imediatamente lhes informou que os camponeses lá empregados haviam falhado de alguma forma.

Hifela comandou seus homens com gestos, indicando que se espalhassem à esquerda e à direita da porta, e escolheu dois como líderes. Todavia não houve nenhum ataque quando entraram. O caminho através da saleta estava limpo.

Shud entrou a seguir e viu o que eles não perceberam: um dos guardas, amarrado, amordaçado e removido das vistas, no canto da sala, atrás de uma pilha de chapas de fibra aglomerada. Estava semiconsciente, mas Shud o estapeou para que despertasse e arrancou a mordaça de sua boca.

— Quantos? — rosnou ele.

— Um — o homem balbuciou. — Eu... só vi um.

O número em si nada significava. Era muito mais seguro supor que estivessem diante de uma equipe. Mas agora, pelo menos, sabiam que alguém viera opor-se a eles. Seu tempo não havia sido completamente desperdiçado.

— Armado? — Hifela perguntou, atrás dele.

O guarda assentiu.

— Acho que... sim. Uma arma. Ele me acertou com o cabo de uma arma.

Hifela olhou para as portas duplas que estavam diante deles. Empurrá-las e atravessá-las de uma vez era obviamente uma opção. Eles estavam em maior número, afinal, e eram *Elohim*, guerreiros a serviço do Nome.

Mas não eram tolos. Na batalha, sabiam, descartar uma vantagem quando não é necessário fazê-lo é um pecado — geralmente mortal.

Gesticulando novamente, Hifela designou dois homens para vigiar as portas. O resto, levou consigo, saindo pela porta traseira e contornando a lateral do edifício.

O espaço usado para armazenagem era imenso. Ocupava a maior parte do interior da construção e havia meia dúzia de maneiras de aproximar-se dele. Duas delas eram portas que se abriam a partir de corredores paralelos, facilmente acessíveis por uma entrada lateral.

Hifela seguiu para lá na frente e levou seus homens para dentro usando uma chave mestra. Entraram, separaram-se em dois grupos e — ao sinal de Hifela — deslocaram-se calma e silenciosamente pelos corredores em direção às duas portas. Hifela abriu uma com a chave mestra. Shud arrombou a outra empurrando-a uma única vez com o ombro.

Invadiram o armazém vindo por dois lados, amplamente espalhados, em busca do inimigo.

Não havia inimigo. Mas havia fogo.

No meio do chão, um grande tambor verde de aço chamejava: labaredas azuis e brilhantes, com um nevoeiro ondulante de calor elevando-se dela feito um gênio que paira no ar.

E logo abaixo deles, Shud sabia, para não mencionar o caminhão estacionado do outro lado do amplo salão, havia caixas e barris de sustâncias explosivas, tanto estáveis quanto instáveis; cubano, nitrocelulose, meia dúzia de variedades de plásticos e toluenos.

— Apaguem o fogo — Hifela sibilou.

O erro não foi esse. Dois homens adiantaram-se rapidamente, os outros vindo a seguir para lhe dar cobertura. Um dos dois arrancou uma manta antichamas de um posto de emergência sem titubear.

Mas, quando se aproximaram do tambor flamejante, seus passos vacilaram. Um deles caiu de joelhos. O outro cambaleou, agarrando a garganta.

Shud subitamente entendeu algo que deveria ter percebido antes: a cor das chamas.

— Não se aproximem! — berrou na língua do Povo. — Fiquem longe do fogo. É paracianogênio. Há gás cianeto no...

Uma sombra ocultou a luz diretamente acima de sua cabeça. Ele mergulhou e rolou no chão antes mesmo de pensar nela. Por isso, salvou-se. Algo caíra do nada, com um estrondo como o de uma porta que se fecha, e os dois homens à sua esquerda não estavam mais lá.

Mantendo-se abaixado, Shud avaliou o cenário ao redor com uma série de olhares rápidos. A caixa estilhaçada, cheia de esferas de aço para rolamentos que agora rolavam livremente pelo chão. Abaixo delas, os dois homens: um claramente morto, o outro horrivelmente esmagado, mas ainda em movimento, tentando se libertar.

Acima deles, o braço do guindaste de ponte ainda balançava, as mandíbulas escancaradas e vazias. O inimigo só tivera de posicioná-lo acima do tambor ardente e esperar que eles chegassem.

E foi aí que começou o tiroteio.

CAPÍTULO 36

Eis o que ocorreu a Diema, nesta ordem:

Primeiro, que o som que ela ouvira no início não poderia ter sido um disparo de arma de fogo, pois só um lunático dispararia uma arma dentro de um armazém cheio de explosivos.

Depois, que os sons que estava ouvindo agora definitivamente *eram* tiros.

Por último, e portanto, que alguém dentro do edifício ou não se importava com as consequências ou se sentia tão seguro de seu objetivo que estava preparado para aceitar o risco.

Leo Tillman transformara aquilo em uma batalha. Contra dez *Elohim*. Era a mais perfeita e completa insanidade.

Mas, loucura ou não, havia nisso algo de admirável.

CAPÍTULO 37

De sua posição no solo, Elias Shud tinha duas principais vantagens.

A primeira era a de que os restos da caixa quebrada lhe davam uma cobertura eficaz. A segunda, o gás tóxico que se elevava do tambor de paracianogênio era mais quente e mais leve que o ar dentro do armazém; assim, ele não corria o perigo de acidentalmente inalar uma lufada daquela morte invisível e inodora.

Estava, portanto, bem posicionado para admirar a precisão dos tiros que mataram vários de seus companheiros.

Estavam vindo do alto e da esquerda, espaçados o bastante para indicar uma arma curta, pistola ou revólver, em modo manual. Pesada, também: carregada com balas .454 Casull ou algo bem similar. Em outras palavras, a ferramenta de um artesão. Três homens caíram em um intervalo de cerca de dez segundos, cada um com um único tiro.

Quando em combate, Shud mantinha suas emoções firmemente controladas, mas estava consciente de que uma das que agora reprimia era a excitação de encontrar — depois de tão longo tempo — um oponente digno.

Viu seu companheiro e líder, Hifela, ajoelhado atrás do ângulo de uma parede, analisando — exatamente como o próprio Shud fizera — o ponto de origem dos disparos. Hifela cruzou olhares com Shud, gesticulou para que esperasse e sacou seu telefone.

Shud virou a cabeça, lenta e suavemente, para observar a área de carga. Havia nela muito poucos lugares que ofereceriam tanto um esconderijo quanto uma linha de fogo livre. E obviamente o atirador começara *ali*, naquele canto, onde os controles do guindaste de ponte pendiam do final de sua linha de percurso.

Hifela estava falando aos sussurros com os dois homens do lado de fora, os que ele deixara vigiando as portas traseiras. Guardou o telefone e sinalizou para Shud: *Prepare-se*.

Shud tinha uma adaga sica em uma mão e uma arma — uma Jericho 941 carregada com munição de ponta oca e baixa penetração — na outra. Exceto pelo fato de estar deitado de costas, estava tão preparado quanto possível.

Quando as portas se escancararam, ele já se erguera até ficar agachado. O inimigo encararia agora um fogo de enfiada cruel e súbito: ele teria de se mover ou morrer, e qualquer movimento para afastar-se desse novo ataque o levaria na direção de Shud.

O gemido das semiautomáticas era o seu sinal. Shud ficou de pé e saiu correndo; Hifela correu também, do outro lado das estantes, vigiando o espaço entre eles sem necessidade de discussão ou sinais.

Shud chegou a ver o homem, só por um momento, encravado no canto da área de carga, sem ter para onde correr. Ele ergueu o braço e disparou um tiro, sem nem mesmo desacelerar, e sentiu uma onda de satisfação quando o intruso sofreu um espasmo, fazendo um semigiro com a força da bala. Ele havia recebido o tiro no ombro ou no alto do peito.

Em seguida, as luzes de néon fraquejaram e se apagaram, e a sala foi mergulhada em total escuridão. Agindo pelo instinto afiado, Shud deslocou-se para a esquerda e diminuiu a velocidade, quebrando o ritmo. Balas zuniram contra o concreto a seu lado, onde ele estivera. Então, o inimigo estava ferido, mas não abatido, e ainda usufruindo de todas as vantagens que possuía.

No entanto a escuridão ajudou Shud tanto quanto ao seu alvo. Sabendo que Hifela estava perfeitamente posicionado para atirar se o homem se afastasse da parede e denunciasse sua posição em espaço aberto, avançou mais três metros, abaixou-se e rolou, até ficar contra uma roda traseira do caminhão. A essa distância, mesmo que se guiasse somente pela audição, dificilmente erraria. Esperou que o inimigo se movesse.

Mas nada se mexeu. E agora Shud estava preso no mesmo dilema, temendo denunciar a própria posição com sons ou gestos incautos.

Ele pensou. O homem devia estar muito próximo. Se tivesse corrido na direção de Hifela ou dos outros, a esta altura teriam ocorrido tiros ou sons de luta. Certamente ele continuava na área de carga, tão perfeitamente parado quanto Shud, esperando por este momento.

O homem tinha pouquíssimas opções agora. Poderia rodear o caminhão até a frente, entre os para-choques e as portas; ou contorná-lo por trás, entrando em espaço aberto — e no campo de visão de Hifela; ou ir para baixo do caminhão, para cima, para dentro.

Ocorreu a Shud que, ao apagar as luzes, o inimigo já havia entregado a própria decisão. No escuro, estava se movendo para fora neste instante, rente ao chão da sala. Estava em espaço aberto, avançando tão silenciosamente quanto podia entre seus atacantes, agarrando a única chance que tinha de escapar da cilada que armara para si mesmo e alcançar a porta.

Shud ficou de pé. A dez passos de distância, bem à porta da área de carga, estava o painel principal de interruptores de luz. Ele cobriu esses passos lentamente, silenciosamente, alternando o peso entre os pés com infinita cautela para que nem mesmo o farfalhar do tecido de suas roupas o denunciasse.

Ao lado da cabine do caminhão, parou novamente. Ainda não havia movimento em nenhum outro ponto da sala. Ele esticou a mão, ainda lenta e silenciosamente, e encontrou a borda inferior do painel de interruptores, aço liso aparafusado em uma prancha gasta e partida de madeira compensada. Seus dedos traçaram os botões. Reconheceu-os por suas posições relativas. Luzes externas. Luzes da área de carga. Holofotes principais.

Porém, antes que pudesse acionar os interruptores, algo frio e duro tocou sua nuca.

De dentro da cabine do caminhão, cujas janelas deviam ter estado abertas esse tempo todo, a voz do homem murmurou bem rente ao seu ouvido:

— Desculpe. As luzes eram só uma isca.

À primeira palavra, Shud já estava se movendo. Mas o homem atirou em seu peito, a bala descendo por seu corpo em ângulo acentuado. Não parecia ser só a bala que o atacava, mas o mundo inteiro. A parede o empurrou, derrubando-o de joelhos, e o chão veio chocar-se contra seu corpo inteiramente estatelado.

Shud ouviu o motor do caminhão roncar. Com olhos turvos, viu os faróis se abrirem como os olhos de um dragão que acabava de despertar.

O som do motor cresceu para um rugido e o caminhão saltou em marcha a ré, chocando-se contra as estantes mais próximas, fazendo-as desmoronar e bater nas vizinhas. A reação em cadeia derrubou o tambor de paracianogênio em chamas, e uma onda de fogo azul se espalhou pela sala iluminando uma cena de caos e destruição — homens em fuga, caixas em queda e torres de prateleiras em ruínas.

Então, o caminhão trocou de marcha e partiu sobre Shud, e a seguir veio a escuridão.

CAPÍTULO 38

O veículo abriu caminho pela porta da área de carga sem desacelerar, derrubando-a de sua moldura na alvenaria e arrancando com ela uma viga de aço. Destroços choveram sobre o caminhão, que já estava fazendo uma curva e seguindo para a estrada de acesso.

Houve um momento em que a luz de uma das lâmpadas de segurança reluziu diretamente na cabine, revelando que o motorista, sem a menor possibilidade de dúvida, era Leo Tillman.

O assombro que Diema sentiu tinha uma pontada de admiração. Dez Mensageiros, um homem adamita. Era como um *koan* do zen-budismo: não havia um sentido que a mente dela pudesse compreender.

O caminhão percorreu a estrada secundária, ganhando velocidade. Quando chegou ao carro que havia sido deixado ali como um bloqueio, Tillman deu uma súbita guinada para a esquerda para acertá-lo em um canto, varrendo-o da estrada e virando-o de um lado, de ponta-cabeça e do outro lado. Foi um impacto terrível e danoso, mas o caminhão, sacudindo-se como um barco na tempestade, seguiu em frente.

Três homens — Hifela e dois outros — saíram correndo pela porta arruinada da área de carga, de arma na mão, e miraram. Para chegar à estrada principal, o caminhão teria de ficar virado na direção deles por um espaço de 45 metros, fazendo do motorista um alvo relativamente fácil.

Diema atirou. Os dois primeiros disparos erraram, mas o terceiro acertou o joelho de um dos atiradores. Ele caiu, agarrando a perna, e, um segundo depois, seu grito passou por ela, levado pela brisa leve.

Uma profusão de tiros forçou Hifela e o outro homem a retroceder para trás da borda da parede do armazém, ambos carregando o homem ferido. Reagiram atirando, em nome de sua dignidade, mas ali, na escuridão do terreno inculto, Diema era um alvo impossível.

Quando o caminhão sumiu de vista, ela deslizou para fora de seu esconderijo e voltou rapidamente para junto da cerca que separava a propriedade de outra. Estava prestes a deitar-se de barriga e escorregar por um buraco na base da cerca quando a noite se transformou em meio-dia.

A explosão foi um ataque contra cada um dos seus sentidos, um por vez. Depois do jorro de fogo, a onda de choque a atingiu como uma bola de demolição e a arremessou no solo. O som — um rugido alto, prolongado — malhou-a enquanto estava lá, atordoada, e depois um miasma químico e escaldante invadiu seus pulmões junto com sua respiração súbita e trêmula, arranhando-a por dentro.

Vários minutos se passaram antes que ela pudesse se mover outra vez. Sentia-se como se cada milímetro de sua pele tivesse sido espremido e socado. O fogo ainda mantinha o céu mais claro que a luz do dia, contudo a fumaça agora passava por ela, parecendo mascarar e distorcer tudo à sua volta.

Respirando tão superficialmente quanto pôde, ela rastejou pelo buraco na cerca. Do outro lado, guardou seu rifle em uma sacola esportiva muito gasta, trocou de roupa rapidamente, vestindo o que considerava seu disfarce de criança desabrigada, e limpou na maior parte — mas não toda — a camuflagem que pintara no rosto com lenços umedecidos.

Quando se afastou, parecia anônima e vagamente suja. No mundo adamita, ela descobrira que esse era o melhor disfarce de todos. Os olhares afastavam-se dela porque não a queriam ver.

Não que houvesse alguém olhando naquele momento. A ira de Deus abatera-se sobre Ber Lusim e sua gente. E, com uma ironia suprema e inescrutável, ela usara para isso a face de Leo Tillman.

* * *

Tillman dirigiu por oito quilômetros — mantendo-se em estradas vicinais e trilhas rurais — antes de encontrar um lugar onde pudesse guardar o caminhão. Era um posto de combustível abandonado, bem na estrada principal, e ao lado havia um chalé aparentemente tão abandonado quanto ele. Possivelmente fazia parte da propriedade — devia ter sido um alojamento para o gerente do posto, até que a construção da estrada M25 o deixasse encalhado na inviável distância de 10 ou 11 quilômetros da rota comercial.

Tillman manobrou o caminhão entre as bombas enferrujadas e os olhos cegos do quiosque, introduzindo-o lenta e cuidadosamente no jardim dos fundos do chalé, passando pela cerca de treliça decorativa. Então, saiu e colocou a cerca novamente de pé. O chalé escondia o caminhão de quem olhasse da estrada, o que já era alguma coisa, mas seria absurdamente suspeito para quem olhasse do pátio do posto. Dado o obsceno potencial de sua carga, Tillman teria de voltar em breve e levá-lo a outro lugar. Mas serviria por enquanto. Ele ainda precisava fazer uma caminhada de volta até seu carro, que ficara a um ou dois quilômetros do armazém, entre as árvores.

Sentado no estribo do caminhão, Tillman tirou a jaqueta e, vagarosamente, com a mão esquerda, soltou as correias do colete de Kevlar. Seu ombro estava doendo e ele começava a sentir cãibras. Examinando a área do impacto, percebeu que tivera sorte de escapar com um ferimento tão pequeno. O centro do hematoma roxo e fundo estava só a dois centímetros e meio da borda do colete.

Tillman sugou o ar com os dentes cerrados, por um instante, tomado de aversão por si mesmo. Ele havia agido como uma porcaria de amador dessa vez. Era um milagre ter conseguido sair como estava, quase ileso. Lembrou-se de um quartel em Angola, mais de uma década atrás. O sargento Bennie Vermeulens tagarelava enquanto costurava uma enorme ferida a faca em sua coxa com linha de pesca.

— O improviso é a última ferramenta da caixa, Leo. É o que você faz quando os planos acabam. Então, a cada vez que improvisar, pergunte a si mesmo se deveria ter feito mais planos.

Se o último homem — aquele que parecera grande demais para correr tão rápido — tivesse mirado dois centímetros à direita, a bala de ponta oca teria se cravado no ombro de Tillman e sua cápsula teria se partido em meteoros derretidos, que se espalhariam por seu peito. Ou, se o cara tivesse usado uma munição mais penetrante, àquela distância o colete poderia nem tê-la detido.

E se não tivesse havido nenhum tambor de paracianogênio estável em forma de gel à mão? Nenhum guindaste de ponte? Nenhum caminhão?

Ele deveria ter feito mais planos. Definitivamente.

Mas isso não era tudo. Deixara homens vivos e proporcionara um alvo fácil quando fugira. Havia sido salvo por outro atirador, disparando do outro lado do armazém, longe da estrada. Alguém, portanto, que já devia estar em posição quando o esquadrão da morte aparecera, talvez até mais cedo que isso, quando Tillman fizera seu próprio reconhecimento do local. Enquanto ele examinara o armazém através dos binóculos, outro par de olhos estivera cravado nele.

Olhos amistosos? Melhor não pressupor isso. A mão que tira você do fogo pode ser justamente a que o levará para a frigideira. Contudo, amistosos ou não, sabia a quem aqueles olhos pertenciam e quão elegantemente essa pessoa armara para ele. Só não sabia por quê. Nem como ela havia adivinhado que ele rastrearia a moto e a usaria para chegar a ela. Ou por que ela se importara, ao vê-lo apanhado na cilada, em ajudá-lo a escapar.

O que é que você está aprontando, garota? E como é que você me conhece, e ainda por cima tão bem?

A não ser que tudo fosse acaso. Uma bagunça. Talvez ela estivesse vigiando o armazém também e fosse por isso que passava tanto tempo lá.

Como Kennedy, ele teve um sentimento súbito e desconfortável de que era uma peça dentro de um padrão que não conseguia enxergar. Que não agia, era conduzido. E que o padrão, quando finalmente o compreendesse, seria algo de que ele não gostaria nem um pouco.

CAPÍTULO 39

E o Falso mundo morrerá, e o Verdadeiro mundo viverá. Como na Eira, quando o Joio é separado do Trigo, todos aqueles que trabalham com diligência e merecem seu Pagamento hão de finalmente comer. Os Infiéis que maculam a Palavra Sagrada lamentarão sua Cegueira e se arrependerão. Mesmo na Casa do Soldado descrente eles se arrependerão. E na Igreja de Münster, assim e da mesma maneira, eles se arrependerão. Mas tal arrependimento virá demasiado tarde e eles serão consumidos pelas Chamas do Inferno.

O Anjo de Deus estará sobre Sião e em sua mão estará uma Espada flamejante, pronta para a Execução. Mas seu primeiro Golpe ele há de conter por enquanto, pois a Hora ainda não chegou.

*Onde o Mais Alto sangrou, o Mais Baixo igualmente sangrará. Mesmo a escória, a quem toda gente evita e despreza. Não será abaixo como foi acima? Deus até prometeu que assim seria (*Mateus *6:10).*

A água do Ister fluirá vermelha, como Sangue — um grande Portento, e um que todos testemunharão. Aqueles que a tocarem estarão maculados. Aqueles que a beberem serão amaldiçoados.

Kennedy empurrou o magro maço de páginas datilografadas para longe de si e massageou os olhos com as costas das mãos. Aprendera muito sobre Johann Toller nas últimas três horas, mas estava começando a se perguntar quanto mais aguentaria.

Toller descrevia a fonte de suas revelações como um anjo todo feito de fogo, com seis asas e múltiplos pares de olhos sob cada asa — *Apocalipse* 4:8, ele acrescentara prestativamente. O anjo havia aparecido a ele quando estivera perto da morte e lhe contara as profecias.

E estas eram profundamente estranhas. Elevavam-se e despencavam do sublime e cósmico para o sórdido e mesquinho. Deus mandaria a vingança sobre as nações que O negavam, mas também sobre pessoas específicas e nomeadas: subalternos no Pequeno Parlamento de Cromwell e seus sucessores, intendentes do Exército Novo e até mesmo funcionários dos ministérios do governo.

Mas por trás dos detalhes locais havia um fervor religioso que extrapolava os limites da sanidade cotidiana. Toller acreditava que Cristo estava a caminho, pronto para cumprir o compromisso que firmara com os fiéis muito tempo atrás. E já estava atrasado. Já estava sendo procurado. Se você segurasse a respiração e fechasse os olhos, seria capaz de ouvir os passos dele.

Uma convicção cresceu dentro de Kennedy à medida que ela lia. Os termos da retórica de Toller eram tão semelhantes aos do Evangelho de Judas, conforme Emil Gassan o havia lido para ela, que soube, em algum ponto além da própria razão, que esses ecos significavam algo. Como Toller, o Povo de Judas era obcecado com pontualidade e assombrado pelo medo de que o Senhor pudesse ter dado as costas a eles — que sua preciosa aliança, no final, poderia não dar em nada.

As similaridades eram próximas demais para serem acidentais. Toller até mencionava o mesmo período de três mil anos, que era central na teologia da tribo de Judas, mas fazia muito pouco sentido para cristãos comuns. Um ciclo de três milênios estava prestes a ser concluído, Toller dizia, e, uma vez completo, todos poderiam enxergar o propósito final de Deus. Que era exatamente o que Kennedy havia lido, três anos antes, nas páginas proibidas do Evangelho de Judas.

Enquanto tentava encontrar algum sentido nessa descoberta, a porta atrás dela se abriu. Gilles Bouchard entrou e contornou a pequena mesa para olhar para ela, movendo-se com o silêncio de um monge em um claustro. Ela o cumprimentou com um meneio de cabeça e viu Bouchard medir, com olhar de especialista, o número de páginas que ela havia virado.

— Deveria pular direto para o clímax, Srta. Kennedy — disse ele, sorrindo. — Há, eu lhe garanto, uma grande quantidade de repetição ao longo do caminho.

Na verdade, Kennedy já havia pulado até a última página. Era igual às outras, talvez um pouco mais intencionalmente obscura e fantasiosa em suas imagens, mas em geral era farinha do mesmo saco que o resto do livro.

E a Pedra será removida do Túmulo, assim como na Vez anterior. E então uma VOZ se fará ouvir, gritando: "A Hora, a Hora está Próxima", e todos os Homens verão o que outrora esteve escondido. O Traidor condenará uma grande Multidão com um único suspiro. Na Ilha que foi dada por uma Ilha, na presença do Filho e do Espírito, ele dirá os nomes dos mil milhares que serão sacrificados. E, de Seu *Trono nos Céus, o Senhor Jesus, que é nossa Glória e nossa Vida, dirá os Nomes dos poucos que serão Salvos.*

Kyrie eleison. Christe eleison. Kyrie eleison.
Amém.

— É um livro insondável e sem sentido — Bouchard murmurou. — Mas típico de sua época.

Kennedy largou a página que estava lendo e girou na cadeira para encarar Bouchard, descansando um braço no encosto.

— É mesmo? — perguntou ela. — Como, exatamente? — Estava procurando reafirmar sua confiança, percebeu. Se toda essa loucura estivera no ar naquela época, os paralelos misteriosos que ela estava enxergando seriam muito menos perturbadores.

Bouchard fez um gesto descomprometido.

— Eu não quis dizer nada profundo — garantiu ele. — Só quis dizer que os argumentos de Toller devem ter sido muito menos controversos no século XVII do que parecem hoje.

— Você fala do fanatismo religioso?

— Da segunda vinda de Cristo. Especificamente isso. Muitas pessoas, na época de Toller, tinham certeza de que o Dia do Juízo Final estava próximo. Não homens tristes e desajustados segurando placas nas ruas, mas pensadores influentes. Movimentos religiosos completos, na verdade.

Bouchard apoiou-se à parede, já que não havia nenhum lugar na sala onde pudesse sentar.

— É estranho, em alguns aspectos — disse ele —, e muito compreensível em outros. Estranho em relação à data. A palavra "milenarismo", em sua etimologia, designa explicitamente um fenômeno que acontece no fim de um milênio — o fim de um grande período no tempo, o que é fácil de confundir com o fim do próprio tempo. O final do século XVII estava longe de ser um desses momentos decisivos. Mas parecia um fim por outras razões.

— Que razões? — Kennedy perguntou. Por mais insípido que o assunto fosse, ela estava profundamente, até mesmo urgentemente, interessada.

— Você está me convidando a dar uma palestra — Bouchard avisou. — Pode vir a se arrepender disso.

— Vá em frente — Kennedy respondeu. — Você não me assusta.

Bouchard sorriu e abriu os braços em um gesto teatral.

— Foi o melhor dos tempos e foi o pior dos tempos — disse ele. — Bem, em geral foi só o pior dos tempos mesmo. Ou, pelo menos, o mais perturbado. O mais instável. As revoltas do século XVII trouxeram a sensação de uma grande e irreversível mudança, um ponto culminante da história humana. Na Grã-Bretanha, a monarquia foi derrubada e o rei decapitado pelo próprio povo. Na Europa, o desafio luterano para a Igreja Católica parecia ecoar as batalhas cataclísmicas prometidas por São João em seu *Apocalipse*. Se a Santa Madre Igreja podia ser atacada, prejudicada e forçada a lutar por sua sobrevivência, então quem estaria seguro?

— Então todo mundo entrou na onda de alucinar — Kennedy resumiu. — Por mais ou menos um século. E por todo um continente.

Bouchard deu de ombros, não parecendo convencido pela metáfora.

— Johann Toller pertencia a um grupo chamado de pentamonarquistas — disse ele. — Já ouviu falar?

Kennedy balançou a cabeça negativamente.

— Provavelmente não ouvi falar de nada do que você vai contar. Assuma que eu sou completamente ignorante. Não vou me sentir ofendida.

— Eram uma entre as muitas e muitas organizações radicais daquela época. Fanáticos religiosos, e, como uma coisa atraía outra, dissidentes políticos. Eles vinham de muitas origens diferentes — políticos proeminentes, magistrados, escritores e oficiais de alto escalão do exército —, mas estavam unidos por uma única questão de fé. Acreditavam que a história da humanidade possuía uma forma, que os sábios e os bons poderiam analisar e compreender.

— Que forma?

— Uma forma cíclica. Acreditavam que quatro grandes monarquias, ou impérios, teriam existido, cada uma regendo uma determinada época; e que cada uma, por sua vez, havia sido conquistada e derrubada pela próxima. Acredito que as quatro tenham sido Babilônia, Pérsia, Macedônia e Roma.

— Então, onde ficava a quinta monarquia?

— Não onde — Bouchard disse. — Quando. A quinta monarquia seria a que estava prestes a surgir. O novo rei seria Cristo, e seu reinado duraria para sempre. Eles apoiavam essa teoria fazendo estreita referência a textos bíblicos. Havia uma grande ênfase no *Apocalipse* de São João, que notoriamente dá o número da besta como 666. Muitos argumentaram que o ano de 1666 seria o último do calendário terrestre. Também gostavam do Livro de *Daniel*. Nesse livro, Daniel recebe uma visão de quatro grandes bestas que terão domínio sobre a Terra e, depois de "um tempo, de tempos, e metade de um tempo", serão derrubadas. Esse seria o sinal de que o Filho do Homem estava prestes a subir ao seu trono.

Novamente Kennedy ouviu um eco definitivo e assustador da opinião da tribo de Judas a respeito do mundo, com sua insistência em ciclos de mil anos e sua obsessão por São João. A única versão existente do evangelho secreto deles havia sido codificada em uma cópia do de João.

— E o Toller fazia parte desse grupo?

— Era um dos líderes, junto de pessoas como John Carew, Vavasor Powell e Robert Blackborne. Blackborne era o primeiro-secretário do almirantado, aliás. Os sucessores deles nos tempos de hoje podem ser malucos e marginais, mas eles eram homens sérios, sólidos, com vida pública e influência política.

— Tá bom — Kennedy disse. — Olhe, eu provavelmente já tomei mais do seu tempo do que deveria...

— Fico feliz em ajudar — Bouchard disse.

Ela se levantou da mesa e empurrou o documento datilografado na direção dele, decidida a aproveitar.

— Então, será que você pode me explicar algumas dessas profecias? Os nomes, pelo menos?

Bouchard ergueu as sobrancelhas. Havia um monte de páginas. Era pedir demais.

— Talvez eu possa acrescentar alguns comentários — disse ele sem muito entusiasmo. — Notas de rodapé. Aqui e ali.

Foi a vez de Kennedy ficar surpresa.

— Notas de rodapé? Na única cópia existente de um livro perdido?

— Não. É óbvio que não. A que a senhorita esteve lendo não é a única cópia. É uma cópia da cópia, que eu fiz para que pudesse levá-la consigo. — Ele ergueu uma mão, prevendo e evitando a gratidão dela. — Agradeça ao John Partridge. Ele intercedeu pela senhorita com muita eloquência. Queime as páginas quando terminar. E, por favor, nunca conte a ninguém quem lhe deu isso. Temos uma reputação pela qual zelar.

Kennedy entendeu perfeitamente. Antigamente, ela mesma tivera uma reputação.

Já que não havia uma segunda cadeira, nem espaço no cubículo estreito para trazer uma, Bouchard simplesmente sentou no chão e explicou as profecias, uma de cada vez. Passou direto por algumas, mas para a maioria ele tinha pelo menos um palpite a oferecer — e Kennedy transcreveu os comentários dele nas margens ou por cima das próprias palavras do texto.

A *Igreja de Münster* era a Überwasserkirche, na Alemanha, onde um grupo de extremistas religiosos — os anabatistas — havia inaugurado seu novo governo durante um brevíssimo golpe de Estado.

O *Soldado descrente* era quase certamente Thomas Fairfax, um dos generais de Cromwell, que havia sido amigo de Toller e do movimento pentamonarquista, mas subsequentemente retirara seu apoio a eles e abandonara inteiramente a vida pública.

Ister era um dos muitos antigos nomes do Rio Danúbio.

E assim por diante, ao longo de todos os emaranhados e idiossincrasias de um livro muito intrincado e idiossincrático. Mas Bouchard nada pôde oferecer a Kennedy quando à *Ilha que foi dada por uma Ilha*.

— Poderia ser qualquer lugar. Essa era uma época em que todas as potências europeias estavam anexando territórios no Novo Mundo na mesma rapidez com que eles eram descobertos. Depois, travavam guerras sem fim por eles, usando as populações nativas como bucha de canhão. — Ele franziu o cenho, olhando para o texto, como se não quisesse admitir que estava perplexo. — Deve ser uma referência a algo recente o bastante para ainda ser um assunto corrente no tempo de Toller. Pois ele volta a se referir à insurreição de Münster, e isso foi décadas antes. Vai ser difícil definir que ilha é essa.

Kennedy já não prestava muita atenção. Algo que Bouchard havia dito cutucara uma lembrança e agora ela a perseguia no *laptop*. A Überwasserkirche. Encontrou a referência e fitou-a em um horror emudecido.

E o *Soldado descrente*. Mais alguns cliques resultaram na biografia de Thomas Fairfax e ela soube, com uma certeza nauseante, que estava certa.

— O fim dos dias — murmurou.

— *Qu'est-ce que c'est?* — Bouchard perguntou educadamente.

Kennedy o encarou.

— É a isso que tudo se refere. O fim dos dias. A segunda vinda. O Armagedom.

Bouchard assentiu.

— Sim, é o clímax das profecias do Toller, claro. Cristo vai descer e destruir os iníquos. Só os justos sobreviverão. Todos esses outros eventos são meramente avisos. Precursores. Eles afirmam que o início do reino de Cristo é iminente.

— Então Ele deve estar mesmo a caminho — Kennedy volveu. — Porque a maior parte dessas coisas já aconteceu.

CAPÍTULO 40

Rush ficou aflito ao pensar em como conseguiria tirar seu estoque de livros ilicitamente emprestado de Ryegate House. Mas, no fim, ele apenas escolheu o melhor momento e saiu pela entrada de serviço carregando-os em um saco plástico preto. Se alguém o detivesse, planejava dizer que havia encontrado o saco em um corredor e presumido que era lixo. Porém ninguém o deteve.

Mais ou menos uma hora depois e a 11 quilômetros de distância, em Harlesden, ele despejou sua pilhagem na mesa da cozinha de sua família. Sua mãe e seu pai já estavam na cama. A mãe devia ter pegado no sono muito antes, com meio comprimido de Temazepam, e o pai provavelmente ainda estava acordado, lendo um livro e ouvindo música clássica com fones de ouvido. Nenhum dos dois ouvira o filho chegar, o que significava que ele não precisaria fingir que tudo estava normal.

Escolhera os livros rapidamente, e alguns deles não tinham a menor utilidade. Mas Toller aparecia nos índices da maioria. E em um Rush encontrou um tipo de comentário sobre o misterioso livro de profecias.

Pareceu muito promissor no começo, no entanto acabou não tendo nada a dizer a respeito das profecias em si. Ele estava mais interessado no livro como um objeto físico e no detalhe do uso revolucionário de um processo de gravação, adotado nas poucas figuras do livro, que antecipava alguns aspectos da litografia.

Rush não tinha ideia do que era litografia, então não tinha uma opinião sobre isso. Mas, enquanto folheava as páginas, viu outra reprodução do frontispício: o rochedo íngreme, a cidade e a frase em latim. Agora, percebia que a imagem tinha uma segunda legenda, como aquela que Toller lhe havia dado.

Dizia: "Morte Gellért, *circa* 1640".

Sua vista estava começando a falhar. Não era "Morte Gellért". Era "Monte Gellért".

Desistiu e fechou o livro. Acordaria bem cedo na manhã seguinte e leria mais um pouco antes de ir para o trabalho. Ou talvez ligasse para lá mentindo que estava doente e passasse o dia lendo. Estava ávido por obter alguma informação sólida para mostrar a Kennedy quando ela voltasse.

Entrou na cozinha, assaltou o escasso estoque de bebidas do pai e encontrou meia garrafa de conhaque que estava quase cheia, mas, quando removeu a tampa, o cheiro fez seu estômago se revirar. O que realmente precisava era dormir, entretanto sabia que o sono só viria quando bem entendesse. Quando fechava os olhos, ainda podia ver o professor Gassan com as mãos fechadas ao redor da adaga cravada em seu peito.

Rush colocou a garrafa de volta no lugar e subiu para seu quarto, movendo-se tão silenciosamente quanto podia para não chamar a atenção do pai, caso este tivesse tirado os fones e dado a noite por encerrada. Abriu a porta do quarto, entrou e fechou-a com firmeza antes de ligar a luz.

Havia uma garota em sua cama. Foi a primeira coisa que ele notou, pois era uma novidade por si só.

Sua mente percebeu a arma na mão dela meio segundo depois, mas com um efeito ainda mais avassalador.

Em terceiro lugar, notou que ela estivera assistindo à TV portátil dele com o som bem baixo. A TV estava ligada no Cartoon Network. Em um episódio muito velho de *Coragem, o Cão Covarde*.

— Tranque — disse ela, indicando a porta com um gesto de cabeça.

Parte 4

Conselho de Guerra

CAPÍTULO 41

De ambos os lados do canal, onde quer que pudesse ter acesso à internet, Kennedy continuava a trabalhar nas profecias de Toller, tentando capturar uma ideia que lhe surgira enquanto falara com Bouchard. Quando terminou, estava a poucos minutos de St. Pancras e sentindo um atordoamento um tanto surreal. Ela havia pensado que, depois de conhecer a tribo de Judas, nada mais poderia surpreendê-la.

Estivera totalmente enganada.

Seu telefone tocou enquanto o trem chegava à plataforma. Ela olhou de esguelha para o identificador de chamadas: Ben Rush. Quando estava prestes a atender, Leo Tillman foi surgindo lentamente em seu campo de visão. Estava apoiado a um pilar lá fora, na plataforma, mãos nos bolsos, claramente esperando por ela. O trem desacelerou até parar, deixando-o bem no centro da janela de Kennedy. Com o mau humor que sentia agora, esse efeito era um tanto espalhafatoso para o gosto dela. Escolheu a opção IGNORAR CHAMADA no telefone. Falaria com Rush mais tarde.

Tillman acompanhou o passo de Kennedy quando ela desceu do vagão e caminhou em direção à cancela.

— Bem-vinda de volta — disse ele.

Kennedy olhou ao redor, primeiro à esquerda, depois à direita.

— Não tem fanfarra? Nem desfile? Que boas-vindas mixurucas.

— Heather, qualquer que seja o segredo, não é sobre literatura antiga.

— Nunca pensei que fosse — ela respondeu. — Na verdade, Leo, acho que é sobre o fim do mundo.

Ele lançou-lhe um olhar levemente desconfiado.

— Eu não iria tão longe. Mas fui procurar a sua garota *Elohim* e descobri...

— Você o quê? — Kennedy parou de supetão e girou para encará-lo, incapaz de impedir que o horror se exibisse em seu rosto. — Leo, eu te disse para...

— Eu sei. Você me mandou sentar e esperar. Mas eu não prometi nada. Escuta, tem algo que eu preciso te mostrar. Pode me dar uma ou duas horas? Prometo que é algo que você nunca viu antes.

— Já ouvi isso de um monte de homens — Kennedy resmungou, sombria. — Nunca resulta em nada de bom.

E esta não é a exceção, pensou 45 minutos depois. Estava parada em uma garagem em Lewishan, debaixo de um arco ferroviário, com os portões trancados atrás de si, e estava olhando para a traseira de um caminhão articulado. O material dentro dele talvez fosse o que você receberia se pedisse a um terrorista para compor uma visão do paraíso terreno.

Ela pegou uma arma de uma caixa próxima à porta traseira do caminhão, que Tillman já havia aberto. Era uma metralhadora militar — nada para ser usado em esportes, nem, muito menos, para manutenção da ordem pública. Fora projetada para ficar plantada firmemente no chão e deixada em modo automático, vomitando algumas centenas de disparos por minuto em qualquer pedaço de terra que precisasse ser amaciado.

A caixa seguinte continha granadas. A que vinha depois dessa, mais armas. Estavam empilhadas contra três tambores de fósforo branco.

— Isto aqui é um pesadelo — Kennedy disse.

— Ou um sonho molhado — Tillman volveu. — Depende do seu ponto de vista. Tinha um armazém cheio dessas coisas, Heather. Trinta ou quarenta vezes mais do que você vê aqui. Agora o armazém virou fumaça e pedaços de carvão. E eu vou me livrar do que está no caminhão também, assim que descobrir como. Só queria que você visse primeiro e soubesse que não estou exagerando.

Tillman passou a mão pelo cabelo alvoroçado, parecendo mais inquieto e inseguro do que ela se lembrava de jamais tê-lo visto.

— Heather, eu dei uma olhada nos documentos. A empresa que era dona do armazém, uma tal High Energy Haulage, estava fazendo entregas para uns cem outros lugares. Era uma rede global.

— Você chamou a polícia?

Tillman riu lugubremente.

— É, eu chamei, se é que serviu para alguma coisa. Mas, como eu disse, era só um centro de distribuição. Percebe o que estamos enfrentando? A gente já sabia que os Mensageiros eram assassinos, mas isto... — Ele abriu os braços em um gesto indistinto, indicando o caminhão carregado de morte. — A não ser que a filial de Londres tenha acabado de passar por um caso súbito de psicose coletiva, estamos falando de um aumento incrível de hostilidades. Eles estão despachando quantidades industriais de armas portáteis, munição, substâncias explosivas e incendiárias. Colocando tudo em seus lugares. É o suficiente para causar uma guerra de tamanho médio — e acho que provavelmente é para isso mesmo.

Kennedy balançou a cabeça.

— Não é para isso.

Tillman a encarou, aturdido.

— Como é que você sabe? É algo que você descobriu na França? Algo a ver com...

Kennedy o cortou:

— Ainda não, Leo. Viemos aqui pra você me mostrar o que tem. Como é que essas coisas estão ligadas aos Mensageiros que me encontraram? E a garota? Você disse que foi procurar por ela. Explique.

Kennedy pôde perceber, pela expressão dele quando a olhou, que seu tom a havia denunciado. Ele sabia que ela estava escondendo alguma coisa e sabia que era importante. Quão duro seria para ele juntar as peças e finalmente entender quem estivera perseguindo?

— Me conte — ela pediu novamente, com mais urgência.

— Ela tem uma moto — Tillman disse em uma voz calma, quase inexpressiva, em contraste com a dela. — O Manolis conseguiu achar o número da placa, depois invadiu as redes de câmeras de vigilância de trânsito para ver por onde ela tinha passado. Estávamos procurando um lugar que se repetisse. Pensamos que daria para ter uma ideia de onde ficava a base dela. Mas ela me viu.

— *Viu* você? — Kennedy voltou a ficar estarrecida. — Quer dizer que você se encontrou com ela? Você realmente...

— Não. Não foi isso que eu quis dizer. Ela adivinhou o que faríamos e virou a mesa. Pelo menos é o que eu acho. Ela queria que eu encontrasse o armazém. Usou a moto para fazer com que eu fosse para lá. Ou então ela mesma vigiava o lugar e o Mano entendeu tudo errado. Mas, o que quer que tenha sido, ela sabia que eu estava lá. Esteve me vigiando o tempo todo.

Ele tirou a metralhadora das mãos de Kennedy e a colocou de volta na caixa, tampando-a com força. Kennedy havia esquecido que estava segurando a arma.

— Como você sabe disso? — ela quis saber.

— Porque eu acionei um alarme enquanto estava lá. Me tornei um alvo. Na verdade, eu deveria ter sido morto. Mas não fui, porque alguém me deu cobertura. Havia outra atiradora, escondida no meio da grama alta, que abriu fogo de cobertura pra mim. E, até onde pude ver, ela fez isso sem matar ninguém. Tiros de precisão, uma beleza.

— Não foi seu amigo? — Kennedy perguntou. — O Manolis?

— Ele não é atirador. E estava bem longe dali. A esposa dele arrancaria meu couro e jogaria sal se eu pedisse a ele que fizesse qualquer coisa assim. Eu o uso para vigilância, que é a especialidade dele, e só pra isso.

Tillman se deteve por um segundo, observando-a. Kennedy teve de lutar contra o impulso de desviar o olhar, temendo o que ele poderia ler em sua expressão.

— Olha — ele disse —, tenho certeza de que ninguém me seguiu até lá. E ninguém mais se mexeu naquele fim de mundo depois que cheguei lá. Isso significa que o atirador já estava preparado e escondido antes de eu chegar. Era a garota. Não consigo pensar em outra pessoa que pudesse estar lá. Ela me deu cobertura, e essa é a única razão pela qual eu saí vivo. Se ela realmente tiver criado aquele rastro só para eu seguir — se sabia que eu procuraria por ela, encontraria a moto e tudo mais —, então adivinhou uma porção de coisas sobre mim com base em absolutamente nada.

— Ela é uma Mensageira — Kennedy disse. — Eles estudaram você durante anos. — *E vocês dois compartilham um bocado de DNA. Talvez isso tenha dado a ela uma vantagem.*

Tillman assentiu.

— Faz sentido, acho. Um pouco de sentido. Mas ainda tenho a sensação de que tem mais alguma coisa rolando, e pode ser a tal coisa que você disse que me contaria depois. Será que não é hora de abrir o jogo, Heather?

— Tem um... eu acho... — Ela chegou bem perto de confessar; então, hesitou. Quando conhecera Tillman, ele parecera estar à beira de algum tipo de colapso, exaurido por anos de busca por sua família perdida. Estava muito melhor agora, mas, se ela contasse a ele sobre Diema e no fim estivesse enganada, o dano que poderia causar a ele estava muito além de qualquer cálculo razoável. Era quase igual ao dano que poderia causar se estivesse certa e Tillman ouvisse da própria filha o que havia acontecido com seus filhos. Havia tantas razões para Kennedy permanecer calada e só uma para falar. Contudo era uma razão de suma importância: que ela não tinha o direito de ficar entre Tillman e a filha dele — a única pessoa viva que ele realmente amava.

Ela balançou a cabeça para clarear os pensamentos. Tillman esperou pacientemente que Kennedy falasse, mas, antes que ela o fizesse, o celular voltou a tocar. Grata pela interrupção, ela o tirou do bolso. Era Rush novamente.

— Tenho que atender — mentiu ela.

— Tá bom — Tillman disse. — Ainda vou estar aqui depois que você desligar.

Trazendo o telefone ao ouvido, Kennedy afastou-se um pouco dele, não tanto para ter privacidade, mas porque ainda sentia o impulso de se esconder e o celular lhe dava a desculpa perfeita.

— Fale, Rush — ela disse.

— Kennedy. — A voz dele estava tensa. — Como foi sua viagem?

— Foi produtiva. Você descobriu alguma coisa útil sobre o Toller?

— Bom, eu ia estudar um pouco em casa... — Rush começou. Mas uma segunda voz no fundo o fez parar. — Eu não posso falar sobre isso — murmurou. — Ela diz que o assunto pode esperar.

— *Ela* diz? Quem diz? Rush...

— Desculpe, Kennedy. Eu tenho que seguir o roteiro. Escuta. — O tremor na voz dele estava muito mais evidente agora, tornando difícil entender o que dizia. — Este é um convite de Diema Beit Yudas. Ela quer que vocês dois venham encontrá-la.

— Nós dois? — Kennedy repetiu estupidamente. Tillman parecia prestes a falar, por isso ela ergueu a mão, detendo-o ao mesmo tempo que punha o telefone em viva voz. Leo provavelmente deveria ouvir isso em primeira mão. E ela não deixou de notar que a garota estava usando um sobrenome diferente daquele da falecida esposa de Tillman, Rebecca Beit Evrom. — Nós dois temos que nos encontrar com ela? Pergunte a ela de quem ela está falando, Ben.

A voz de Rush soou apagada, fraca e comprimida:

— Ela quer falar com vocês, mas quer que seja nos termos dela. Diz que acha que agora vocês provavelmente sabem o bastante sobre ela para não fazer nada idiota, mas, caso ela esteja errada quanto a isso, quer que vocês saibam que qualquer ação sua contra ela vai significar... que eu vou morrer. Entendido?

— Entendido — Kennedy disse, ouvindo os próprios batimentos cardíacos muito altos. — Rush, não entre em pânico. Nós vamos até aí pegar você. Me dê o endereço.

— Não, espera. Tem mais. Ela diz que você deve trazer o livro e que o Tillman deve trazer o caminhão. E que apenas vocês dois devem vir. Mais ninguém.

— Posso falar com ela? — Kennedy pediu. — Com a... Diema? — Tillman nada disse, mas as sobrancelhas dele se ergueram e os lábios se apertaram.

A outra voz murmurou no fundo:

— Sim.

— Então, coloque-a na...

— Você pode falar com ela aqui. Ela quer que vocês venham aqui, daí vocês três podem conversar.

Kennedy soltou o ar lentamente, encontrando uma camada de calma.

— E onde é aí, Ben?

— Uma fazenda. Fazenda do Pombal. O endereço é...

— Nós temos o endereço — Kennedy disse. — Estamos indo. Logo estaremos aí.

— Ótimo.

— Rush, você vai ficar bem. Estamos indo agora mesmo. Ela não vai te machucar.

— Você acha? — A voz dele estalou com sarcasmo sombrio. — Ela me amarrou a uma porcaria de...

O telefone ficou mudo.

Kennedy voltou-se para Tillman. Ele já estava indo para a cabine do caminhão.

— Eu dirijo — disse por cima do ombro.

CAPÍTULO 42

Quando Ben Rush pensava em fazendas — o que reconhecidamente não era muito frequente —, ele tendia a imaginar uma grande casa com uma porção de celeiros e estábulos ao redor dela, galinhas ciscando na terra e um cavalo parado atrás de uma cerca.

Todavia a Fazenda do Pombal era, basicamente, só uma ruína. Devia ter havido uma verdadeira casa de campo ali, mas parecia ter sido queimada, deixando apenas um enorme trecho de terra chamuscada onde nada crescia. Os celeiros e estábulos ainda existiam, mas havia buracos nas paredes, onde tábuas haviam sido arrancadas ou chutadas para dentro, e os telhados mutilados e flácidos pareciam próximos da renúncia final. Insetos zumbiam e chilreavam no mato e nas taboas entre as construções externas, contudo nada grande o suficiente para ser visto se movia ali.

De seu ponto de vista privilegiado, no segundo piso de um dos celeiros, com as portas do palheiro abertas à sua frente, Rush podia ver todo o terreno arruinado até a estrada — e, por sua vez, ser visto a partir dela, o que provavelmente era a razão de ele estar ali. Estava sentado em uma cadeira de ripas de madeira, os tornozelos amarrados às pernas da cadeira na frente e os braços algemados juntos atrás do encosto. A cadeira era bamba; cada vez que ele se ajeitava, ela cambaleava para a frente e para a esquerda ou para trás e para a direita. Ele temia, caso se inclinasse para adiante muito de repente, cair de uma vez fora do palheiro e quebrar o pescoço. Ou talvez não quebrasse o pescoço, mas os explosivos ou o que quer que estivesse no pacote que a garota havia amarrado ao seu peito seriam detonados e o partiriam em pedaços.

A garota estava sentada a alguma distância, atrás dele, as costas apoiadas em uma viga. Tinha os braços dobrados no colo e olhava para a estrada. Quaisquer que fossem os pensamentos que passassem por sua cabeça, não deixavam pegadas: seu rosto estava completamente inexpressivo.

Os dois já estavam assim havia algum tempo, e era claro que a garota seria capaz de permanecer em silêncio tanto quanto precisasse. Então, se alguém ia falar, teria de ser ele.

Reuniu coragem e tentou:

— Você gosta do *Coragem, o Cão Covarde?* — perguntou a ela.

A garota não se moveu, mas seu olhar relanceou e se focou nele.

— Não — foi tudo o que disse. Tinha a ênfase de um aviso, como se o assunto fosse considerado agressivo no lugar de onde ela viera.

— Você estava assistindo.

Nenhuma resposta.

— Eu prefiro os desenhos clássicos — Rush disse. — *Os Flintstones. Os Jetsons. A Turma do Zé Colmeia.* — Já que a garota não reagia, ele seguiu listando velhos cartuns como um exercício mental. Pelo menos, ajudava a passar o tempo. — *Dom Pixote. Hector Heathcote. Fantasminha Legal. O Urso do Cabelo Duro. Josie e as Gatinhas. Deputy Dawg. Manda--Chuva. Frangolino. Tom e Jerry.*

Ainda nenhuma reação da garota. Bem, talvez um lampejo de interesse por *Tom e Jerry*, mas nada garantido.

— Quer jogar um jogo? — ele perguntou.

— Não.

— Vamos, vai. Aposto que consigo ouvir sua mente.

Ela olhou para ele por um longo tempo. Finalmente, disse:

— Fique quieto.

— Acha que não consigo ouvir sua mente? — Rush insistiu.

Dessa vez, ela nem se incomodou em responder.

— Pense em um número de um a dez — ele disse. — Depois, subtraia cinco.

A testa da garota se franziu em uma careta.

— Um elefante colorido da Dinamarca. Essa é velha e idiota. Agora, fique quieto. Ou quer que eu machuque você?

De repente, ela tinha uma adaga na mão. Era uma coisa estranha e assimétrica, com uma extensão achatada em forma de gancho ou colchete de um lado da lâmina. Rush olhou para a arma e depois para o rosto da garota. Após um instante, ela fez a adaga deslizar para dentro da camiseta. Devia haver uma bainha lá, presa com uma correia ao ombro dela: a correia passaria entre os seios — e ela estava olhando para ele enquanto ele olhava para os seios dela, o que talvez não fosse uma ideia lá muito boa.

— Se você me machucar, não vai mais ter um refém — ele disse. Quase não foi capaz de manter a firmeza da voz.

— Não, garoto — ela disse pacientemente. — Se eu *matar* você, não terei mais um refém. Mas ainda posso machucá-lo.

Isso o manteve calado por uns bons 10 minutos. Mas ele havia lido um *thriller* uma vez no qual o detetive dizia que psicopatas achavam mais fácil matar se não tivessem de encarar a vítima como um ser humano. Então, ele tentou mais uma vez.

— Meu nome é Ben — disse. — Qual é o seu?

Era uma pergunta boba, pois a garota já o informara. Em vez de responder, ela vasculhou a sacola esportiva que carregava, tirou um estreito pedaço de tecido cor de palha e começou a torcê-lo. Olhou para Rush com expectativa.

Ele pesou os prós e os contras. Era um bom sinal, na verdade, que ela tivesse decidido amordaçá-lo em vez de usar a adaga.

Só que ele realmente não queria ser amordaçado.

Mas talvez, se ela se aproximasse o bastante para colocar a mordaça sobre sua boca, ele pudesse fazer alguma coisa. Mover-se na cadeira em um momento crucial, quem sabe, e empurrá-la de cima do palheiro.

Sabia que isso não ia rolar. Mesmo que ele tivesse ambas as mãos livres, a garota poderia dobrá-lo até virar um *origami*.

Mas que diabo era ele, afinal? Ela o chamara de *garoto*, e ele com certeza era pelo menos um ano mais velho que ela, muito provavelmente dois anos. E não havia feito nada, até aqui, além de ser empurrado e amarrado e interrogado e intimidado por ela.

— São uns seios bem pequenininhos, esses aí — disse, depois de um silêncio longo e fecundo. — Mas em você ficam lindos. Se alguma vez já pensou em cirurgia plástica, eu diria: não faça.

A mordaça era desconfortável e machucava um pouco os cantos de sua boca, contudo Rush estava ligeiramente feliz pelo fato de que a garota havia corado ao apertar o nó.

Agora sou humano, pensou ele. *E tem mais: você também é.*

CAPÍTULO 43

Na estrada A3100, logo ao sul de Shalford, havia uma placa ao lado da rodovia que dizia COISAS DE GENTE MORTA À VENDA. Estava na frente de uma cabana de madeira, sem janelas, cuja tinta branca descascada dava a ela uma aparência leprosa. Da primeira vez que Kennedy passara por essa estrada, aos 12 anos, ela notara principalmente a crase que faltava à letra A e, de maneira pedante, reprovara a placa. Nem lhe ocorrera imaginar quem seriam as pessoas mortas e como suas coisas haviam ido parar naquele fim de mundo em Surrey.

Três anos atrás, vindo exatamente como vinha agora, na cabine de um caminhão de 14 rodas com Tillman a seu lado, dirigindo, ela só ficara impressionada por aquela placa ainda estar ali.

Hoje, com o sol ocultando a face de momento a momento atrás de barreiras de nuvens súbitas e fugazes, o lembrete indesejável da morte a atingiu como um mau agouro.

Quando Tillman tirou o caminhão da rodovia, entrando no que restava da estrada de acesso à Fazenda do Pombal, era sobretudo a morte que ela tinha em mente — a sua própria tanto quanto a de qualquer outra pessoa. Na visita anterior, três anos antes, ela e Tillman haviam sido encurralados no telhado da casa de campo enquanto esta queimava, com um trio de *Elohim* no chão brincando de tiro ao alvo com eles a cada vez que punham a cabeça à vista. Kennedy estivera perto de saltar da cumeeira do telhado, com a vaga esperança de estar intacta o bastante quando chegasse ao chão para sair correndo, mas, na verdade, fora só uma escolha entre quebrar o pescoço e morrer na fogueira.

Entretanto Tillman havia virado a mesa contra os atacantes, que se imaginaram invencíveis na escuridão. Atirando do telhado, ele explodira o tanque de gasolina do caminhão no qual haviam chegado com uma bala incendiária improvisada. Um dos Mensageiros havia morrido na explosão e Tillman havia baleado o outro quando este viera correndo — tarde demais — para ajudar o amigo.

Só que não era amigo. Era irmão. Os dois eram os filhos do próprio Tillman, Ezei e Cephas, que ele conhecera como Jude e Seth. E porque não os vira desde que tinham 4 e 5 anos, e porque em todo caso não chegara perto o suficiente para ver o rosto deles claramente, Tillman nunca tivera a menor ideia do que havia feito — como sua missão, que durara 12 anos, finalmente o reunira a sua família só para que ele pudesse assassiná-la.

Mas Kennedy tinha certeza de que Diema-que-costumava-ser-Tabe-que-costumava-ser-Grace sabia muito bem disso. Que ela havia escolhido este lugar onde seus irmãos lutaram e morreram porque, de alguma forma, ele se encaixava em seus planos para hoje. E agora, enquanto Tillman parava o caminhão naquele mesmo pedaço de terra chamuscada, Kennedy viu-se presa de um medo genuíno de quais seriam esses planos.

Tillman interrogou-a com o olhar: *Pronta?* Ela assentiu brevemente, virou a maçaneta da porta e desceu da cabine, segurando a cópia do livro de Toller debaixo do braço. O solo enegrecido sob seus pés — mesmo depois de três anos, provavelmente havia tanto carvão quanto terra — rangeu quando ela pôs seu peso sobre ele. Olhou ao redor e, enquanto Tillman contornava a cabine, apontou sem nada dizer.

Rush estava completamente à vista. Quando a casa de campo ainda estava de pé, o celeiro que Diema havia escolhido teria estado oculto por trás dela: agora, encarava-os ao longo de 30 metros de não muita coisa. As portas do palheiro haviam sido escancaradas, ou mais provavelmente arrancadas, e Rush estava sentado no que parecia ser uma cadeira de cozinha comum, perto da beirada, olhando do alto para eles. Suas mãos estavam às costas, presumivelmente amarradas ou algemadas.

Kennedy perguntou-se por um momento por que ele não havia gritado por eles. Então viu a mordaça em sua boca.

A garota não estava visível, a princípio, mas depois surgiu do fundo do palheiro e ficou parada ao lado de Rush, a mão repousando nas costas da cadeira. Sua expressão era calma e fria. Kennedy e Tillman deram um passo em sua direção, mas ela meneou a cabeça em um gesto de aviso e eles pararam.

— Há algo que precisam ouvir antes de dar mais um passo — ela bradou do alto. Ergueu a mão. Algo pequeno e branco repousava na palma. Ela apertou o objeto com o polegar e as notas digitalizadas do Big Ben flutuaram até eles. Até onde Kennedy podia perceber, estavam vindo de Rush.

— Este é apenas o dispositivo de uma campainha sem fio — Diema disse a eles. — Mas quero que você dê uma boa olhada no seu amigo.

Kennedy o fez. Rush estava vestindo algo volumoso por cima da camiseta — uma peça sem mangas, como um colete salva-vidas. Era preta e brilhante, e o que quer que houvesse dentro se mostrava em formas retangulares na superfície. Um colete suicida, coberto de explosivos. E o dispositivo de uma campainha proporcionaria um detonador perfeito àquela distância. Diema havia acabado de armar os explosivos. Se apertasse o botão novamente, eles detonariam.

— Agora já nos entendemos — a garota disse, baixando a mão ao lado do corpo. — Subam. Não vou pedir que deixem de lado nenhuma arma que estejam carregando. Só saibam que qualquer mau comportamento da sua parte levará a uma distribuição mais uniforme das partes deste garoto pela paisagem.

— Então, talvez devamos conversar aqui embaixo — Tillman respondeu bruscamente.

Diema o fitou de cima — e havia certa zombaria em sua expressão, ou talvez desprezo.

— Tem medo de morrer, Tillman? — ela perguntou.

— É algo que eu evito sempre que possível — ele disse.

E você quer que ela esteja em um terreno que ela não tenha preparado, Kennedy pensou. *Mas há muito em jogo aqui, Leo — tanto para você como para o Ben Rush.*

— Nós vamos subir — ela disse bem alto. E, em tom mais baixo, para Tillman: — Não a pressione demais. Quando descobrirmos o que ela quer, aí decidimos o que fazer.

— Quando estivermos bem colados a uns 20 quilos de explosivos? — ele murmurou em resposta.

— Tirem o caminhão da estrada primeiro — Diema disse a eles. — Coloquem-no atrás do celeiro. Tillman, você faz isso. Kennedy, suba aqui. Agora.

Fizeram como ela dizia. Tillman voltou ao caminhão e o motor roncou, acordando. Ele passou por Kennedy enquanto ela andava em direção ao celeiro. Então ela cruzou a porta, penetrando na súbita escuridão.

A escada para o piso superior estava à direita. Não havia mais nada no celeiro arruinado, nenhum fardo de feno ou equipamento agrícola enferrujado, nem baias ou manjedouras. Se isso era uma emboscada, os emboscadores estavam lá em cima com Diema e Rush. Mas então, se fosse mesmo uma emboscada, a garota estaria se esforçando demais. Poderia ter deixado Kennedy e Tillman morrer individualmente e separadamente, antes, e em vez disso havia se esmerado em mantê-los vivos.

Se os planos haviam mudado, eles logo descobririam. Entretanto não havia nada que Kennedy pudesse fazer além de colaborar; nada, a menos que estivesse preparada para testemunhar Ben Rush sendo virado pelo avesso.

Ela subiu a escada.

O piso do palheiro era muito mais bem mobiliado do que o chão do celeiro. Assim como a cadeira na qual Rush estava sentado, havia outras duas ao redor de uma mesa dobrável. Um jarro de água estava sobre a mesa, perto de uma pilha de copos de plástico. Todos os confortos do lar.

Diema afastara-se de Rush e estava em pé com as costas apoiadas à parede, encarando Kennedy diretamente. O detonador estava pronto em sua mão, o polegar pairando sobre ele. Kennedy içou-se pelo alçapão do piso, deslocando-se muito lentamente.

— Eu quero ter certeza de que o Ben está legal — disse à garota. — Posso tirar a mordaça dele?

— Você pode se sentar à mesa — a garota disse — e esperar em silêncio até que eu lhe diga o que mais deve fazer. Esse é o livro?

Kennedy mostrou a ela a fotocópia datilografada, cujas páginas só se mantinham unidas por uma larga tira de borracha. Ela a colocou — ainda lenta e cuidadosamente — sobre a mesa.

— Ótimo — Diema disse. — Agora, sente-se.

Kennedy sentou.

Ela ouviu Tillman no andar de baixo, começando a subir.

— Se você apertar esse botão agora — Kennedy disse à garota —, vai se matar também.

— Sou um soldado — Diema disse a ela. — A morte em batalha é o que os soldados esperam.

— Pela minha experiência — Tillman disse, a cabeça e os ombros erguendo-se do alçapão enquanto falava —, soldados esperam isso para todo mundo, menos para si mesmos. — Ele manteve as mãos vazias à vista enquanto subia para aquele piso. Ainda assim, a garota lançou-lhe um olhar repleto de desconfiança.

— Sente-se — disse a ele.

Tillman obedeceu, mas puxou a cadeira, afastando-a um pouco da mesa e deixando-a de frente para a garota. Queria estar livre para agir se a necessidade surgisse, Kennedy imaginou.

Se Diema entendeu o que ele estava fazendo, não demonstrou estar nem um pouco incomodada com isso.

— Tudo o que você tirou do depósito ainda está no caminhão? — ela perguntou.

Tillman assentiu.

— Todas as evidências incriminatórias — disse — juntas em um só lugar. É esse o assunto? Você é a equipe de limpeza da cena?

Diema considerou seriamente a pergunta.

— Sim — respondeu. — Acho que sou. Mas você não tem ideia do que é que estou limpando, então não sabe o que está dizendo. É por isso que está aqui, na verdade. Para ser instruído. — Ela parou por um momento, como se esperasse uma pergunta. Quando nem Kennedy nem Tillman falaram, continuou: — Se eu pretendesse ferir vocês — se pretendesse fazer isso agora, hoje —, eu os teria abordado de outra forma. Vocês percebem isso, não?

Kennedy olhou de Diema para Ben Rush, sentado de costas para eles, depois novamente para Diema. Ela ergueu as sobrancelhas. *Prova número 1*.

Diema sustentou o olhar dela sem piscar.

— Eu estava fazendo meu melhor para ajudar você — disse. — Foi a ordem que recebi. É a razão de eu estar aqui. Mas depois conversei com o garoto e, agora, acho que talvez precise reinterpretar minhas ordens.

Ela continuou a encarar Kennedy com uma intensidade calma, porém feroz.

— Algum tempo atrás — disse —, um segredo passou a ser de seu conhecimento. Um segredo imenso. Quando falei com o garoto... — seu olhar relanceou momentaneamente na direção de Rush — descobri que você havia revelado o segredo para ele. Antes que digamos qualquer coisa sobre qualquer outro assunto, preciso saber por quê. Eu havia presumido que você tinha algum senso de honra, alguma ideia do que a honra significa.

Tudo isso foi endereçado diretamente a Kennedy, parecendo excluir Tillman de propósito, e foi dito de forma tão solene que Kennedy ficou um tanto perplexa. Se essa garota já tinha feito 20 anos, fora um evento recente.

— Você amarrou o Ben a uma cadeira e colocou um colete suicida nele para poder ver se éramos honrados? — disse ela, tentando manter o tom neutro. — É isso que está dizendo?

— Não. — A garota fez um gesto impaciente, sua boca dobrando-se em uma careta antes de voltar a se endireitar na impassibilidade que parecia ser sua expressão padrão. — Isso é o que *você* está dizendo. Vamos repassar tudo.

Ela apertou o dispositivo da campainha e as notas do Big Ben soaram novamente. Kennedy sufocou um grito e Rush convulsionou, mas foi apenas por um acesso de pânico. Nenhuma explosão aconteceu.

No silêncio estrondoso, Diema jogou o dispositivo na mesa.

— Não há nenhum colete suicida — disse. — Nem explosivos. E eu o amordacei porque ele estava falando sobre os meus seios. Não gostei disso.

Kennedy ficou de pé. Seu primeiro pensamento depois de *puta que pariu!* foi para Rush. Ela queria desamarrá-lo e tirá-lo daquela porcaria de situação. A reação inicial de Tillman foi diferente. Sua mão direita passou rapidamente sobre a esquerda e de repente ele tinha uma arma nela, apontada para a parte superior do corpo da garota. Não era o grande e pesado Mateba Unica que ele normalmente carregava, mas uma pistola pequena e discreta que parecia absurdamente minúscula em sua enorme mão.

— Lamento fazer isso — ele disse bruscamente à garota —, pois sei que você salvou minha vida na outra noite, mas já correu sangue demais entre mim e a sua gente para eu confiar em você. Por favor, vá até a parede. Mantenha as mãos onde eu possa vê-las e mexa-se *bem* devagar.

— Leo!... — Kennedy soltou, com o coração na boca.

— Ela é *Elohim* — disse ele, cortando-a. — Chega de surpresas, Heather. Não depois das que nós já tivemos. — E, para a garota: — Por favor. Eu disse: fique contra a parede, e sem discussão. Obedeça.

É uma merda atrás da outra, Kennedy pensou amargamente. E sabia que Tillman estava certo, em certo nível. Mas o nível no qual estava errado a inquietava mais, e ela percebeu que se colocava entre eles, deixando o cano da arma de Tillman tocar-lhe o esterno e descansar contra sua garganta.

— Chega, Leo — disse ela. — Abaixe essa arma. Ela já fez o suficiente para provar o que precisava.

Tillman tentou contornar Kennedy, mas ela agarrou o pulso dele com ambas as mãos e ficou claro que a única forma de ele se soltar seria pela força.

— E o que foi que ela provou, exatamente? — perguntou ele.

— Que não está interessada em nos matar — Kennedy disse entre dentes rilhados. — Então, abaixe a arma e vamos conversar. Por enquanto, estamos em território neutro. — Ela olhou para a garota por cima do ombro. — Certo?

— De jeito nenhum — Diema disse. — Sangue foi derramado aqui. O sangue do meu povo. Está longe de ser neutro. Mas é sagrado, e eu respeito isso. Você, que o derramou, deveria honrá-lo também. — Ela estava olhando para Tillman, diretamente nos olhos dele, uma silenciosa ferocidade em sua expressão. Ele sustentou o olhar com uma determinação belicosa que Kennedy já vira no rosto dele antes. Sua nuca se arrepiou desagradavelmente. Ela teve a sensação, por um momento, de que havia se colocado entre Tillman e o reflexo dele em um espelho. *Como é que ele pode olhar para Diema tão de perto e não enxergar? E como é que pode não ouvir na voz dela quanto esse sangue derramado era importante para ela?*

— Então estamos numa boa — ela resumiu, sabendo que essa era uma mentira descarada. — Estamos numa boa por enquanto, e isso é o que importa. A arma sai de cena. A gente conversa. Talvez você possa nos dizer que diabo está acontecendo, Diema, e onde você se encaixa nisso. Ninguém morre. Ninguém morre, Leo.

Ele ainda mantinha a arma em riste. Forçando uma conclusão, Kennedy fechou as mãos sobre ela e a puxou. Não poderia tê-la soltado do aperto dele à força, mas Tillman deixou que ela a tirasse de suas mãos.

Kennedy respirou profunda e tremulamente. Voltou-se para a garota.

— Você poderia soltar o Ben? — perguntou. — Ou seria pedir demais?

A garota deu de ombros.

— Ele é muito mais suportável assim — disse ela. Mas enfiou a mão no bolso e tirou uma chave de algema, que jogou para Kennedy com um giro desdenhoso do pulso.

Kennedy arrastou a cadeira de Rush para longe da borda antes de começar a libertá-lo. E antes de afrouxar a mordaça ela se inclinou até que sua boca estivesse junto da orelha dele.

— Não tente fazer nada idiota — disse. — Só o Leo conseguiria enfrentá-la, e só por meio segundo. Então, engula o orgulho e fique de boca fechada.

Rush nada disse, mesmo depois que a mordaça foi removida. Quando Kennedy abriu as algemas, ele tomou dela o pedaço de pano e o esfregou em torno do pulso.

— Eu já falei demais — murmurou. — Ela estava armada e disse que ia me matar. Desculpe, Kennedy.

— Esquece isso — ela respondeu. Considerando que havia sido a boca grande *dela* que o colocara naquela situação, era ela quem deveria estar pedindo perdão.

Caminharam até a mesa. Diema os encarou do outro lado como uma austera professora.

— Foi depois que o Alex Wales morreu — disse Kennedy. — Eu contei ao Rush o que ele era.

— Alex Wales?

— O Mensageiro em Ryegate House. O que estava infiltrado lá. O Rush viu o Wales matar um homem com uma sica envenenada. E viu o Wales chorar lágrimas de sangue. Ele me perguntou o que isso significava e eu contei o suficiente para que ele entendesse. Contei sobre a sua tribo e sobre a Ginat'Dania onde vocês viviam antes da sua última mudança. Não fiz isso de forma leviana.

— A quem mais você contou? — Diema exigiu saber.

— A ninguém.

— Nem mesmo à sua amante?

A garota olhava para ela com um ceticismo desdenhoso. Kennedy a encarou sem vacilar.

— Principalmente para a Izzy. Pela minha experiência, qualquer um que saiba demais sobre a sua gente acaba se dando mal. Eu não faria isso com alguém que eu amo.

A garota voltou-se para Tillman.

— E você? — perguntou.

Ele balançou a cabeça negativamente.

— A ninguém.

— Jure.

— Minha palavra vale ouro, menina.

— Sua palavra vale nada. Jure. Jure por algo que seja importante.

Tillman pensou a respeito disso por um instante. Então, apontou para além dela, em direção à janela.

— Você mencionou o sangue que eu derramei aqui. Juro por esse sangue. Nunca contei a ninguém sobre o seu povo ou sobre Ginat'Dania.

O rosto de Diema esvaziou-se de expressão. Depois, encheu-se de uma emoção poderosa, caótica. Ela tentou falar várias vezes, e Kennedy ficou tensa, pronta para interceder, pois por um momento pareceu que a garota estava prestes a se atirar sobre Tillman. Mas ela recuperou o autocontrole.

— Por que eu deveria acreditar que o sangue importa para você? — perguntou a ele, a voz embargada. — Você o derrama com facilidade.

— Eles eram jovens — Tillman respondeu simplesmente. — Muito jovens. E eu tive que matá-los porque alguém havia enchido a cabeça deles de um monte de porcarias. Odiei fazer isso. Mas, se não acredita, posso jurar por outra coisa.

Diema fez um gesto disforme, insondável.

— Não importa — disse ela. — Eu juro, pelo mesmo sangue, que vocês nunca contarão a mais ninguém. Entendam isso como quiserem.

— Bom, eu estou inclinado a entender como uma ameaça — ele disse tristemente.

— Pelo amor de Deus! — Rush se interpôs. — Eu é que fui amarrado e amordaçado e preso a uma bomba falsa. Dá pra deixar isso de lado e ir direto à porcaria do assunto?

— Eu concordo — Kennedy disse rapidamente, puxando os dois para longe da zona de perigo. — Diema, esta reunião foi ideia sua. O que você quer?

A garota cruzou o piso até as portas do palheiro e trouxe a cadeira que estava lá. Colocou-a diante de si, mas não sentou.

— Quero que nós compartilhemos informações — disse. — E depois quero discutir estratégias.

— Vou precisar ser convencido — Tillman disse — de que isso é uma boa ideia.

Diema não pareceu tê-lo ouvido. Estava se dirigindo a Kennedy novamente.

— Esta era minha missão muito antes de ser a sua — ela disse. — Mas não posso obrigar você a confiar em mim ou cooperar comigo.

Sugiro que conte o que sabe a seus parceiros. Agora que leu o livro de Johann Toller, provavelmente sabe muita coisa. Quando quiser falar comigo, me chame. Contarei o que me foi dito e o que descobri por mim mesma e responderei a quaisquer perguntas que você faça. Farei isso sem pedir que faça o mesmo. Não consigo pensar em mais nada que possa oferecer. Esperarei no caminhão.

— Que está cheio de... – Tillman começou.

— Na *cabine*. Vocês vão poder me ver daqui. Acenem e eu volto. — Agora ela havia se voltado para ele, e a profundidade de seu ódio estava ali, em seu rosto, à vista de todos. — Sabe qual é o limite imposto aos *Elohim*, Tillman? Kuutma, que é chamado de Brand, ou a Marca, algum dia lhe explicou isso?

— Vocês não são limitados por nada — Tillman respondeu. — São livres para matar quem quiserem. Seus sacerdotes absolvem vocês previamente.

— Livres para matar, sim. Ou para mutilar. Ou para torturar. Para roubar, quando necessário. Para danificar ou destruir o que quer que precise ser danificado ou destruído, se isso ajudar o Povo. Mas não para fazer qualquer uma dessas coisas por prazer ou em benefício próprio. E não para mentir. Então, afirmo novamente que não estou aqui para matar vocês. Deus quis que vocês ficassem vivos por todo este tempo para que pudessem ser úteis. Para que fossem o açoite que castigará os inimigos Dele. Quando seu trabalho estiver terminado, então vocês estarão livres para morrer.

Ela desceu a escada sem produzir nenhum som. Um momento depois, eles a viram cruzar o terreno em direção ao caminhão e subir na cabine, onde se sentou, de braços cruzados, no banco do passageiro.

— Por onde começamos? — Kennedy perguntou.

— Começamos procurando por escutas — Tillman respondeu rapidamente.

CAPÍTULO 44

Diema lembrava muito pouco a respeito do pai de sua carne. A mãe a havia levado para junto do Povo antes de seu terceiro aniversário, e é claro que ela nunca mais o vira depois dessa volta ao lar. Três anos eram tempo suficiente para que algumas memórias se formassem, mas, pertencendo a outro mundo, a outra vida, houvera cada vez menos espaço em sua mente para abrigar tais memórias. Então elas haviam esmorecido, de forma lenta no começo, depois veloz e então definitivamente. No entanto havia uns poucos momentos isolados que ficaram com ela.

Em um deles, estava diante de uma mesa longa e baixa, sentada no chão, então o móvel devia ser realmente muito baixo — provavelmente algum tipo de mesa de café. Estava desenhando com lápis de cor. Desenhava um leão na floresta. Os lápis eram novos e excitantemente estranhos em sua mão. Eram tão inteiramente cheios de si na memória dela; quase luminosos com sua *hecceidade*, como são, para as crianças, todas as coisas novas.

E ela estava quase terminando seu desenho, mas havia uma sensação de urgência em sua mente, de um prazo chegando ao fim. Então, mãos grandes e envolventes fecharam-se ao redor de sua cintura e ela sentiu que era erguida do chão, suas pernas chutando um pouco, recolhida por braços fortes demais para serem enfrentados.

O rosto de seu pai, de mandíbula quadrada e barba por fazer, sorriu para ela. Sua voz de baixo ribombou, dizendo que era hora de dormir, e ela foi levada para longe dos lápis e do leão inacabado, semiencarnado, para ser colocada sob lençóis brancos em outro cômodo. Provavelmente, sendo um quarto de criança, o lugar continha coisas e cores e texturas, todavia na memória de Diema tudo era branco como os lençóis, vazio como suas mãos ávidas.

Apesar da imprecisão da memória, ela sabia disso sem a menor possibilidade de dúvida: nunca mais havia segurado aqueles lápis; o desenho nunca havia sido terminado. Aquela coisa trivial e magnífica lhe fora roubada.

Mesmo na época, o pai de sua carne fora sinônimo de perda.

Manteve o olhar fixo nas portas abertas do palheiro, onde nada se movia. Esperou que eles a chamassem. E que o leão finalmente fosse finalizado.

CAPÍTULO 45

— Ben Rush, este é o Leo Tillman. Tillman, Rush — Kennedy disse.

Ela virou as páginas fotocopiadas de forma que ficassem de frente para os dois homens.

— Se vamos fazer isso — disse —, acho que deveríamos começar com o livro do Toller. O Alex Wales entrou em Ryegate House para roubá-lo, depois permaneceu lá para conseguir uma lista de todo mundo que já o tivesse lido nos últimos 60 ou 70 anos. Os que ainda estavam vivos não estão mais.

Kennedy estava de pé. Os homens estavam sentados — ambos do outro lado da mesa, encarando-a. Tillman puxou um feixe de papéis do maço à sua frente e leu em voz alta, com Rush espiando por cima de seu ombro:

— "E o Falso mundo morrerá, e o Verdadeiro mundo viverá. Como na Eira, quando o Joio é separado do Trigo, todos aqueles que trabalham com diligência e merecem seu Pagamento hão de finalmente comer..." — Tillman ergueu o olhar para Kennedy. — Que tal um resumo?

— É mais ou menos tudo igual — ela disse. — Trezentas e setenta e duas profecias em 60 ou 70 páginas — todos os sinais e portentos que aparecem pouco antes do fim do mundo.

— Como no Livro do *Apocalipse* — Rush disse.

— Obrigada, Rush. Eu sabia que podia contar com um bom menino católico como você para fazer essa ligação. — Ainda enervado sob o peso de suas recentes humilhações, Rush corou e lançou a Kennedy um olhar afiado para ver se ela estava sendo sarcástica. — Exatamente como no Livro do *Apocalipse* — ela confirmou. — Só que o Toller entra em muito mais detalhes. Deem uma olhada em algumas dessas profecias, quaisquer delas, e vão ver do que estou falando.

Tillman virou as páginas e ele e Rush leram por algum tempo, em silêncio.

— Por que o livro é importante? — Tillman perguntou por fim. — Para o Povo de Judas, quero dizer. Por que eles se importam com quem lê isso? Não são as escrituras sagradas deles, são?

— Sim, acho que são — Kennedy disse.

Houve um silêncio enquanto Tillman absorvia a afirmação.

— Mas nós *lemos* as escrituras deles — disse ele. — Você leu, pelo menos. Era coisa muito, muito mais antiga do que esta bobagem aqui, do primeiro ou do segundo século da nossa era. E era sobre a barganha que Jesus fez com Judas.

— Que era o quê, mesmo? — Rush perguntou.

— Judas ajudou Jesus a morrer — Kennedy disse, fatigada. — Em troca, Deus deu a Terra para Judas e os descendentes dele. Mas eles teriam que esperar três mil anos para herdá-la. Trinta peças de prata, simbolizando 30 séculos.

— Então, onde é que o livro entra? — Tillman perguntou, inclinando a cabeça para a obra de Toller.

— Eu acho que o Toller era membro do Povo de Judas — Kennedy disse. — Acho que ele saiu da cidade escondida para o mundo e criou ou se uniu a uma seita conhecida como pentamonarquistas. Eles pregavam uma versão apocalíptica do cristianismo. Estavam esperando pelo início do quinto e último império — o de Cristo, que provocaria o fim da história, o fim dos reis e das fronteiras terrenas, o fim do mundo como o conhecemos.

— *Peraí* — Rush disse. — Isso é o que todos do Povo de Judas pensam ou só o Toller?

— Todos eles acham que isso vai acontecer — ela respondeu. — Mas o Toller pensava que aconteceria naquela época, no fim no século XVII. E ele saiu espalhando a palavra entre os pagãos, o que não é de jeito nenhum parte do *modus operandi* da tribo de Judas.

— Então o Toller era tipo um herege do Povo de Judas?

— É uma boa palavra para o que ele era — Kennedy disse. — Mas o que importa para nós é que o cara apareceu do nada no meio do século XVII e começou a pregar e escrever...

— Depois de um acidente — Rush disse.

Kennedy e Tillman olharam para ele.

Rush pareceu um tanto desconfortável com a atenção, mas prosseguiu:

— O Toller caiu em uma ravina nos Alpes suíços. Daí um anjo começou a falar com ele sobre a hora que chegaria. Foi depois que voltou à Inglaterra que ele começou a fazer profecias.

— Algum tipo de experiência de quase morte — Tillman refletiu sombriamente. — Dá para imaginar como isso poderia mudar o curso da vida dele. Fazê-lo sentir que havia algo mais que ele deveria fazer.

— Sabemos mais alguma coisa sobre ele? — Kennedy perguntou a Rush.

Ele deu de ombros.

— Sabemos quando ele morreu. E sabemos que tinha um jeito esquisito de fazer o sinal da cruz que mais parecia que ele estava esfregando o estômago.

— O nó corrediço — Kennedy disse. — O Povo de Judas usa o sinal do nó corrediço assim como os cristãos usam o sinal da cruz. Significa a mesma coisa para eles. Porque alguns dos primeiros relatos sobre a vida de Judas dizem que ele morreu enforcado.

— É uma prova circunstancial — Tillman disse.

— Mas o Toller também diz que três mil anos foram dados aos reinos dos homens antes de Cristo retornar. Isso bate com a crença da tribo de Judas de que eles vão herdar o mundo depois que os filhos de Adão o governarem — por três milênios. Tá legal, Leo, você perguntou por que o livro do Toller é importante. Por que importa agora, para nós e para o Povo de Judas. E é aqui que chegamos à resposta. Leiam as profecias na primeira página do livro.

Desta vez foi Rush quem leu, em voz monótona, sem expressão:

— "Os Infiéis que maculam o Mundo Sagrado lamentarão sua Cegueira e se arrependerão. Mesmo na Casa do Soldado descrente eles se arrependerão. E na Igreja de Münster, assim e da mesma maneira, eles se arrependerão. Mas tal arrependimento virá demasiado tarde e eles serão consumidos pelas Chamas do Inferno."

— O Soldado descrente é o Thomas Fairfax — Kennedy disse. — Um dos generais da Guerra Civil Inglesa. Ele simpatizou com os pentamonarquistas por um tempo, mas depois desistiu deles. Do ponto de vista deles, foi um traidor.

— Ainda parece história antiga — Tillman disse secamente.

— Parece, né? — Kennedy concordou. — Mas, algumas semanas atrás, a mansão do Fairfax no campo, Nunappleton Hall, foi destruída em um incêndio. As chamas do inferno, se você quiser ser melodramático, na casa do Soldado descrente.

"E com a Igreja de Münster foi a mesma coisa. O Toller falou de uma igreja específica: a Überwasserkirche, que foi cenário de uma revolta famosa. No dia seguinte ao incêndio em Nunappleton, alguém plantou e detonou uma bomba na Überwasserkirche. Uma bomba incendiária."

Os dois homens olhavam para ela em um silêncio sinistro, perturbado, tentando entender o que isso poderia significar. Mas eles ainda não conheciam nem metade da história, e Kennedy não podia poupá-los.

— Estão me acompanhando? Beleza. Leiam a profecia número dois. "O Anjo de Deus estará sobre Sião e em sua mão estará uma Espada flamejante, pronta para a Execução." Um dos anjos de Deus se chamava Azrael — acho que deve ter sido o anjo da morte, mas não tenho certeza. Quando voltei para casa, quatro noites atrás, liguei a TV e ouvi falar de um incidente no qual um míssil terra-ar Azrael foi lançado sobre Jerusalém. O governo de Israel disse que havia sido um acidente. O míssil explodiu no ar, graças a Deus — sem mortes desta vez. Mas a profecia diz que o anjo não vai atacar com a espada porque a hora ainda não chegou.

Kennedy parou por um segundo, esperando que eles a questionassem. Parecia tão louco o que estava dizendo, até mesmo para ela, que não conseguia imaginar que mais alguém engolisse tudo aquilo como verdade nem por um momento. Mas, quando Tillman falou, foi para fazer uma pergunta muito prática e lógica:

— E a ordem desses eventos? — disse. — É a mesma ordem na qual as profecias acontecem no livro?

— Sempre. Eu verifiquei. O lançamento do míssil foi no mesmo dia em que a bomba explodiu em Münster, mas, se você fizer a conversão do fuso horário, aconteceu duas horas depois.

Kennedy voltou a olhar para o livro. Para ela, o maço de papéis já havia desenvolvido personalidade própria. Seus enigmas e elipses eram parte de um jogo doentio e suas terríveis promessas eram repletas de um entusiasmo psicopático.

— "Onde o Mais Alto sangrou" — ela leu —, "o Mais Baixo igualmente sangrará. Mesmo a escória, a quem toda gente evita e despreza." Quando a Guerra Civil acabou, os parlamentaristas do Cromwell sentenciaram o rei Carlos I à morte por decapitação. Ele foi executado em Whitehall, na frente de um edifício chamado Banqueting House.

"Uma hora e meia depois do incidente com o míssil Azrael, um policial que passava a pé encontrou cerca de mil ratos nos degraus da Banqueting House — todos com a cabeça decepada. Considere o rei como o 'Mais Alto'; a 'escória' sangrou bem ali onde ele sangrou. Até morreram do mesmo jeito."

Ela cruzou olhares com Tillman, depois com Rush, e deu de ombros.

— E "Ister" é o Rio Danúbio. A água ficou vermelha umas duas horas depois de os ratos serem encontrados — não de sangue, e sim com anilina, mas a profecia só diz "*como* sangue".

"E por aí vai. Eu não consegui encontrar as correspondências de todas, mas, até onde dá para perceber, já cobrimos três quartos de tudo o que acontece no livro. Todas as profecias do Toller estão acontecendo, uma por uma, na ordem certa."

Tillman coçou o queixo, mas nada disse.

— Jesus Cristo! — Rush protestou. — O que é que estamos dizendo aqui? Sério? O Toller previu o fim do mundo 300 anos atrás e agora está acontecendo?

— Você não está prestando atenção — Tillman grunhiu. — Ela não está dizendo nada disso.

— Não — Kennedy concordou. — Não estou. Mas o Rush não esteve naquele armazém com você, Leo. E ele não viu o que tem dentro do seu caminhão. — Para Rush, ela disse: — O incêndio em Nunappleton foi criminoso. Os corpos que a polícia encontrou nas ruínas — os "infiéis que macularam a palavra sagrada" — foram levados para dentro da casa só para que pudessem morrer ali. O ataque com o míssil também não foi acidente. Alguém se infiltrou na instalação militar israelense e matou quatro soldados antes de lançar o Azrael. Nada disso foi acidente, Rush. E, mais importante ainda, não foi o destino inexorável. Esses eventos estão todos sendo armados, muito cuidadosamente e muito decididamente.

Rush pareceu mais confuso que convencido.

— Mas se estão acontecendo no mundo todo... e se são só algumas horas de distância...

Ele deixou que a frase fosse sumindo. Kennedy voltou-se para Tillman.

— Conte a ele o que você encontrou — pediu ela.

Tillman nada disse.

— Leo, ele sabe sobre os Mensageiros. E a garota o considera meu cúmplice, então pode apostar que os *Elohim* sabem tudo sobre ele. Conte sobre o armazém ou eu mesma conto.

Tillman fez um gesto apaziguador, mas ainda levou alguns momentos para começar a falar.

— Parece haver um grupo — disse, lançando a Rush um olhar lúgubre — que está estocando armas e explosivos em quantidades muito,

muito grandes. Eles estão despachando as armas para um monte de lugares diferentes. Descobri o que espero que seja o esconderijo principal deles e encerrei as atividades lá. Mas tenho quase certeza de que eles têm uma porção desses *kits* letais já posicionados em vários lugares. Talvez, com sorte, eu tenha conseguido desacelerá-los um pouco.

— Ah, meu Deus — Rush disse. Seu rosto estava pálido.

— Alguém está usando o livro do Toller como um manual de instruções — Kennedy resumiu. — Tudo o que ele previu eles estão recriando, tomando o maior cuidado para acertar em cada detalhe e garantir que os desastres aconteçam na sequência certa — a mesma sequência na qual o livro os descreve.

Algo ocorreu tardiamente a Kennedy — talvez por causa do lugar onde estava e do que havia acontecido, do que ela havia presenciado da última vez que estivera ali. Ela foi até a porta do palheiro e olhou para baixo. Depois de um momento, quando os dois homens vieram se juntar a ela, apontou para o lado do caminhão. Exibia o nome da empresa proprietária do depósito, a High Energy Haulage, com as letras iniciais destacadas em vermelho, e o logotipo, que tinha a forma de um dólmen: dois blocos verticais sustentando um horizontal.

— H-E-H — Kennedy soletrou. — *Heh.* — Ela pronunciou como "*hei*". — É a quinta letra do alfabeto aramaico. E eles usavam as letras como números também. Então, aquele sinal, bem ali, é um cinco. Como em quinta monarquia.

— Mas por quê? — Rush quis saber, embora a pergunta soasse mais como uma súplica. — Por que é que alguém faria profecias se tornarem reais com três séculos de atraso? Não faz nenhum sentido.

No silêncio que se seguiu, Kennedy anunciou:

— Talvez seja hora de chamarmos nossa testemunha especialista.

CAPÍTULO 46

Era uma vez um homem de grande virtude, Diema disse, para quem todas as recompensas e honras terrenas chegaram cedo e facilmente. Todos o amavam. Todos acreditavam nele. Todos desejavam seu êxito. Mas, infelizmente, embora ninguém à sua volta pudesse ver, ele estava possuído por um demônio.

Ela contou a história exatamente assim, como se fosse um conto de fadas ou, talvez, uma parábola — porém, de qualquer modo, como se fosse uma narrativa já afastada de todos eles, dela própria e de seus ouvintes, e transportada para outro nível de realidade, ainda que tenha deixado claro que o homem do qual falava continuava bem vivo.

Seu nome era Ber Lusim, e talvez, afinal, ele não fosse mais que o ponto mais distante em uma curva de sino. Os *Elohim* sempre eram selecionados na juventude. A própria Diema, escolhida aos 16 anos, atendera a seu chamado tardiamente, pelos padrões do Povo. A maioria dos Mensageiros já estava aprendendo a usar as ferramentas e os métodos de seu ofício antes de completar 13 anos.

Ber Lusim apresentou-se a Kuutma — antecipando o processo — aos 9. Suas palavras, de acordo com a história, foram:

— Eu quero servir.

— E que serviço pode oferecer? — Kuutma, divertido, perguntou ao menininho.

Ber Lusim abriu as mãos. Em cada uma delas havia um pássaro morto — uma coisa pequenina, com menos de 10 centímetros do bico até a cauda. Os pássaros tinham flancos verdes e gargantas rubras. As plumas de suas barrigas, por contraste, eram de um cinza monótono. *Calypte anna*, uma espécie de colibri, uma das criaturas mais rápidas que já existiram.

— Quero servir — repetiu o menino.

Naquele momento, Kuutma o admitiu formalmente entre os *Elohim*.

— Esse Kuutma — Tillman interrompeu, seu olhar duro e resoluto. — Esse era o homem que encontramos no México? O que costumava se chamar Michael Brand?

A garota olhou para ele.

— Sim, mas por que isso deveria importar? Não é um nome, é uma função. Todos os Kuutmas são Brand. Kuutma significa a Marca, o Brand. E o "el" em Michael representa o Divino, cujo nome não deve ser pronunciado. Kuutma é a marca de Deus no mundo dos ímpios.

Em silêncio, Tillman gesticulou para que ela prosseguisse.

Ber Lusim foi o maior dos Mensageiros. Ele foi designado para um posto aos 15 anos — em Washington, onde sua aparência jovem e etérea foi um recurso muito útil. Sua primeira morte veio rapidamente, quando uma jornalista americana começou a demonstrar demasiado interesse em certos documentos medievais cujas especulações tocavam na existência de uma seita que venerava Judas.

A jornalista tinha tendência à pedofilia, o que até então expressara somente pelo consumo de pornografia ilegal. O Convocador de Ber Lusim estava cogitando usar esse fato para silenciá-la, mas Ber Lusim adotou uma abordagem mais direta. Apresentou-se à mulher — um rapaz de rosto imberbe, aparentemente interessado; uma combinação impossível de inocência e devassidão. Foi bem-vindo na casa dela e em seu quarto, onde ele a matou de uma forma que postumamente destruiu sua reputação e levou toda a atenção da mídia para muito, muito longe das suas pesquisas profissionais.

Foi um triunfo. Mas possivelmente prejudicou o rapaz, vítima não reconhecida de seu próprio plano elegante. Ou talvez tenha despertado algo dentro dele. O demônio que sempre dormitara ali, esperando.

Ber Lusim foi de um sucesso a outro; de seu aprendizado em Berlim para a África do Sul, e de lá para a República Federal da Alemanha. Lá, provou ser capaz de antecipar-se a inimigos em potencial ao agir de forma impiedosa e decisiva assim que uma possível ameaça era identificada ou mesmo sugerida. Não se incomodava, como faziam muitos Mensageiros, em criar uma cortina de fumaça de bilhetes suicidas ou falsos suspeitos, tampouco deixava qualquer rastro que levasse ao Povo, e por isso seus métodos brutais nunca foram questionados.

Ao completar 20 anos, foi nomeado Convocador dos *Elohim*. Foi uma escolha popular. Os Mensageiros com os quais ele havia servido o admiravam e eram leais a ele. Sua estrela continuou a se elevar. Ele apreciava demais proceder a sanções extremas? A contagem de mortes sob seu comando era mais alta do que deveria ter sido? Talvez. E era apenas coincidência que os homens *Elohim* prosperassem e fossem recompensados sob as ordens de Ber Lusim, enquanto as mulheres eram severamente avaliadas e logo relegadas a outras tarefas? Talvez não. Porém é sempre mais fácil ver tais coisas à luz da retrospectiva.

Como Convocador, Ber Lusim era responsável principalmente por proteger e pastorear as *Kelim* que estavam na Alemanha naquela época. Ele era bom nisso, a seu ver. Pelo menos, era bom em garantir que as mulheres voltassem, com suas famílias, quando o momento determinado chegasse. Infelizmente, essa provou ser uma tarefa que expôs as falhas na personalidade de Ber Lusim e as escancarou feito um pé-de-cabra.

Ber Lusim não gostava das *Kelim* e do processo contínuo de enviá-las ao mundo. Ele havia falado, no Conselho, a favor de suspender a prática e, embora tivesse perdido a discussão...

Outra interrupção, desta vez de Ben Rush:

— Era disso que você estava me falando? — ele perguntou a Kennedy. — Das prostitutas sagradas? Das mulheres que saem da cidade secreta para engravidar?

Tensa, Kennedy assentiu.

— Vamos só ouvir — disse ela.

Enquanto Diema falava, Kennedy podia ver com quanta força Tillman apertava os punhos e quão brancos estavam os nós de seus dedos. O assunto estava longe de ser abstrato e teórico para ele. Sua esposa havia sido uma daquelas mulheres e, mesmo sabendo que ela morrera muitos anos atrás, seus sentimentos por ela nunca haviam se ajustado a essa realidade.

— Vá em frente — Tillman disse a Diema. Por um momento, seu olhar se travou no dela. *Ela sabe o que está causando a ele*, Kennedy pensou, surpresa e inquieta. *Talvez isso seja até parte da razão pela qual ela está aqui*.

Diema continuou. Ber Lusim desgostava profundamente das *Kelim*. Ou talvez desgostasse do que elas demonstravam, que era: o vigor e a virtude do Povo de Judas, sozinhos, não eram suficientes — precisavam ser fortificados, de tempos em tempos, com enxertos de outra linhagem.

Ou talvez fosse porque sua própria mãe havia estado entre elas e ele se sentisse maculado por essa associação. Quaisquer que tenham sido seus motivos, a posição de Ber Lusim permitia que agisse conforme desejasse. As mulheres que saíram de Ginat'Dania para se deitarem com homens adamitas e depois voltar para casa carregadas do

DNA deles passavam pelas mãos do Convocador tanto na jornada de ida quanto na de volta.

Ah, ele levava seus deveres a sério. Ninguém poderia dizer que foi indolente ou falhou em exercer a devida diligência. Nenhuma ovelha se desgarrou sob sua vigilância. Nenhum Recipiente sagrado voltou vazio ou mesmo deixou de voltar.

Algumas mulheres, no entanto, voltaram danificadas. Especificamente, haviam sido espancadas. Quando interrogadas sobre isso, disseram que haviam sido punidas por desobediência. Por levar tempo demais para organizar seus assuntos adamitas, por chorar ao perder os maridos adamitas, por trazer posses demais consigo ou por deixar posses demais para trás.

Reclamações foram feitas no Conselho. Ber Lusim não foi repreendido — havia um ponto de vista minoritário que considerava seu zelo admirável —, mas foi-lhe solicitado que desse fim aos espancamentos. Em alguns casos, as *Kelim* que retornavam podiam estar grávidas; punições demasiado severas poderiam ferir os bebês não nascidos, que obviamente eram a verdadeira razão e a essência de todo o empreendimento.

Mesmo isso foi um momento divisor. O caso de Ber Lusim apoiava-se fortemente sobre os paradoxos que escoravam a sociedade do Povo, e os paradoxos ameaçavam ceder. As *Kelim* eram necessárias, e em teoria eram respeitadas. As mulheres que saíam eram escolhidas por sorteio, portanto a indesejável missão poderia caber a qualquer uma. Era um sacrifício, tão importante para a sobrevivência do Povo de Judas quanto a eterna vigilância dos Mensageiros, e o sacrifício era honrado.

Em teoria.

A realidade era mais complicada. Quando uma jovem de boa família era escolhida como uma Recipiente, era comum (embora oficialmente deplorável) que seus pais fizessem a oração aos mortos por ela. Quando voltava, frequentemente era impossível para ela encontrar um marido entre o Povo. Havia até mesmo alguns — conservadores religiosos ou apenas misóginos broncos — que se recusavam a permitir que a sombra dela caísse sobre eles.

Ber Lusim era um deles — e convenceu muitos dos Mensageiros que o serviam a compartilhar suas opiniões extremas. Mas aceitou o julgamento do Conselho e parou de infligir castigos físicos às Recipientes que voltavam.

Até Orim Beit Himah.

Orim Beit Himah deixou de se apresentar com suas crianças para ser levada de volta a Ginat'Dania quando chegou a hora de fazê-lo. Ber Lusim, precisou mandar uma equipe de Mensageiros para recuperá-la. Decidiu liderá-los pessoalmente.

Encontrou Orim ainda com seu marido adamita. Houve rumores de que ela havia explicado tudo a esse homem e de que ele havia tentado matar os Mensageiros quando eles chegaram. Mas também, e pelo contrário, se dizia que o marido havia encontrado Orim prestes a partir e a havia aprisionado, convencido de que ela pretendia fugir com outro homem. E um relato afirmava apenas que ela perdera o compromisso marcado porque estava doente e não conseguira levantar da cama.

Ber Lusim matou o marido.

E Orim.

E as crianças.

Pela primeira vez, em todo o relato, Diema pareceu ter problemas para dizer as palavras. Teve de pausar por alguns momentos e ir até a porta como se estivesse vigiando o tráfego da estrada abaixo — mas todos podiam ouvir que o som baixo de motor ao qual ela estava reagindo era o de um avião acima, provavelmente a caminho de Gatwick.

Os três observaram a garota em silêncio enquanto ela se agachava junto à porta do palheiro, imóvel e silenciosa, olhando para a estrada vazia. Embora sua agitação mostrasse que ela possuía sentimentos humanos, a pose lembrava a Kennedy o que Diema realmente era. Era a pose de um predador, esquadrinhando a cena com olhos telescópicos em busca de presas.

Quando ela voltou, havia recobrado algo de sua compostura.

Ber Lusim alegou que as mortes foram acidentais. Que ocorrera uma luta com o marido e este estava armado. A mulher e as crianças se viram em meio ao fogo cruzado e foram mortas por balas perdidas antes que qualquer um percebesse sua presença.

Os homens de Ber Lusim apoiaram sua história em cada detalhe. Mas, curiosamente, usaram linguagem quase idêntica em suas descrições, como se tivessem sido ensinados, ou pelo menos tivessem discutido a questão uns com os outros com grande dose de detalhes circunstanciais.

Era uma coisa terrível. Diferentemente dos espancamentos, não podia passar sem punição. Nenhum verniz de decência poderia ser aplicado. O melhor que Ber Lusim poderia esperar era ser destituído do posto de Convocador. Se fosse descoberto que ele matara Orim deliberada e intencionalmente, jamais poderia sair novamente de Ginat'Dania. Sua vida seria dentro de uma cela sem janelas, só 30 centímetros mais longa e mais larga do que sua própria altura.

Entretanto, quando foi convocado a julgamento, ele desapareceu. E seus Mensageiros foram com ele.

* * *

— Então, é com esses caras que estamos lidando — Tillman disse quando Diema terminou sua história. O rosto dele estava frio e inexpressivo, mas os punhos ainda estavam cerrados e pressionavam a mesa com força. Kennedy sabia quão profundamente aquele relato devia ter penetrado nele e quanto sangue havia extraído.

E quanto a Diema? Sua própria mãe havia sido uma daquelas mulheres. Era isso que a motivava ou havia mais? Kennedy lembrou-se da garota em ação, enfrentando os dois *Elohim* no quarto de Izzy, derrotando-os e deixando-os para morrer.

Deixando-os para morrer. Não os matando. Desde quando os *Elohim* não terminavam o trabalho?

Uma resposta a essa pergunta surgiu-lhe subitamente e, quanto mais pensava nisso, mais sentia que devia estar certa. Explicava tantas coisas. Explicava a improvável misericórdia. Explicava por que Diema havia interrompido sua história tão abruptamente, naquele ponto. E, mais que tudo, explicava a série impossivelmente tênue de acasos ou o destino que havia primeiro arrastado Emil Gassan, depois ela e então Tillman para essa confusão cada vez mais profunda, mais densa. Tillman havia dito que ou ela cedia à coincidência ou se rendia à megalomania — que não havia terceira opção. Mas havia. E ela ficou sem ar com sua pura simplicidade — sua clareza quase indecente.

— O inimigo que encaramos — Diema disse solenemente — são esses *Elohim* renegados, comandados por Ber Lusim. Há outro homem — Avra Shekolni — que se juntou a eles recentemente e se tornou seu professor e líder espiritual. Achamos que Shekolni fortaleceu o extremismo de Ber Lusim. Que o tornou ainda menos propenso que antes a aceitar acordos.

— *Peraí* — Rush disse. — Se esse Shekolni é novo na área, é por causa dele que esses caras foram atrás do livro? Foi ideia dele?

Diema olhou pensativa para ele por um ou dois segundos. Pareceu estar decidindo se responder às perguntas de um ex-refém poderia afetar sua dignidade ou não.

— Sim — disse ela. — Achamos que foi ideia de Shekolni.

— Eles não roubaram só aquela cópia do livro, né? — Kennedy quis saber. — Havia cinzas na caixa em Ryegate House.

Diema voltou-se para encarar Kennedy. A intensidade de sua atenção era perturbadora. Era como se, quando olhava para você, o resto da sala, o resto do mundo, desaparecesse.

— *Tephra* — disse ela.

— O quê?

— As cinzas de um sacrifício são chamadas de *tephra*.

— Que seja. — Kennedy não conseguiu disfarçar a impaciência em sua voz. — Eles roubaram cada cópia do livro que puderam encontrar. Queimaram todas, exceto uma. Eles estavam tirando a palavra sagrada das mãos dos infiéis.

— Sim.

— Mas por que esse livro é a palavra sagrada? Foi escrito só alguns séculos atrás, por... como é que vocês o chamariam? Um herege? Um vira-casaca? Um fugitivo? Não é o seu evangelho. São notícias velhas de um lunático religioso.

Diema assentiu.

— As palavras de Toller perderam-se porque não achamos que fossem dignas de ser guardadas — ela concordou. — Demorou muito tempo até que alguém percebesse que ele poderia ter sido membro do Povo. Um dos nossos Mensageiros se desencaminhou, naquela época, e foi procurado, mas nunca encontrado. Foi no meu tempo que um estudioso do Povo viu as correspondências no livro de Toller e apresentou a ideia de que nosso irmão desgarrado havia adotado um novo nome e pregado às Nações como Johann Toller.

— E por que as palavras dele seriam reverenciadas? — Kennedy quis saber. — Por que é que seriam ao menos lidas?

— Toller foi o primeiro a deixar o Povo sem a bênção ou permissão do Povo. Até Ber Lusim e Avra Shekolni, ninguém mais seguiu seu exemplo. Nenhuma vez, durante os 370 anos desde então. — Diema enfiou a mão dentro da blusa e tirou a adaga que guardava ali — a estranha e assimétrica lâmina que o Povo de Judas chamava de sica. — Sabem o que é isto? — perguntou a eles. Antes que falasse, antes mesmo que completasse o movimento, Tillman novamente tinha a arma nas mãos. Mas a garota não registrou a ameaça, nem pareceu notá-la.

— Entenda isso como um sim — Rush sugeriu.

— Mas não sabem *realmente* o que é — Diema insistiu. — Para vocês, é apenas uma arma. Para nós, são dois séculos e meio de história. Nós a carregamos e matamos com ela quando fomos dominados pelos romanos. Agora, nós a carregamos e matamos com ela como homens e mulheres livres.

— Qual é a questão? — Kennedy exigiu saber. — E dá para explicar sem essa coisa imunda na mão?

Diema pôs a faca sobre a mesa, ao lado da fotocópia do livro de Toller.

— Suponho que a questão seja que mantemos nossas tradições. A mudança não é algo que venha natural ou facilmente para nós. Talvez Avra Shekolni já estivesse interessado em Johann Toller antes de deixar a cidade. Ou talvez não. Agora, sabemos, ele está obcecado pelo homem. Toller é seu único precursor verdadeiro — um homem religioso que partiu sozinho para o mundo, carregando o que imaginava ser uma grande mensagem.

— E daí? — disse Kennedy.

— Daí que Shekolni acredita nessa mensagem.

— Mas Toller estava prevendo o fim do mundo nos idos 1660. E ele não acabou — disse Rush. — Ou o Shekolni acha que sim e que agora nós todos estamos vivendo na Matrix?

— Você não entende — Diema disse.

Rush corou levemente.

— Não, não entendo. Isso foi meio o que eu acabei de dizer.

— Johann Toller — Diema disse, pronunciando as palavras com o cuidado reservado aos interlocutores surdos, estrangeiros e imbecis — disse que o mundo acabaria depois que suas profecias se realizassem.

— Essa parte eu saquei.

— Então, o que você faria se *quisesse* o fim do mundo?

Rush olhou para ela.

— Se eu...? — repetiu.

Então, olhou mais um pouco. Tillman e Kennedy estavam olhando também.

— A hora da barganha chegou — Diema disse. — E depois se foi. Deus não apareceu para nós. Mas, durante um tempo assim tão longo, erros e mal-entendidos são possíveis — não da parte do Sagrado Nome, mas da nossa parte. O Sima, nosso Alto Conselho, pediu paciência. O plano de Deus se revelaria se nós esperássemos.

"Mas Shekolni, que tinha voz no conselho, não concordou. Ele disse que Deus nunca, jamais quis que simplesmente esperássemos. Que fazer nada era a última coisa que Ele desejava de nós. Depois de três mil anos, nossa hora chegaria. Mas era exatamente isto: *nossa* hora. Cabia a nós agir. E Deus já havia nos dito o que fazer."

— Através de Johann Toller — Kennedy disse.

Diema deu de ombros bruscamente. *O que você acha?*

— É o que eles estão fazendo. — Kennedy sentiu uma vertigem aguda. — Estão forçando a coisa acontecer ao fazer com que todos os sinais e portentos aconteçam antes. Estão anunciando a Segunda Vinda.

— E os sinais e portentos só se tornarão maiores e mais sangrentos — Diema disse. — A não ser que vocês os detenham.

— A não ser que *nós* façamos isso? — Rush estourou. — Por que isso cabe a nós?

Diema apontou para Kennedy e depois para Tillman.

— Eu me refiro a eles — disse. — Não a você, garoto. Não há planos para você.

— E para nós há? — Kennedy disse, tropeçando nas palavras. Estava certa. Tinha de estar.

— O garoto levantou uma questão importante — Tillman grunhiu, ficando de pé. Não parecia ter registrado as palavras de Kennedy. — Isso é assunto seu e não nosso. Algo que você e sua gente vomitaram no mundo. Por que, em nome do que quer que usem como juramento, vocês viriam até as mesmas pessoas que desprezam e odeiam e pediriam a elas que limpassem a sua bagunça?

Diema ficou em silêncio. Com os olhos dos três sobre ela, voltou a dar de ombros. Desta vez o gesto parecia afirmar que ela já expusera o caso e a eles cabia pegar ou largar.

— É verdade que queremos a rede de apoio a Ber Lusim encerrada — disse ela. — As crenças dele são heresias, abominações. E, além disso, o que ele está fazendo nos coloca em risco. É visível demais. Leva as pessoas a fazer perguntas e procurar padrões. Foi por isso que fui enviada. É por isso que estou aqui, agora, falando com vocês.

"Mas eu diria que a perda seria maior para vocês do que para nós. Muitas pessoas já morreram. Mas, se Ber Lusim chegar à última profecia, muitas, muitas mais morrerão. — O olhar de Diema encontrou o de Kennedy. — Você leu o livro. Toller fala de mil milhares que serão sacrificados. Um milhão de pessoas. Não acredito que vocês gostariam de ver isso acontecer."

— Mas não foi por isso que você veio até nós — disse Kennedy. — Você não dá a mínima para quantas pessoas morrem, desde que sejam da nossa gente e não da sua. Para vocês, não somos melhores do que gado. Qualquer coisa que ameace o grande segredo, vocês exterminam. E quer que a gente acredite que esses maníacos que estão à solta, fazendo todo esse barulho, não são grande coisa para vocês?

Diema franziu os lábios. Seus olhos se estreitaram um pouco.

— Eu me expressei mal — disse ela com imperturbável paciência. — É claro que isso nos preocupa. Mas há uma parábola sobre um viajante que é cercado por ladrões ao sentar-se diante da fogueira à noite. Ele tira um graveto do fogo para os afastar. Então, quando os inimigos são derrotados, ele joga a tocha de volta às chamas e deixa que seja consumida.

— E nós somos o graveto? — Kennedy disse. — Que fofo. E está muito mais perto da verdade. Mas você se entregou, menina — quando estava falando da morte da mulher e dos filhos dela e de repente teve que ir até a janela e respirar um pouco de ar fresco. Então, por que é tão difícil pra você dizer?

— Dizer o quê? — Tillman perguntou. — O que é que eu não estou entendendo?

Diema olhou de relance para ele por um momento. Depois, baixou o olhar para o chão.

— Você viu como eles lutam, Leo — Kennedy disse. Sua voz soou áspera e odiosa até para seus ouvidos: porque ela realmente odiava isso. A grande mentira implícita, o pecado da omissão. Odiava tudo que havia por trás disso. — Você os viu matar como se não fosse nada.

— Vi bem de perto — Tillman concordou. — Assim como você.

— Mas quando a Diema aqui arrasou com aqueles dois Mensageiros que estavam prestes a me torturar, ela deixou ambos vivos. Espancados, sangrando, amassados até virar purê, mas vivos. E você disse que, no depósito... — Ela deixou a frase por terminar.

— Mesma coisa — Tillman confirmou.

Kennedy inclinou-se para a frente, seu rosto bem próximo ao de Diema. Como uma garotinha repreendida na escola, a garota manteve a cabeça e os olhos baixos.

— Vocês não podem matar seu próprio povo, né? — Kennedy disse. — Puseram a gente nessa porque não podem fazer isso pessoalmente. Eis um mandamento que vocês não podem quebrar. Não têm permissão para derramar o sangue dos santos.

Todos se mantiveram imóveis e silenciosos por alguns segundos.

— Responda! — Kennedy gritou.

Diema finalmente ergueu o olhar.

— Você está certa — disse em uma voz tensa. — Há dois mandamentos que não devem ser violados, ato para o qual a punição é o exílio eterno. E um deles é... o que você disse. Não podemos fazer isso sem vocês. Podemos encontrar Ber Lusim e podemos ajudar vocês a detê-lo, mas...

O silêncio se prolongou.

— Mas precisa que a gente puxe o gatilho — Tillman disse.

Diema ergueu-se em toda a sua estatura, que era uma cabeça mais baixa que a dele. Ela o encarou, braços ao lado do corpo, tão inflexível quanto uma cruz.

— Deveria ser natural para você — disse. — Você fala sobre como nós matamos facilmente. Mas matamos para sobreviver. Você matou por coisas muito menos importantes, como dinheiro, por exemplo.

Tillman pareceu desconcertado pela fúria mal contida no tom dela. Abriu a boca para responder, mas Diema não havia terminado.

— A única questão — ela rosnou — é se vocês querem trabalhar comigo e usar o que eu sei ou me dispensar e seguir seu caminho. De uma forma ou de outra, eu disse o que vim dizer. E, ainda que vocês sejam meus inimigos, eu nunca os tratei como inimigos. Demonstrei mais respeito por vocês do que vocês por mim.

Uma única lágrima vermelha escorreu pela bochecha da garota. Ela não se mexeu para enxugá-la.

— Não — Kennedy disse. — Essa não é a única questão. Antes que eu decida se posso trabalhar com você — se consigo aguentar ao menos ficar na mesma sala com você —, quero uma resposta para outra pergunta.

A garota olhou para ela em silêncio impassível.

— O que está te incomodando, Heather? — Tillman perguntou. Podia ver claramente, pela expressão dela, que era algo grande.

— Nós achamos que só havia dois tipos de emissário — Kennedy disse. — Os soldados e as mães. Mas suponha que houvesse um terceiro tipo. Não lutadores, exatamente, mas organizadores. Pessoas que fazem as coisas acontecer. Pessoas com contatos e recursos, que se instalam no mundo adamita e fazem com dinheiro o que os *Elohim* fazem com facas. Protegem o Povo de Judas e servem aos interesses dele.

— Por que você suporia isso? — Diema perguntou em voz baixa.

— Ah, não sei. Que tal porque a Fundação Validus colocou o Emil Gassan no lugar certo para lidar com o roubo do livro do Toller em Ryegate House? Depois o Gassan me chamou, eu topei com você e fui falar com o Leo. Nada disso foi por acaso, nada disso foi destino. Foi planejado. Você disse exatamente isso, agora há pouco. Alguém nos colocou aqui feito peças de dominó. Alguém antecipou cada um dos nossos atos, e o dinheiro da Fundação Validus foi a primeira peça. Todo o resto fluiu a partir dela.

Diema não confirmou nem negou a hipótese, e ninguém mais falou. Estavam todos fitando a garota.

— Me diga que não foi isso que aconteceu, Diema — Kennedy disse. — Diga que não fomos recrutados.

— Eles são chamados de *Nagodim* — Diema respondeu finalmente. — E trabalham exatamente da maneira que você descreveu.

Kennedy balançou a cabeça lentamente. A certeza absoluta de que havia sido manipulada a encheu de emoções conflitantes, afronta e alívio. Afronta, porque ela estava sendo deslocada pelo tabuleiro feito um peão em um jogo complexo. Alívio, porque estava sendo deslocada por algum homem ou mulher comum, não por Nêmesis, Destino ou Deus.

Mesmo assim, dois homens haviam *morrido* por causa dessas manipulações. Jesus, eles provavelmente haviam estado por trás daquele fortuito derrame que tirara o antecessor de Emil Gassan do caminho. Mais cedo ou mais tarde, precisaria haver um acerto de contas. Kennedy informou isso à garota com um olhar.

Depois, em voz alta, rompendo o pesado silêncio, ela disse:

— Você não merece minha confiança. Nem chega perto. Ainda acho que sua gente é um tipo de veneno insidioso, mas isso tem que parar. Então, aceito trabalhar com você.

— Eu concordo — Tillman disse. — Com as mesmas ressalvas. Vamos unir nossos recursos até termos terminado o que precisamos fazer. Depois disso, não prometemos nem presumimos nada.

— Eu tenho direito a um voto? — Rush perguntou.

Kennedy analisou a expressão do rapaz por um longo segundo. Podia adivinhar algo do que ele estava sentindo: deveria coincidir pelo menos um pouco com o que ela sentira quando estivera indefesa nas mãos de Samal e Abydos. A diferença era que ninguém havia sugerido que ela deveria beijar e fazer as pazes com Samal e Abydos. Se não houvesse tanto em jogo, ela estaria pronta a dar ao rapaz o direito de vetar a decisão. Mas, como as coisas eram...

— Meu voto é sim — ele disse, antes que ela pudesse responder. — Estou de boa com isso. Caso alguém estivesse querendo saber.

Ele se serviu de um copo da água, que ninguém havia tocado, e o bebeu de uma vez.

Houve uma sensação de que todos no recinto estavam recuando diante de um confronto cujos termos e regras de combate nunca haviam sido formalmente definidos. Diema relaxou a postura, deixando escapar um longo suspiro.

Rush esticou o braço em direção à sica em cima da mesa para olhá-la mais de perto. A mão de Diema se fechou no pulso dele. Com a outra mão, ela tirou a adaga do alcance dele e a devolveu à bainha dentro da camiseta.

— A lâmina está envenenada — ela disse em tom indiferente. — Se você a pegar da maneira errada, provavelmente morrerá.

Olhando para o regato vermelho na face da garota, ocorreu a Kennedy que aquela afirmação valia tanto para a adaga quanto para a dona do objeto.

CAPÍTULO 47

A conversa fluiu e escorreu em torno de Rush. Ele tentou prestar atenção, mas os rigores dos últimos dois dias — tudo o que acontecera desde sua luta com o Alex Wales e o ferimento do professor Gassan até seu interrogatório e sequestro pela garota assustadora e a vinda até aqui, de mãos e pés amarrados, no bagageiro do que parecia ser uma *van* de entrega postal — estavam finalmente o alcançando. Ele se percebeu flutuando, entrando e saindo de um cochilo pesado, perdendo as conexões entre as frases e as ideias ou recebendo-as como um emaranhado imagético.

Continuava revisitando o momento em que a garota realmente o havia machucado. Era uma interrogadora habilidosa, e como hábito foi falando até arrancar dele a verdade. Já parecia conhecer a maior parte, então tudo o que ele precisou fazer para salvar a própria vida foi concordar com uma ou duas coisas que ela dizia — concordar que sabia quem ela era, e quem eram seus amigos, e o que ela fazia.

Mas, quando ela perguntou a ele de onde ela era e ele disse que não sabia, pegou a mão dele entre as suas e dobrou seu pulso para trás de um jeito complicado. Foi agonizante. Ele ficou aterrorizado com a ideia de que o pulso se quebraria.

— Ginat'Dania — ela disse. — Onde fica?

— Eu não sei! — Rush já havia gritado e depois berrado e agora gemido. — Eu não sei eu não sei, eu não sei, eu nunca ouvi falar. Ah, meu Deus. Por favor.

A noite foi um fosso de medo, impregnado de vergonha, porém a maior parte podia ser dissolvida em um foco suave. Já aquele momento se destacava, muito claro e nítido. Rush o revirava em sua mente como se fosse um cubo de Rubik e ele o estivesse girando até encontrar a combinação certa.

Por isso é que seu voto fora sim, embora não estivesse se enganando com a ideia de que sua opinião contava. Precisava provar que não tinha medo dela. Odiá-la, tudo bem, mas temê-la, não. A diferença importava muito.

E eles ainda estavam falando. Kennedy agora discutia com que tipo de operação haviam concordado.

— O Leo é um soldado, e você é... o que é. Mas isso não é o que eu faço. Eu matei exatamente duas vezes, uma em uma ação policial e outra em legítima defesa. Não posso participar de ataques, emboscadas ou execuções. Provavelmente não aguento nem ver essas coisas.

— Eu estudei você — Diema disse bruscamente — e acho que está errada. Mas não cabe a mim dizer o que pode e o que não pode fazer. De todo modo, é irrelevante. Eles são numerosos demais para ser combatidos dessa forma. Precisamos agir de outro modo.

E aí falaram sobre os dois homens — o guerreiro, Ber Lusim, e o sacerdote, Shekolni. Suas forças e fraquezas, de acordo com Kuutma e conforme as observações da própria garota. Rush começou a cochilar e perdeu uma parte da conversa.

— ... rastreei Ber Lusim até esconderijos em três cidades — Diema estava dizendo agora. — Berlim. Tóquio. Santiago. E achamos que pode haver alguns em Los Angeles e Londres também. Mas, até onde sabemos, nenhum desses lugares foi uma base permanente de operações.

— O mesmo problema da papelada que eu vi no armazém — Tillman respondeu. — Eles estavam despachando material para praticamente todo lugar. Singapura. Toulouse. Nova York. Budapeste. Não há jeito de saber quais desses lugares são bases fixas ou centros de distribuição. Eles estão preparando uma série de atos terroristas independentes em uma dúzia de países diferentes. Ber Lusim poderia estar supervisionando todo o processo a partir de qualquer um desses lugares, ou de algum local inteiramente diferente.

— Budapeste — Rush sugeriu. Ele sabia que dissera isso porque havia escutado — com aquela sensação de distanciamento e estranheza que se experimenta quando se ouve a própria voz reproduzida por um gravador.

Os outros três olharam para ele.

— Você tem uma opinião sobre isso? — Tillman lhe perguntou.

Rush piscou algumas vezes, pois não estava enxergando tudo com clareza.

— É Budapeste — repetiu. — Eu acho. — Percebeu que seu olhar era atraído pela garota, cujos olhos escuros e rosto pálido subitamente o lembraram, de forma avassaladora, um negativo fotográfico ou uma chapa de raio X. Como se ela pertencesse a outro mundo que era a imagem invertida do dele. — O que você disse — ele murmurou —

sobre o Shekolni ser obcecado pelo Johann Toller, e sobre como a sua gente sempre segue a tradição. E se atém ao que conhece.

— Sim? — Diema disse. — O que têm essas coisas?

Foi um choque para Rush perceber que ele era o único que sabia disso. Folheou as páginas que Kennedy trouxera até encontrar a figura da montanha e da cidade no sopé. E a frase em latim com suas letras pesadas e desiguais.

De agoni ventro veni, atque de austio terrae patente.

Ele a mostrou aos outros.

— É o Monte Gellért, em Budapeste. — Ele apontou para a pequena aglomeração de construções. — Quem quer que tenha feito a legenda pensou que fosse, pelo menos. E esta cidade aqui é Buda, eu acho. É a margem do rio que já foi Buda, de todo jeito. Já estive lá uma vez, nas férias.

Notou nesse momento que não estava totalmente seguro do que dizia, mas prosseguiu mesmo assim:

— O Toller colocou esta gravura no frontispício do livro dele. Então, talvez o "eu" no latim aqui — "*Do ventre da besta eu vim*" e tudo mais — seja realmente ele. É ele dizendo: "foi daqui que eu vim, esta é a minha origem secreta".

— Budapeste — Tillman refletiu. — Mas o que isso quer dizer?

Diema estava imóvel. Seu olhar baixara para as mãos, que ela mantinha no colo, com as palmas para cima.

— Não é simplesmente Budapeste — Rush respondeu. Seu dedo indicador ainda repousava na figura borrada da fotocópia. — É algum lugar por aqui, na base do Monte Gellért. Sei sobre esse lugar porque acompanhei a turnê do *Danúbio Azul* quando estava de férias lá. Tem uma caverna enorme dentro da montanha que a cidade usa como reservatório. Eu acho que pode ter sido um local onde o seu Povo de Judas viveu na década de 1660. Nessa época, Budapeste era parte do Império Otomano, então entrar e sair deve ter sido meio que um desafio — mas talvez isso só tenha tornado mais fácil para o Toller fugir do seu povo e não ser seguido.

— Isso é verdade? — Kennedy perguntou a Diema. — Era lá que seu povo vivia três séculos atrás?

Diema continuou a olhar para as mãos.

— Eu disse que havia dois mandamentos que não podem ser violados — respondeu em voz baixa. — Agora, vocês conhecem ambos.

— Faz sentido — Kennedy disse. — Então, se o Shekolni acha que o Toller é o grande profeta...

— ... ele pode querer voltar à fonte — Tillman finalizou. — Mas isso ainda nos dá uma cidade inteira para vasculhar. Vai levar muito tempo se formos de casa em casa.

— Nossos *Elohim* poderiam fazer isso — Diema afirmou. Era claro que não estavam mais na zona do tabu e ela voltara a poder falar livremente. — Podemos acessar satélites e câmeras de vigilância para mapear os movimentos de quaisquer caminhões com o logotipo e as cores da HEH. Qualquer endereço aonde um desses caminhões vá, nós saberemos. Devemos ser capazes de filtrar os resultados em uma questão de horas ou dias.

— Mas eles não estariam entregando armas à sede deles — Tillman objetou. — Isto — o que estamos procurando — é o gabinete de estratégias deles. É onde as decisões são tomadas. Os arsenais muito provavelmente ficam em outros lugares.

— Faremos a pesquisa, de todo modo — Diema disse. — Se não obtivermos resultados, não teremos perdido nada. Além disso, vamos monitorar as comunicações. Temos uma longa lista de números que vinculamos à gente de Ber Lusim — alguns com toda certeza, outros apenas provavelmente. Telefonemas feitos para a cidade a partir de qualquer um desses números serão rastreados.

— E isso tudo é ótimo — disse Tillman. — Mas o importante ainda é o tempo. Eles estão percorrendo a lista do Toller. Quando chegarem ao fim, é bem provável que um milhão de pessoas morram. Temos que encontrá-los antes que isso aconteça.

Kennedy foi contando nos dedos da mão enquanto pensava.

— Se eles continuarem trabalhando no ritmo atual, eu diria que isso nos dá quase quatro dias, no máximo — disse ela.

Todos ficaram em silêncio por alguns segundos, enquanto as implicações dessa afirmação assentavam em suas mentes. Budapeste era um imenso palheiro onde procurar aquela agulha, e quatro dias não eram suficientes. Kennedy levara quase o mesmo tempo para encontrar Alex Wales, e ela só tivera de procurar em um edifício.

— Precisamos de um plano B — Tillman disse. — Com certeza, garota, mande seu pessoal fazer tudo isso. Mas não tem a menor chance de a gente simplesmente sentar e esperar enquanto eles trabalham.

— Tem uma sugestão melhor? — Diema perguntou, os olhos estreitando-se enquanto ela o encarava.

— Eu tenho — Kennedy disse.

Todos se voltaram para olhar para ela, na expectativa.

— Acho que existe pelo menos uma chance de fazer com que o inimigo venha até nós.

Parte 5

O Ventre da Besta

CAPÍTULO 48

Diema, Tillman e Rush foram de Heathrow para Budapeste Ferihegy em um voo noturno que partiu à 0h30. Usaram documentos falsos fornecidos por um contato de Tillman a quem ele se referia como Benny.

A viagem durou apenas duas horas, então ninguém pensou em dormir. Rush trouxera consigo alguns dos livros que surrupiara do acervo de Ryegate House e usou o tempo para procurar Johann Toller no índice de cada um deles.

Diema colocou os fones de ouvido e escolheu um desenho animado para ver. Era muito agradável aos olhos, mas ela rapidamente decidiu que não gostava nem um pouco da história. Começava com uma longa sequência na qual um homem perdia a esposa e a lamentava, e os precipícios emocionais que se abriram para Diema enquanto a assistia estavam muito distantes do que ela procurava em um cartum. Queria guerras irreconciliáveis entre gatos e ratos, violência que dobrava e distorcia o mundo e um mundo tão resistente que ricocheteasse de volta à forma original.

Zangada e frustrada, tirou os fones e os enfiou novamente no bolso das costas do assento.

— Posso te fazer uma pergunta? — Rush inquiriu.

— Não — Diema grunhiu. Ela havia percebido a frequência com que o olhar dele relanceava em sua direção e isso já a irritava de tal forma que havia pensado em mudar de lugar.

— Não é sobre nada supersecreto, juro por Deus. É sobre o Toller.

Diema virou a cabeça para lançar ao garoto um olhar frio.

— Uma pergunta. E depois você me deixa em paz.

— Beleza. É o seguinte: o Toller disse que nasceu na escuridão. Isso era literalmente verdade? Seu povo vive mesmo no subterrâneo?

Ela continuou fitando-o em um silêncio pétreo por longos segundos. Depois, pegou os fones de ouvido e os recolocou.

— Tá bom, desculpa — Rush disse rapidamente. — Se não quer responder, tudo bem. Eu entendo. Talvez isso toque em algum dos seus grandes segredos. Uma pergunta diferente, então. Qual é a passagem nas escrituras de vocês que fala sobre os três mil anos? Aquela na qual o Toller baseou suas previsões? É possível que ele estivesse contando a partir de uma data diferente?

Diema suprimiu o impulso de golpear a traqueia do rapaz — tanto para fazê-lo calar quanto para demonstrar ênfase.

— Adamitas que leem nosso evangelho morrem — lembrou-o. — Então, se essa é realmente a sua pergunta, vou responder. Depois, vou cortar a sua garganta no estacionamento do aeroporto Ferihegy. A decisão é sua, garoto.

Rush digeriu a ameaça em um silêncio pensativo.

— Tá legal — disse por fim. — Esquece isso, então. Que tal esta? O Robert Blackborne fala sobre o sinal esquisito que o Toller costumava fazer como bênção, mas ninguém mais menciona isso. Então, estou me perguntando quão diferente ele é do sinal da cruz. Posso ver?

Diema fez uma careta.

— Você quer que eu o abençoe?

— Quero ver você fazer o sinal, só isso.

Lidar com ele era como tentar acalmar um bebê. Descontente, ela reproduziu o sinal do nó corrediço, várias vezes, e ele a observou com certo fascínio. A não ser que fosse apenas um ardil para que pudesse ficar olhando para os seios dela de novo.

— Posso tentar? — ele finalmente perguntou. — Ou seria blasfêmia?

Diema deu de ombros, despreocupada.

— Vá em frente.

Ele moveu a mão como se estivesse sofrendo de dor de estômago e tentasse aliviá-la. Divertindo-se apesar de si mesma — e feliz por ter uma distração dos sentimentos persistentes deixados pelo filme —, Diema o instruiu.

— Não com a mão inteira, com a palma aberta. Assim, sai errado. O dedo indicador deve ficar esticado, apontando para o seu peito.

"Não faça tão rápido. E faça uma vez só. Não de novo e de novo e de novo.

"Imagine um relógio no seu peito. Imagine os ponteiros do relógio girando ao contrário. Siga os ponteiros do relógio com seu dedo."

— Não vou conseguir fazer isso — Rush disse, mas continuou tentando. No fim, estava razoavelmente competente. — Você teria que dizer alguma coisa enquanto faz o sinal? — perguntou.

— Poderia dizer: *He kul tairah beral.* "Que as bênçãos do enforcado estejam com você."

— Ha kul tiara beral.

— Tairah. Tai-rá.

— Ha kul tairah beral.

— He kul. Não ha.

— He kul tairah beral.

— *Vi ve kul te.*

— O que é isso?

— "E com você".

— Tá bom. Que mais? Bom, eu estava pensando...

— Acabaram as perguntas — Diema disse, cortando-o.

— Esta não é sobre o Toller. É sobre você.

— Eu nunca disse que você podia fazer perguntas sobre mim.

— Não, não disse, mas pensei que talvez pudéssemos trocar. Eu faço uma pergunta, daí você faz uma pergunta. Como uma troca de reféns.

— É uma ideia maravilhosa — Diema disse.

— Legal.

— Só que não há nada que eu queira saber sobre você.

Isso, finalmente, fez com que o garoto recuasse e desse a ela um descanso de todo aquele barulho. Ela achou outro cartum, um curta de 1935 dirigido por Tex Avery, mas não conseguiu se divertir. Sua mente estava inquieta demais.

Deixou o assento e foi para o fundo do avião, pretensamente para usar o toalete. Não precisava realmente fazê-lo, mas precisava ficar a sós com os próprios pensamentos. A presença do garoto era invasiva, quer ele falasse ou não.

Ambos os toaletes estavam ocupados e, para aumentar seu desgosto, Leo Tillman também estava esperando ali.

Ele a cumprimentou com um gesto de cabeça, o que, em seu atual humor, irritou-a mais do que ela podia suportar em silêncio.

Apoiando-se à divisória, espiando pela janela o imutável panorama de nuvens, ela se dirigiu a ele sem olhá-lo.

— Você entendeu o plano, conforme eu o esbocei? — murmurou, a voz quase inaudível por sobre o ronco constante do motor.

— Acho que sim — ele respondeu. — Por quê?

— Porque a razão de viajarmos separados é para que os seguidores de Ber Lusim, se estiverem verificando os voos que chegam à cidade, não percebam que estamos trabalhando juntos.

— Sim, entendi isso.

— Eles precisam estar vigiando Kennedy, não a nós.

— Claro. — O tom de Tillman era calmo e — insultantemente — tranquilizador. — Mas você mesma disse, nós nos preocupamos com o caso de eles verificarem as listas de passageiros de voos que chegam. Não estamos supondo que eles tenham espiões no avião. Isso é tão improvável que poderíamos muito bem considerar impossível.

Entretanto aquilo ainda era um descuido e um desleixo e ela não podia deixar que ele tivesse a última palavra.

— Nós não corremos riscos que não precisamos correr — disse rispidamente. — Só um tolo faria isso.

Tillman não respondeu. Ela olhou ao redor. Ele a observava com curiosidade imparcial.

— É sua primeira vez em uma missão furtiva? — perguntou.

— Não. Já sou um soldado há quase um ano. E estive secretamente em território inimigo durante a maior parte desse tempo.

Ele assentiu e sua expressão mudou — tornou-se algo que ela suspeitou ser compaixão.

— Mas o mundo inteiro é território inimigo para você, né? Tirando aquele pedacinho de chão. Não me admira sua gente ser meio doida das ideias.

— Enquanto sua sociedade é um monumento à razão — Diema zombou. Como é que esse bandido empedernido e escalavrado, esse matador grosseiro, se atrevia a lhe dar um sermão? Falar a ela com ar superior?

— Não fazemos do assassinato um sacramento.

— Sim. — Diema não conseguiu impedir que a indignação transparecesse em sua voz. — Fazem, sim. Seus padres e bispos abençoaram soldados e carniceiros por séculos. Ainda abençoam. Vocês matam mais da sua própria gente todo dia do que nós matamos por toda a sua história. Metade das histórias que vocês contam, dos livros e filmes que fazem, tem assassinos como heróis. Toda a sua cultura é apaixonada pela violência. Vocês abraçam sua própria destruição o tempo todo. É o que define vocês. Arruínam o mundo que lhes foi entregue. Tratam a Terra como uma prostituta, em vez de uma mãe, e depois...

Ela se deteve por força da vontade, aplacando a própria ira como lhe haviam ensinado. Tillman ainda estava olhando atentamente para ela, mas a expressão dele agora era insondável.

— Bom — ele disse, em um tom cuidadosamente neutro —, agora você me pegou. Aqui estamos nós dois, menina. No mais baixo nível moral.

— Não acho que eu possa descer tanto — Diema disse —, nem se eu cavasse por mil anos.

Ela o deixou e voltou a seu assento. A conversa não ajudara em nada a melhorar seu humor e ela continuava incapaz de se dedicar ao trabalho ou à distração. Ficou aliviada quando o avião finalmente pousou e ela pôde tornar-se ativa outra vez. Movimento e ação eram, por natureza, curativos.

Passaram pela alfândega e pela imigração muito rapidamente. Haviam trazido apenas bagagem de mão, e seus passaportes recém-forjados eram convincentes.

Fora-lhe dito que ela deveria ir até o terceiro andar do estacionamento do aeroporto, onde um Convocador de *Elohim* com conhecimentos locais a encontraria. Ele estaria esperando ao lado de um Skoda Fabia azul e traria consigo uma gama de equipamentos dos quais ela e sua equipe poderiam pegar o que precisassem.

Quando saiu do elevador no terceiro andar, viu-o no mesmo instante. Viu ambos, na verdade. Havia dois homens esperando ali, de mãos nos bolsos, imperturbáveis e impacientes. Diema voltou-se para Tillman e Rush, que vinham logo atrás dela.

— Esperem aqui — disse. — Vou falar com eles sozinha.

— Considerando o que a gente conversou sobre confiança lá na Inglaterra — Tillman retrucou secamente —, acho que essa é uma ideia bem ruinzinha.

— Só um minuto, sozinha — Diema insistiu. — Se isso fosse uma emboscada, eu a teria armado via telefone, antes mesmo de chegarmos ao avião. Não estaria tentando consertar tudo agora.

— Um minuto — disse Tillman. — Vá em frente.

Diema cobriu os quase 30 metros de asfalto que a separavam dos dois *Elohim*. O homem mais próximo sorriu e abriu os braços quando ela se aproximou. Ela o abraçou e deixou que a abraçasse.

— É tão bom ver você, Diema — ele murmurou junto a seu ouvido.

— É bom ver você também, Nahir — volveu ela em tom neutro.

Ele havia mudado muito desde a última vez em que o vira, mas provavelmente não mais que ela. Agora que havia sido exposto ao sol e ao clima, perdera a palidez característica do Povo. Mas, enquanto a pele de Diema havia ficado inicialmente vermelha e manchada, gradualmente adquirindo um rubor monótono, a de Nahir magicamente revertera ao forte tom azeitonado que o Povo devia ter exibido quando vivera sob o céu em vez de sob a terra. Ele mudara em outros aspectos também. Parecia ter ganho uma autoconfiança e uma postura que jamais demonstrara em Ginat'Dania. Talvez não fosse uma surpresa já ter sido promovido ao posto de Convocador.

O segundo homem, Shraga, que Nahir agora apresentava, era um completo estranho para ela. Também ele exibia os sinais de quem vivia entre as Nações, embora, neste caso, enquanto sua pele escurecera, seu cabelo desbotara até um tom de loiro avermelhado. Isso o teria tornado maravilhosamente exótico em Ginat'Dania.

Entregaram a Diema outro conjunto de documentos. Um novo nome; um passaporte húngaro; uma carteira de habilitação; uma conta bancária da qual fazer saques; e armas. Nahir presumira corretamente que ela teria deixado suas adagas, armas de fogo e medicamentos em Londres e que precisaria se reabastecer na primeira oportunidade.

— Kuutma transmitiu sua mensagem — ele disse, enquanto ela examinava as armas que haviam trazido, desmontando-as e remontando-as, testando o cartucho e o gatilho, pesando-as nas mãos. Era uma coisa ligeiramente arriscada a fazer bem ali, no estacionamento, mas eles estavam protegidos pela tampa erguida do porta-malas e Diema queria terminar tudo e sair dali o mais rápido possível. — Ele nos disse para oferecer a você toda assistência e nos prometeu duas dúzias de Mensageiros além daqueles que já temos. Alguns já chegaram. Você quer orientá-los pessoalmente?

— Não — Diema respondeu. — Ainda não. Tenho outros deveres a cumprir. Imagino que vocês tenham se certificado de que ninguém os seguiu até aqui. Mas não vou correr esse risco novamente, nem com vocês, nem com mais ninguém. Se houver novidades, conte-me por telefone ou por meio de canais seguros. Se não houver novidades, não me procure.

Nahir a encarou, insultado e perturbado.

— Nós entendemos — disse rigidamente — que você lideraria esta missão.

— A informação é correta — Diema respondeu, ainda absorta em sua triagem das armas. Além de seis sicas e do rifle projetor de dardos tranquilizantes, modificado, que ela escolhera e encomendara para

Kennedy, selecionou uma semiautomática chinesa, modelo militar, e uma pistola nove milímetros pequena o suficiente para ser carregada no coldre de seu tornozelo. Colocou ambas as armas de fogo em uma bolsa esportiva que Shraga lhe entregou. Depois de pensar por um instante, pegou também um rifle Ruger 44.

— Sigam as instruções que Kuutma lhes deu — ela orientou os dois homens, servindo-se de algumas caixas de munição. — Procurem possíveis endereços ou áreas a partir das quais Ber Lusim possa estar trabalhando. Façam circular retratos dos *Elohim* traidores entre seus parceiros e treinem todos para que memorizem rostos e nomes. Procurem também caminhões, *vans* ou carros que tenham o nome High Energy Haulage e qualquer pessoa que viaje sob seus auspícios ou adquira deles bens ou serviços. Se encontrarem qualquer coisa que pareça positiva, ou mesmo esperançosa, passem a informação a mim imediatamente.

— A você? — Nahir perguntou.

Diema assentiu.

— A mim. E depois esperem. Eu vou decidir que atitudes vocês devem tomar ou não. Aqueles homens ali, perto dos elevadores, são minha equipe principal, por enquanto — assim como a *rhaka*, Heather Kennedy. Tenho certeza de que Kuutma não a omitiu nas instruções que deu a vocês.

Ela sinalizou para Tillman e Rush, que vieram da área dos elevadores, onde ainda estavam parados.

— Sirva-se — disse a Tillman.

Ele remexeu entre as armas oferecidas enquanto os dois *Elohim* o observavam em um silêncio indignado. Finalmente, ergueu uma Beretta reformada que parecia já ter sido uma arma de competição.

— Ela aceita balas .380? — perguntou aos Mensageiros.

Shraga assentiu sem nada dizer.

— Beleza, então — Tillman volveu. — Vou ficar com ela. Valeu.

— E quanto a mim? — Rush disse. — Eu ganho uma arma?

— Já disparou uma? — Diema perguntou a ele.

— Não.

— Então, não, não ganha. Ou será um perigo maior para nós do que para o inimigo. — Ela olhou dentro do porta-malas novamente. Entre as armas de fogo, havia diversos itens de equipamento geral. Alguns eram claramente sobras de exercícios de treinamento militar e não tinham utilidade concebível para ela ou sua equipe.

Diema pegou um pequeno cilindro de plástico preto com uma aba em uma extremidade, parecida com a argola de uma lata de refrigerante. Jogou-o para Rush.

— Pegue — disse. — Você pode ficar com isso.

Ele virou o objeto, examinando-o cuidadosamente, como se pudesse desmanchar-se em suas mãos. Então, encontrou o rótulo. BOMBA DE TINTA VERDE WILDWAYS. 400ML. ÁREA DE ALCANCE 8M DE DIÂMETRO.

— Que engraçado — Rush disse. — Realmente hilário.

Diema não estava ouvindo. Voltara sua atenção para Nahir e Shraga. Já dissera tudo o que precisava ser dito, mas sabia que os homens frequentemente não encaravam instruções categóricas recebidas de uma mulher da mesma forma que as recebidas de outro homem.

Então, deixou tudo muito claro:

— Vocês não vão participar disso — disse a eles. — Seu papel, por enquanto, é angariar informação. Quando eu precisar que façam mais, eu peço. Neste assunto, estou falando com a autoridade de Kuutma. Se duvidarem de mim, podem perguntar a ele. Mantenham os olhos abertos e as mãos longe disso. É só.

Nahir se eriçou.

— Isso é absurdo — disse ele. — Você precisa de nós.

— Discordo — Diema retrucou calmamente. — Faça como lhe foi dito, irmão. Por favor. Nós servimos o mesmo deus e a mesma cidade. Tudo vai ficar bem, desde que você me preste a ajuda de que preciso *quando* eu precisar. — Ela parou, sustentando o olhar dele. — Se não fizer isso, vai ter na sua consciência sangue suficiente para encher um lago.

Ela se voltou para Shraga.

— Estas armas não podem ser rastreadas até você ou qualquer outra pessoa de nosso povo? — perguntou a ele. Indicou com um gesto de cabeça as pistolas e outras munições amontoadas no porta-malas do carro.

Shraga meneou a cabeça negativamente.

— Ótimo. Então, leve o carro até a Katona Jószef Utca. Deixe-o lá, trancado, mas com as chaves em cima do pneu traseiro do lado do motorista. Deixe todas as armas onde estão. Se precisarmos de mais algum equipamento enquanto estamos aqui, nós mesmos nos serviremos. Presumo que tenham trazido um segundo carro para vocês?

Ele entregou a ela um jogo de chaves e indicou com a cabeça um carro que estava de frente para eles, do outro lado da passagem do estacionamento: um Audi A4 preto com placa húngara.

— E quanto a vocês? — perguntou Shraga, desgostoso. — Deveríamos escoltá-los até o esconderijo e cuidar para que se acomodassem lá.

— Nós vamos sozinhos para a cidade — Diema respondeu, seguindo em direção ao outro carro enquanto falava. — Boa caçada, primos. E que Deus favoreça a todos nós.

— Que Ele olhe por você — Shraga murmurou, curvando-se.

Ele vai ter que fazer muito mais do que apenas olhar, Diema pensou enquanto chegava ao carro, seguida por Tillman e Rush.

— A bomba de tinta foi uma ideia bem sacana — Rush a repreendeu, parecendo genuinamente magoado.

— A vida também é — Diema respondeu.

CAPÍTULO 49

Kennedy tomou um voo no meio da manhã e chegou a Budapeste em torno das duas horas da tarde. O funcionário da alfândega que olhou superficialmente seu passaporte da União Europeia perguntou se o objetivo da viagem eram negócios ou passeio. Ela respondeu que estava lá para trabalhar.

Disse o mesmo ao taxista que a levou do aeroporto até o Hotel Karoly, na Molnár Utca, de frente para o Monte Gellért logo do outro lado do Danúbio e a uma curta caminhada do Parlamento Húngaro. Ela se registrou no hotel usando o próprio nome e, em resposta à educada pergunta do recepcionista, novamente disse, com grande ênfase, que estava em Budapeste porque tinha um trabalho a fazer ali. Poderia levar um dia, ou quem sabe dois, ou três, mas ela ficaria até terminar.

Então, pegou outro táxi e foi até o edifício do quartel-general da polícia — o Palácio da Polícia —, que era uma torre baixa, cheia de degraus, feita de vidro e aço, bem de frente para ponta norte da Ilha Margarida. Ela solicitou uma licença temporária para usar equipamento de vigilância legalizado, porém controlado, fornecendo uma longa e sistemática lista e informando sua profissão como "investigadora particular".

Caminhou pela margem do rio conhecida como Peste. Aqui, o brutalismo gasto da era soviética parecia inclinado à dissolução, convidando os turistas a fantasiar que estavam penetrando um território selvagem. Mas os donos de restaurantes e hotéis mantinham suas fachadas em um estado precisamente calculado de decadência decorativa, o que tornava claro que o território era apenas tão selvagem quanto o gosto do freguês. Kennedy almoçou — panquecas *hortobagy* e um espeto de frutas açucaradas — num café em uma praça saindo da Báthori Utca, à sombra cara do edifício da Magyar Televízió. Ela observou as pessoas passando, porém não tentou interagir com elas.

Esta era a parte mais arriscada. Se tudo tivesse corrido conforme o plano, Tillman e Diema teriam descoberto o rastro dela no Palácio da Polícia e estariam agora percorrendo a cidade com ela, em seu encalço — mas precisavam ficar a distância e a céu aberto, onde havia variáveis demais para que eles fossem capazes de manter o ritmo. Kennedy imaginou a informação surgindo em estalos ao seu redor: fluxos de dados convergindo, triangulando, definindo sua posição e seu vetor.

Ou talvez ela estivesse se superestimando.

No caminho de volta ao hotel, fez uma porção de coisas que deixavam pegadas. Sacou dinheiro em um caixa eletrônico, assinou uma petição no edifício do Parlamento, usou seu cartão de crédito para comprar uvas e um pacote de quatro latas de cerveja Staropramen em um minimercado. Provavelmente nenhuma dessas coisas faria diferença, mas alguns excessos certamente não fariam mal.

No hotel, ainda pensando na cadeia de evidências que estava deixando, telefonou para Ryegate House. Falou com a recepcionista de lá — não Lorraine, que estava de licença prolongada — e deixou uma mensagem mais ou menos irrelevante para Valerie Parminter. Ligou também para o apartamento de Izzy e disse à secretária eletrônica que estaria inacessível por alguns dias, mas voltaria a telefonar assim que pudesse. Izzy nunca verificava o correio de voz mesmo, então nem receberia a mensagem enigmática e não entraria em pânico por causa dela.

Não havia mais nada a fazer senão esperar. Kennedy ligou a TV e ficou navegando pelos menus dos filmes *pay-on-demand*. Tentou ver dois, mas a comédia não era engraçada e o *thriller* de conspiração a deprimiu ao mostrar-se mais plausível do que sua própria vida se tornara.

Ligou para o serviço de quarto e pediu uma salada *caesar*. Quando a comida veio, ela sentiu que a última coisa que queria fazer no mundo era comer.

O telefone do quarto tocou em torno das nove horas da noite, assim que a escuridão caiu — três toques, depois silêncio. Dez minutos depois, Kennedy desceu ao térreo e saiu pela porta dos fundos do hotel, onde havia uma fila de cinco caçambas de lixo pintadas de verde. Entre a terceira e a quarta, havia um grande saco plástico com o logotipo do Europeum Mall. Ela pegou o saco e voltou ao quarto.

Levou algum tempo para se familiarizar com o conteúdo. Em sua época na polícia, Kennedy havia usado uma Glock 27 — uma verdadeira arma de policial, com cabo inclinado para a frente, de modo que parecia pular para dentro da sua mão ao ser sacada, e tinha um recuo em linha reta. Ela a havia perdido em circunstâncias que ainda a assombravam e, nos anos que se seguiram, só uma vez havia disparado outra arma. Certamente nunca usara nada parecido com a monstruosidade que tirou do saco. O rifle de dardos havia sido sugestão de Tillman, e Diema concordara.

Kennedy apagou a luz cedo, mas não foi dormir. Sentou-se na cama e pensou em Izzy. Mais especificamente, pensou em sexo com Izzy — em momentos e lugares variados, e de formas ainda mais variadas. Havia sido delicioso na época e parecia muito mais delicioso em retrospectiva.

Kennedy entregou-se a uma fantasia na qual estava no bar Cask em Pimlico e Izzy estava propondo — como uma oferenda de paz — levá-la para casa e transar com ela até seu cérebro derreter. Na fantasia, Kennedy aceitava a oferta e a transa derretedora de cérebros se seguia.

Na vida real, o relógio despertador ao lado da cama saiu das 23h59 para a 0h00 e o mundo — ou a parte dele que falava húngaro e se estendia para todo lado ao redor de Kennedy — era silencioso e desprovido de sexo.

Ela se encostou aos travesseiros, mas voltou a sentar-se na mesma hora quando percebeu que estava começando a cochilar. Este era um luxo ao qual não poderia ceder até que o trabalho estivesse terminado.

CAPÍTULO 50

— Não vejo como isso poderia funcionar — disse uma voz no radiotransmissor de Diema.

Era o garoto, Rush, queixando-se outra vez. Esse parecia ser o único talento que ele trouxera para a operação. Diema o ignorou, mas a voz de Tillman respondeu:

— A Diema acha que há uma chance, Rush, e eu estou inclinado a confiar nos instintos dela. Ela conhece sua própria gente.

Era meia-noite e meia. Diema estava no telhado de um edifício diretamente oposto ao hotel de Kennedy, de cócoras atrás de um parapeito. Com isso, estava invisível para quem passasse pela rua, mas tinha uma boa visão da janela do quarto de Kennedy. Tillman observava o pequeno beco onde ficavam as caçambas de lixo e onde Diema havia deixado a arma para Kennedy. Rush estava dentro do Audi estacionado na rua do hotel, observando a entrada dele, que estava muito longe de ser o lugar mais provável pelo qual os *Elohim* de Ber Lusim viriam e, portanto, o local onde o garoto poderia atrapalhar menos.

Houve silêncio. Mas não por muito tempo.

— É que parece óbvio demais — Rush disse. — Quero dizer, como se a gente estivesse tentando assustá-los fazendo "buuu!" ou coisa assim.

— Talvez. — Era Tillman novamente. — Mas sabemos que o pessoal do Ber Lusim vê a Heather como uma ameaça. Já tentaram matá-la duas vezes e, da segunda vez, também quiseram interrogá-la. Estão preocupados por acharem que ela sabe algo importante. Se tivermos sorte, a perda do armazém os deixou ainda mais preocupados.

— Eu entendi isso. Só não vejo como...

— Faça seu trabalho e fique quieto — Diema disse asperamente. — Não precisa entender nem concordar. Só precisa fazer o que mandamos.

Desta vez o silêncio foi mais longo. Houve um clique enquanto o rádio mudava de frequência — Tillman fechando o circuito de reunião para falar somente com ela.

— Ele está com medo — disse para Diema. — Se quer que ele cale a boca ou que fique calmo, deveria explicar a ele.

— Seria mais rápido cortar a garganta dele — ela resmungou.

— Mas consumiria mais tempo. Você teria que descer para a rua e depois voltar. E aí não teríamos ninguém para vigiar a entrada do hotel.

Diema nada disse. Mas, depois de um minuto, ainda de cenho franzido perante a noite inofensiva, ela voltou a sintonizar o rádio na frequência de todos eles.

— Heather Kennedy é bem conhecida por meu povo — disse em um tom a meio caminho de sério para totalmente rabugento. — Em geral, pensamos no mundo adamita como uma distração. Um nada. Mas ela tem uma reputação. Há histórias sobre ela. Sobre como encontrou a Ginat'Dania anterior e como lutou com uma de nossas *Elohim* até a morte. Ela é a única pessoa fora do Povo que os Mensageiros realmente respeitam.

Quase, ela acrescentou para si mesma, com alguma relutância. *Quase a única pessoa.*

— Mas ela não fez nada hoje além de andar por aí — Rush contrapôs. — Ficou agindo como uma turista. Eles devem ter percebido que ela não sabe nada.

Na verdade, Diema pensou, *eis aí a genialidade do plano de Kennedy*. Mas talvez ela visse isso mais claramente que o garoto porque o plano era completamente orientado para a mentalidade dos Mensageiros; é claro que Diema teria a reação esperada a ele, pois fazia parte do público-alvo.

— Vou lhe dizer o que eles percebem — disse ela a Rush. — Se você estiver certo e Budapeste for o lugar onde Ber Lusim reside, então a *rhaka*, a loba, a cadela, conseguiu de novo. Ela os encontrou. Veio acampar bem diante da porta deles, então obviamente sabe que eles estão aqui. Uma vez que aceite isso, a ideia de ela não estar fazendo nada é muito mais sinistra do que a de fazer alguma coisa que eles possam identificar e impedir.

Estática no rádio.

— Tá bom — Rush disse lentamente. — Então...

— Mais cedo ou mais tarde, vão mandar alguém contra ela. Nós vamos interceptar e interrogar essa pessoa. E descobrir de onde veio.

— Tá bom. Acho que entendi. Obrigado.

— Não tem de quê — Diema rosnou. — Agora, cale a boca e vigie a porta.

O que o garoto, por fim, fez. E longamente.

A noite se esvaiu e o sol se ergueu. Diema viu Kennedy afastar as cortinas do quarto e abrir só uma brecha da janela para deixar entrar o ar. Captou o olhar de Diema brevemente enquanto bocejava e se espreguiçava.

O anzol ainda pendia ali, na água. Mas nenhum peixe mordia.

CAPÍTULO 51

— Não creio que seja o caso de tomarmos uma atitude — Ber Lusim disse.

Avra Shekolni espalmou as mãos.

— Você é o Convocador. Eu me curvo ao seu conhecimento da profissão e dos rituais que a acompanham — disse ele, educada e humildemente. — Nenhum dos Mensageiros de Deus é tão poderoso quanto Ber Lusim, nem tão perspicaz. — Ele parou, como se relutasse em expressar o que diria a seguir. — Ainda assim, eu penso que é.

Estavam em uma câmara ampla e espaçosa no espaço labiríntico que Ber Lusim havia escolhido como moradia de seus seguidores. Ambos haviam acabado de ouvir um de seus Mensageiros, que vigiara Heather Kennedy por metade de um dia e toda uma noite, relatar os movimentos da mulher — ou melhor, sua imobilidade. Muitos outros *Elohim* estavam presentes, incluindo Hifela, que havia retornado recentemente da Inglaterra. Ele estava nos fundos da sala, ao lado da porta, ostensivamente tomando para si o papel de vigia. Neste espaço fortemente guardado e entrincheirado, e com tantos Mensageiros juntos, tal papel era supérfluo: era um sinal de prudência e respeito da parte de Hifela, refletindo o que Ber Lusim considerava admirável nesse homem.

A sala era fechada e sem janelas — o que a tornava, no todo, confortável e acolhedora para qualquer um que tivesse nascido e se criado em Ginat'Dania. Cada homem aqui passara seus anos de formação sob a terra, recebendo as frequências da luz solar apenas de painéis luminosos. Cada homem aqui encarava espaços confinados como seguros e era muito tolerante à luz artificial e ao ar reciclado.

Então, a claustrofobia que Ber Lusim experimentava vinha de algo mais. Era uma coisa estranha. Desde que haviam embarcado nesse plano — desde aquela primeira noite de sangue e prodígios em Nunappleton Hall, um sentimento vinha crescendo dentro dele. O sentimento de que sua vida, que às vezes parecera um labirinto de escolhas complexas, estivera progressivamente se desenredando em uma única linha reta.

Cada uma das escolhas que fizera quando partira para o mundo exterior, mais amplo, havia paradoxalmente restringido, mais e mais, a extensão das escolhas subsequentes, de forma que as vastas arcadas e paisagens das Nações, tão diferentes das perspectivas restritas e contidas de seu lar, eram para ele um longo e estreito corredor sem portas.

Uma dessas escolhas havia sido depositar sua confiança em Avra Shekolni, e, apesar das muitas e variadas apreensões em seu coração e sua mente, ele não se arrependia de maneira alguma dessa barganha. Seu velho amigo agora era seu profeta, a luz que guiava sua alma em meio às trevas do mundo. Contudo a respeito de algumas coisas, forçosamente, ele era mais lúcido que o Santo. A violência e o subterfúgio eram mistérios gêmeos nos quais ele havia sido iniciado ao se tornar um *Elohim*, e estavam tão profundamente arraigados nele que sua mente não conhecia outra forma de trabalhar.

Assim, havia aspectos da presente situação que o afligiam. O armazém inglês fora destruído, o complicado mecanismo de seu plano interrompido e descartado, e agora isto — a *rhaka* chegando aqui, apresentando-se a eles como um presságio da ruína. Toda mulher era um presságio de ruína, é claro. Desde Eva, seu ofício e seu deleite fora sempre se desviar do caminho e arrastar outros consigo rumo à destruição. E não se podia proceder ao castigo desse tipo de pessoa até que se tivesse total certeza do tipo de mal que ela estava empenhada em cometer.

Mas ele não disse nada disso a Shekolni.

— Você sabe o que o matemático Arquimedes dizia sobre alavancas — foi o que disse. Por estar entre seus seguidores, manteve o tom suave e fez com que as palavras fossem acompanhadas por um meio sorriso, renegando a importância delas ao mesmo tempo que as dizia.

— Que, com uma alavanca grande o suficiente, ele poderia mover o mundo — Shekolni disse.

Ber Lusim inclinou a cabeça.

— E isso é tudo o que Heather Kennedy é, abençoada. Ela moveu Ginat'Dania, eu sei. Todos sabemos. E por isso sabemos que ela é uma alavanca muito grande, ou então uma que, naquela ocasião, foi posicionada com grande inteligência para exercer uma força maior do que se poderia esperar.

— Perdoe-me, mas pensei que Arquimedes tivesse nascido entre as Nações, não no Povo. — Shekolni não sorriu e seu tom soou um pouco austero. — Também fui levado a acreditar que foi aquele homem adamita, Leo Tillman, que encontrou Ginat'Dania. A mulher estava com ele, certamente — mas foi Tillman, não a *rhaka*, quem matou o Kuutma-que-se-foi. E sem dúvida é ele quem agora se esconde atrás dessa mulher.

Ber Lusim voltou-se para Hifela, seu refúgio em muitas tempestades.

— Conte-nos mais uma vez o que aconteceu no depósito — ordenou a ele.

Hifela fez o sinal do nó corrediço.

— Um homem entrou sozinho no depósito — disse, tão formalmente como se estivesse lendo um relatório em voz alta. — Um segundo ficou do lado de fora, fornecendo fogo de cobertura enquanto o outro se retirava. O homem matou três dos nossos e feriu quatro. Nenhum de nós o viu com clareza bastante para identificá-lo, mas acreditamos que era Leo Tillman. Algumas gravações das câmeras externas sobreviveram. Cabelo avermelhado. Alto. Porte robusto. São detalhes circunstanciais — mas, considerados à luz da maneira como ele nos encontrou, dão quase uma certeza.

Não precisou acrescentar que o fato de qualquer homem adamita conseguir matar três Mensageiros já era um milagre maligno por si só. Todos sabiam disso.

— Então — Ber Lusim resumiu —, era Tillman, atacando-nos na Inglaterra. Privando-nos de recursos que já estavam alocados e prestes a ser despachados. Pondo tudo em perigo. E agora, aqui, a *rhaka*, chegando, como está claro, aos portões da nossa casa. Sim, é possível que você esteja certo. Que esses dois tenham se aliado novamente contra nós. Não significa, no entanto, que tenhamos algo a temer deles.

— Apenas observe a arrogância da mulher — Shekolni contrapôs, seu corpo inclinando-se para a frente. — Ela chega. Coloca-se bem à nossa vista. Nem mesmo tenta se esconder de nós.

— Talvez ela não se esconda — Ber Lusim disse — por não saber que há algo de que deva se esconder.

Shekolni fez uma careta, como se a sugestão causasse um sabor desagradável em sua boca.

— Talvez. Sim. É possível. Mas considere, Ber Lusim, todo o padrão dos movimentos da mulher desde que você soube de sua presença. Ela começa procurando pelo livro. Descobre seu Mensageiro em uma questão de dias, apesar das duas tentativas de eliminá-la.

— Eu falei com Abydos — Ber Lusim disse. — Ele não pôde contar muito, mas consegui compreender um pouco do que aconteceu. A *rhaka* recebeu ajuda de outra mulher, mais jovem. Uma jovem cuja identidade ainda não conseguimos determinar. — A fúria e o ódio familiares se elevaram em seu ser quando disse isso, enquanto via a cena se desenrolar em sua mente: seus homens, irmãos de seu coração, abatidos por prostitutas cujas próprias força e habilidade eram abominações aos olhos de Deus. Ainda assim, manteve a voz perfeitamente firme e os músculos da face relaxados.

— Acredito que minha afirmação se sustente — Shekolni disse calmamente. — Porém há mais. Ela encontra uma cópia do livro sagrado. Uma cópia que nem mesmo deveria existir, se seus Mensageiros tivessem feito o trabalho que lhes foi designado. E nisso podemos ver que ela está nadando contra a correnteza, interferindo no próprio curso da nossa empreitada. Como ela faz isso? Como ela encontra o que seus *Elohim* não viram?

— Novamente, Abençoado, com ajuda — Ber Lusim respondeu. — Não sozinha. Não com alguma habilidade ou intuição sobre-humana.

— Depois, tendo lido o livro, ela vem para cá.

— E nada faz.

— E — até onde podemos ver — nada faz. Mas o que podemos inferir disso, Ber Lusim? Se ela veio procurar por nós, por que não procura? Se veio conferenciar com alguém, por que não se reúne a essa pessoa e conferencia? Por que ela sai de uma atividade tão frenética para a completa quietude? Pelo que, talvez, está esperando? Eu imploro que você me responda. Se estiver certo, não perderá nada a interrogando. Se estiver errado, perderá muito ao deixá-la livre para nos prejudicar. Apesar do tempo que você perdeu por causa dos eventos na Inglaterra — a necessidade, como você me explicou, de redirecionar carregamentos e adquirir novos equipamentos —, estamos chegando à última página. Eu imploro a você que interrogue a *rhaka* e se assegure de que nada que ela tenha planejado poderá interferir conosco.

— Eu farei isso — disse Ber Lusim —, se for necessário. Mas, precisamente por causa do tempo perdido, Santíssimo, eu preferiria que não fosse. Capturar a *rhaka* e depois interrogá-la nos atrasaria ainda mais. Eu preferiria dar prosseguimento à missão na qual nos empenhamos.

— Bem, não sou versado nessas coisas. — A voz de Shekolni estava carregada de quantidades quase subliminares de sarcasmo e ressentimento. — Sou sujeito a tolos receios.

Era preciso encerrar o assunto, Ber Lusim sabia. Era ruim para os outros ver os dois líderes em desacordo, ainda que por um instante. Uma ideia lhe ocorreu. Encontrou o olhar de Hifela e o sustentou por um momento.

— Diga-me uma coisa, Abençoado. Se você estiver certo e a *rhaka* souber que estamos aqui, se ela estiver prestes a causar algum desastre em nossas vidas, de que modo eu deveria jogar minha rede para apanhar tal peixe? Como eu deveria trazer essa mulher à minha casa, de forma que pudesse interrogá-la? Não importa quantos Mensageiros eu mande em seu encalço, ela meramente os comerá vivos e excretará os ossos deles.

Ninguém riu. Ninguém estava totalmente seguro de que seu líder estivesse brincando.

— Mande para mim — Hifela sugeriu.

As palavras permaneceram no ar. Os *Elohim*, admirados, esperaram o veredito de Ber Lusim.

— Você, velha caveira? — Ber Lusim inquiriu. — Bem, eu disse que ela era formidável. Mas, se eu aprovasse esse pedido, gostaria que ela me fosse trazida viva, e os seus instintos naturais tendem à morte.

— Não — Hifela disse.

— Não?

— Não, *Tannanu*. Meus instintos tendem à obediência. Eu sirvo à sua vontade. Se me mandar trazê-la viva, protegerei o corpo dela tanto quanto a própria mãe o faria. Mas eu a trarei.

Ele me conhece tão bem, pensou Hifela. Era uma pequena encenação que eles haviam planejado juntos. Talvez, à medida que o fim dos dias se aproximava, todas as conversas se tornassem mais e mais assim. Como se o peso de muitos séculos impulsionasse cada palavra.

— Observe-a, Hifela — Ber Lusim disse. — Escolha alguns homens de sua confiança e observe-a atentamente. Enquanto ela não fizer nada, aja da mesma forma. Quando ela se mover, mova-se com ela. E, se ela fizer algo que o preocupe, mesmo no menor grau, capture-a. Capture-a e traga-a diante de mim. Deixe-me falar com ela e satisfazer minha curiosidade sobre algumas questões significativas.

Ele se levantou, sinalizando que a reunião estava encerrada. No entanto nenhum dos *Elohim* se mexeu ou falou. Esperavam um discurso de conclusão.

— Pode ser — disse ele — que a morte de Heather Kennedy deva estar contida na morte maior. Pode ser que Deus a tenha trazido até a nossa porta por uma razão. Porque Ele deseje que façamos um sacrifício em Seu Nome que seja tão grandioso quanto nossa missão. Se assim for, sacrificaremos com alegria, como nos requer o mandamento.

Deixou a sala ao som de aplausos. Parou na porta e pôs as mãos nos ombros de Hifela, fitando, por um momento, os olhos do homem, profundos, quase encobertos. Então, saiu sem mais uma palavra. A Face da Caveira nunca se sentia confortável com sinais de aprovação, que dirá sinais de amor. Mas aquela era a bênção de um pai concedida ao filho fiel — e, como tal, era sagrada.

CAPÍTULO 52

O dia estava quente e úmido — desconfortável às 10 da manhã, e ao meio-dia quase intolerável. No quarto de hotel de Kennedy, onde o painel do ar-condicionado na parede revelou ser uma caixa de plástico completamente vazia, era como mergulhar em um rio de melaço.

Mas era pior para quem vigiava. O telhado oposto ao hotel estava quente feito uma grelha. Diema havia besuntado sua pele deficiente em melanina com um preparado de óxido de zinco e o suportava estoicamente. Rush, ainda no carro, era bem menos estoico, mas fora proibido por Diema de deslocar o carro para poder ficar na sombra. Tudo o que ele podia fazer era baixar as janelas e continuar bebendo água das garrafas plásticas amontoadas no banco de trás. Só Tillman, acampado entre as caçambas, estava fora do sol feroz, razoavelmente confortável.

Houve um momento ao longo da manhã em que pareceu que alguém poderia estar caminhando para a armadilha deles — quando uma *van* sem janelas se aproximou da entrada dos fundos do hotel e dois homens saíram. Mas eles entregavam provisões, caixas de saquinhos individuais de chá e sachês de açúcar, copos de plástico e pequenos pacotes de biscoitos. Dentro de dez minutos, terminaram e já partiram.

Às 13 horas, quebrando o protocolo, Kennedy chamou Tillman pelo radiotransmissor que Diema havia dado a ela.

— O que foi? — Tillman perguntou sem preâmbulos.

— Nada — Kennedy murmurou. — Nada e mais nada. Estou começando a ficar ansiosa.

— Eu me solidarizo. Mas era para você ficar longe do rádio a não ser que houvesse uma emergência. Tem uma emergência, Heather?

— Não.

— Então, a gente segue o plano.

Ela percebeu, pelo tom de voz, que ele estava prestes a desligar. Então, antecipando-se, falou rapidamente:

— Leo, não tenho certeza de que esse plano vá funcionar.

Tillman suspirou.

— Nós concordamos com isso. Qualquer coisa que nós façamos agora...

— Não, escuta. Suponha que tenhamos acertado e tudo esteja saindo do jeito que queríamos. Suponha que chamamos a atenção do Ber Lusim. Ele poderia ter colocado vigias ao redor do prédio agora, mas mais distantes do que vocês estão — ou então mais perto, aliás. Alguém dentro do saguão do hotel, esperando para me seguir quando eu sair.

— E daí?

— Daí que talvez eu deva sair. Ele pode estar pronto para morder a isca, mas ainda não se sente à vontade para invadir um espaço que eu já tive tempo de fortificar. Talvez ele esteja planejando me pegar aí fora assim que eu puser o pé na rua.

— Mais uma razão pra te manter longe da rua, Heather. — O tom de Tillman era seco. — Aqui, estamos no controle. Lá fora, nem tanto.

— Eu estou olhando para as caçambas aqui da minha janela, Leo.

— Eu sei. Estou te vendo.

— Então acene para mim.

— Não. E não fique olhando para as caçambas aí da sua janela.

— Escute. Se houvesse menos em jogo, eu concordaria com você — Kennedy disse rispidamente, toda a sua tensão vindo à tona de uma vez. — Mas se ele estiver esperando que a gente faça alguma coisa e a gente ficar esperando que ele faça alguma coisa, ele vence. Porque presumivelmente ele ainda está com seu bando de lunáticos felizes causando incêndios e decapitando ratos o tempo todo, e chegando mais perto do que quer que eles pretendam fazer para matar um milhão de pessoas. Não quero isso na minha consciência, Leo. Com certeza não quero. Não posso simplesmente ficar aqui imaginando como anda a contagem de corpos.

— Mas podemos te proteger aqui — Tillman objetou, imperturbável e paciente. — Se eles entrarem, entramos logo atrás deles. Em uma área aberta, é diferente. Sem mencionar o fato de que, se você começar a andar por aí de novo, não vai parecer que tem um propósito. Vai parecer uma coisa aleatória. Queremos que pensem que você está tramando alguma coisa que os ameace.

— Eu sei. Então, me deixe fazer algo que tenha propósito.

— Tipo o quê?

— Tipo uma reunião.

Houve silêncio na linha enquanto Tillman considerava a ideia.

— A Diema poderia arranjar alguém para se reunir com você — ele admitiu, relutante. — Um dos *Elohim* dela...

— Eu não quis dizer uma reunião de verdade. Principalmente com alguém que eles poderiam reconhecer. Quis dizer alguém imaginário. Vou a um lugar onde haja uma multidão, mas só uns poucos jeitos de entrar e sair. Um lugar onde ainda seja fácil para vocês três se aproximarem de mim.

— E o que isso vai nos dar?

— Influência, talvez. Se eles acharem que estou tramando alguma coisa — fazendo uma entrega ou trocando ideias com meu contato —, talvez decidam tomar uma atitude. Talvez pensem que precisam impedir que isso aconteça.

Ela esperou. O silêncio foi muito mais longo desta vez, pois Tillman pensava em todas as implicações.

— Vou falar com a Diema — disse por fim.

— A decisão não é dela — Kennedy disse bruscamente.

— Não, não é. Mas ela tem gente que conhece o terreno. Se fizermos isso, precisamos escolher o lugar certo. — Houve uma pausa, mas ele não desligou o radiotransmissor, e ela soube que não havia terminado de falar. — Mas você pode estar certa — disse, afinal. — Era pra isso ser uma provocação. Quanto mais tempo você fica aí sem fazer nada, menos provocante a coisa se torna. Vou falar com os outros e já te respondo.

Ele desligou. Kennedy jogou o rádio na cama e fez para si uma xícara nada inspiradora de café.

* * *

Diema nem mesmo discutiu a questão.

— Ela está certa — foi o que disse. — Provavelmente deveríamos ter feito isso antes. Dado a eles uma situação de mudança, à qual tivessem que reagir, em vez de uma situação que parece estável.

— Meu Deus, por favor — Rush emendou. — Qualquer coisa que me tire deste carro. Isto aqui é uma sauna.

— Então, aonde ela deveria ir? — Tillman perguntou a Diema.

— Vou perguntar.

— Quer dizer que vai falar com seu pessoal?

— Sim.

— E quanto tempo isso vai levar?

— O tempo que precisar.

Ela desligou o canal. Um momento depois, o rádio vibrou novamente. Era Rush.

— Preciso mijar — ele resmungou.

— Use as garrafas de água vazias — Tillman disse. — É para isso que servem.

— Tá bom, então preciso respirar.

— Não, não precisa. É só um hábito que as pessoas adquirem.

— Preciso usar minhas pernas antes que eu desenvolva uma trombose venosa profunda e morra.

— Mantenha o canal de comunicação desocupado — Tillman grunhiu — e os olhos abertos. Ainda estamos trabalhando.

Ele desligou o rádio. Seus ombros estavam tensos, então eles os massageou, um de cada vez, sempre mantendo o rádio na mão livre e nunca tirando os olhos da porta traseira do hotel.

Pouco mais de meia hora depois, Diema voltou a chamá-lo.

— Meu pessoal diz que deveríamos usar o Országház — disse ela. — O prédio do Parlamento.

Tillman ficou em dúvida.

— Por que disseram isso? É um prédio cheio de segurança, provavelmente, e por isso cheio de risco. Razões suficientes para o Ber Lusim não querer chegar nem perto da Heather em um lugar como esse.

— E razões suficientes para ele ter medo da pessoa com quem ela poderia se reunir lá — Diema contrapôs. — O alto risco é uma faca de dois gumes. Ber Lusim vai achar que talvez seja por isso que ela veio. Talvez ela estivesse esperando uma hora marcada com alguém em um alto cargo no governo, e a hora acabou de chegar. Ele precisaria saber quem é a pessoa e o que está sendo planejado. Provavelmente, se ele agir, vai fazer isso assim que descobrir aonde ela está indo: ou quando ela estiver no saguão, ou antes que ela entre no prédio.

— Não gosto disso — Tillman disse. — Vai ter guardas armados lá dentro. Se o pessoal do Ber Lusim vier atrás dela, a Heather pode ser pega no fogo cruzado.

— A Heather está nesta conversa — Kennedy disse no rádio. — Sem dor, sem ganho. Entendi o raciocínio, Diema, e estou dentro.

Mas Tillman continuava ruminando o assunto e ainda tinha perguntas.

— Quantas saídas esse lugar tem?

— Mais de uma dúzia — Diema reconheceu. — Mas quanto a isso eu tive uma ideia. Meu pessoal vai deixar uma coisa pra nós. Algo que nos dê uma certa vantagem.

— Que tipo de coisa? — Kennedy perguntou.

— Um *chip* de GPS. Tem mais ou menos o tamanho de uma cabeça de alfinete e pode ser implantado debaixo da sua pele. Depois disso, podemos estabelecer a sua localização com uma precisão de meio metro. O que significa que, se a perdermos por alguma razão, ainda poderemos rastreá-la. Eles vão me trazer o *chip* dentro dos próximos minutos. Vou precisar levá-lo até você. A maneira mais fácil de fazer isso é eu entrar no hotel como se estivesse visitando alguém ou fazendo uma entrega. Deixe sua porta destrancada.

O canal ficou mudo. Mas só por alguns segundos.

— Tillman? — Rush disse.

— Moleque, use as porcarias das garrafas ou aguente até nós...

— Não é isso. É sobre essa coisa toda. Levar o *show* da Heather Kennedy para a estrada.

— Sim? O que é que tem, Ben?

— Acho que eu talvez tenha uma ideia melhor.

* * *

Kennedy fez como Diema havia dito: destrancou a porta e deixou-a apenas encostada, para que pudesse ser empurrada pelo lado de fora. Por alguns minutos, depois disso, ela andou para lá e para cá no quarto, incapaz de ficar quieta. Finalmente, voltou à janela e olhou para as caçambas, tentando identificar onde exatamente Tillman havia se enfiado. Onde quer que fosse, estava bem escondido. Mas ele podia vê-la, então ela deveria conseguir vê-lo. De qualquer maneira, era interessante continuar procurando, como quem joga uma partida de xadrez em um único movimento.

A porta guinchou momentaneamente contra o carpete espesso e uma lufada de ar tocou as costas de Kennedy. Ela se virou e viu Diema fechar e trancar a porta.

— Tudo bem — a garota disse. — Ao trabalho.

Ela trazia uma bolsa pendurada no ombro. Tirou dela algo parecido com um isqueiro Bic e jogou a bolsa na cama.

— É isso? — Kennedy perguntou.

— Isto é o aplicador. E isto — ela ergueu a outra mão, na qual estava segurando um tubo pequeno sem rótulo similar a um tubo de pasta de dente — é um anestésico tópico com agente antibacteriano. Você precisa esfregá-lo na região e deixá-lo operar por meio minuto. Tire a calça e sente na cama.

— Tirar *o quê*?

Diema respondeu em tom prosaico:

— O implante vai deixar uma marca — pequena, mas perceptível. Se tivéssemos tempo para deixá-la cicatrizar, poderia ser em qualquer ponto do seu corpo. Mas não temos. A melhor opção é implantar o *chip* internamente, de forma que não deixe uma marca visível. O fornecedor disse que poderia ser o lado de dentro da sua bochecha, mas também disse que poderia haver um inchaço no seu rosto, o que levantaria suspeitas. Então, acho que devemos usar a outra sugestão dele, que é implantar o *chip* na sua parede vaginal.

Kennedy cruzou os braços e ficou exatamente onde estava.

— Acho que é melhor a gente ficar com a bochecha — disse, impassível.

Diema lançou-lhe um olhar duro, claramente surpresa e um pouco impaciente.

— Sabemos que os homens de Ber Lusim têm aversão às mulheres — ela disse, em tom de *eu-vou-continuar-dizendo-isso-até-você-entender*. — Se nosso plano der errado e eles conseguirem capturar você, podem revistá-la. Mas os dois *Elohim* invasores que você conheceu em Londres relutaram até mesmo em despi-la completamente. Então, acho seguro supormos que eles não revistariam seus orifícios.

Esperou que a razão prevalecesse e a mulher fizesse o que ela dizia.

— Sente, menina — Kennedy disse.

Diema pareceu confusa com a sugestão.

— Não há tempo — disse bruscamente. — Se você insiste que seja na bochecha, então vamos...

— Sente — Kennedy repetiu. — Precisamos conversar.

— Não — Diema volveu. Nem se incomodou em ocultar seu desprezo pela mulher mais velha. — Não precisamos conversar. Só temos que trabalhar juntas. Pensei que isso estivesse claro.

— Claro para você, talvez. Eu vou ficar sentada do mesmo jeito. Você pode ficar aí de pé, se quiser, mas vai falar comigo. Do contrário, acabou. Fim da missão.

Os olhos de Diema se arregalaram.

— Você está mentindo — disse. — Há vidas demais em risco.

— Talvez mais do que você imagina. — Kennedy foi sentar-se, não na cama, mas na única cadeira do quarto. Esperou em silêncio que a garota se juntasse a ela.

Diema permaneceu indecisa por vários instantes. Finalmente, rígida de tensão, cruzou o recinto e sentou-se na cama, diante de Kennedy. Adotou uma expressão sardônica. *Estou esperando*.

— Por que você mudou de nome? — Kennedy perguntou.

Diema piscou.

— O quê?

— Não é uma pergunta tão difícil. Por que mudou de nome?

— Por nenhuma razão que você precise saber.

O tom da garota foi monótono e definitivo. Kennedy esperou por mais.

— Porque mudei de vida — Diema disse afinal, na mesma voz.

— Sim — Kennedy concordou. — Isso eu notei, Grace. Só estou tentando entender quão profunda foi a mudança.

A expressão da garota não se alterou, a não ser por um ligeiro tremer das pálpebras.

— Eu era Tabe — ela disse. — Nunca fui Grace. Grace era só a forma como o pai da minha carne me chamava.

— O pai da sua carne? É assim que você o considera? — Diema abriu a boca para falar novamente, mas Kennedy ergueu a mão, detendo-a. — Esquece. Não vou fingir que entendo os seus costumes, mas você está errada quanto a isso e precisa saber.

— Meu nome é...

— Sua *mãe* te chamava de Grace. E ela chamava seus irmãos de Jude e Seth. Em uma situação normal vocês teriam mantido esses nomes quando voltaram com ela para sua cidade, porque nenhum deles era ofensivo às crenças do seu povo. A tradição, até onde eu entendi, é rebatizar as crianças caso tenham recebido nomes... como vocês diriam? Adamitas demais. Mas Jude e Seth eram bons nomes bíblicos — e quem poderia criticar Grace?

— Eu disse — a garota repetiu entre dentes cerrados — que meu nome é Diema.

— Mas o seu Michael Brand, seu Kuutma, ele pareceu sentir que o seu passado, assim como o dos seus irmãos, precisava ser mais completamente apagado do que isso. Talvez porque ele amava a sua mãe, Rebecca, e queria que a família dela fosse dele também. Mas ela se matou. Não quis viver sem o seu pai. Quero dizer, o pai da sua carne. Leo Tillman. E, depois que ela morreu, o Michael Brand deu novos nomes a vocês três. Você passou a ser Tabe — e seus irmãos, Ezei e Cephas.

Diema continuou completamente imperturbável.

— Você parece pensar que eu deveria me importar com o modo como fui chamada no seu mundo — disse ela a Kennedy, torcendo o lábio inferior. — Não me importo. Nunca foi o meu mundo e continua não sendo. É só um lugar onde eu trabalho.

Kennedy assentiu.

— Eu sei — disse. — Seu mundo é uma grande caverna em algum lugar, com o interior do teto pintado para parecer o céu. Não consigo imaginar como é viver lá, mas sei que você nunca achou... não acha... muito difícil. Nunca sentiu falta do que nunca teve. Mas não parece terrível para você, agora que viu como é o mundo real, que alguém precise crescer e viver desse jeito? No escuro? — Kennedy ouviu o tremor na própria voz. Tentava falar com a jovem, mas só conseguia ver a criança aprisionada dentro dela, a criança sepultada, e tal visão era tão terrível que ela sentia um tipo de pânico solidário — uma sensação vicária de asfixia.

— Não é escuro — Diema disse. — Só estava escuro quando você viu o lugar, *rhaka*. E isso foi porque viu sua própria escuridão.

— Não — Kennedy volveu bruscamente. — Não. Acredite em mim, sei a diferença. E sei que nada do que eu diga poderia mudar você agora. Não posso remover o peso de todos esses anos. Mas ao menos pense nisso. Por favor. Por que enviaram você? Por que você, entre todas as pessoas? Por que pensaram em transformar você em... — ela apontou para a garota, a mão tremendo levemente — ... nisso? Não posso esquecer o que o Kuutma disse para o Leo, na única vez em que nós o encontramos. "Sua filha é uma artista. Ela pinta. Há tanta beleza dentro dela que chega a se derramar de seus dedos para o mundo." Ele disse isso! E depois seus líderes mudaram de ideia e decidiram transformar você em uma das suas assassinas.

Kennedy sentiu lágrimas brotarem de seus olhos e lutou para reprimi-las. Sabia que a garota as veria apenas como um sinal de fraqueza. Mas, apesar de todo o seu esforço, uma lágrima correu por sua bochecha. Ela chorava por Grace, e por Tabe, ambas eliminadas sem deixar vestígios.

Diema não sentiu desprezo pela lágrima: sentiu indignação.

— Ninguém me obrigou a nada! — disse, a voz elevando-se. — A decisão foi minha. Kuutma viu o potencial em mim. Ele me deu a escolha de servir meu povo.

Kennedy balançou a cabeça negativamente.

— E mandou você até mim, sabendo que eu veria o rosto do Leo no seu. Sabendo que eu precisaria ir falar com o Leo, contra todos os meus instintos, e o envolveria novamente nisso tudo. Não minta para si mesma, Diema. Se você já foi uma artista, provavelmente tem aquele dom que os artistas têm de ver exatamente o que está diante de seus olhos. Então, olhe para sua própria imagem e veja o que ela lhe diz. Eles te pegaram, treinaram e enviaram para nos recrutar porque sabiam que era a única que poderia fazer isso. Não houve nem um átomo de escolha aqui, para nenhum de nós.

Diema levantou-se de supetão. Por um momento, pareceu que ia fugir, mas se manteve firme, de punhos cerrados.

— Não me surpreende — disse ela, a voz quase sob controle agora — que você tente me voltar contra meu próprio povo. É exatamente o que eu esperaria de você. Só me surpreende que tenha esperado até chegarmos aqui. Deveria ter feito isso na Fazenda do Pombal, onde você e Leo Tillman mataram meus irmãos.

Era a única esperança que restava a Kennedy: que eles tivessem poupado a garota ao menos disso. Ela afundou a cabeça nas mãos, sucumbindo a um momento de puro desespero.

— Ah, sim — Diema zombou, olhando-a do alto, intensamente. — Você achou que podia mentir para mim, Heather Kennedy? Achou que eles deixariam que eu me encontrasse com você — e com *ele* — sem me contar o que vocês fizeram? Diz que fui enganada e manipulada pelo povo que amo. Mas esqueceu de contar o que Leo Tillman fez contra mim. O que ele tirou de mim. Talvez tenha lhe escapado.

Kennedy forçou-se a encarar novamente a garota. Foi um grande esforço. Ela realmente temia aquele escárnio, aquele ódio: temia o que esses sentimentos seriam capazes de causar.

— Diema — disse, a voz embargada pelo choro —, alguma vez você já perguntou, ou seus professores te contaram, por que o Leo e eu fomos até sua Ginat'Dania?

— Para destruí-la — a garota respondeu prontamente.

— Não, não foi isso, de jeito nenhum. E, aliás, ela já estava destruída. Nós chegamos tarde demais. Eu fui para efetuar uma prisão. Mas o Leo foi para procurar a esposa e os filhos dele. Para procurar vocês. Ele procurou vocês por treze anos. Desde o dia em que voltou do trabalho e encontrou a casa vazia. Ele amou vocês mais do que tudo na vida. Não conseguiu viver sem vocês. Então, continuou procurando. Por você, pela Rebecca e pelos seus irmãos, mesmo depois de tanto tempo e mesmo que ninguém mais acreditasse que vocês poderiam ao menos estar vivos...

— Nós *não estávamos* vivos! — Diema gritou. — Minha mãe já estava morta nessa época. Meus irmãos estavam mortos, porque ele os havia matado na Inglaterra. Fui a única a sobreviver.

— Ele não sabia disso. Ainda não sabe. Ah, ele sabe sobre a Rebecca. O Michael Brand contou a ele como ela morreu. Mas não sabe sobre o Ezei e o Cephas. Descobrir isso partiria o coração dele em pedaços.

Diema inclinou-se e enfiou o rosto diante do de Kennedy, agarrando com força as lapelas do casaco da mulher.

— Então, quando isso acabar — ela rosnou —, vou destruir o coração dele.

A fúria passou pela garota quase como uma onda visível, deixando-a fraca e enojada. Ela se afastou de Kennedy com um gesto de rendição: não rendição a seus argumentos, só desejo de encerrar toda aquela conversa, todos aqueles pensamentos.

— Implante o *chip* dentro da sua bochecha, *rhaka* — ela disse asperamente, depois de um momento. — Quero sair daqui.

— Fique com ele — Kennedy disse.

— Nós precisamos que você...

— Sei o que precisam que eu faça. Mas, falando com você agora, pensei melhor. Acho que pode ser uma péssima ideia implantar no meu corpo algo que permita que a sua gente me encontre onde quiser. Então, esqueça.

Diema a encarou.

— A escolha é sua — disse friamente.

— É mesmo, não?

O radiotransmissor, ainda ajustado para vibrar em vez de tocar, pulou e se agitou na mesa de cabeceira, emitindo um ruído áspero, como o de uma broca odontológica atingindo o esmalte dos dentes.

Kennedy o pegou e abriu o canal principal. Diema sacou seu próprio aparelho e virou-se de costas enquanto o trazia ao ouvido.

— Vocês estão terminando? — Tillman perguntou.

— Sim. Não. Quase — Kennedy murmurou. — Pode nos dar mais uns minutos, Leo?

— Levem o tempo que precisarem. Mas ouçam o que o Rush tem a dizer antes de irem a qualquer lugar.

— O que o garoto tem a dizer? — Diema perguntou rispidamente. — Por que alguém se importaria com o que ele tem a dizer? Ele não sabe nada sobre isso.

— Na verdade — Tillman disse depois de um instante —, ele teve uma boa ideia. Heather, você não deve ir ao prédio do Parlamento.

— Aonde devo ir, então? — Não parecia importar realmente no momento: ela perguntou mecanicamente, pois ele parecia esperar que fizesse isso.

— Aos banhos — respondeu ele.

CAPÍTULO 53

O Gellért Hotel ficava no sopé do Monte Gellért, na margem Buda da Szabadság Hid, ou Ponte da Liberdade. Era um palácio em estilo *art nouveau*, coberto de pedra branca e fria e com minaretes nos cantos, embora os otomanos tivessem desocupado Budapeste muitos séculos antes de o hotel ser construído.

No topo da colina, 235 metros acima da cabeça de Kennedy, que cruzava a ponte, uma estátua de bronze gasta de São Gellért exibia-se à beira do precipício, um braço erguido em um aceno de adeus, como se ele estivesse prestes a pular no abismo.

O hotel, com seu imenso complexo de banhos, era uma grande atração turística. Em um dia quente como este, havia uma fila diante da porta lateral que se estendia por todo o declive acentuado da rua. A frente do hotel, assim como toda a praça entre ele e o rio, estava tomada por um enorme mercado a céu aberto.

Kennedy entrou na fila e ficou ali, na calçada escaldante, alheia às conversas em inglês, húngaro, alemão e italiano. O vulto do Monte Gellért erguia-se atrás dela, sua face grosseira suavizada deste lado pelos figos e uvas maduras que se espalhavam por ela desde o pico até perto do rio.

Do ventre da besta.

— Eis o que estou pensando — Rush havia dito. — O Toller usou essa figura no frontispício do livro dele, certo? Então, aposto que a casa dele na verdade está ali mesmo, na gravura. O que mais ele poderia estar nos mostrando? E, se o Shekolni está tentando se espelhar no Toller, talvez esteja na mesma casa, ou tão perto dela quanto possível. Então, não há razão para a Kennedy ir até o Parlamento. Fica do lado errado do rio e muito ao norte. Ela deveria ir a um lugar que esteja na figura, ou a um lugar que hoje fique onde costumavam estar as casas desenhadas nela.

Com certo grau de afetação, ele revelou seu favorito: o Gellért Hotel. Lembrava-se dele das férias que passara em Budapeste, alguns anos antes. Estaria na gravura de Toller se já tivesse sido construído naquela época. Era grande e lotado o bastante para proporcionar um ponto de encontro plausível, mas só tinha duas entradas principais. E nenhum guarda armado, nenhum sistema de fechamento automático, nenhum plano de contingência.

— É elementar, meus caros Watsons.

Diema não havia gostado daquilo a princípio — nem quisera discutir. O confronto com Kennedy a havia deixado taciturna e retraída — estava se recompondo, Kennedy pensou, em meio às linhas de batalha interiores que pareciam significar tanto para ela. Mas Diema não fora capaz de encontrar falhas na ideia e finalmente concordara com o que basicamente era um *fait accompli*[9]. Já estava claro que tanto Kennedy como Tillman preferiam a versão do plano de Rush e haviam retirado seu consentimento à dela.

Então, Kennedy atravessou o rio e esperou no calor suarento da tarde até que a fila avançasse o suficiente para ela passar pelas portas, penetrando o vasto salão de entrada com seus pilares de madeira, suas claraboias, suas elegantes estátuas de nus e mosaicos geométricos. Alguns deles eram originais e estavam perto de completar 100 anos. O resto havia sido reconstruído com perfeição depois de 1945, quando o bombardeio russo às tropas alemãs em retirada havia reduzido a maior parte de Buda a cacos.

O guichê do qual Kennedy lentamente se aproximava era flanqueado por dois enormes quadros de aviso em madeira — um em húngaro e o outro em um inglês muito ruim — anunciando uma lista dc tratamentos e serviços. Além das principais piscinas e termas acessíveis ao público, havia saunas secas e a vapor, cabines de massagem, manicure e pedicure, tratamentos estéticos com lama, banheiras de ácido carbônico, banhos que prometiam perda de peso e alongamento, e piscinas frias para mergulho. E um bar, que ela não pôde deixar de notar.

Tentando não esquadrinhar os rostos ao seu redor, nem cruzar olhares com ninguém por mais de um segundo, Kennedy comprou o passe livre para o dia todo. Com ele, poderia entrar nas piscinas e saunas: serviços especializados envolvendo pesos pesados, lama ou corrosivos suaves teriam custo extra.

Ela recebeu uma toalha, uma pulseira de identificação e um conjunto de instruções dadas em rápido húngaro, que ela não entendeu, mas com as quais assentiu. Havia entradas separadas para homens e mulheres: o húngaro de Kennedy era capaz apenas de fazê-la seguir

[9] Do francês, "fato consumado". (N. E.)

as placas com setas e a palavra *Nök*[10] até uma reluzente catraca de aço instalada de forma incongruente sob um arco decorativo, cujos entalhes em madeira ecoavam as videiras da colina lá fora. Uma mulher de rosto pétreo com o logotipo do hotel bordado em vermelho sobre sua camiseta branca mostrou a ela como usar a pulseira identificadora para entrar.

Sem olhar nem para a direita nem para a esquerda, Kennedy prosseguiu, descendo uma longa escada e entrando por um túnel subterrâneo no principal complexo de banhos. Boa parte do lugar, ela percebeu, ficava sob a terra, embora houvesse em todos os cantos placas apontando para cima, em direção a uma piscina externa.

Kennedy entrou em um vestiário individual, onde tirou a jaqueta leve, a camisa e a calça, substituindo-as por camiseta e *shorts*. As poucas coisas que precisava levar consigo foram para uma bolsa franzida que ela pendurou no ombro.

Ela parecia inócua. Desarmada. Uma ovelha rumo ao matadouro.

Saiu do vestiário e perambulou pelas alas e vielas aparentemente intermináveis de cubículos até encontrar uma das escadas espiraladas que levavam à piscina externa.

A área da piscina era vasta e estava apinhada de corpos bronzeados ou levemente tostados. Kennedy lera uma vez — admitia que já fazia muitos anos — que toda a população humana do mundo poderia se encaixar, ombro a ombro, na ilha de Zanzibar. Parecia que a maior parte havia escolhido o dia de hoje para se encaixar no complexo de banhos do Hotel Gellért.

Ela sentou em uma espreguiçadeira e untou-se com protetor solar. Depois, voltou a guardar a embalagem dentro da bolsa. Então, olhou para o relógio, com um gesto não espalhafatoso, mas visível, e se recostou à cadeira, as mãos graciosamente dobradas no colo.

Se aquilo estava para acontecer, provavelmente seria em breve.

* * *

Os três vigilantes de Kennedy tiveram de cruzar a cidade em um passo colado ao dela, o que impediu que escolhessem seus postos com antecedência. Houve uma conferência breve e apressada no extremo oeste

---

[10] Do húngaro, "mulheres". (N. E.)

da Ponte da Liberdade, onde Diema pôde usar o próprio complexo do hotel, vultoso a meia distância, como referência visual.

— Vou ficar na montanha — ela disse. — Assim, posso ver a porta da frente e a lateral do hotel e alertar vocês antecipadamente se alguém aparecer. Tillman, você entra e fica no saguão. Pode vigiar a entrada dos banhos e ficar de prontidão se alguém conseguir passar por mim.

— E quanto a mim? — Rush perguntou, sem muita esperança.

— Vigie as portas da frente, do lado de fora, e os degraus que sobem do rio — Diema disse. Ela não se deu ao trabalho de tentar fazer com que aquilo soasse como um trabalho realmente relevante.

— É possível que eles venham pelo rio? — Rush perguntou.

— Poderiam vir — ela respondeu.

Já se afastava quando Tillman a pegou pelo braço, fazendo-a parar. Foi um momento eletrizante, que fez Rush engolir a queixa que estava a meio caminho de expressar.

— Está com algum problema? — Diema perguntou em um tom que dizia: *está querendo perder essa mão?*.

— O receptor de GPS — Tillman disse.

— O que é que tem?

— Sem querer ofender, menina, mas acho que eu talvez tenha mais interesse pelo bem-estar da Heather do que você. Por que não mc deixa ficar com o aparelho?

Os olhares dos dois se cruzaram por um momento longo e perigoso.

— Protetor das mulheres — Diema disse. — Defensor dos fracos e oprimidos. É essa a sua causa, Tillman? Ou você só está tentando se enfiar na cama dela?

— Se você quer saber algo sobre a cama da Heather — Tillman disse no mesmo tom —, provavelmente deve perguntar a ela. Enquanto isso, eu fico com o rastreador. A não ser que você realmente queira brigar por causa disso.

Diema enfiou a mão em um bolso de sua jaqueta preta de couro, encontrou um objeto parecido com um controle remoto de TV e o jogou para ele.

— Não — disse. — Fique com ele, com minha bênção. Mas não fará diferença. Ela mudou de ideia a respeito do *chip*. Você deveria ensinar um pouco de disciplina à sua cadela um dia desses. Deus sabe que ela precisa.

A garota afastou-se antes que ele pudesse responder, dirigindo-se ao lado leste do hotel e à colina escarpada além dele. Não olhou para trás.

Tillman voltou-se para Rush, que o estava olhando com ar ligeiramente atordoado.

— Eu ouvi direito? — perguntou o rapaz. — A Kennedy está por conta própria?

— Não se fizermos nosso trabalho direito — Tillman resmungou rudemente. — Escolha seu posto, moleque. E mantenha seu canal aberto. Esta pode ser nossa última chance.

— E a dela — Rush disse.

E, como Tillman não tinha uma resposta para isso, os dois se separaram sem maior troca de amabilidades.

Rush ficou onde estava, na calçada diante da entrada principal do hotel, com o mercado a céu aberto logo às suas costas. Tillman entrou no saguão e subiu à sacada no interior do domo circular.

Novamente, tudo o que podiam fazer era esperar. E Tillman começava a sentir que, se esperassem muito mais, o dito plano naufragaria nos recifes dos interesses divergentes.

Também imaginava, se acontecesse de terem êxito em localizar e neutralizar Ber Lusim, por quanto tempo depois disso o Povo de Judas permitiria que eles vivessem.

***

Sentado sob a cúpula rotunda no centro do saguão do Hotel Gellért, com uma camisa vistosa e uma câmera pendurada no pescoço, Hifela observou Kennedy passar pela catraca e considerou suas instruções. *Se ela fizer algo que o preocupe*, seu comandante havia dito.

Ele poderia consultar Ber Lusim, mas o presente momento parecia encaixar-se muito bem naquela definição. O fato de a *rhaka* chegar assim tão perto da base de operações deles ainda era um ato ambíguo, mas admitia muito poucas interpretações — e em todas elas a mulher ou um de seus comparsas havia, de alguma forma, conseguido localizá-los. Era possível que ela estivesse planejando algum tipo de ataque, mas parecia improvável que fizesse isso durante o dia. Era muito plausível, no entanto, que estivesse explorando o território para uma incursão mais tarde.

Hifela decidiu que este era um bom momento para intervir. Mas não queria ultrapassar os limites de sua missão, mesmo agora. Sacou seu telefone e digitou uma mensagem de texto para Ber Lusim. *A mulher está perto. Distância horizontal, 250 metros. Distância vertical, 80 metros.*

Enviou a mensagem e, enquanto esperava pela resposta, perambulou pelo saguão, lançando um olhar crítico à estatuária. No entanto não conseguia relaxar e estava consciente demais de que aparentava estar inspecionando os nus como em um desfile.

Voltou a pensar, nesta conjuntura crucial, no outro grande ponto de virada de sua vida, o momento em que havia decidido seguir Ber Lusim ao exílio. Fora um ato de fé cega. Na época, eles não tinham ideia do papel que desempenhariam na história humana. Nem mesmo sabiam que haviam sido escolhidos. Então, o profeta havia chegado e dado um sentido a tudo. Ele prometera revelar-lhes um milagre e havia cumprido tal promessa. Havia mostrado a eles como cada um de seus atos era uma peça em um mosaico, encaixada não de forma aleatória, mas perfeita, necessária e interconectada. Quando Shekolni falava, havia uma perspectiva.

Ou assim diziam os outros *Elohim*, pelo menos. Para Hifela, sempre fora mais uma questão de lealdade pessoal a seu líder — até mesmo amor, pois o que sentia por Ber Lusim era mais ardente e intenso do que qualquer coisa que já sentira por uma mulher; assim como as intimidades do campo de batalha eram mais profundas que as da alcova.

Seu telefone sibilou uma vez, o som discreto de um elevador chegando. Ele olhou para a tela e abriu a mensagem, que consistia em uma única palavra:

Execute.

Hifela aprumou-se lentamente, ajustou o *flash* da câmera e tirou uma foto do nu mais próximo.

Era o sinal previamente combinado. Embora não houvesse indicação visível disso nos movimentos aleatórios da multidão ao seu redor, a palavra era passada adiante e os *Elohim* designados para a missão já estavam a caminho.

Não contra a mulher. A mulher esperaria um pouco mais.

Até que eles se livrassem de seus três anjos da guarda.

CAPÍTULO 54

Ben Rush sobreviveu ao primeiro ataque por uma única razão: estava no campo de visão de Diema.

Ele vigiava a porta frontal do hotel, voltada para o rio. Diema observava a cena do sul, onde o hotel faceava a encosta da colina, e como sempre ela preferira o ponto de vista das alturas. Na ausência de um edifício atrás do hotel, ela escolhera na base do monte uma imensa figueira, cujos galhos superiores estavam no mesmo nível das janelas do quinto andar do hotel. Tillman estava lá dentro, no saguão, perto de uma janela que mirava a piscina exterior, onde Kennedy havia se posicionado.

Foi algum artifício de linguagem corporal que fez Diema focar no homem que atravessava a rua, dirigindo-se à entrada frontal e — como que por coincidência — a Rush. Ela não saberia dizer o que foi que reconheceu, mas viu-se fitando o homem, registrando-o instantaneamente como alguém de sua própria tribo. Então, quando ele tirou a sica da parte de trás do cinto, ela percebeu tardiamente que a mão esquerda dele havia acabado de traçar uma elipse por sobre o tecido claro do paletó. Ele parecera estar apenas alisando um vinco na roupa, mas era o sinal do nó corrediço.

A distância era de cerca de 200 metros — muito grande para a 9 milímetros, mas a 9 milímetros estava em sua mão, enquanto a semiautomática chinesa estava na bolsa apoiada no galho ao seu lado. Tinha certeza de que poderia enfiar uma bala no homem a essa distância, mas não tinha a menor confiança para calcular onde acertaria — e ele era um dos escolhidos, então ela não podia se arriscar a matá-lo.

Encontrando a ideia perfeita, disparou cinco balas em rápida sucessão, mirando baixo. Três pedestres caíram, alvejados no joelho, tornozelo ou pé. Gritos e berros ergueram-se da rua e a consternação germinou visivelmente a partir das sementes de dor e pânico que ela acabara de criar. Foi uma solução dura e ligeira, mas fez as pessoas fugirem ao longo do caminho do sicário. Também poderia fazer com que Rush olhasse na direção certa e percebesse o inimigo.

Foi o melhor que Diema pôde fazer e durou um segundo a mais do que ela teria desejado. Pois tinha certeza de que havia sido comprometida. Agora não havia a menor chance de os *Elohim* de Ber Lusim irem atrás de Rush e não dela. E nenhuma chance, dados tempo e paciência suficientes, de eles não a descobrirem ali, no alto da árvore, e se posicionarem para abatê-la.

A bolsa estava à distância de um braço, com todo o *kit* em seu interior — a não ser pela nove milímetros e pelo radiotransmissor, ainda preso ao cinto de Diema. Era o mesmo que ter deixado as armas no lado escuro da Lua. Ela esticou as pernas, inclinou-se para a frente e deixou-se cair do galho. Disparos de rifle rasgaram a folhagem acima dela e reduziram seu antigo poleiro a farrapos.

Diema usou a copa da árvore para amenizar sua queda, transformando o movimento em um giro completo do corpo, e viu-se sobre outro galho, 3 metros abaixo. Conseguira calcular a direção dos disparos, mais ou menos, e dirigira sua queda para a esquerda, longe do flanco da colina. Agora, ela subiu um ou dois metros para cima, ainda que isso significasse rastejar em direção à parte mais fina do galho onde estava. O galho foi caindo precariamente sob seu peso, mas o tronco da árvore ficou entre ela e os atiradores.

Por enquanto.

Ela pegou o rádio, mas, antes que pudesse fazer uma chamada, muito menos falar, mais tiros estalaram contra a casca da árvore, logo acima de sua cabeça.

Era atacada de pelo menos duas direções. E eles podiam vê-la.

* * *

Tillman viu a sica primeiro, já no ar, e o sicário meio segundo depois. Já era tarde demais e, apesar de ele ter girado e se abaixado por reflexo subliminar, isso só fez com que a lâmina o acertasse em um ponto mais alto do lado do corpo e em ângulo mais raso do que o inimigo pretendera. Mais afiada que uma navalha, ela atingiu os músculos peitoral e deltoide do lado direito e se cravou profundamente. Com a dor, veio o choque da percepção de que o golpe que acabava de receber era provavelmente seu atestado de óbito. Os anticoagulantes com os quais os *Elohim* cobriam suas lâminas podiam transformar até um golpe de raspão em um ferimento mortal. E ele acabara de receber uma ferida profunda na junção de duas artérias principais.

Dois homens — presumivelmente Mensageiros, considerando a arma escolhida — vinham para cima dele de duas direções na sacada circular, intencionalmente barrando o acesso dele à escada e ao elevador. A arma de Tillman estava guardada na parte de trás de seu cinto e não havia tempo para pegá-la — especialmente com a adaga espetada em seu corpo, impedindo os movimentos. Qualquer um dos *Elohim* o superaria em velocidade. O homem que já o acertara desembainhava outra lâmina. O segundo assassino, mais próximo dele porque não havia parado para mirar e arremessar, vinha correndo em direção a Tillman.

Ele trazia a adaga na mão direita, a esquerda pairando diante dela, aparentemente em guarda — mas então deixou que ambos os braços se separassem, a mão da adaga estocando baixo enquanto a mão supostamente defensiva se lançava para cima para golpear a garganta de Tillman.

Tillman partiu direto para ele, expondo-se ao ataque. O fato de já estar ferido o livrava dessa preocupação, embora não do perigo de ser estripado. Golpeou com sua mão direita para derrubar a adaga da mão do inimigo e inclinou-se para o lado. A mão que mirava sua garganta passou ao largo.

Enganchou a mão esquerda no ombro do assassino. Ainda avançando, ainda girando, ele se abaixou para transformar o gesto em um arremesso. Segurou o braço da adaga logo acima do pulso, puxou-o para o lado e para baixo em um *kitap* desajeitado, mas veloz, e, já que manteve o antebraço do oponente seguro, o peso do próprio corpo do homem deslocou o braço dele do ombro.

E deu a Tillman uma adaga.

Ele a ergueu a tempo de rechaçar um golpe cortante do segundo homem, as duas lâminas chocando-se uma vez, duas, como se fossem espadas em duelo. Tillman sabia que cada movimento arrancava mais sangue da ferida profunda em seu flanco, mas não havia tempo para pensar nisso.

Mais preocupante era o fato de que enfrentava um lutador muito mais experiente com facas e muito mais à vontade com aquela arma do que ele. Ele cedia terreno a cada finta e guarda, recuando em direção à parede. Estava perdendo — e estava para morrer.

Então, fez a única coisa em que conseguiu pensar. Ganhou meio segundo com um golpe louco e horizontal e usou-o para retroceder mais um passo — deixando sua adaga totalmente desalinhada e seu torso desprotegido.

O assassino aceitou o convite, investindo com assustadora velocidade. Mas Tillman já desviava o corpo do golpe e, porque precisava fazer uma escolha, decidiu que seria uma estocada no coração. A sorte o favoreceu: seu oponente, no impulso, emborcou e o ultrapassou. Nesse momento, Tillman já havia largado a adaga. Agarrou o homem em um abraço e girou sobre o pé esquerdo, acrescentando seu próprio impulso ao arremesso.

Os dois voaram pela janela alta juntos, mas o assassino *Elohim* foi o condutor nessa valsa curta e feia.

Tillman o manteve abaixo de si enquanto percorriam os 6 metros em queda até o chão. Aterrissaram em ladrilhos azuis brilhantes, em um jorro de cacos de vidro, e a gravidade cuidou do *coup de grâce*[11].

O lugar onde caíram era um espaço decorativo próximo à piscina externa, no meio de uma densa multidão de turistas que tomavam banho de sol — e gritaram e se puseram de pé aos saltos, atropelando-se para evitar a chuva de vidro estilhaçado e depois para fugir do louco coberto de sangue que assomou, cambaleando, diante deles, acima de um cadáver reduzido a polpa, como um leão sobre sua presa.

Enquanto as pessoas recuavam e corriam, o rádio de Tillman vibrou em seu cinto. Ele apertou a tecla ACEITAR e ouviu a voz de Diema.

— Tillman! Rush! O plano foi arruinado. Estavam esperando por nós. Vão nos matar primeiro e depois ir atrás dela... — Sua voz foi engolfada pelo ruído branco de disparos. Um rifle automático, provavelmente.

Tillman ergueu o rádio, já em movimento. De repente, ele tinha todo o espaço do mundo para se mover. Os banhistas fugiam dele por todos os lados e tão rapidamente quando podiam.

— Onde você está? — gritou ele.

Ouviu uma única palavra. Soou como "monte". Ou talvez "morte".

Esperou que o garoto sobrevivesse. Esperou que todos eles o fizessem.

Mas fez o que precisava fazer.

* * *

---

[11] Do francês, "golpe de misericórdia, golpe fatal". (N. E.)

Kennedy ouviu os tiros primeiro — as marteladas precisas e certeiras da arma de Diema, seguidas pelo rugido apavorante de um rifle automático, que soava como uma britadeira. Um momento depois, e muito mais perto, uma janela se quebrou.

De onde ela estava, o lado de um toldo escondia os corpos em queda de Tillman e do Mensageiro, e os primeiros gritos engoliram o som que fizeram ao chegar ao chão. Soube apenas que a violência irrompia ao seu redor — e, com isso, que o plano havia sido ao mesmo tempo um sucesso e um fracasso. Os *Elohim* haviam mordido a isca, contudo de alguma forma erraram o alvo. Ou então haviam escolhido eliminá-la por meios que envolviam muitos danos colaterais.

Ela deu três passos em direção aos sons, mas só chegou até esse ponto. As pessoas mais próximas recuaram contra ela, viraram-se e começaram a correr, infectadas pelo pânico das que estavam no epicentro do tumulto. Só que não foi realmente uma corrida. Dentro de segundos, enquanto centenas de pessoas partiam para as poucas saídas disponíveis, a multidão se aglutinou em uma única massa em luta. Kennedy não conseguia nadar contra essa maré: tentou manter-se no lugar e deixar que passasse por ela, entretanto mesmo isso era exigir demais. Foi arrastada pela onda.

Homens e mulheres com o logotipo vermelho do hotel no peito — salva-vidas, presumivelmente — tentavam dirigir a multidão e impedir que as pessoas fossem esmagadas contra as paredes. Um deles foi empurrado por um homem em fuga e caiu na piscina. *Provavelmente o lugar mais seguro para estar agora*, Kennedy pensou. Mas precisava descobrir o que estava acontecendo — e rápido.

Deixou que a massa a carregasse. Quando chegasse ao andar de baixo, na área dos vestiários, seria mais fácil desvencilhar-se e seguir seu próprio caminho.

— *Itt!* — os salva-vidas gritavam. — Aqui! Por aqui! — Dois deles, um homem e uma mulher, seguravam uma porta aberta contra a turbulência trôpega e cambaleante da multidão. Kennedy a atravessou e desceu a escada além. Cada degrau era uma luta para permanecer de pé e evitar ser pisoteada pela pressão humana.

No fim da escada, que levava ao espaço mais amplo dos vestiários, a massa se dispersou um pouco e o aperto se reduziu. Aqui também, no entanto, homens e mulheres os conduziam com urgência para a frente:

— *Itt! Itt!* — E os empurravam se parassem.

Um homem entrou no caminho deles e gritou na cara de Kennedy:

— *Itt kell mennem, asszony — itt!*

Ela seguiu pelo caminho que ele apontava, passando por outra porta lateral e entrando em um corredor de ladrilhos brancos que estava misericordiosamente vazio. Já percorrera boa parte dele quando percebeu que o homem que acabara de falar não tinha o logotipo da casa no peito. Nem usavam uma camiseta, mas uma camisa branca lisa e um terno de linho.

Ela parou e se virou, bem a tempo de ver o homem fechar a porta e bloqueá-la com uma barra, trancando-se ali com Kennedy.

CAPÍTULO 55

Assim que viu o homem andando em sua direção com a adaga na mão, Ben Rush se virou e correu. O mercado de rua estava logo ao seu lado e era praticamente o único caminho que não estava bloqueado por pessoas aos berros. Então, para lá ele foi.

Mas o sicário corria também, e, depois de um olhar desvairado por sobre o ombro, Rush soube que não venceria essa corrida a pé. Meu Deus, esse cara é *rápido*!

Assim, sua única chance era transformá-la em uma corrida de obstáculos. Ele saltou por cima de balcões ao som dos gritos indignados dos feirantes, cambaleou entre araras de roupas e caixas empilhadas, esgueirou-se sob abas de tendas e, em geral, fez o melhor que pôde para sair do campo de visão de seu perseguidor. Porém, a cada vez que pensava ter-se livrado dele, o desgraçado aparecia de novo, rastreando Rush tão de perto que não havia a menor chance de ele se esconder.

Rush era jovem e estava razoavelmente em forma, mas sabia que não poderia manter esse ritmo por muito tempo. E estava ficando mais difícil manobrar à medida que os feirantes e clientes paravam o que estavam fazendo para observar a caçada. Formavam uma parede semissólida agora, separando-o da maior parte dos atalhos que poderia ter usado e dando ao assassino — com seus olhares atentos e curiosos — uma verdadeira placa de sinalização que apontava para Rush em tempo real.

Se ao menos a Diema tivesse me dado uma arma!, pensou Rush, frenético. Contudo como é que ele poderia ter começado um tiroteio no meio de mil transeuntes inocentes? E, além disso, ele nunca havia disparado uma arma na vida. A única coisa da qual tinha certeza era de que, se tentasse fazê-lo aqui, acertaria tudo, menos o homem no qual mirasse.

Ele contornou uma esquina, braços e pernas para todo lado, e parou de supetão. Acabara a rua. O mercado chegava até o rio, e era ali que ele estava. Havia uma mureta baixa à sua frente. Bem lá embaixo, a faixa larga da Zela Utca, a estrada do rio, estava entre ele e o Danúbio. Nem mesmo um atleta olímpico poderia saltar na água daquela distância.

Rush pensou furiosamente. Ele tinha ao menos a granada de tinta. Tirou-a do bolso. Talvez pudesse deixar que o cara se aproximasse e, então, cegá-lo com ela. Mas ele já vira pessoas mexendo com essas coisas no YouTube — elas espalhavam a tinta em riscas finas, não em ondas. Eram só um estorvo, criadas para babacas bêbados que achavam que causar danos à propriedade alheia era hilário por si só.

A inspiração surgiu quando era quase tarde demais para usá-la. Ele ainda teve um segundo ou dois antes de o assassino dobrar a esquina e vê-lo novamente. Ele voou para a barraca mais próxima, que vendia *strudels* doces e picantes, segurou a granada acima da cabeça e puxou o pino.

— Debreceniiii! — gritou, com voz áspera. — O Debreceni é um bando de *escrotos*! O Poleksik é um *punheteiro*! O Liverpool comeu o rabo de vocês!

A granada estourou na mão dele. O mundo ficou verde.

* * *

Os tiros vinham de pelo menos três direções e Diema só pôde pensar em uma forma de reagir. Não poderia retribuir da mesma forma: não conseguia ver de onde estavam vindo os disparos e, se atirasse aleatoriamente, poderia matar alguém de sua própria raça — o pecado que a baniria para sempre de seu lar.

Então, continuou se soltando e escorregando pelos galhos da árvore, escondendo-se de um atirador ou outro, tentando encontrar um espaço que lhe oferecesse proteção de todos os lados. Como estratégia, não era muito melhor do que rezar.

Assim que isso lhe passou pela cabeça, percebeu que havia pelo menos mais uma opção.

Diema começou a cantar. Conhecia uma centena de bênçãos, e a maioria podia ser cantada tanto quanto falada. Começou com o hino funeral, que por razões óbvias predominava em sua mente. Esquecendo a cadência e a harmonia, ela gritou até o limite de sua voz, esperando que o som chegasse até os *Elohim* de Ber Lusim.

O tiroteio se abrandou e então parou.

Sim, Diema pensou. *Uma garota da sua cidade. Agora vocês sabem.*

Em algum lugar perto dali, uma voz se ergueu, estridente, e gritou uma ordem em aramaico adulterado:

— *Y'tuh gemae le! Net ya neiu!* — O comando era uma blasfêmia absoluta: *esqueçam quem ela é, completem a missão*. Por um momento ou dois, nada aconteceu. Mas o falante havia pronunciado a sentença de morte de Diema.

O galho no qual ela estava agachada mal era capaz de suportar seu peso — mas o galho logo acima, que ela agarrava com as mãos, era mais longo e mais grosso. Assim que o tiroteio recomeçou, ela se içou para ele, encontrou seu equilíbrio e começou a se deslocar.

Talvez ainda estivesse a 3 metros do solo — claramente visível lá de baixo, já que agora saíra da densa copa da árvore para um espaço semiaberto. Todavia estas árvores eram antigas: séculos atrás, haviam resistido juntas às incursões contra a cidade, atando suas extremidades em laços, como amantes.

No fim do galho, Diema pulou. Não mirava nenhuma parte específica da árvore vizinha, apenas usando sua folhagem para amenizar o impacto e depois seus galhos para ajudá-la a completar a queda controlada no chão.

Ela pousou em pé, o que foi um milagre muito bem-vindo. Havia um homem bem à sua frente, já se voltando — com um rifle nas mãos. Diema o baleou em ambas as pernas; então, quando ele desabou em sua direção, girou a arma para acertá-lo, golpeando com o cabo a lateral da cabeça dele. O homem já estava inconsciente antes de atingir o chão.

Ela tomou dele o rifle e retrocedeu para a colina, dardejando olhares rápidos às árvores ao seu redor. Houve movimento ali e outro grito:

— *Be hin et adom!*

Sim, Diema pensou. *Ela está no chão. Talvez vocês fiquem um pouco menos livres e tranquilos neste tiroteio ao perceber que podem acertar um dos seus.*

Enquanto isso, os disparos do rifle dela soariam como os deles e tornariam mais difícil encontrá-la. Ele também se prestava muito bem à sua nova tática. Ela estourou os joelhos de um homem com uma rápida rajada de balas e deixou-o gritando no chão. Então, esperou até que um dos companheiros dele viesse verificar o estrago — e atirou nele também. Ficaria feliz em continuar fazendo isso até que não restasse a Ber Lusim nem um único Mensageiro capaz de andar.

Continuou se movendo, sempre para cima — o que ela esperava servir para trazer os *Elohim* consigo, afastando-os dos outros. O plano era discutível agora, mas eles ainda precisavam de um Mensageiro vivo para interrogar. Kennedy ficara com o rifle de dardos tranquilizantes; portanto, era quem tinha mais chance de fisgar esse peixe.

É claro que, agora, as encostas do Monte Gellért estavam repletas de *Elohim* sem a menor condição de fugir andando, mas os comparsas destes os recolheriam assim que tivessem liquidado Diema. E, apesar dos esforços dela, não levariam muito tempo.

No mesmo momento em que pensava nisso, ela ouviu um baque suave perto dali. Olhando para baixo, viu uma granada rolar até parar junto de seu pé. Chutou a granada colina abaixo e jogou-se no chão de barriga para baixo.

Ou tentou.

Ainda estava no meio do gesto quando a onda de choque a atingiu.

* * *

Kennedy havia encontrado os *Elohim* antes e sobrevivido à experiência — sobretudo por sorte ou por ter recebido ajuda, e uma vez (em Santa Claus, Arizona) pelo já consagrado artifício de usar uma arma de fogo em uma briga de facas. Sabia o bastante para ter certeza de que, se deixasse esse homem se aproximar dela, ela provavelmente estaria acabada.

Enquanto ele avançava, ela tirou o rifle de dardos da bolsa. Então, jogou a bolsa longe, baixou a mão livre ao lado do corpo como um duelista de romance vitoriano e mirou com o dispositivo frágil, quase sem peso — segurando-o com uma só mão, o braço esticado diante do corpo, postura que ela jamais teria adotado com uma arma de verdade. Mas isso não era uma arma. Era uma versão modificada de um projetor de dardos usado por tratadores de animais de zoológico para sedar criaturas perigosas. Em vez de balas, disparava dardos com uma carga de três mililitros de fentanil. O recuo seria mínimo, pequeno demais até para sentir.

O assassino chegou a ela em três passos. Nesse momento, ela disparou ambos os dardos pré-carregados, mirando no peito dele. Entretanto os projéteis eram mais lentos que balas, assim como mais leves. O Mensageiro, cujo vício na droga *kelalit* alterava profundamente sua percepção do mundo, desviou-se deles, torcendo o corpo primeiro para a esquerda, depois para a direita.

O que manteve a mente do homem ocupada enquanto Kennedy erguia o bastão aplicador fincando-o no ombro dele.

O bastão era fabricado pela mesma empresa que fazia o rifle. Era ativado por uma mola a gás, ajustável para liberar a carga sedativa ou automaticamente ou pela pressão de um gatilho. O que Kennedy trazia consigo — adaptado ilegalmente e com seu comprimento original de 2 metros reduzido para menos de 12 centímetros — estava ajustado no modo automático. E, por ser uma ferramenta a ser usada como último recurso, carregava cinco mililitros de fentanil em vez de três.

Os olhos do assassino demonstraram um choque momentâneo quando a droga atingiu seu organismo. Mas isso não deteve seus passos. Ele arrancou o bastão da mão de Kennedy ao mesmo tempo que socava com força o estômago dela.

Ela não anteviu o soco, não tendo chance de se encolher com ele e reduzir o impacto. Dobrou-se, o fôlego deixando seu corpo em um latido ofegante de agonia. O golpe que veio a seguir sobre sua nuca a fez cair de joelhos, sua vista piscando em preto e branco.

O fentanil era uma aquisição relativamente recente da linha de sedativos comercializados. Era um composto etílico sintético descoberto nos anos 1960 e usado, primeira e quase exclusivamente, para alívio emergencial da dor. Sua ação espetacularmente rápida o tornava perfeito para ser aplicado por paramédicos em vítimas de queimaduras e traumas, e o efeito instantâneo de inconsciência era uma das razões pelas quais Diema o havia escolhido. A outra era uma singularidade química que o inventor da droga havia notado com grande entusiasmo na época: até viciados em drogas de longa data, cujos hábitos os houvessem tornado tolerantes demais a opioides para serem tratados com morfina, respondiam bem ao fentanil.

No entanto usuários veteranos de *kelalit* pareciam capazes de ignorá-la impunemente. O Mensageiro estava em cima de Kennedy agora, virando-a de barriga para baixo e torcendo seus braços às costas. Era muito mais forte que ela e treinado em técnicas de imobilização. Segurou ambas as mãos dela com uma das suas, e o aperto nem pareceu particularmente tenso, mas ela não podia se mover um centímetro sem sentir uma agonia abrasadora subir por seus braços.

Ela gritou por socorro, mas ele a ignorou. Havia gritos demais ecoando por todo o edifício para que um a mais pudesse ser notado. Com a mão livre, ele tirou uma fita plástica de algum lugar que Kennedy não pôde ver e a amarrou ao redor dos pulsos dela, bem apertada.

Então ele a puxou para que ficasse de pé, empurrando-a contra a parede de ladrilhos brancos. Sacou uma faca — uma sica — e brandiu-a diante dos olhos dela.

— Está vendo isto? — sussurrou-lhe ao ouvido. — Só balance a cabeça.

Ela balançou a cabeça.

— A lâmina está envenenada. Se eu a cortar com esta adaga, você morre. Entendeu?

Ela assentiu novamente.

— No final do corredor há uma porta. Além da porta, um estacionamento pequeno. Vamos caminhar por ele até uma *van* que está estacionada lá e você vai entrar na traseira da *van*. Faça isso sem uma única palavra, sem um único som e sem tentar fugir. Do contrário, eu a mato. Entendeu?

— Sim — Kennedy disse.

Com uma mão em seu ombro, ele a virou e a empurrou.

* * *

Quando Diema voltou a ficar de pé, descobriu que estava surda.

Dois homens corriam em sua direção, descendo a colina, mas terra e folhas ainda choviam após a explosão e o ar estava mais denso que uma sopa, então eles não a viram até que estivesse bem na frente deles. Diema deixou o primeiro homem correr até ela, abaixou-se sob ele e o atirou com força para longe. Porém fazer isso a deixou vulnerável ao ataque do segundo homem, uma perversa combinação de chutes e socos que a jogou cambaleando de costas pelo terreno traiçoeiro até que ela caísse, finalizando com o impacto chocante contra o tronco de uma árvore.

O Mensageiro levou o rifle à altura do peito, a mão livre endireitando o cano. Seu olhar cruzou-se com o de Diema.

— *Aikh kadal* — Diema murmurou, olhando profundamente, em uma súplica, para aqueles olhos escuros. *Irmão mais velho*.

O homem vacilou por um segundo. Diema disparou duas vezes, o que esvaziou o pente de sua arma. Um tiro errou. O outro acertou a mão direita do homem, estilhaçando a coronha do rifle e estourando dois dedos.

Ele desembainhava uma sica de seu cinto com a mão esquerda, quando Diema investiu contra ele, saindo do chão em um salto desesperado para chutá-lo no peito. Ele caiu duramente e levou um segundo a mais que ela para ficar outra vez de pé. A essa altura, ela havia pegado o rifle dele — que ainda seria aproveitável como porrete. Desferiu uma pancada poderosa contra a parte inferior de sua mandíbula e o impacto trepidante o nocauteou de uma vez.

A audição de Diema começava a voltar agora, mas seu corpo inteiro latejava — e, contra a dor embaçada de fundo, cada movimento causava lampejos brilhantes de agonia localizada no lado esquerdo. Ela provavelmente rachara uma costela ao cair depois da explosão da granada.

Contudo havia feito um prisioneiro. Se os outros tivessem sobrevivido, isso ainda contaria como sucesso. Diema olhou ao redor, procurando algo com que amarrar as mãos de seu atacante. O cinto dele provavelmente serviria. Ela se ajoelhou e o desafivelou, rolando o homem de lado para poder tirar-lhe o cinto.

Mas, enquanto amarrava os pulsos dele, o Mensageiro se mexeu sob as mãos dela e abriu os olhos.

— *Dekai?* — murmurou. *Vivo? Você me levará vivo?*

— Para interrogá-lo — Diema respondeu, embora tenha se esquivado de explicar o que isso poderia significar. — Queremos informações sobre Ber Lusim e o trabalho que vocês fizeram para ele.

O homem franziu o cenho. Os músculos de sua mandíbula se contorceram e sua face pálida ficou repentinamente vermelha.

Diema não percebeu o que ele estava fazendo até ser tarde demais para detê-lo. Ela lutou brevemente com a boca dele, mas, ao mesmo tempo que a forçava a se abrir, um tremor percorreu o homem. Ele se enrijeceu, de olhos arregalados, e todos os seus músculos se travaram em um ricto do corpo inteiro.

A ideia da cápsula suicida — para alguém do Povo — era tão obscena para ela quanto a ideia de o Povo matar sua própria gente. *Precioso aos olhos do Senhor é o sangue de Seus servos.* Suas vidas eram caras porque eram poucas o bastante para ser contadas. Mas Ber Lusim havia ensinado a eles novas formas de pensar.

De rosto sombrio, lutando contra as lágrimas, Diema usou o polegar e o indicador para forçar as pálpebras do homem a se fechar sobre os olhos esbugalhados.

Quando ela fez isso, algo frio e duro tocou a base de seu pescoço.

— *Akhot ha'aktana* — Hifela disse suavemente, erguendo a Sig Sauer para que a boca do cano tocasse a bochecha dela. — Irmãzinha.

* * *

Kennedy andou diante do Mensageiro, mas, quando os dois chegaram ao fim do corredor, ele passou por ela para abrir a porta. A brilhante luz solar inundou suas vistas, fazendo-a piscar e apertar os olhos.

— Ali — o homem disse, não apontando, mas empurrando-a para onde queria que ela fosse. Havia uma *van* vermelha a uns seis metros de distância. Na lateral dela, em letras pretas impressas para parecerem um estêncil militar, estavam as palavras High Energy Haulage, assim como o logotipo do dólmen.

Kennedy andou tropegamente naquela direção, arrastando os pés na vã esperança de que alguém surgisse da esquina do edifício e visse o que estava acontecendo.

Ninguém veio. Eles chegaram à *van* e seu captor abriu as portas traseiras.

— Para dentro — ordenou. Kennedy o encarou. Sua voz definitivamente ficara pastosa e havia uma inclinação assimétrica em sua postura.

Ela recuou alguns passos. O Mensageiro atirou-se na direção dela e agarrou-a pelo braço, mas quase caiu. Ele piscou rapidamente algumas vezes, como se para clarear a vista.

— Para dentro — repetiu, puxando-a em direção à *van*. Segurou a sica perto da garganta de Kennedy e, embora tenha tido o cuidado de não cortá-la, ela ficou aterrorizada: a mão do homem não parecia muito firme.

Ela entrou na *van*, com grande dificuldade por causa das mãos atadas, e girou para ficar sentada de frente para ele.

Quando o Mensageiro fechou as portas, Kennedy esticou o corpo e o apoiou no chão do veículo, chutando as portas na cara dele. A adaga voou da mão do homem, quicou com o cabo e voou pelo chão. Ele recuou um passo, vacilante, caindo sobre um dos joelhos.

Kennedy se contorceu e rolou para fora da *van*, querendo chegar ao chão e correr. No entanto o assassino já se esforçava para voltar a ficar de pé, bloqueando o único caminho para fora daquele beco sem saída. Ela simulou uma saída pela esquerda; então, quando ele deu um passo em sua direção, ela voou pela direita. Mas mesmo dopado e confuso ele era mais rápido. Girou e voltou-se, fazendo-a tropeçar.

Kennedy rolou ao atingir o chão e conseguiu firmar os pés sob o corpo. O Mensageiro moveu-se ao seu redor, colocando-se de novo entre ela e a saída. Sangue contornava os dentes cerrados dele e os olhos estavam vidrados, mas a expressão no rosto era de uma fúria assassina. Ele vasculhou o interior do casaco e tirou de lá dois bastões finos de madeira, parecidos com os cabos de uma pequena corda de pular. Um instante depois, quando a luz os atingiu, Kennedy percebeu o arame quase invisível suspenso entre os bastões.

O homem avançou contra ela e Kennedy recuou. Mas meia dúzia de passos pequeninos a levaram até a parede, que comprimiu seus ombros. Ela olhou para a esquerda, depois para a direita: não havia para onde ir. Quando o Mensageiro ergueu o garrote, ela baixou a cabeça e virou-se de costas para ele.

Ele baixou o arame, envolvendo o pescoço dela, e ela recuou para dentro daquele abraço, como se desse as boas-vindas à morte.

Mas a sica, que ela apanhara do chão quando caíra após tropeçar no homem, estava firmemente segura entre suas mãos amarradas. O assassino caminhou ao encontro da lâmina, que se afundou até o cabo em seu estômago. Kennedy a torceu, movendo as mãos para cima, para baixo, para os lados. Um *seppuku*[12] por procuração.

O homem agonizante emitiu um som sufocado de dor e protesto. Ela ouviu o impacto abafado quando ele caiu de joelhos e só então se virou para olhar. Ele estava dobrado em torno da obscena ferida, provavelmente já morto, embora seus olhos fixos parecessem perturbados por alguma percepção insondável. Kennedy disse a si mesma que o fentanil devia ter aliviado a maior parte da dor. O garrote continuava em torno do pescoço dela, os cabos de madeira pendurados como as pontas soltas de uma gravata, enquanto ela abordava o problema de libertar as mãos com uma lâmina envenenada.

* * *

[12] Também conhecido como *harakiri* refere-se ao ritual suicida praticado pelos antigos guerreiros japoneses (N. E.)

Diema baixou os braços ao lado do corpo e esperou. Reconheceu a voz de Hifela, é claro. Reconheceu-a por duas fontes: as fitas que havia estudado em Ginat'Dania e o comando que ouvira ao cantar sua bênção do topo da figueira, quando ele gritara que ela deveria ser morta, não importando quem fosse ou de onde viesse.

Então, sabia o que estava para acontecer, a não ser pelos detalhes precisos. A arma estava pressionada contra a base côncava de seu crânio, perfeitamente posicionada para um disparo de execução.

— Tenho uma pergunta — disse ela.

— Eu também — Hifela volveu em uma voz relaxada, quase casual. — Duas perguntas, na verdade. Como vocês nos encontraram e quem mais sabe disso? Obviamente, farei a mesma pergunta à *rhaka*, mais demoradamente e com maior ênfase na pontuação. Mas, já que temos este momento, irmãzinha, diga-me a verdade. Vocês quatro estão sozinhos aqui ou terei que matar novamente amanhã?

— Estamos sozinhos.

Hifela emitiu um som meio reprimido, como um bufo ou uma risada.

— Fascinante. Talvez devêssemos ter deixado que viessem, então, e visitassem nossa casa. Teria saído mais barato em termos de vidas perdidas.

Diema se retesou.

— Eu não matei ninguém — disse rispidamente.

— Você, não. Mas seu rude amigo matou pelo menos um dos homens que mandei contra ele e mutilou outro. E a granada que falhou em matar você abateu um dos nossos. Então. Agora, eu tenho metade da resposta. A outra metade, por favor. Como vocês nos encontraram?

— O frontispício do livro de Toller. Ele mostrava esta montanha. O resto foi palpite.

— Um palpite prodigioso. Mas, sim, entendo. Há um rastro de lógica aí, e nós não deveríamos ter nos colocado tão precisamente ao final dele. Um trabalho elegante, irmã. Agora, sua pergunta, antes que eu fertilize este solo com seus ossos, sangue e miolos.

— Você faria isso? — Sua voz soou fraca, até infantil, como se implorasse por misericórdia. Porém, não era isso. Era uma súplica ao mundo, para que fizesse sentido e fosse como deveria ser. Mas talvez só uma criança esperasse por isso.

— Este soldado não fez o mesmo quando se matou? — Hifela perguntou a ela. — A vida e a morte dele não valiam tanto quanto a sua?

— Diema enxergou a falha nesse raciocínio, mas, com a mente em um turbilhão, não conseguiu articular as palavras. Nem Hifela pareceu precisar de uma resposta. — Ao amadurecer — disse ele, como se tivesse lido a mente dela —, eu me tornei impaciente quanto à bagagem excessiva. O sagrado, o solene, o vínculo: tais coisas são fardos terríveis. Viajo mais leve agora. Então, sim, eu mataria você sem pensar. Sou um matador, afinal. Por que estabelecer limites para algo que é tão claro e simples? Agora, é sua última chance de fazer sua pergunta.

— Eu retiro minha pergunta — ela murmurou.

— É mesmo? — Pela primeira vez, houve algo similar a interesse na voz do homem. — Então, diga-me, garotinha, apenas por curiosidade, qual teria sido ela?

— Teria sido esta: por que você o segue? Por que partiu com Ber Lusim quando ele cuspiu sobre seu dever e abandonou seu povo? Você realmente achou que a consciência dele importava mais que toda a Ginat'Dania? Mas acho que você já me respondeu. Se nada é sagrado, o que o impediria de fazer essas coisas?

— Ah, mas eu não disse que *nada* é sagrado. — Hifela deu uma pancadinha leve na nuca dela com o cano da arma, como se fosse um professor repreendendo uma criança imprudente. — Disse?

Diema virou a cabeça para ele, muito lentamente. Sabia que isso poderia fazer com que atirasse nela, mas, já que ele atiraria de qualquer jeito, ela sentiu que não tinha muito a perder — e queria, talvez por causa daquele tom desdenhoso, daquela pancada desdenhosa, encará-lo com o mesmo desprezo quando morresse.

— Então, essa pode ser minha pergunta — disse ela, tentando imitar aquele tom, tentando cuspir ao menos um pouco do menosprezo daquele homem de volta ao rosto dele.

Ele inclinou a cabeça um pouco para o lado, mas a arma — agora apontando para a garganta dela — não oscilou nem 1 milímetro. Ele franziu o cenho.

— Perdão?

— O que é sagrado para você, Hifela?

— Ah. — Ele sorriu — um sorriso triste, frouxo, um pouco torcido no canto da boca. — Eu pensei que fosse óbvio. *Ele* é sagrado, é claro.

O momento perdurou. Diema fechou a boca, que pendia aberta. Hifela riu alto — e, embora estivesse zombando de si mesmo quando sorrira, agora zombavam dela.

— Oh, criança. Se você vivesse mais, teria muito a aprender. Mas talvez Deus nos deixe morrer quando acha que chegamos ao fim de nosso aprendizado. Quando nossa mente se fecha e tudo o que podemos fazer é viver, assim como fazem os animais e os vegetais. Feche os olhos.

— Não — ela disse.

— Se fechar os olhos, será mais fácil.

— Então, feche você os seus — Leo Tillman sugeriu.

O estrondo de um único tiro, disparado de muito perto, ensurdeceu Diema outra vez.

CAPÍTULO 56

Se Tillman estivesse atirando com a mão direita — se sua mão direita ainda funcionasse —, ele teria tentado um disparo mortal, ainda que Diema e o matador cadavérico estivessem tão próximos que praticamente se tocassem.

Ele se aproximara dos dois subindo a encosta, vindo do hotel. Tivera o sinal de GPS para seguir — Diema havia mantido o *chip* em seu bolso depois de dar a ele o rastreador —, mas, mesmo sem isso, a folhagem retalhada, os troncos marcados de balas e o sangue derramado teriam proporcionado um rastro que qualquer idiota poderia seguir. Por duas vezes ele encontrara Mensageiros seriamente feridos, aleijados por balas nas pernas, mas ainda em condições de lutar, e duas vezes tivera de trocar tiros com eles, deixando-os mortos.

Ao chegar perto o bastante, ele rastreara Diema pelo som de sua voz e da outra voz que falava com ela. Tillman aprendera a ser furtivo nas selvas de três continentes. Além disso, Diema e o homem pálido estavam inteiramente absortos naquela conversa. Não ouviram sua aproximação.

Mas ele trazia — na mão esquerda — uma arma que nunca havia usado. Só um lunático teria confiado em uma arma como aquela quando aliada e inimigo estavam tão próximos um do outro. Então, chegou tão perto quanto pôde sem alertar o homem da cara de caveira quanto à sua presença, atirou no ar e jogou-se de cabeça para a frente.

O disparo fez o que deveria fazer. Informou ao assassino que havia um perigo claro e presente, desviando a atenção dele da garota para Tillman.

Mas ainda havia 3 metros de terreno a percorrer. Com sua agilidade realçada pela *kelalit*, Hifela virou-se, ergueu a arma e disparou antes que Tillman cobrisse aquela distância.

Com sua agilidade realçada pela mesma razão, Diema bateu com a base da palma da mão no pulso do assassino, empurrando-a ainda mais na direção para a qual já seguia. O tiro passou longe.

Então, Tillman atingiu Hifela feito um aríete.

Mas, na fração de segundo antes do impacto, Hifela já havia analisado a mudança de situação e, aparentemente, tomado uma decisão.

Em vez de um, tinha dois inimigos agora. A ordem de preferência tornara-se um problema.

Ele mergulhou e girou, e, embora Diema tenha visto o chute chegando, não pôde fazer muito mais que rolar com o impulso dele. O calcanhar de Hifela acertou a lateral da cabeça dela, jogando-a para trás e colina abaixo em um tombo descontrolado.

Havia um preço a pagar. Hifela ficou sem equilíbrio quando Tillman o acertou e teve de enfrentar o ataque do grandalhão de frente. A mão esquerda de Tillman desceu, golpeando a arma de Hifela e soltando-a de sua mão, e ele deu sequência à agressão com um golpe lancinante no estômago de Hifela. O Mensageiro simplesmente o suportou, notando que o punho do oponente havia se desacelerado no instante antes do impacto, sugerindo algum ferimento no braço direito. Com Tillman agora bem ao seu alcance, ele contra-atacou com força e rapidez.

Uma tempestade de chutes, socos e outros golpes atropelou Tillman em um instante e ele cambaleou para trás, deixando cair sua arma e sofrendo danos ao mesmo tempo que se defendia. Hifela o seguiu, mantendo a pressão. Tillman soube na mesma hora que estava em desvantagem. Não venceria essa luta, e, a não ser pela interferência de fatores externos, não seria capaz nem de aguentar muito mais tempo. Um desses fatores externos movia-se pelo terreno atrás de Hifela. Tillman tentou deslocar-se na direção oposta, forçando o assassino a ficar de costas para Diema, mas mal conseguia manter-se de pé.

A garota agiu, mas Hifela pôde vê-la pelo canto do olho. Ele saltou quando ela mergulhou, virou-se ao pousar e plantou um chute no diafragma de Tillman, pegando-o desprevenido e forçando-o a virar-se e receber o chute na coxa, sua única defesa possível. Não havia abertura, não havia brecha no virtuosismo aterrador da violência de Hifela.

Diema tentou novamente. Seus movimentos estavam vagarosos — o golpe na cabeça a deixara ferida e atordoada —, mas ela se forçou a apoiar-se nas mãos e nos joelhos e preparou-se para outra investida.

Sem nem mesmo olhar para ela, Hifela raspou o calcanhar no chão, mandando poeira e cascalho contra o rosto dela. Depois, girou no lugar e a chutou exatamente no mesmo ponto — a lateral da cabeça. Enquanto ela caía, ele trocou de pé e repetiu o golpe. Desta vez, Diema ergueu as mãos para bloquear o golpe, mas foi lenta demais. A bota de Hifela atravessou sua guarda sem desacelerar e acertou-a na têmpora.

Era um insulto tanto quanto um ataque, uma demonstração do poder absoluto do assassino sobre os dois oponentes. Entretanto desta vez houve uma brecha, pois o último chute o obrigou a afastar-se um pouco de Tillman. Este se lançou na brecha, os punhos martelando, mas Hifela não estava mais lá. Saíra do seu alcance, rolando e erguendo-se de novo, agora com a arma de Tillman na mão. Ele havia antecipado aquele movimento, provavelmente o convidara a fazê-lo. Estava à frente deles o tempo todo.

Olhando para o cano da Beretta, Tillman — que contava seus tiros obsessivamente — sabia que esta era a melhor chance que teria. Provavelmente a única. Ele se encaminhou ao ataque de Hifela assim que o gatilho da arma vazia, pressionado, disparou um ruído surdo, e o agarrou em um apertado abraço de urso.

Não era lá uma grande tática. Ele conseguiu prender o braço direito do assassino contra o corpo, mas o esquerdo ficou livre. Esperava apenas manter o homem mais ou menos imobilizado enquanto a garota se recompunha e o atacava por trás.

Hifela reagiu martelando-o na cabeça com uma força absurda e agonizante. Tillman viu estrelas — depois, a escuridão entre as estrelas. Ele estreitou o abraço, enterrando o rosto no ombro do assassino, forçando-o a baixar o braço em um ângulo oblíquo e, com isso, anulando um pouco da força do segundo soco, e do terceiro.

Não houve um quarto. Tentando romper o aperto de Tillman, os dedos tateantes de Hifela haviam encontrado o cabo da sica que ainda estava fincada no ombro de Tillman. Ele a puxou, soltando-a, e cravou-a outra vez, mais alto e em um ângulo mais oblíquo.

O choque da agonia e o quase rompimento de seu músculo trapézio forçaram Tillman a abrir os braços. Inclinando-se para longe dele, Hifela ergueu a faca velozmente, deixando um rasgo diagonal no peito do oponente. Então, trouxe-a para junto de si, para o alto, preparando-se para uma estocada final no coração de Tillman.

Aceitando o risco do qual Tillman se esquivara, Diema mirou a cabeça do assassino e disparou. A bala atravessou obliquamente o crânio de Hifela, entrando pelo lobo occipital e saindo pela órbita do olho esquerdo.

O corpo de Hifela — aquele sofisticado instrumento — rebelou-se contra ele. Congelou no ar com a adaga ainda em riste, embora sua mão tremesse violentamente, como se ainda tentasse baixá-la. Então, o espasmo cessou e ele emborcou.

Tillman pegou o pulso de Hifela e o girou, lentamente, inexoravelmente, de forma que os dois ficassem virados de lado para Diema. Pôde vê-la de joelhos, a expressão abobalhada pela concussão, os olhos vidrados, a arma — a Sig Sauer Pro 2022 do próprio Hifela — segura diante do rosto como uma oferenda em um altar que ninguém mais podia ver. O tiro na cabeça devia ter sido uma chance em 1 milhão, mas a arma fora um presente, e ela o aceitara.

De fato, já que restavam 11 balas no pente, ela o acertou 11 vezes.

Hifela desabou de joelhos na terra, depois seu corpo inteiro veio abaixo. Tillman caiu ao lado dele, incapaz de manter-se de pé por mais um segundo. Acabou encarando o rosto frouxo e assombrado do assassino.

— *Bilo b'eyet ha yehuani* — Hifela chiou. — *Siruta muot dil kasyeh shoh.*

As palavras soaram liquefeitas, mas muito distintas. Saíram dele à força, assim como seu espírito.

CAPÍTULO 57

Kennedy os encontrou primeiro — seguindo a mesma trilha que Tillman seguira —, mas sabia que não poderia ter tido muito mais êxito que o resto do grupo. A polícia local — era o Çevik kuvvet, o esquadrão antiterrorista — havia ido diretamente ao hotel, pois dezenas de testemunhas haviam presenciado tiros e havia cadáveres, um deitado de bruços perto da piscina externa e outro no estacionamento dos funcionários. Mas tiros e explosões haviam sido ouvidos também no parque do Monte Gellért, então este seria a próxima parada da polícia.

Tillman estava inconsciente e quase certamente morrendo. O chão ao redor de seu corpo estava tão saturado de sangue que os sapatos de Kennedy afundaram nele. O sangue ainda brotava de feridas profundas em seu ombro e ao longo do peito — mas de forma fraca e intermitente, como as últimas gotas extraídas de um barril quase vazio.

O homem estirado ao lado dele estava morto. Uma dúzia de buracos de bala, cada um uma esfera negra rodeada de uma crosta marrom-avermelhada, se destacavam como flores murchas na pele branca e morta.

E havia outro homem, também morto, contudo sem feridas aparentes a não ser pela mão danificada — e Diema, tentando se levantar e falhando. A frente da camiseta da garota estava encharcada de vômito e seus olhos injetados de sangue pareciam incapazes de focar.

Kennedy amparou o peso dela e a ajudou a sentar de costas para uma árvore.

— Você está em choque — disse. — Não tente se mexer. — O olhar de Kennedy continuava a relancear de volta a Tillman, o rosto pálido e a camisa arruinada. Ela precisava fazer alguma coisa. Provavelmente era tarde demais, mas tinha de tentar.

Sacou o telefone e começou a digitar o número da emergência. Se a Hungria fosse parte da União Europeia, teria de ser 112. Se não, ela tentaria falar com uma telefonista e pediria que a transferisse.

A mão de Diema se fechou sobre o pulso de Kennedy e o arrastou para baixo.

— Canal zero — Diema balbuciou.

— Vou chamar uma ambulância — disse Kennedy, livrando a mão. — Tente ficar acordada.

— Canal zero! — A garota tateou em busca do radiotransmissor e o desenganchou do cinto na terceira tentativa. Mas então ficou apenas olhando para ele, incapaz de ver as teclas com clareza suficiente para apertá-las.

Kennedy tomou o rádio de Diema e o ligou.

— O que é o canal zero? — perguntou.

— Diga a eles... onde estamos. — As mãos da garota estavam no cinto novamente, procurando mais alguma coisa. Kennedy abriu o canal e ouviu o chiado de uma linha existente.

— *Ayn?* — Era uma voz masculina, nítida e clara.

Um arrepio percorreu o couro cabeludo de Kennedy.

— Estamos no Monte Gellért — disse.

Uma pausa.

— Quem fala, por favor?

— A Diema está aqui — Kennedy disse. — Diema. Diema Beit Evrom.

— *Pere echon!* — Diema gritou, soando feito uma bêbada. — *Pere echon adir!*

— Eu disse...

— Nós a ouvimos — o homem respondeu rapidamente. — No Monte Gellért. Lado norte ou sul?

— Norte. Logo acima do Hotel Gellért.

— Mantenha o canal aberto. Estamos indo.

Kennedy baixou o rádio e olhou para Diema — ou melhor, para o que Diema segurava na palma da mão. Uma pequena seringa hipodérmica, do tipo que os diabéticos usam para aplicar insulina no próprio corpo, e uma ampola com um líquido claro. Caíram no chão quando as mãos da garota vacilaram.

— *Dal le beho'ota* — Diema disse.

Kennedy pegou a seringa e a sacudiu diante do rosto da garota.

— Diema, o que você quer que eu faça com isto? — gritou. — Em inglês! Fale inglês!

Os olhos da *Elohim* voltaram brevemente a ter foco.

— Aplique no coração dele — disse.

CAPÍTULO 58

Houve um momento de dor e de reunião, mas foi breve. Ainda havia muito a ser feito.

A equipe local dos *Elohim* de Nahir, leais ao Povo e ao juramento que fizeram, tirou Tillman do Monte Gellért em plena luz do dia, no interior de uma maca adaptada para simular um carrinho de sorvete. Diema e Kennedy caminharam ao lado deles, os rostos abatidos escondidos sob máscaras com o rosto de Polichinelo, o espancador de esposas e assassino de crianças cômico da *commedia dell'arte* italiana. Os corpos dos *Elohim* que haviam morrido na colina também foram removidos — por outros meios que Diema e Kennedy não estavam em condição de questionar.

No esconderijo mais próximo, atrás da fachada selada com tábuas de uma antiga floricultura na Stollár Béla Utca, Diema foi examinada por médicos *Elohim*. Sua concussão era leve e já estava passando, mas ela tinha duas costelas partidas, que eles enfaixaram, e um dedo quebrado que ela nem se lembrava de como havia acontecido. Recusou impacientemente as drogas analgésicas que lhe foram oferecidas e — assim que conseguiu pensar com clareza — perguntou como estava a saúde de sua equipe.

Os prisioneiros, Nahir disse a ela, estavam em segurança. O inglês provavelmente morreria, mas os outros estavam em condições relativamente estáveis, prontos para serem interrogados quando ela desejasse.

Diema ficou na ponta dos pés para deixar seu rosto tão perto quanto possível do de Nahir e disse a ele que seria inconveniente se o inglês morresse. Tão inconveniente, na verdade, que se isso acontecesse ela cuidaria para que Nahir passasse os próximos anos na principal fossa de Ginat'Dania, limpando canos de esgoto com a língua.

— Ainda sou a emissária de Kuutma — ela lembrou a ele com uma calma feroz. — E, enquanto eu estiver aqui, na sua cidade, você responde a mim.

Médicos foram convocados e orientados. A condição de Leo Tillman foi avaliada e abordada.

Depois, Diema os mandou encontrar e trazer Ben Rush. Ele estava no Hospital Uzcoci, servindo como campo de testes de costura para uma enfermeira com braços bem musculosos, vários metros de sutura e uma robusta ética profissional. Exaustivamente atingido por punhos, botas e muitos utensílios *ad hoc*, o garoto estava irreconhecível. Já recebera 73 pontos nos vários ferimentos do rosto, couro cabeludo, ombro e lados do corpo. A enfermeira estava otimista em relação à vista do seu olho esquerdo, mas só a longo prazo. Por enquanto, o olho estava fechado, inchado e rodeado por 35 daqueles pontos.

Quando os dois estranhos apareceram junto à cama de Rush e disseram a ele que Diema os enviara, ele supôs que estavam lá para matá-lo e recusou-se terminantemente a ir com eles, lutando para manter o controle de sua bexiga.

— Ela disse — Shraga acrescentou, entregando a mensagem de Diema com um cuidado escrupuloso — que ninguém além de você jamais reclamou dos seios dela, e que um garotinho que gosta de seios grandes provavelmente tem uma fixação sexual doentia pela própria mãe.

Rush mudou de ideia e concordou em acompanhá-los, embora ainda sentisse medo de ganhar um corte na garganta até o momento em que viu Diema.

Contou a ela o que havia feito e como havia sobrevivido. A granada de tinta havia mascarado seu rosto ou, pelo menos, dado a ele uma vaga semelhança com os rostos das dezenas de outras pessoas que estavam dentro do raio de efeito da bomba quando ela explodiu. E, como a maioria delas já se amontoava sobre ele, cada uma ansiosa por ser a primeira a estourar os dentes de Rush e fazer com que os engolisse, a confusão se agravara. O Mensageiro enviado para matá-lo, vendo-se às margens de uma escaramuça cada vez maior e com o som das sirenes da polícia já contaminando a brisa do verão, havia se retirado discretamente.

Rush também se lembrou de agradecer a Diema pelo aviso que ela lhe dera quando o sicário surgira. Ela respondeu que se ressentia de ter sido forçada a usar aquelas balas e que, no futuro, não desperdiçaria nenhum segundo de seu precioso tempo cuidando da sobrevivência dele. Por dentro, ficou tanto surpresa quanto (relutantemente) impressionada de que o garoto tivesse escapado vivo da batalha — e que tivesse feito isso usando a bomba de tinta que ela lhe oferecera em sinal de desprezo. Lembrou-se de um de seus professores dizendo a ela, depois de ter obtido a pontuação perfeita em um teste, que era melhor ter sorte do que ser bom. O garoto provavelmente era tolo demais para perceber que havia acabado de usar toda a sua cota de sorte de uma só vez.

A essa altura, Diema já havia extorquido outras concessões do pessoal de Nahir. Kennedy havia sido levada para uma cela com uma cama e Tillman para uma sala completamente desinfetada, na qual um pacote completo para tratamento de trauma havia sido meticulosamente montado.

Diema exigiu um relatório, que os médicos obedientemente forneceram. O homem adamita, disseram, havia perdido mais de dois litros de sangue — quase o máximo que um corpo humano poderia verter sem se desligar para sempre. A antitoxina que Diema havia feito Kennedy aplicar nele provavelmente evitara, por um triz, que ele entrasse em choque clínico — e permitira que sobrevivesse por tempo suficiente para receber uma transfusão. Mas os ferimentos eram terríveis. A avaria no braço direito, em especial, provavelmente seria irreversível, e eles não conseguiriam saber se houvera ou não algum dano cerebral até que ele recobrasse a consciência — evento para o qual não havia uma estimativa realista.

Ela foi vê-lo. Um médico examinava as reações pupilares, mas afastou-se da cama quando Diema entrou na sala e esperou com os braços ao lado do corpo.

— Saia — Diema disse a ele. — Fique lá fora até que eu o chame.

O médico inclinou a cabeça e se retirou.

Ela foi até a cama e baixou o olhar para Tillman. Parecia velho e fraco e muito feio, a pele manchada de vermelho e branco pelos vasos sanguíneos rompidos, as bochechas afundadas. Tubos de fluido e eletrodos conectados a máquinas de monitoramento decoravam sua pele ou penetravam nela. Um leve cheiro de suor e desinfetante emanava dele: o cheiro das más notícias recebidas em salas bem iluminadas.

Diema lutou contra o enigma, porém não conseguia resolvê-lo sem algum tipo de pista, e todos aqueles que poderiam lhe dar essa pista estavam mortos. Sua mãe, Rebecca, que tirara a própria vida. Kuutma-que-se-foi, que, no final, morrera por ter lidado muito mal com a morte de Rebecca. E seu pai — o pai de quem ela se lembrava, erguendo-a e carregando-a (enquanto ela chorava e chutava) para longe de seu desenho não finalizado. O pai que habitava principalmente o território causticado em meio ao matagal de sua memória, e que incendiara pessoalmente a maior parte desse terreno.

Você é ele?

A coisa vermelha e branca na cama, cheia de fios e cabos feito uma marionete, não pôde lhe responder. Ela pensou em Polichinelo. Não importava qual fosse a pergunta, a única resposta de Polichinelo era agarrar seu bastão, que ele embalava como uma criança nos braços, e cometer outro assassinato. E pensou em Wile E. Coyote, cuja implacável inimizade pelo Papa-Léguas era a essência do seu ser.

Ela quisera que Tillman fosse assim: um personagem de cartum, simples e previsível e fácil de odiar. Fora dessa forma que ela sempre o vira, mesmo antes de saber o que eram cartuns. Ainda poderia vê-lo assim, com um pequeno esforço.

Mas havia mais alguém. Alguém que viera até ela quando precisara dele, em vez de tentar salvar a *rhaka*, que era sua amiga e aliada. Que enfrentara Hifela, a Face da Caveira, com o braço inutilizado, e deixara seu peito ser fatiado como torresmo enquanto fazia o que podia para dar a Diema uma chance de atirar.

As palavras de Hifela ecoaram na cabeça dela. *Y'tuh gemae le. Net ya neiu.*

Um membro do Povo tentara matá-la. E o pai de sua carne a salvara. Precisava admitir o paradoxo e lidar com ele.

Ou tornar-se, ela mesma, um personagem de cartum.

Era hora de parar de adiar o inevitável. Ela foi ver Kennedy — que explodiu feito uma bomba assim que a porta se abriu.

— Cadê o Leo? O que vocês fizeram com ele? — A mulher deu um passo na direção de Diema, nem um pouco intimidada pelos dois *Elohim* que vieram, estoicos e vigilantes, se postar ao lado dela. — Se ele estiver morto...

— Está vivo — Diema disse. — Mas por pouco. Sente-se, Heather. Por favor.

Kennedy obedeceu — talvez porque ouvir sobre a condição de Tillman tivesse drenado um pouco sua força, ou talvez porque havia percebido que Diema se dirigia a ela usando o primeiro nome e, com isso, notado que algo importante havia mudado.

Diema mandou os Mensageiros saírem com um gesto breve e fechou a porta depois que se foram.

— Me diga — Kennedy pediu, com a voz tensa. — Me diga como ele está.

Diema recapitulou a perda de sangue, os ferimentos no peito e no ombro, o coma contínuo. Foi um resumo conciso, completo e fatual. Seus professores teriam ficado orgulhosos.

— Mas ele vai se recuperar — Kennedy disse, não exatamente perguntando, muito menos implorando. — É o Leo. Ele vai sair dessa inteiro.

— Eles acham que sim — Diema volveu. — Exceto pelo ombro. Dizem que o dano ao músculo foi muito severo. Fizeram o possível para recolocá-lo no lugar, mas não podem prometer nada.

— E quem são *eles*, Diema? — Kennedy exigiu saber, bruscamente. — Quem são os médicos a quem você confiou a vida dele? Este lugar não é um hospital. É uma prisão. Então, em nome de Deus, onde foi que você arranjou esses médicos?

— Não é uma prisão — Diema respondeu. — É só um esconderijo. Os médicos fazem parte da equipe aqui, mas estão em contato com outros doutores em Ginat'Dania. Falaram com nossos curadores mais habilidosos, receberam conselhos. E esses outros médicos estão a caminho daqui agora. Eu pedi que fossem enviados e eles estão a caminho. — Ela não se vangloriava: apenas afirmando um fato. Kuutma prometera a ela todo o apoio de que precisasse, sem questionar. E ela dissera a ele que precisava disso.

— Quero vê-lo — Kennedy disse.

— Ele está inconsciente. Não vai saber que você está lá.

— Quero vê-lo.

Diema assentiu.

— Tudo bem.

— E o Rush? O que aconteceu com ele? Quero ver os dois.

— Sim — Diema concordou. — Eu prometo. Mas, antes, preciso perguntar algo a você. A missão chegou a...

— Ah, meu Deus! — Kennedy se enfureceu. — Não. Nem começa. Nós fizemos o possível. Fizemos tudo o que deu pra fazer, mas fomos vencidos. Deveríamos ter sabido disso antes de entrar nessa. *Não* foi culpa nossa a missão ter sido um fiasco!

— Não.

— Se tivesse sido qualquer outra pessoa que não o Leo, eu *teria sabido* que isso era loucura. — Agora, Kennedy estava falando mais consigo mesma que com Diema. Balançava a cabeça em um espanto consternado. — Eu achei que ele fosse alguma porcaria de Super-Homem. E aí deixei que ele partisse para cima daqueles... daqueles monstros, e eu mesma fui para cima deles. Como se a gente tivesse alguma chance. Mas não tinha. A gente fracassou porque tinha que fracassar, Diema.

— Nós não fracassamos.

— Porque ninguém conseguiria encarar todo um...

— Heather, nós não fracassamos.

Finalmente Kennedy se deteve, assimilando o que estava ouvindo.

— O quê? — murmurou, confusa. — O que você está dizendo? Todos eles morreram. Ou então escaparam. Não conseguimos nada.

— Conseguimos tudo de que precisávamos. Eu sei onde Ber Lusim está. E vamos atrás dele. Só estamos esperando o equipamento chegar. Foi por isso que vim aqui. Para perguntar se você quer ir. Acho que merece esse direito. E acho... — Ela hesitou. Era difícil moldar as palavras em torno dos conceitos desagradáveis que elas cobriam. — acho que você vai ficar mais segura comigo do que se eu a deixar aqui.

O olhar fixo de Kennedy estava repleto de surpresa e desconfiança. Talvez também houvesse uma acusação ali.

— Não estou lhe pedindo pra matar ninguém — Diema disse. — Você já me disse que isso não é algo que acredita poder fazer. — A essa altura, ela já vira os relatórios policiais do Hotel Gellért e sabia o que Kennedy havia feito com um assassino treinado usando uma sica. Mas sentia que era melhor deixar essa conversa para outra ocasião. — É pelas suas habilidades. Preciso de você como detetive.

Kennedy foi implacável — e amarga:

— Para encontrar o quê? Uma coisa que você afirma já ter encontrado? Acha que eu nasci ontem, menina? Acha que não sei como você nos teve na palma da mão o tempo todo? Você deixou o Leo rastrear sua moto para que ele te seguisse até aquele depósito. Deixou que encontrássemos o livro do Toller sozinhos e depois veio nos dizer o que havia nele. Você só precisava do Leo para cortar umas gargantas. E só precisava de mim para trazer o Leo. O que, Deus me perdoe, eu fiz. Mas pra mim já chega. Vá em frente, jogue o seu jogo.

— Mas foi você quem nos trouxe até aqui — Diema disse. — Você e o garoto. Vocês juntaram as coisas que sabiam e extraíram um sentido delas. Deram-me uma direção. Quero que estejam comigo quando eu entrar na casa de Ber Lusim, caso isso seja necessário outra vez. O que quer que esteja lá, o que quer que ele tenha planejado, seria de grande ajuda para mim se eu pudesse enxergar com seus olhos.

— É uma pena. Porque meus olhos vão ficar bem aqui, com o resto de mim. Com o Leo.

A impaciência de Diema tornou-a impetuosa. Ela estapeou o rosto de Kennedy com força.

A reação de Kennedy, antes mesmo de registrar a dor do tapa, foi plantar um soco na mandíbula de Diema. Esta recebeu o golpe sem nenhum som, sem nem mesmo se retrair.

— Sua dor — Diema disse, sentindo o estreito filete de sangue escorrer do canto da boca — e a minha dor. São a mesma dor?

Kennedy havia recuado, braços erguidos, preparando-se para uma briga. Não pareceu incomodá-la o fato de que provavelmente seria uma luta bem rápida — que ela perderia. Mas a pergunta a perturbou. Ela baixou as mãos, perplexa. Então, após um momento, descartou-a, fazendo um gesto de desgosto e rejeição.

— Por favor, saia daqui — ela disse a Diema. — Me deixe ver o Leo ou então saia. Não tenho nada pra você.

— Responda à pergunta. Sua dor...

— Como é que eu vou saber se é a mesma dor? — Kennedy gritou. — Não vivo dentro da sua mente, né? Não sei o que você sente. Nem *se* você sente alguma coisa. Não sei nada sobre você a não ser o seu nome, e até isso é meio discutível.

— Mas somos todos iguais — Diema disse. — Por dentro. É nisso que você acredita, não é?

Kennedy a encarou, zangada e incrédula.

— Não importa no que eu acredito. Não é no que você acredita. Você crê em uma criação separada — seu povo de um lado e o resto do mundo do outro. Os escolhidos e a ralé.

— Então, qual de nós deveria se importar mais com a morte de um milhão de pessoas? — Diema perguntou.

Não esperava uma resposta, mas ficou satisfeita quando a mulher reagiu — uma sucessão de emoções surgindo brevemente em seu rosto, como uma série de *slides*. Em casa, em Ginat'Dania, Diema estava acostumada a dizer o que pensava, e mais acostumada ainda a se recusar a dizê-lo. Mas, no mundo adamita, falar era como lutar. Você dizia o que lhe desse uma vantagem.

— Você não precisa de mim — Kennedy disse. — Tem tudo de que precisa. — Mas não havia convicção em sua voz, e um instante depois ela voltou a falar: — Você conseguiu pegar algum dos homens do Ber Lusim vivo, afinal? Esteve interrogando o cara esse tempo todo?

Diema teve então certeza de que havia vencido. Mas não deixou que essa percepção se exibisse em seu tom de voz.

— Vai haver uma reunião — contou a Kennedy — daqui a meia hora. Nesse momento, o equipamento que pedi já terá chegado e estaremos prontos para ir. Eu gostaria que você participasse. Pode tomar sua decisão final depois que tiver me ouvido.

Ela saiu, sinalizando para que os *Elohim* trancassem a porta depois. Não havia mais necessidade de conversa.

Exceto com Nahir, que ainda estava incerto quanto ao que ela estava lhe pedindo para fazer. Teria de discutir com ele. E com o garoto, que precisaria simplesmente obedecer.

O garoto.

Ronald Stephen Pinkus, que mais uma vez se erguera do túmulo para assombrá-la e atormentá-la.

* * *

— Nós armamos uma emboscada, mas não funcionou. Na verdade, nós é que acabamos emboscados.

A voz de Diema ressoou, quase alta demais na sala pequena e lotada. Além de Nahir, havia mais de 40 Mensageiros, muitos dos quais haviam chegado recentemente. Estavam sentados em cadeiras dobráveis, coisas frágeis de aço inoxidável e plástico preto, silenciosos e vestidos no linho tecido a mão de sua pátria. Eram vetores de uma terrível violência, misteriosamente suspensa. Aves de rapina, de alguma forma, trazidas à terra e persuadidas a posar para uma foto em grupo.

Em meio a eles estavam Kennedy e Rush, cercados de assentos vazios. Ninguém queria ficar perto da *rhaka*, a loba, e receber a mácula de sua proximidade.

Diema parou, alarmada, e limpou a garganta. Houvera uma nota elevada e estridente em sua voz. Ela soara como uma idiota. Pior: soara como uma criança. As palmas de suas mãos estavam quentes e úmidas.

Entre todas as coisas que havia feito, e as que haviam sido feitas a ela, nos últimos três anos, ela nunca havia sido chamada a falar em público. Temia, agora, que tal coisa estivesse além do seu conjunto de habilidades.

Tentou novamente:

— A ideia era atrairmos um dos Mensageiros de Ber Lusim para que tentasse capturar Heather Kennedy, como já haviam tentado fazer na Inglaterra, ao fazermos parecer que sabíamos onde ficava a base deles. — Ela olhou de uma face grave para outra. — Essa parte funcionou. Só que eles não vieram apenas atrás de Heather Kennedy, vieram atrás de todos nós. E não mandaram um Mensageiro. Mandaram vários.

— Mandaram só um atrás de mim — Rush disse. — Acabou sendo um erro. — Considerando o estado de seu rosto e o fato de que sua voz abafada e distorcida só saía de um dos lados da mandíbula horrivelmente inchada, ele pretendera fazer uma piada, certamente. Quarenta *Elohim*, desprovidos de qualquer senso de humor no que se referia a seu chamado sagrado, fitaram-no em sinistro silêncio.

— Havia mais de uma dúzia, ao todo — Diema disse, apressadamente chamando a atenção deles de volta para si. — Não sabemos dizer exatamente quantos eram, pois eles esperaram até que nos separássemos e nos atacaram em grupos menores. O último a cair foi Hifela, a quem todos vocês conhecem, ou ao menos já ouviram falar dele.

De repente, a sala tornou-se sibilante com dezenas de conversas sussurradas. Diema esperou que cessassem. Usara aquelas frases deliberadamente e queria que seus compatriotas refletissem, por um momento, sobre o que significavam — que doze *Elohim* haviam sido enviados contra três adamitas, dois dos quais estavam sentados diante deles, ainda vivos.

— Nós encontramos Hifela na encosta do Monte Gellért — ela disse. — Quando digo "nós", refiro-me a mim mesma e... e Leo Tillman, já conhecido pelo Povo por ter... — Sua garganta ficou seca e ela teve de limpá-la outra vez. — Já conhecido pelo Povo de outros tempos e outros contextos. Hifela lutou bravamente e poderia ter vencido. Alguns de vocês viram o corpo dele, então sabem. Foram necessárias doze balas para matá-lo.

"E, enquanto jazia no chão, ao nosso lado, ele disse estas palavras: *'Bilo b'eyet ha yehuani. Siruta muot dil kasyeh shoh'*."

Mais murmúrios pela sala. A maioria dos Mensageiros pareceu confusa ou desconcertada. Nahir franziu o cenho.

— Hifela não pode ter dito isso — afirmou ele.

— Eu estava a menos de 1 metro dele, irmão. Conto apenas o que ouvi.

— Então ele se referia ao professor. O apóstata, Shekolni. O chão onde ele caminha.

— Não foi isso que ele disse.

— Alguns de nós — Kennedy disse, interrompendo-os em voz alta — são deficientes em aramaico. Se houver uma razão para estarmos aqui, alguém vai ter que traduzir isso.

Nahir olhou para ela de relance, avaliando-a friamente, e voltou-se para Diema.

— E *há*? — perguntou. — Alguma razão para eles estarem aqui? Muitos de nós têm essa dúvida.

Diema respondeu à pergunta de Kennedy, ignorando a de Nahir:

— Hifela disse: "Leve-me ao meu Convocador. Deixe-me morrer em solo sagrado".

— E por que isso é importante? — Kennedy quis saber.

— Porque o único solo sagrado é Ginat'Dania — Diema respondeu.

Houve uma sensação, mais do que um som, dos *Elohim* reunidos prendendo a respiração, da tensão no ar subindo a um novo grau e talvez mais um grau depois deste. Diema cruzou olhares com Kennedy. O garoto nada entenderia, mas a *rhaka* saberia quão fina era a corda bamba na qual eles andavam — tão fina quando o fio de uma adaga. Não se falava aos filhos de Adão sobre Ginat'Dania. Entre tudo o que não se podia fazer, essa era, talvez, a coisa mais proibida. Em uma sociedade que vivia no vértice de uma curva de catástrofe, o instinto de autopreservação era profundamente enraizado e apoiado por outros instintos.

— Apesar da liberdade de ação que lhe foi concedida — murmurou Nahir suavemente —, você vai ter que tomar cuidado com o que diz.

Diema olhou-o nos olhos, sem vacilar. Este era um momento pelo qual ela deveria caminhar como quem caminha sobre o fogo.

— A mulher, Heather Kennedy — ela disse —, e o homem, Benjamin Rush, já sabem que Ginat'Dania existe. Mais que isso, sabem que antigamente ela existia aqui. Foi necessário contar essas coisas a eles para rastrear Ber Lusim até onde conseguimos rastreá-lo — o que você, Nahir, com todos os seus recursos, não foi capaz de fazer.

— Eu tenho uma adaga — uma mulher em uma das últimas fileiras de Mensageiros bradou. — E uma consciência. Diga-me por que eu não deveria exercitar ambas.

A mulher estava sentada diretamente atrás de Kennedy. Kennedy não olhou para trás: sabia que a jogada pertencia a Diema, e seu bom senso mandou que não ficasse no caminho.

— Exercite seu cérebro, irmã — Diema respondeu friamente. — Essa é a parte que está negligenciando. A mulher sabe disso há anos e Kuutma a poupou. Mais: Kuutma sancionou o envolvimento dela em tudo isto. Ela tem a bênção de Kuutma — a primeira adamita em uma centena de vidas a receber tal bênção. Tudo o que *você* tem é um desejo de que as coisas possam ser como eram nos velhos tempos. Mas os velhos tempos estão mortos. E, se você se apegar a eles agora, morrerá também.

Não foi — exatamente — uma ameaça. Seria difícil dizer o que foi. A Mensageira abriu a boca, mas voltou a fechá-la sem falar. O sangue lhe subira ao rosto e ela baixou a cabeça para esconder o fato, frustrada.

— Ginat'Dania — Diema disse para todos na sala —, a viva e eterna Ginat'Dania está muito longe deste lugar e dos olhos dos adamitas. Mas, 300 anos atrás, Ginat'Dania estava aqui. Nas cavernas sob o Monte Gellért e a Colina do Castelo, e sob o próprio Danúbio. Foi para lá que Hifela pediu que o levasse. Foi lá que Ber Lusim estabeleceu seu lar — em um labirinto de túneis e câmaras vasto o suficiente para abrigar um milhão de pessoas. É o esconderijo perfeito, se você quiser se esconder dos adamitas. Mas não se quiser se esconder de nós. Temos mapas da cidade que datam do tempo em que era habitada e podemos organizar uma busca que os trará às nossas mãos.

— Pensei que suas mãos tivessem que ficar vazias. — Ben Rush encolheu os ombros em um pedido zombeteiro de desculpa quando todos os assassinos santos se voltaram, mais uma vez, para olhar malignamente para ele. — Quero dizer, achei que a questão fosse essa. Vidas humanas são descartáveis, mas vocês não matam sua própria gente. E você não tem mais o Tillman para fazer o trabalho sujo. Então, como fica? Você forçou uma mudança nas regras? Agora tem licença para matar?

Diema ignorou a entonação sarcástica: a zombaria do garoto era um gancho tão bom para o assunto quanto qualquer coisa que ela pudesse ter ensaiado.

— A mentalidade adamita — disse ela aos *Elohim*, sorrindo e convidando todos a sorrir da estupidez de Rush. — Percebem quão pouco eles são capazes de entender, mesmo quando colocamos as respostas ao seu alcance? É por isso que não precisamos temer o que eles sabem. No fim, o que sabem é sempre o mesmo que nada.

— O que eu sei é... — Rush começou, mas Kennedy agarrou com força seu braço, fazendo-o parar por ali.

— Não há uma licença para matar — Diema disse, abrindo uma das caixas que tinha diante de si. — As regras, aquelas que realmente significam alguma coisa, não mudam. Mas, quando uma nova situação surge, aplicamos as regras de diferentes maneiras.

Ela mostrou a todos um rifle de dardos — o irmão maior e mais cruel do aparato que Kennedy usara — e como funcionava. Disse que ele derrubaria os *Elohim* de Ber Lusim sem nenhum risco de matá-los. Mas deixou de mencionar o fato de que as balas que haviam assassinado Hifela haviam sido disparadas por ela, não por Leo Tillman — que ela já havia quebrado aquele último tabu.

Quando o Povo descobrisse isso, seria o fim da vida de Diema.

CAPÍTULO 59

Ber Lusim estava de luto, sozinho em seu quarto — uma cela monástica esculpida em sólido granito, sem janelas e com apenas uma fissura natural na rocha à guisa de porta.

Seus *Elohim* haviam se ausentado durante seu luto, reconhecendo que não pertencia a eles; não era parte do eu público do líder, mas uma efusão do mais profundo de sua alma.

Avra Shekolni demonstrou menos escrúpulo. Chegou à porta da cela e sentou-se ali, de costas para a parede, tamborilando na rocha com sua mão cheia de anéis de prata em um ritmo simples e repetitivo.

Depois de algum tempo, Ber Lusim saiu para vê-lo.

— Avra — ele disse —, sou má companhia agora. Por favor, leve sua música e sua consolação a outro lugar, por enquanto, e eu estarei com você quando puder.

Shekolni ergueu o olhar para ele por baixo das sobrancelhas cerradas, austero e sem humor.

— Eu lhe ofereci consolação, Ber Lusim? — perguntou.

— Não, Abençoado. Eu presumi que veio aqui porque...

— Porque você perdeu seu amigo e agora considera a perda difícil de suportar — Shekolni disse. — Sim, é claro. Mas não é verdade, Ber Lusim, que eu tenha vindo lhe dizer como suportar essa perda.

Ber Lusim ficou intrigado e enervado com esse discurso — e com o tom no qual fora feito. Não sabia sob qual ângulo abordar a questão.

— Hifela não era meu amigo — disse finalmente. — Era meu servo e o primeiro entre meus *Elohim*. Eu me fiava nele para tudo.

— Ele era seu amigo — Shekolni volveu rispidamente. — Ber Lusim, Deus não é um advogado ou um político. Ele conhece o amor que você sentia por Hifela e sabe que essa perda o enfraquece como homem, não apenas como líder de homens.

A voz do profeta se ergueu, e ele se ergueu com ela, ficando de pé para encarar Ber Lusim, com uma mão levantada, como se estivesse pregando no púlpito.

— Mas pranteá-lo? Pranteá-lo agora? Está louco, Ber Lusim? Essa perda afetou seu cérebro? — Ele segurou firmemente os ombros de Ber Lusim, fixando os olhos arregalados nos dele.

Ber Lusim inspirou profundamente.

— Avra, eu conheço meu dever. Nada do que aconteceu hoje me impedirá de completar...

— Não! Você me entendeu mal! — Em sua exasperação, Shekolni sacudiu o Convocador dos *Elohim* como uma mãe sacode seu filho. — Pense no que estamos fazendo, meu filho, e no que conseguiremos quando tivermos terminado. Em tempos comuns, chorar por um amigo morto, uma esposa ou um marido mortos, essas coisas fazem sentido. Mesmo para aqueles que acreditam na verdade do paraíso; você chora pela separação, pela distância que há entre você e o paraíso.

Os olhos do profeta queimavam, e Ber Lusim sentiu algo dentro dele se acender com esse fogo.

— Mas agora — Shekolni grunhiu — o paraíso é iminente. O paraíso está logo acima de nossas cabeças, como o fruto no ramo mais baixo de uma grande árvore. Você chora porque Hifela passa diante de você e vai para o quarto ao lado? Então, quão absurdas são suas lágrimas! Mantenha a fé agora, ou Hifela rirá e você ficará envergonhado da próxima vez que se encontrarem.

Tamanha era a força das palavras que Ber Lusim viu, como se em vida, a face que conhecia tão bem olhando para ele das alturas ou profundezas de algum espaço interior. Ele assentiu, piscando para clarear os olhos deslumbrados.

— Sim — disse. — Você está certo, Avra. Está certo. O que devo fazer?

— Eu já lhe disse o que fazer — Shekolni respondeu, agora mais gentilmente: mais como um homem ao seu igual, e menos como a voz de Deus ou do Destino. — Decrete a última profecia e receba sua recompensa. A recompensa do mais fiel servo de Deus.

As palavras acertaram o alvo. Aquilo era — quase — tudo o que Ber Lusim já quisera.

O som de passos rápidos sobre a pedra fez os dois se voltarem. O homem que surgiu diante de suas vistas, cheio de uma urgência que beirava o pânico, era Lemoi, o mais jovem daqueles que haviam perjurado com Ber Lusim e o seguido ao exílio. O rapaz parou de supetão diante deles e fez o sinal do nó corrediço para o profeta, mas dirigiu suas palavras a Ber Lusim.

— Comandante, os batedores nos níveis mais baixos... O alarme foi acionado. Há uma invasão!

— Que tipo de invasão? — Ber Lusim quis saber. — Fale claramente, Lemoi. São adamitas? Está dizendo que as autoridades da cidade nos acharam?

— Não são adamitas — respondeu Lemoi. — *Elohim*. É um exército! Mandaram um exército contra nós!

CAPÍTULO 60

Os Mensageiros de Diema, com Kennedy e Rush a reboque, entraram nas cavernas do Gellért usando uma porta instalada nos fundos de uma casa.

Rush estava na retaguarda enquanto desciam os degraus que levavam ao subsolo da casa. Não era o último da comitiva, obviamente. Havia Mensageiros armados atrás dele, as armas casualmente à mão, e outros de cada um dos lados dele, sutilmente transmitindo a sugestão de que ele estaria bem desde que não parasse, não desacelerasse, não entrasse por um caminho errado nem parecesse demais um adamita.

A casa estivera nas mãos dos *Elohim* desde o apogeu medieval da cidade, então nada havia mudado. No porão mais baixo havia uma prensa manual, que lembrava um balcão à espera de um cliente, e na parede ao lado havia um imenso quadro de composição tipográfica, em madeira, com centenas de compartimentos para os tipos móveis de chumbo.

Os Mensageiros de Diema removeram o quadro para o lado, com algum esforço, porque os trilhos de ferro nos quais havia sido montado estavam quase completamente enferrujados pela exposição ao ar úmido. Enquanto homens e mulheres pálidos usavam seus músculos impulsionados por drogas, houve um som como os berros de touros — e gradualmente, alguns centímetros por vez, o quadro foi empurrado para o lado e o túnel escuro atrás dele abriu-se diante dos olhos de todos.

Cada um dos Mensageiros usava um par de óculos de visão noturna do exército, que transformavam a meia-noite em um dia sem nuvens. E cada um deles fora equipado com as novas armas de dardos, tanto na forma de rifles como na de pistolas.

Rush havia recebido uma lanterna e uma maçã.

No geral, ficara comovido com a maçã. Diferentemente da bomba de tinta, era um insulto ao qual Diema havia dedicado algum pensamento. Teria precisado sair para comprá-la em algum lugar, ou no mínimo pegá-la de uma fruteira qualquer e guardá-la para ele. Isso ajudou o ego ferido de Rush a se recuperar depois da sessão de informações.

— Então, a lanterna é para eu achar meu caminho no escuro, obviamente — ele dizia a ela agora, enquanto os *Elohim* abriam o portão.

— E a maçã é para o caso de eu ficar com fome. Então, o que devo usar como arma?

A garota fixou os olhos escuros e intransitivos nele.

— A maçã — disse — é para lembrá-lo de que você *não tem* uma arma. O que, por sua vez, é para lembrá-lo de que não está aqui para lutar. Se você se vir ansioso para entrar em uma luta, olhe para a maçã e ela refrescará sua memória.

— E depois?

— Vá se esconder até a vontade passar.

Quando Diema lhe deu as costas, Rush viu Kennedy verificando o mecanismo de ação da M26 — a arma que Diema havia usado durante o ataque no hotel. Mas Diema agora trazia uma das novas armas. Só Kennedy, entre todos eles, tinha a tiracolo uma arma comum e a permissão de Diema — sob circunstâncias muito estritamente definidas — para usá-la.

— Ficou bem em você — ele murmurou.

Kennedy sorriu sem o menor vestígio de humor.

— Vamos lutar em uma caverna, Rush — disse ela. — Contra gente que viveu em cavernas a vida inteira e provavelmente teve anos para fortificar esta caverna em especial contra qualquer coisa que possamos usar para atacar. Então, "bem" não é exatamente a palavra que eu usaria.

Ela colocou um par de pentes extras de balas no cinto e a arma no coldre dentro da jaqueta.

— Mas a Diema está certa — disse.

— Sobre o quê? — Rush quis saber.

— Sobre esta luta. Não é sua. Nem minha. Nossa hora vai chegar, e muito em breve, mas acho que não vai ser hoje. Então, nós dois deveríamos ficar bem para trás e deixar que eles façam o que precisam fazer.

— Então, como é que você ganhou uma arma e eu uma maçã?

— Porque eu sei atirar e você não. Fique perto de mim.

— Pra quê? — ele resmungou. — Para você me tratar como criança um pouco mais?

— Por que você é o único que não vai ficar tentado a cortar minha garganta na escuridão — Kennedy respondeu. — Podemos vigiar a retaguarda um do outro.

O portão estava aberto agora, o pesado quadro de madeira inteiramente afastado para o lado, revelando um amplo corredor que se inclinava levemente para baixo, entrando no solo. Os primeiros metros eram pavimentados com ladrilhos azuis que brilhavam com um lustro suave à luz turva do porão. Depois disso, era granito nu.

Diema ergueu a mão em um sinal previamente combinado. Seis *Elohim* lançaram-se à escuridão em passos rápidos, quase um trote.

Diema deu a eles 30 segundos. Então, sinalizou outra vez. Mais assassinos destacaram-se da massa e passaram pelo portão.

Rush ficou de lado e os observou. A visão fez sua pele arrepiar e, quando ele tentou engolir, descobriu que sua boca estava seca. O que havia de tão assustador neles? Ou melhor: o que havia de mais assustador neles agora do que quando ele estivera naquela sala, cercado por eles, que o olharam como se estivessem tentando decidir se matá-lo valeria o incômodo de limpar o sangue do chão depois? Talvez fossem os óculos de visão noturna, que os faziam parecer corujas de armadura. Mas não, ele percebeu; era algo mais.

Era porque se esperava que os predadores dominantes em qualquer ecossistema caçassem sozinhos. Ver esses matadores movendo-se em formação, como atletas em nado sincronizado, era como testemunhar a violação de algum tipo de lei da Física.

Rush seguiu na última onda, com *Elohim* flanqueando-o de cada lado e Diema correndo logo à sua frente. Ele esperava uma descida íngreme — em parte por causa do ângulo da abertura do túnel, mas sobretudo porque, bem, eles adentravam em uma caverna. No entanto a casa ficava ao pé da colina e, depois dos primeiros 100 metros, o corredor terminava em um lance de degraus de pedra que levavam para cima. No topo deles havia uma larga arcada com pilares de pedra em torno das bordas, como um claustro. Muitos portais em arco levavam desse ponto para todos os quatro lados.

Diema e sua gente não desaceleraram ao entrar no espaço mais amplo. Já haviam planejado sua abordagem, usando os velhos mapas do local, e cada esquadrão aprendera uma rota da qual se esperava que não se desviasse, exceto em caso de emergência.

A equipe com a qual Rush estava pegou a terceira abertura à esquerda e continuou seguindo por túneis estreitos, com tetos tão baixos que eles tiveram de curvar a cabeça, e galerias similares a catedrais subterrâneas. A cada poucos metros, a passagem na qual estavam parecia se cruzar com outras, algumas inclinadas para baixo, mas a maioria levando para cima, em direção ao coração da cidade oculta, centenas de metros acima de suas cabeças e a mais de 1,5 quilômetro de distância horizontal.

Pelo menos não estava totalmente escuro. Aqui e ali havia aberturas profundas na rocha, que deviam ter sido feitas para servir como claraboias séculos atrás. Uma luz cinzenta filtrava-se por elas, presumivelmente penetrando pelas encostas do monte. Rush perguntou-se o que haveria do outro lado delas. Buracos de coelho? Nichos de santos ao ar livre? Provavelmente só buracos gradeados e inócuos, que os transeuntes pensariam ser parte da rede de esgotos da cidade. As claraboias eram irrelevantes para os *Elohim* e seus óculos de visão noturna, mas Rush sentia gratidão toda vez que se aproximava de uma — e sua falta assim que ficava para trás.

Muito antes de chegarem aos níveis superiores, encontraram a primeira mostra de resistência. Rush a perdeu, pois acabou antes de ele perceber o que estava acontecendo. Eles correram, saindo de um corredor longo e estreito para um espaço completamente desprovido de luz. Houve um alvoroço ao redor deles. Sem nem mesmo deter os passos, os *Elohim* atiraram em todas as direções, o som abafado de seus disparos soando como suaves batidas em uma porta. Sons mais pesados, de corpos em queda, criaram um contraponto entrecortado. Nenhum dos homens de Ber Lusim chegou perto o bastante para travar combate corpo a corpo com os invasores.

Diema havia tomado a ideia de Tillman e a adotara — de forma bem sombria. As armas que havia entregado a sua gente eram versões modificadas do lançador de dardos que ela dera a Kennedy, e as modificações eram absolutamente aterradoras. Essas armas estavam configuradas para disparos em repetição: cuspiam múltiplos dardos, como uma escopeta. Diema também havia levado em conta quanto tempo o Mensageiro atingido por Kennedy levara para cair: ordenara que os dardos fossem carregados com quatro vezes a dosagem mais alta legalmente disponível. Experimentos em voluntários entre seu próprio povo haviam estabelecido que um único disparo derrubaria a maior parte dos oponentes instantaneamente. Quem levasse mais de três ou quatro estaria em sério risco de morte por hipoventilação. Então, médicos vinham atrás dos soldados, verificando a condição dos vencidos e aplicando ampaquina intravenosa quando necessário.

A segunda escaramuça durou mais que a primeira, mas teve o mesmo resultado. Encurralados e superados tanto em armamento quanto em tática, os *Elohim* de Ber Lusim lutaram da melhor forma que puderam. Contudo, embora tenham tentado vender a vida por um alto preço, a misericórdia pétrea de Diema garantiu que não encontrassem um comprador.

Outros esquadrões passaram a se reencontrar com o deles à medida que progrediam, tendo vasculhado as áreas a eles designadas, encontrando-as vazias ou, quando ocupadas, eliminando a oposição. O terceiro confronto foi uma batalha tumultuada que durou ao todo 20 minutos. Rush e Kennedy mantiveram-se bem na retaguarda, mas, quando a luta acabou, atravessaram o salão largo e de teto baixo onde ela se travara, passando pelos corpos virados de bruços de dezenas de *Elohim*. O sangue tornara escorregadio o piso branco: obviamente as forças de Diema não haviam prevalecido usando apenas armas de dardos.

Atravessaram esse salão e mais dois a seguir — e foi o máximo que conseguiram avançar. Meia hora depois de terem começado sua jornada montanha adentro, encontraram o caminho bloqueado por uma imensa porta de aço que não parecia nenhuma antiguidade. Um dos homens de Nahir a examinou e não pareceu feliz com o que descobriu. Rush aproximou-se casualmente para espiar e ouvir quando o Mensageiro se ergueu e se voltou para Diema, entretanto tudo o que ouviu, para seu desgosto, foi um punhado de aramaico.

Diema vociferou perguntas, depois ordens, e três *Elohim* voltaram por onde tinham vindo.

— O que temos aí? — Kennedy indagou.

— Uma porta de cofre Mosler-Bahmann, aparentemente — Diema respondeu. Seu tom era distante: ela pensava enquanto falava. — Shraga diz que a empresa já faliu há mais de uma década, então é possível que outras pessoas a tenham instalado aqui. Ou então Ber Lusim a comprou de um banco para o qual ela não tinha mais utilidade e a trouxe para cá. Mas Shraga também diz que provavelmente tem 90 centímetros de espessura e pesa 40 toneladas. Eles não teriam sido capazes de trazê-la de muito longe.

— Então, vocês vão queimar um buraco nela? — Kennedy perguntou.

Diema balançou a cabeça negativamente.

— Noventa centímetros de espessura — repetiu. — E o interior é de concreto — só o exterior e a moldura são de aço. Vamos usar explosivo plástico.

Kennedy pareceu chocada.

— *Quanto* de explosivo plástico? — inquiriu.

— Muito. Mas não precisamos abrir um buraco nela. Só precisamos soltá-la da parede de rocha. Daí, podemos arrancá-la. Deve ser bem simples.

— Então por que você está com cara de quem engoliu uma vespa? — Rush perguntou.

Diema lançou a ele um olhar de reprovação — como se lembrar que ele estava vivo não ajudasse a melhorar o dia dela.

— Porque vai levar tempo — a garota respondeu acidamente. — E, quanto mais tempo eles ganharem, menos nós vamos gostar do que encontraremos do outro lado dessa porta.

***

Avra Shekolni fez um sermão aos Mensageiros remanescentes de Ber Lusim. Foi breve e simples, já que o tempo era escasso para todos eles.

Seu tema foi a diferença entre o terreno e o eterno, e como é difícil, por trás dos véus do mundo e da carne, compreender o que é perpétuo e incorruptível.

— Por enquanto — ele entoou solenemente —, nós enxergamos como se através de uma lente escura. Mas depois veremos, claramente, todas as coisas como são. Agora, entendemos somente em parte, mas depois seremos conhecedores e conhecidos. Como seu professor, eu tentei trazê-los para junto dessa lente, não para que vocês pudessem espiar por ela, mas para que pudessem sentir quão próximo está o mundo eterno, quão tênue e frágil é a barreira atrás da qual Ele espera por vocês. Mas hoje meu propósito se perdeu. Hoje, vocês atravessarão o véu e verão por si mesmos o que estava oculto. E por sua coragem, sua fé, seu amor uns pelos outros e pela luz da verdade, em breve o véu se abrirá para sempre. Vejam: curvo minha cabeça diante de vocês. O tolo acredita, em seu coração, que não há Deus. Mas eu olho para vocês e sei que há. Nenhum demiurgo ou espírito inferior poderia ter criado algo tão belo, tão perfeito quanto vocês. Deem-me sua bênção, meus filhos, meus anjos. Sua bênção e, depois — se eu puder pedir tanto, se eu for digno —, sua vida.

Alguns deles enxugaram lágrimas dos olhos enquanto o profeta caminhava entre eles — e alguns as deixavam rolar pelas bochechas, sem se envergonharem. Alguns esticavam as mãos para tocar as dele ou a bainha de seu manto. Todos se preparavam, mentalmente, para o evento vindouro.

Ber Lusim aproximou-se de Shekolni e os dois se abraçaram por um momento.

— Não deveria acontecer assim — Ber Lusim disse. Não explicou se estava se referindo à invasão, à morte de Hifela ou ao que ainda viria.

— O que acontece é a vontade de Deus, Ber Lusim. Não preciso ensinar-lhe sobre predestinação. Você é um agente da predestinação. Isto não é uma tragédia — e, na verdade, parece-me que já tivemos esta conversa há muito pouco tempo. A única tragédia, agora, seria se estas tarefas finais, tão necessárias, ficassem sem conclusão. Seria como se escalássemos uma grande montanha e nos virássemos para voltar quando avistássemos o cume. Seríamos tolos, e imaginaríamos ser santos. E eu acho que Deus provavelmente considera mais difícil amar os tolos que os pecadores.

— Não pretendo ser nem um, nem outro — Ber Lusim disse. — Boa viagem, Avra.

— Para você também, meu caro amigo. Eu o verei em breve.

* * *

Colocar os explosivos no lugar levou dez minutos. Diema usou o tempo para convencer-se de que realmente não havia um caminho mais fácil. Ela tivera esperança de que alguma das paredes adjacentes pudesse ter sido construída na época em que Ginat'Dania ficava aqui, mas todas eram de rocha original — e muito mais espessas do que a porta do cofre. Essa, é claro, era a razão pela qual a porta fora instalada aqui e não em qualquer outro lugar. Ber Lusim havia escolhido seu território, e muito bem.

— Isso não parece meio louco para você? — Rush perguntou a Diema enquanto eles retrocediam com os *Elohim*, abrigando-se em diversas câmaras, até onde Shraga havia designado como uma distância segura.

— Em comparação a quê? — Diema retrucou secamente.

Shraga distribuiu protetores auriculares e orientou-os a respirar pela boca desde o começo da contagem regressiva até a detonação. Não era incomum que uma poderosa onda de choque rompesse tímpanos, mas, se a boca estivesse aberta, as tubas auditivas deveriam equalizar a pressão e impedir que isso acontecesse.

Ele ofereceu o detonador a Diema, porém ela o rejeitou, balançando a cabeça.

— Você é o especialista — disse. — Vá em frente.

Shraga fez a contagem regressiva começando por dez, tanto em voz alta quanto com os dedos. Então, apertou o botão.

Mesmo com os tampões e a distância, para Diema, o som da explosão foi como um golpe físico, como um lutador com dois punhos cheios de anéis socando suas têmporas. Então, a onda de choque os atingiu em dois estágios, fazendo o chão ondular e o ar estalar como um chicote.

Ela nem percebeu que havia caído até sentir a rocha fria nas costas. Recompôs-se e gritou a ordem para entrar. Sabia que ninguém poderia ouvi-la, mas podiam ver sua boca formando as palavras e sua mão apontando.

Os homens de Nahir correram para dentro da câmara além da porta, da qual a fumaça fluía feito um rio. Levavam cordas e polias, mas Shraga havia instalado os explosivos com a precisão de um maestro. A porta já havia caído. Destacando-se da rocha sólida com as duas detonações perfeitamente calculadas, ela desabara sob o próprio peso.

Nahir voltou atrás, abanando a fumaça para longe do rosto, e deu o sinal de *podem vir*. Diema o retransmitiu. Os Mensageiros avançaram, cobrindo os flancos e os pontos cegos uns dos outros, alertas a qualquer movimento além da abertura irregular na rocha. De momento a momento, quando a fumaça turvava os olhos, eles entravam e saíam do campo de visão de Diema.

— Fique perto de mim — ela disse a Kennedy. Então, olhou de relance para Rush. Ele ainda parecia abalado e desorientado pela explosão, mas acenou com a lanterna em uma demonstração satírica de prontidão. — Você também — ela disse secamente. Foi em frente, e depois de um momento os dois a seguiram.

Tiveram de escalar a imensa porta caída e os pedregulhos que a cercavam. Ela passara pela explosão miraculosamente intacta, embora a chapa de aço, com vários centímetros de espessura, tivesse arrebentado, soltando-se em alguns pontos do núcleo de concreto. Era como se algum animal tivesse arranhado o metal — mas precisaria ter sido uma das bestas do *Apocalipse*.

Essa era uma comparação desagradável. Diema desceu e apressou--se a continuar. Um curto corredor levou a uma sala mais ou menos circular. Era menor do que a galeria de onde haviam acabado de sair, mas com um teto tão alto que desaparecia nas sombras acima. *Não é uma sala*, Diema pensou: mais provavelmente, era um túnel vertical de pedra que já estava no coração do Monte Gellért desde que ele se erguera da terra, e recebera o Povo de Judas quando este chegara aqui pela primeira vez, para construir.

Junto das paredes curvas, jaziam duas dúzias de *Elohim*. Todos eram homens. Nenhum usava os equipamentos de visão noturna e proteção corporal do pessoal de Diema. Sangue se acumulava visivelmente ao redor da cabeça e do pescoço da maioria, e alguns haviam caído de costas ou de lado. Assim, ela pôde ver que todo aquele sangue vinha de suas gargantas cortadas. Haviam mantido as adagas nas mãos quando caíram.

Os *Elohim* de Diema recuaram, as armas apontadas para o homem sentado no centro da sala. Tinha vestes negras, pés descalços e cabeça calva. Também trazia uma sica nas mãos, pressionada ao peito, como se ele estivesse rezando. A ponta da lâmina mirava sua garganta nua. Seu rosto exibia uma expressão de calma beatífica.

— Avra Shekolni — Diema disse. Ergueu o punho fechado, sinalizando para que seus *Elohim* mantivessem a posição e nada fizessem sem sua ordem. — Onde está Ber Lusim?

— Eu receio — Shekolni disse — que essa não seja uma pergunta à qual eu possa responder. Ele foi decretar a glória das eras e o fim do tempo. O quinto e último rei está chegando e governará para sempre. Mas Ele espera ser convidado, e Ber Lusim deve abrir caminho para Ele.

— Eu quero estar lá também — Diema disse. — Eu quero presenciar esse evento. Por favor, *Tannanu*. Diga-me onde acontecerá.

Shekolni a fitou por um longo tempo. Então, fitou a adaga em torno da qual ambas as mãos se fechavam.

— Meia-noite — sussurrou. — Domingo. Hora de Greenwich.

Ele se inclinou um pouco para a frente e cravou a sica até o cabo em sua garganta. Soltando uma praga, Diema correu em sua direção enquanto ele desabava e lutou para arrancar a faca de suas mãos, mas nada havia a fazer. Shekolni já se afogava no próprio sangue, com suas vias respiratórias, assim como a jugular, completamente rompidas.

Sua mão direita se ergueu, tremendo violentamente, e tocou o braço dela. Foi como se estivesse tentando consolá-la.

CAPÍTULO 61

— Pelo amor de Deus, será que dá para vocês falarem em inglês?

Kennedy já havia dito isso três vezes, mas essa foi a primeira vez que a torrente aparentemente infinita de aramaico se interrompeu e as outras pessoas na sala — cada uma delas *Elohim* — dignaram-se a olhar para ela. Nem mesmo Diema pareceu amistosa.

Ela e Rush haviam sido completamente esquecidos durante a rápida retirada do Monte Gellért. Os assassinos haviam se tornado funcionários de remoção, pegando tudo o que puderam encontrar — incluindo os vencidos, os poucos mortos e os muitos feridos de ambos os lados — e correndo a toda a velocidade com seus fardos pesados de volta à velha oficina de impressão pela qual haviam entrado.

De lá, com a evacuação ainda em progresso e o som de sirenes erguendo-se de todos os lados, Diema fizera com que os dois fossem levados de volta ao esconderijo em uma das falanges de ambulâncias — se verdadeiras ou falsas, Kennedy não pôde decidir —, que partiam, com suas próprias sirenes ativadas, contra os enxames de veículos de emergência que convergiam para a margem Buda do rio. Terremoto ou não, o fato de que o Monte Gellért havia acabado de estremecer massivamente, tombando algumas das casas em suas encostas, era levado mortalmente a sério. Kennedy rezou para que ninguém tivesse morrido como resultado da explosão — então, percebeu quão inútil era sua prece, considerando as milhares de vidas que estavam em jogo.

Ou não estavam? Ao pensar na expressão de calma e paz no rosto de Avra Shekolni quando morrera, ela teve de se perguntar se eles haviam acabado de detonar sua última chance de impedir que Ber Lusim transformasse as visões tricentenárias de Toller em fatos duros e frios.

No esconderijo, Diema solicitou uma sala e entrou em conclave com Nahir e seus agentes. Mas, no último momento, exatamente como fizera nos túneis, ela indicou com um gesto de cabeça que Kennedy deveria juntar-se a eles. Rush foi deixado em sua cela, protestando amargamente.

Todavia a presença de Kennedy na reunião de emergência importava tanto quanto um peido em uma tempestade, porque o Povo de Judas a excluiu da conversa — não com uma porta fechada, mas com sua linguagem. E, ouvindo as réplicas cada vez mais urgentes e furiosas entre eles, Kennedy finalmente se rendeu à própria impaciência e se intrometeu:

— Não estou entendendo nada — disse. — Se vocês falarem em inglês, eu posso participar da conversa. Acreditem ou não, talvez eu saiba alguma coisa que acabe sendo útil.

Ninguém respondeu. Todos os assassinos olharam para ela com uma mistura de anseio e ódio.

— Por que ela está aqui conosco? — Nahir perguntou a Diema. Mas falou em inglês, permitindo que Kennedy captasse o desprezo que sentia por ela em toda a sua dimensão. — Por que devemos tolerar isso outra vez?

Diema olhou-o com ar superior.

— Pela razão que ela acaba de lhe dar — disse. — Ela esteve envolvida nos estágios anteriores desta caçada. O conhecimento que tem é relevante. Considerei sensato mantê-la por perto.

Nahir ergueu as sobrancelhas, educadamente cético.

— Se ela tem conhecimento, posso pedir que meu pessoal a interrogue.

— Ela trabalhou como detetive. Seu discernimento já foi útil para mim.

— Sim — Nahir disse. — Você contou. E eu espero, encantado, ver essa mente prodigiosa em ação. Mas isso não significa que eu queira me sentar à mesma mesa que ela ou aceitar que fale comigo como se fôssemos iguais.

Diema voltou-se para Kennedy.

— Não fale a não ser que falem com você — ordenou.

— E não vou usar o idioma imundo dela só para que possa nos acompanhar aos tropeços. — Tendo expressado sua opinião, Nahir voltou ao aramaico e continuou a falar com Diema em um tom alto e prepotente por mais um minuto.

Quando ele terminou, Diema relanceou um olhar para Kennedy e — aparentemente de má vontade — meneou a cabeça. Dois *Elohim* se ergueram e se aproximaram de Kennedy.

— Eles vão levar você de volta à sua cela — Diema disse a ela. — Conversamos mais tarde.

Kennedy se levantou, rendendo-se ao inevitável como a garota acabara de fazer. Mas nesse momento as portas se abriram e um homem que ela nunca vira entrou. Era um tanto baixo, contudo de compleição muito forte, com braços tão inchados de músculos que arruinavam um pouco as linhas de seu terno bege-claro. A cabeça calva brilhava de suor, e ele limpou o rosto com um lenço de linho. Duas mulheres haviam entrado com o homem e assumiram postos de cada lado dele. Ambas tinham cerca de 1,80 metro e estavam vestidas identicamente em ternos cinza-escuros risca de giz, provavelmente com a intenção de fazer com que parecessem advogadas. Mas não pareciam: eram mais como o anjo da morte e sua irmã. Observaram a sala com olhos que desafiavam qualquer um a se mover.

Porém os *Elohim* se moveram mesmo assim. Um por um — a começar por Nahir —, eles saltaram das cadeiras e se abaixaram, apoiados em um joelho, curvando a cabeça. Diema foi a última a fazê-lo.

— Abençoe-nos, *Tannanu* — ela murmurou. — E dê-nos seu conselho.

Kennedy perguntou-se por que ela voltara a falar inglês e quem seria esse *VIP*. Mas a segunda pergunta foi respondida quando o olhar do estranho, passeando pela sala, veio pousar nela.

Ele nada disse, no entanto era óbvio que a reconhecia. Com isso, a mente dela fez a conexão. Esse devia ser Kuutma, o comandante supremo dos *Elohim* — o homem que às vezes usava o nome de Michael Brand. Os anjos a olhavam carrancudos, de olhos estreitos. Provavelmente era algum tipo de crime de *lèse majesté*[13] olhar Michael Brand nos olhos, mas eles que se danassem — Kennedy não faria uma reverência a esse homem. Não devia ao desgraçado nada além de uns palavrões.

Kuutma voltou a atenção a sua própria gente. Com um gesto brusco, indicou que todos se levantassem.

— Lamento ter chegado tarde demais para participar de sua ação recente — ele disse. — Também lamento que as consequências tenham sido mistas. Vocês parecem ter atrapalhado consideravelmente as operações de Ber Lusim, e isso foi muito benfeito, mas entendo que o homem em si lhes escapou.

Ele caminhou até a mesa, onde instantaneamente, e sem uma palavra, Nahir lhe cedeu seu lugar à cabeceira.

— Por favor, atualize-me quanto ao que está acontecendo agora — Kuutma disse. — O que está sendo feito para encontrar Ber Lusim?

---

[13] Crime de lesa-majestade é aquele cometido contra o rei ou um membro da família real, ou, então, contra o poder soberano do Estado. (N. T.)

Nahir parecia profundamente nervoso, mas falou claramente. Kuutma havia seguido o exemplo de Diema e falado inglês, então ele fez o mesmo:

— Fechamos o aeroporto de Ferihegy plantando um pequeno dispositivo explosivo lá e avisando-os por telefone. Outras ameaças telefônicas foram feitas para Debrecen, Sármellék, Györ-Pér e Pécs-Pogány, então estamos supondo que os voos tenham sido detidos nesses lugares também. Ainda estamos vigiando as principais estações de trem e as estradas que saem da cidade, mas é impossível deter todo o tráfego. Estamos rastreando telefones e documentos de identidade encontrados com os *Elohim* de Ber Lusim para descobrir os endereços aos quais estão vinculados na cidade. Esperamos encontrar um esconderijo para onde ele tenha fugido.

Kuutma assentiu.

— E vocês interrogaram os *Elohim* que capturaram nas cavernas?

— Eles se recusam a falar — Nahir disse. — Nós consideramos usar tortura, mas...

— Mas isso está fora de questão para qualquer um da linhagem — Kuutma concluiu. — Eu concordo. As precauções que vocês tomaram foram boas, mas precisamos supor que ele tenha conseguido sair da cidade e esteja agora a caminho de onde quer que pretenda ir. Então, aonde ele está indo? — Sem esperar resposta, Kuutma voltou-se para Diema. — Você acredita que ele ainda esteja agindo conforme as profecias do livro de Toller?

— Até onde pudemos perceber, *Tannanu*, sim — Diema disse. — A intervenção de Leo Tillman em Londres nos deu algum tempo, mas não há nenhuma razão para pensar que inviabilizou o plano geral — que é realizar todas as profecias na sequência e forçar a mão de Deus.

A blasfêmia, dita tão bruscamente, causou um *frisson* entre as fileiras de Mensageiros.

— E quão longe ele já chegou? — Kuutma perguntou calmamente.

— É o que estamos tentando determinar — Nahir respondeu. — Meu pessoal está analisando o livro neste momento.

— Pessoal? — Foi Kennedy quem falou. Estava farta de ficar ali parada, ouvindo — e nem tentou evitar o tom sardônico em sua voz. Nahir lançou-lhe outro olhar de ódio indigesto, mas Kuutma riu — longa e estrondosamente, jogando a cabeça para trás. Os *Elohim*, inclusive Diema, o fitaram. Por duas vezes Nahir pareceu prestes a falar, entretanto hesitou, esperando que o enorme divertimento de Kuutma chegasse ao fim.

— Ela tem razão — Kuutma disse, ainda sorrindo, enxugando o canto do olho. — Quem está fazendo esse trabalho, Desh Nahir? Alivie a preocupação da senhorita.

Nahir claramente não entendeu a piada e obviamente odiou ter de se explicar a uma forasteira, uma *rhaka*.

— Intérpretes — disse ele, seu olhar relanceando por Kennedy antes de se voltar a Kuutma. — Sacerdotes. Especialistas em exegese. Pessoas de quem se espera alguma habilidade na interpretação de um livro de profecias. Mas as profecias foram deliberadamente escritas em linguagem elíptica e obscura. Admitem muitas interpretações, e é difícil — até impossível — dizer qual delas está correta, se alguma estiver.

— Então, vocês não sabem — Kennedy concluiu. — Não têm a menor ideia de quanto tempo resta ou de quais profecias Ber Lusim já cumpriu. E de qual profecia ele quer completar agora.

— Isso me aflige — Nahir disse a Kuutma. — *Tannanu*, eu estava prestes a excluir a mulher. Por favor, permita-me fazer isso. Não entendo o que ganhamos deixando que ela ouça nossos procedimentos. Se quiser interrogá-la mais tarde, ficarei feliz em providenciar uma sala e alguns...

— É a última profecia — Kennedy disse.

— ... alguns instrumentos adequados para...

— Ele chegou à última profecia. Vocês não viram o que o Shekolni fez lá embaixo? O ato passou despercebido quando vocês estavam distraídos, é?

Agora Nahir era forçado a reagir à presença dela. Rosnou o que era presumivelmente um xingamento em aramaico antigo e então girou para encará-la.

— Você está falando de coisas que não conhece — disse. — Há mistérios que nunca lhe serão revelados, ainda que você passasse toda uma vida estudando-os.

E isso era para ter sido um "cala a boca", Kennedy pensou. Se não houvesse tanta coisa em jogo — inclusive sua própria vida —, ela teria rido na cara de Nahir. Ele era só um ou dois anos mais velho que Diema, Kennedy percebia agora. É claro, os *Elohim* tendiam a ser jovens. A não ser por Kuutma, ela era provavelmente a pessoa mais velha na sala.

— E eis aí o seu problema — ela disse no mesmo tom de condescendência que ele usara. — Vocês estão procurando por mistérios revelados. Tudo o que eu estou procurando é uma trilha de evidências.

— E encontrou alguma? — Kuutma perguntou. Ele olhava para ela ansioso, na expectativa. — Compartilhe conosco o que sabe, por favor.

— Alguém tem o texto aí? — Kennedy pediu.

Diema o havia decorado e, para surpresa de Kennedy, recitou-o:

— "E a pedra será removida do túmulo, assim como na vez anterior. E então uma voz se fará ouvir, gritando: 'A hora, a hora está próxima', e todos os homens verão o que outrora esteve escondido. O traidor condenará uma grande multidão com um único suspiro. Na ilha que foi dada por uma Ilha, na presença do filho e do espírito, ele dirá os nomes dos mil milhares que serão sacrificados. E, de Seu trono nos céus, o Senhor Jesus, que é a nossa glória e nossa vida, dirá os nomes dos poucos que serão salvos."

As palavras foram recebidas pelos outros *Elohim* com um silêncio levemente admirado. Kennedy apenas assentiu.

— O Avra Shekolni usou as últimas palavras para informar um horário. A meia-noite do domingo, horário de Greenwich. Ele estava sendo a voz, realizando a profecia do Toller. E nos prendeu a ela também. Quando explodimos aquela porta, nós nos tornamos parte da encenação. Removemos a pedra do túmulo. Essa foi a única razão pela qual ele esperou por nós.

— Aquele local não é um túmulo — Nahir disse, raivoso. — Foi usado como armazém.

Kennedy virou-se para olhar para ele.

— Ai, nossa, você me pegou. A não ser que tenha virado um túmulo quando ele fez aqueles caras todos cortar as próprias gargantas lá dentro. O que você acha?

— E a porta era de aço. Não de pedra.

— Aço preenchido com concreto. Vai discutir semântica com um profeta morto?

— Não — Nahir disse. — Com uma meretriz viva.

Kennedy meneou a cabeça em um gesto fingidamente triste.

— Andou economizando em pesquisa, queridinho? — perguntou ela. — Ou tem medo de não conseguir dizer *sapatão* sem corar?

Ela voltou sua atenção para Kuutma, mas falou com todos na sala:

— O Shekolni puxava um gatilho — disse. — Agora, nós provavelmente nunca vamos saber se eles já haviam planejado isso há muito tempo ou se ele preferiu se matar a deixar que vocês o capturassem e interrogassem. Mas, ao morrer, ele alinhou tudo — proporcionou as condições para o Ber Lusim realizar a última profecia. E, aonde quer que ele tenha ido quando saiu daqui, o lugar aonde pretende chegar é a ilha — "a ilha que foi dada por uma ilha". Encontrem a ilha e vão encontrar o cara.

Ela parou e olhou de rosto em rosto, deparando-se com uma galeria infinita de olhares hostis e uma carranca zombeteira.

— E como — Kuutma disse — faremos isso?

— Eu sugiro fazer rápido — Kennedy respondeu.

Um tumulto de vozes se ergueu, com Nahir e uma dúzia de seus *Elohim* gritando todos de uma vez. Kuutma levantou a mão, calmo e autoritário, e as vozes se calaram.

— Basta — Kuutma disse friamente. — Preciso que me informem completamente sobre suas ações recentes. — Diema começou a falar, mas ele continuou, sobrepujando-a. — Desh Nahir tem a liderança e a superintendência nesta cidade, então falarei com ele primeiro — e depois com minha emissária especial, Diema Beit Evrom. O tempo é curto. Conversaremos na sua sala de comando, Nahir, e nos reuniremos aqui imediatamente depois. O resto de vocês aguardará nosso retorno. — Ele olhou para Kennedy. — Exceto pela *rhaka*, que pode ser colocada onde quer que vocês considerem apropriado.

— Levem-na de volta para a cela — Nahir disse.

Os dois Mensageiros que haviam se aproximado de Kennedy mais cedo, e parado quando Kuutma entrara, apossaram-se dela agora. Viraram-na e guiaram-na até a porta. O aperto de suas mãos nos ombros dela era mais forte do que precisava ser. Um deles também tinha um punho fechado contra a base da coluna dela, presumivelmente preparado para imobilizá-la se ela saísse da linha. Nahir afastou o olhar, desinteressando-se do assunto. Assim como Diema.

CAPÍTULO 62

Por cerca de quinze minutos após ter sido atirado novamente em sua cela, Rush ficou sentado na cama dobrável com a cabeça enfiada entre os joelhos erguidos. Mas gradualmente o tédio e a frustração suplantaram o medo e a inquietude.

Ele matou um tempo entalhando desenhos obscenos nas paredes com a borda de uma moeda. Depois, ficou martelando a porta com os punhos, exigindo algo para comer e beber — até se lembrar da maçã que Diema lhe dera. Comeu-a. Isso aliviou um pouco de sua sede, mas em geral apenas o lembrou do quanto ele queria um hambúrguer ou um frango ao *curry*.

Tentou não sentir medo, mas vira como Nahir e seu bando olharam para ele e Kennedy lá embaixo, nas cavernas, e tinha certeza de que sabia o que aqueles olhares significavam. Eles já haviam deixado de ser úteis — não que houvesse muita utilidade antes, no caso dele. Os *Elohim* entenderiam a profecia sem a ajuda deles ou então estragariam tudo. De todo modo, ele e Kennedy — e Tillman, presumindo que este já não estivesse morto — seriam postos para dormir logo, logo. Mesmo que Diema quisesse protegê-los, provavelmente não haveria muito que ela pudesse fazer. E, até onde ele conseguia ver, Diema estava colaborando com toda aquela...

A maçaneta no lado externo da porta da cela chacoalhou e então estalou ao ser destrancada. Rush voltou-se, esperando ver o Mensageiro que o trouxera até aqui — mas era ela.

Diema fechou a porta atrás de si, calma, mas firmemente. Encarou Rush com uma expressão dura, intensa e insondável.

— E aí, como foi o seu dia? — ele perguntou.

— Cale a boca.

— Tá bom.

— E deite na cama.

Não era algo que ele estivesse esperando ouvir. A resposta mais rápida que pôde produzir foi:

— O quê?

— Na cama — Diema repetiu rispidamente, caminhando até ele e empurrando-o. O corpo dela estava rígido de tensão. — Deite. Deite na cama. Rápido!

Confuso, Rush obedeceu — mas isso apenas pareceu enraivecer a garota.

— Não de roupa e tudo! — ela explodiu. — Pelo amor de Deus, você nunca fez sexo antes? A calça. Tire a calça!

Ele se levantou.

— Isso é piada, né? — perguntou. — Porque eu realmente não estou no clima. A maçã? Beleza, a maçã foi engraçada, mas isso... — Então, um pensamento lhe ocorreu e ele parou no meio da frase. Não era piada. Não era piada de jeito nenhum, era...

Veneno em um torrão de açúcar.

Um relógio de bolso na mão de um hipnotizador, para lá e para cá.

Uma armadilha.

Alguém lhe pedindo que contasse até dez para distraí-lo e não deixar que sentisse a agulha espetada no seu braço ao contar sete.

— Olha — disse ele, a voz um tanto trêmula. — Não vamos fazer isso, tá? Eu juro que não vou contar a ninguém sobre vocês. Se eu contasse, ninguém acreditaria mesmo. Você não precisa...

Diema bufou — uma lufada de exasperação — e inspirou o ar de novo, lentamente. No mesmo instante, extraiu de algum lugar uma adaga, uma daquelas sicas, aquelas coisas ruins, e encostou-a no estômago de Rush.

— Ai, merda — ele balbuciou.

Com um único golpe da lâmina, ela cortou o cinto e a braguilha dele. Então, empurrou-o outra vez, enroscando o próprio pé nos dele de um jeito complicado que o fez cair de uma vez na cama.

Diema tirou as próprias botas aos chutes e despiu-se da cintura para baixo. Com a adaga ainda na mão, ela montou nele. Encostou a lâmina da sica no peito dele. O rosto da garota enquanto o contemplava era solene, até severo.

— Temos dez minutos — disse ela. — Consegue chegar lá em dez minutos, Rush?

— Se eu con...

— Porque, se não conseguir, eu não vou ser responsável pelas consequências. Mas posso garantir com toda a certeza que vai haver muito sangue.

Ela enfiou a mão embaixo do próprio corpo, encontrou-o e o esfregou com muito mais vigor do que ternura. Quando ficou duro o bastante, ela o guiou para dentro.

De muitas formas, aquilo relembrava a Fazenda do Pombal. Só que apanhar dela na Fazenda do Pombal não envolvera expectativas quanto à *performance* dele. Levou muito tempo para ele conseguir engatar qualquer tipo de ritmo. Em alguns momentos, quase perdeu a ereção. Diema empurrava-se contra ele bruscamente, mas não havia sinal de prazer no rosto dela.

Assim que ele atingiu o clímax, Diema se afastou e guardou a adaga. Começou a se vestir sem uma palavra.

— Foi... foi bom pra você? — ele perguntou, desorientado.

Diema bufou de desprezo.

— Não!

Ele se ergueu alguns centímetros para olhar para ela.

— Então, por que fizemos isso? — perguntou.

Ela puxou a calça sobre os quadris, calçou as botas e se ajoelhou para amarrar os cadarços.

— Por quê? — Rush insistiu. Tinha medo da possível resposta, mas realmente precisava saber.

Diema já se dirigia à porta, abrindo-a, entretanto parou por um momento no batente e virou-se para olhar para ele.

— Porque não confio que você saiba mentir — respondeu friamente. Pelo tom de sua voz e pela expressão em seu rosto, um observador desavisado pensaria que Rush havia acabado de atropelar o cachorro dela — e não que os dois haviam acabado de compartilhar um momento de intimidade física.

A porta bateu atrás de Diema.

Ele se afundou na cama novamente e fechou os olhos, tomado por uma sensação de desamparo e desespero.

Talvez todo condenado sentisse isso depois de sua última refeição.

* * *

Diema sentia-se oprimida pela sensação de que o tempo se esgotava — só que a imagem em sua mente não era a da areia que se esvaía na ampulheta. Era a de um pavio aceso, como o pavio de uma bomba em um cartum de Tex Avery, queimando até o último e irrevogável *CABUM*.

Ela encontrou Nahir sentado atrás da mesa em sua sala de comando, em intensa discussão com Kuutma. Junto à porta, esperou que a notassem, preparada para ir embora se Kuutma a ignorasse. Mas ele a chamou a entrar.

— ... monitorando canais de informação em tempo real dos escâneres em aeroportos e postos de fronteira — Nahir dizia quando ela entrou. — Mas ainda não temos nada. Estamos rastreando o paradeiro de todos os pseudônimos de Ber Lusim, mas é claro que não presumimos conhecer todas as identidades falsas que ele possuía. Já que fechamos os aeroportos, foram instalados postos de inspeção e segurança ao longo de todas as principais vias que entram e saem da cidade. Não podemos dizer com certeza que detivemos Ber Lusim, mas confio que conseguimos atrasá-lo.

Kuutma assentiu.

— Decisões sensatas, certamente — ele disse. — Diema, sua opinião?

— Minha opinião? Não acho que vá fazer mal — ela disse. Seu tom lento e calculado deixava muitas coisas por dizer.

— O que você faria que eu não tenha feito? — Nahir perguntou, recebendo o insulto com uma expressão imóvel, gelada.

— Presumindo que você tenha posicionado Mensageiros nos terminais ferroviários de Keleti e Nyugati Pályaudvar...

— É claro.

— ... e que esteja monitorando decolagens feitas a partir de aeroportos particulares, então eu diria que fez tudo o que pôde para impedir que Ber Lusim saia da cidade.

— Obrigado.

— Então, o que eu faria, Nahir, seria assumir que você falhou e fazer o meu melhor para descobrir aonde ele está indo.

Ela estava parada de pé diante dele agora, e ele se levantou também, talvez para reivindicar a vantagem de sua altura.

— Fazer o meu melhor — ele repetiu com fria polidez. — Isso é uma exortação retórica, Diema Beit Evrom, mais do que um conselho que eu possa realmente levar em consideração.

— Então, leve *isso* em consideração — disse ela. — Acorde Leo Tillman.

Nahir olhou de Diema para Kuutma e novamente para ela. Balançou a cabeça, não em recusa, mas por perplexidade.

— Tillman foi recrutado como assassino — ele lembrou a ela. — Certamente a utilidade dele chegou ao fim.

— Precisamos do que há na mente dele. Foi ele quem invadiu o depósito de Ber Lusim em Londres. Ele viu os documentos relativos às armas e aos equipamentos que Lusim já havia despachado.

— Estamos começando a obter informações similares dos computadores que encontramos nas cavernas.

— Ótimo. — O tom de Diema foi cortante. — Não estou dizendo que esses esforços devam cessar. Apenas que deveríamos usar todas as opções de que dispomos. Kennedy está certa quando diz que, como adamitas, ela e os outros veem as profecias de Toller sob um ângulo diferente do nosso. Ela provou isso há pouco — e justificou sua decisão de recrutá-la, *Tannanu*. Eu quero usar os conhecimentos de Leo Tillman também. Sua inteligência tática, que foi grande o suficiente para encontrar a antiga Ginat'Dania.

Kuutma coçou a bochecha com o polegar.

— Isso poderia ser feito? — ele perguntou a Nahir. — Você poderia acordá-lo? Ou Tillman já está perto demais do fim?

Nahir fez um gesto descompromissado.

— Não sei, *Tannanu* — ele admitiu. — Eu pensava em Tillman como um recurso já exaurido, então não pedi que os médicos me atualizassem quanto à condição dele. Farei isso agora.

— Obrigado, Nahir — Kuutma disse. — Leve minhas guarda-costas com você. Ambas têm bons conhecimentos em medicina. Talvez possam ser úteis. Nós nos juntaremos a você em breve.

— Quero os outros conosco também — Diema disse rapidamente. — Kennedy e Rush.

Kuutma franziu o cenho.

— Eles não estiveram, acredito eu, presentes no depósito com Tillman — ele observou.

— Não. Mas ambos pesquisaram sobre Johann Toller e suas profecias. Novamente, é o caso de usarmos todos os recursos disponíveis. Se qualquer um deles tiver uma ideia que possamos usar, precisamos arrancá-la deles agora.

— Muito bem — Kuutma disse. — Nahir, por favor, mande trazê-los.

Nahir fez o sinal do nó corrediço, ao qual Kuutma respondeu, e depois saiu. Diema percebeu extrema tensão nas costas e nos ombros de Nahir. Ele não a perdoaria pelas indignidades às quais ela o expusera hoje. Mas, de certa forma, isso tornava mais fácil o que Diema precisava fazer: ele estava tão implacavelmente concentrado nos próprios sentimentos feridos que ela não precisava dedicar a eles nenhum pensamento.

Sozinho com Diema pela primeira vez, Kuutma deu-lhe um breve, mas caloroso abraço.

— Estou satisfeito com o que você realizou — disse a ela. — Satisfeito e orgulhoso. A operação aqui foi brilhantemente manobrada.

— Obrigada, *Tannanu*. — Diema retomou o mesmo tom de humildade que havia usado ao falar com ele em Ginat'Dania, e seu coração dilatou-se como sempre acontecia quando ele a louvava. Mas havia outras emoções presentes agora, e ela escolheu as próximas palavras com cuidado. — Mas acho que eu poderia ter feito mais, e mais rapidamente. E, em todo caso, o plano foi seu.

— Sim — Kuutma concordou. — O plano foi meu. Eu disse que você deveria trazer Tillman e a *rhaka* para a esfera de nossa investigação e usar os talentos deles. Mas eu sabia quanto estava lhe pedindo. Sabia que essa ideia, tão fácil de verbalizar, seria na verdade muito difícil de executar. E você a executou imaculadamente.

— Obrigada, *Tannanu*.

— O que me preocupa é quanto você mesma pode ter se ferido no processo — especialmente ao encontrar Leo Tillman e ser forçada a aceitar tamanha proximidade dele. Nenhum Mensageiro jamais precisou suportar esse fardo.

Diema sabia que não poderia fingir uma indiferença plausível. Então, permitiu que ele visse um pouco da tensão que ela estivera escondendo, deixando a máscara cair com alívio. Fez uma careta.

— Não tem sido fácil. Às vezes, vejo meus irmãos nele. E até a mim mesma. É difícil, nessas horas, não deixar que ele veja como eu o odeio.

— Caminhe comigo — Kuutma sugeriu.

Ele se curvou e, com um gesto de braço, convidou-a a passar na frente dele. Quando saíram da sala de comando de Nahir, ele veio andar ao lado dela, as mãos cruzadas às costas, movendo-se em um passo tranquilo que desmentia a urgência da situação.

— Seu ódio, então — disse ele. — É tão grande quanto sempre foi?

— O crime dele é tão grande quanto sempre foi.

— É claro. É importante que eu saiba o que há em seu coração, Diema. Muito importante. Em um ano, você serviu mais a cidade do que muitos servem em toda uma vida. Seu bem-estar importa para mim.

— Eu sei. — Ela baixou o olhar.

— Bem — Kuutma disse. — Já tenho minha resposta. E, na verdade, eu nem deveria ter precisado perguntar. Foi sugestão sua acordar Tillman e falar com ele, apesar da severidade dos ferimentos. Você obviamente não está preocupada com a possibilidade de comprometer a recuperação dele — ou de acidentalmente matá-lo. As drogas a serem usadas são muito potentes. Então, exigiremos um grande esforço do coração dele, que já está fraco.

Diema engoliu em seco.

— Desde que ele viva o bastante para falar conosco — disse ela, tão descuidadamente quanto pôde.

— E aqui estamos nós — Kuutma anunciou. Haviam chegado a uma porta que era idêntica a todas as outras pelas quais passaram. Como ele sabia?, Diema se perguntou. Teria estudado a planta da casa antes de chegar? Teria chegado mais cedo e se mantido à parte durante a incursão às cavernas? Haveria algum sistema de sinalização nos esconderijos que ele conhecia e ela não?

Seria a expressão dela igualmente fácil de desvendar?

Diema sabia que o uso prolongado da *kelalit* poderia induzir à psicose por metanfetaminas. A paranoia era o principal sintoma.

Ela esticou o braço e abriu a porta, curvando-se para Kuutma e convidando-o a cntrar antes dela. Nem mesmo olhou além do batente.

— *Tannanu* — murmurou.

— Obrigado, Diema.

Ele entrou e ela o seguiu, preparando-se. Matar, quando era obrigada a fazê-lo, havia sido muito mais difícil do que ela esperara. Mas o que estava prestes a fazer agora seria ainda mais difícil.

Precisava tirar os três adamitas dali vivos.

CAPÍTULO 63

Quando Kennedy olhou para Leo Tillman, precisou lutar para sufocar um grito de desgosto. Ela vira os ferimentos dele quando eram recentes, então pensara estar preparada para tudo o que pudesse encontrar quando os Mensageiros a empurraram com Rush pela porta da sala médica e lhe disseram bruscamente que esperassem ali.

Mas ela não contara com os caprichos da psicologia *Elohim*. Os ferimentos de Tillman haviam sido enfaixados e ele havia recebido a transfusão de sangue da qual precisava desesperadamente. Na verdade, parecia ter recebido intensos cuidados. Máquinas de diagnóstico haviam sido trazidas de algum lugar e ligadas ao corpo dele onde quer que houvesse espaço entre tubos de soro e cateteres. As ataduras estavam limpas, assim como os lençóis.

Contudo alguém havia lembrado, em meio a todos aqueles procedimentos clínicos, que estavam lidando com um inimigo. Nesse momento, haviam agrilhoado as mãos e os pés de Tillmann à cama com correias tão esticadas que o corpo dele estava quase suspenso sobre a cama.

Um médico aferia a pressão sanguínea de Tillman com um medidor, sua expressão branda e calma, como se tudo aquilo fosse trabalho rotineiro. Os dois anjos de Kuutma também estavam ali, frios e indiferentes, observando-o trabalhar.

— Meu Deus do céu! — Rush exclamou.

Kennedy voltou-se para os quatro *Elohim* que os haviam trazido à sala.

— Soltem o Leo — ela disse. Teve de forçar as palavras a sair. O sangue martelava suas têmporas e ela se sentia como se estivesse se afogando em uma fúria — quase pânico — que vinha crescendo desde a primeira vez que pisaram neste lugar.

Os Mensageiros fingiram não ouvi-la. Claramente não aceitavam ordens de gente como ela.

Kennedy voltou sua atenção para Nahir, que estava parado no canto da sala, observando-os em silêncio. Ele não havia se movido desde que chegaram, e por isso ela não o vira até agora. A expressão do homem era menos indiferente que a do médico e a dos guardas, mas o que transparecia em seu rosto era, mais que tudo, curiosidade — um interesse pelo que eles fariam a seguir.

— O que foi? — Kennedy disse. — Estão com medo de que ele decida brigar com alguém? Soltem o Leo!

— Não — Nahir disse.

— É um ser humano que está preso aí.

— É mesmo?

Kennedy foi até a cama e começou a desatar Tillman pessoalmente. Quando os Mensageiros se moveram para detê-la, ela girou e esmurrou o mais próximo bem no meio da cara.

Eles a imobilizaram antes que pudesse piscar. Na verdade, o homem que ela acabara de esmurrar foi quem a prendeu em uma chave de braço, dentro de um segundo e sem a ajuda de seus três colegas. Rush aproximou-se para ajudá-la e deu de cara com uma barricada humana: um homem e uma mulher *Elohim*, ombro a ombro, desafiando-o a erguer a mão contra eles.

Ele aceitou o desafio, mas, diferente de Kennedy, não teve a vantagem da surpresa. Um dos dois o derrubou com um soco que ele nem viu chegar e que não poderia nem reconstituir depois que o atingiu. Foi deixado em posição fetal no chão, lutando para voltar a respirar através de uma sólida parede de agonia.

— É melhor não vacilar comigo, ou vai ver só — Kennedy arfou.

— Não farei isso — seu captor prometeu, soando quase divertido.

— Um ser humano — Nahir disse, refletindo. — Você reivindicaria esse *status* para si mesma?, eu me pergunto. Imagino que sim. E que faria isso sem o menor senso de ironia.

— Você quer ironia? — Kennedy rosnou. — Vou te dizer o que é irônico. Que vocês sejam tão cheios de frescura quanto a matar uns aos outros e matar seja a única coisa que façam direito!

Nahir sinalizou ao Mensageiro que deveria soltá-la — um gesto indolente de mão. Kennedy pôde ver, pela expressão e pela postura, que o homem esperava que ela o atacasse — e estava pronto caso ela o fizesse.

— Isso é pessoal para você, né? — ela perguntou, aninhando o braço entorpecido junto ao peito.

A boca de Nahir se torceu por um instante.

— Nem um pouco.

— Só estou tentando descobrir por quê — Kennedy disse. — É porque encontramos sua Ginat'Dania? Dá para entender porque isso dói.

— Nada que você possa fazer jamais faria a menor diferença para nós.

— E, ainda assim, aqui estamos. — Kennedy forçou um sorriso. — Salvando vocês de si mesmos. Porque, no final das contas, três mil anos nem chegaram perto de ser tempo suficiente para que vocês, filhos da puta, conseguissem o que queriam. Dizer que não precisam de nós é uma piada bem ruinzinha depois do trabalho que tiveram para nos trazer aqui.

Nahir colocou a mão atrás do próprio cinto.

— Diga mais uma palavra — ele convidou Kennedy. — E descubra por si mesma quanto preciso de você.

Ela abriu a boca — e o ranger da porta às suas costas intercedeu, provavelmente salvando sua vida.

— Ótimo — Kuutma disse. — Todos estão aqui e tudo, eu presumo, está pronto.

Diema entrou na sala depois dele e fechou a porta. Por um momento, seu olhar se travou no de Kennedy — uma catequese silenciosa. Então, ela desviou o olhar.

— Doutor? — Kuutma disse.

O médico, um homem da mesma idade e com o mesmo físico dos Mensageiros, curvou-se negligentemente e fez o sinal do nó corrediço.

— Fiz uma avaliação física do paciente — disse ele. — Ele parece ter estado com excelente saúde antes de receber esses ferimentos. O organismo dele está imensamente comprometido agora, mas acredito que possa acordá-lo injetando adrenalina e metilfenidato diretamente em seu coração. Obviamente, há uma quantidade de riscos envolvidos nesse procedimento. Mas, se o tempo for escasso...

— O tempo — disse Kuutma — é muito escasso. Faça-o, por favor.

O médico virou-se para as prateleiras e bandejas junto à parede e começou a escolher alguns dos frascos nelas.

— Que riscos? — Kennedy perguntou.

Montando a injeção, o médico respondeu por sobre o ombro. Provavelmente não havia percebido que estava sendo questionado por uma adamita.

— Hemorragia dentro do coração é possível, mas não muito provável. O principal risco é o *tamponamento cardíaco* — a vasoconstrição total e descontrolada que privará o organismo dele de oxigênio. Manterei uma injeção de benzamina pronta para o caso de isso acontecer.

— Não faça isso — Kennedy disse. Estava falando com Diema.

— Prendam-na — Nahir mandou. — Ela pode atrapalhar o procedimento.

Dois *Elohim* seguraram os braços de Kennedy. Os outros dois se aproximaram de Rush, que agora estava sentado no chão, mas ainda não conseguira se levantar.

— Prossiga — Kuutma disse.

O médico usou uma agulha epidural que mais parecia uma espada de duelo. Kennedy obrigou-se a não desviar o olhar quando o doutor, sem preâmbulos, inseriu a ponta entre a quarta e a quinta costelas de Tillman e empurrou a injeção lenta e suavemente a uma profundidade de aproximadamente sete centímetros. Ele pressionou o êmbolo na extremidade da seringa e o pistão dentro dela deslizou, instantaneamente, como um olho que se fecha.

Por meia fração de segundo a mais, o corpo de Tillman continuou calmo e imóvel. Então ele estremeceu, sacudido por um choque interior massivo. Uma poderosa contração muscular passou por ele, esticando ainda mais as correias e fazendo seu corpo arquear, erguendo-se da cama, e depois desabar com força suficiente para balançá-la.

— Segurem-no! — o médico disse aos dois anjos, e estes se colocaram um de cada lado do leito para envolver Tillman em um abraço rígido. Houve uma segunda contração, depois uma terceira, não tão severas quanto a primcira, mas mais prolongadas.

Os olhos e a boca de Tillman se abriram. Sua garganta se moveu e também o peito, mas não houve som de respiração. Rapidamente, o doutor deu-lhe uma segunda injeção, na lateral do pescoço. Borbulhas e engasgos vieram da garganta de Tillman, como se ele estivesse fazendo uma péssima imitação dos sons de um coador de café. Atingiram um pico e se esvaíram.

O médico voltou-se para olhar para Kuutma, tenso, em busca de instrução ou permissão.

— Ele mal está respirando. Preciso de outro antagonista químico para combater a adrenalina. Mas não há nenhum aqui. Esta casa não está tão bem abastecida quando minha própria sala de cirurgia. Eu não pensei em trazer...

— Trinitrato de glicerina — um dos anjos disse.

O médico piscou, de boca aberta.

— Mas isso é... é a composição química da nitroglicerina. É um explosivo.

— E também um vasodilatador. — A mulher olhou para Nahir. — Você tem?

Nahir deu de ombros.

— Muito provavelmente.

Um dos *Elohim* foi em busca da substância. O resto deles foi sumariamente expulso da sala para que o doutor pudesse preparar Tillman para uma ECMO[14] de emergência. Se necessário, mandariam oxigênio para o sangue dele à força usando cânulas e osciladores de alta frequência.

Kennedy ainda estava presa entre os dois *Elohim* que Nahir havia mandado detê-la. No entanto parara de lutar contra eles, que agora a seguravam mais frouxamente. Se Leo morresse, ela pretendia tentar soltar-se deles, mas não havia decidido se atacaria Nahir, Kuutma ou Diema. Apenas sentia que deixar uma marca em um dos três seria um tributo devido a Tillman, mesmo que ela morresse tentando.

Seu olhar continuava voltando a Diema, que estava ali de braços cruzados, com uma expressão taciturna e resguardada. Tudo o que estava acontecendo aqui era conduzido por ela. Diema ainda podia detê-los, mas não disse nem fez nada. Só deixou que tudo fluísse ao seu redor enquanto ficava parada, pensando.

A nitroglicerina foi trazida. Kennedy esperava algo como um bloco gélido, embrulhado em papel à prova de óleo, como um pacote de C4. Mas veio em um frasco, parecendo muito mais um medicamento que um explosivo. Os *Elohim* o levaram para dentro da sala e fecharam a porta.

— Sabe qual é a única coisa de que me arrependo nisso tudo? — Rush perguntou. Estava falando com Diema, que se voltou para olhar para ele, surpresa ao ser arrancada de seu devaneio. — Ter deixado você me tocar — disse ele.

Ela não respondeu. Kuutma franziu o cenho e olhou para Diema — um olhar de espanto e profundo pensamento.

A porta se abriu e o médico surgiu, olhando para eles. Sua expressão branda nada informava, mas ele meneou a cabeça positivamente.

— Ele está pronto para você — disse a Kuutma.

Eles voltaram a ocupar a sala. Os olhos de Tillman estavam abertos e ele respirava — não normalmente, mas profundamente, com um chiado audível a cada inspiração, como a lâmina de um serrote contra

[14] Oxigenação por membrana extracorpórea (ExtraCorporeal Membrane Oxygenation). (N. T.)

papelão. Kennedy tentou ir até ele, mas os Mensageiros que seguravam seus braços não permitiram.

— Leo — ela disse.

Os olhos dele piscaram, giraram e a encontraram. Ele tentou falar e finalmente produziu um som que poderia ter sido o começo do nome dela:

— Heh... — E, um segundo depois: — ... ther.

Kuutma não perdeu tempo.

— Como você queria, Diema — disse a ela com um meneio da mão. — Por favor, continue.

Diema se aproximou.

— Encontramos a base de operações de Ber Lusim sob o Monte Gellért — ela disse, dirigindo-se a Tillman. — Mas ele escapou. E agora, achamos que pretende realizar a profecia final do livro de Toller. Então, precisamos ir atrás dele e detê-lo. Nosso objetivo é o mesmo de antes: salvar um milhão de vidas. Se pudermos fazer isso, então tudo... tudo o que aconteceu ao longo do caminho estará justificado.

Seu tom de voz era estranho. Assim como suas palavras, Kennedy pensou. Ela soava como alguém que implora, mais do que como quem conduz um interrogatório.

Tillman assentiu. Ele engoliu ar antes de tentar falar novamente.

— A ilha — disse, a voz embargada, mas compreensível.

Diema concordou.

— A ilha que foi dada por uma ilha. Todos tivemos tempo de pensar nisso. Se você tiver alguma ideia — se qualquer um de vocês tiver uma ideia —, esta provavelmente é nossa última chance de descobrir onde fica.

Ninguém respondeu. Diema olhou para cada um deles por vez.

— Por favor — disse. Soava desesperada. — Qualquer coisa. Isso não tem a ver com nossos sentimentos. Não tem a ver com podermos confiar ou não uns nos outros. Pensem nas pessoas que logo estarão mortas.

Nahir se retraiu e balançou a cabeça. Parecia pensar que toda essa cena estava abaixo de sua dignidade.

— Houve tratados — Rush disse com imensa relutância.

Diema voltou-se para ele.

— Vá em frente.

— No século XVII. Às vezes, um país cedia ou trocava uma colônia com outros, ou para evitar uma guerra ou para dividir os ganhos depois de uma. Encontrei muitos casos quando pesquisei.

Diema ainda olhava para ele com grande expectativa. Assim como Kuutma. Rush encolheu os ombros.

— Eu acho que não lembro.

— Tente — Diema disse, tensa.

Rush franziu o cenho e olhou para o chão.

— As Ilhas das Especiarias — disse ele. — Na costa oeste da... Índia, eu acho. Foram dadas à Inglaterra na década de 1660. É a época do Toller, mas não houve uma troca. Quero dizer, não foram dadas em troca de outra ilha. Eram parte de um dote. Quando Catarina de Bragança casou com Carlos II.

— Então, provavelmente não servem — disse Diema. — Que mais?

Rush pensou mais um pouco.

— Os Açores trocaram de dono várias vezes, entre Espanha e Portugal, durante todo o século XVI e o século XVII. O Arquipélago da Madeira também. Tinha um monte de tratados quanto eles tomavam o controle de uma ilha ou outra, abandonavam fortes, arrendavam terra, esse tipo de coisa. Provavelmente a gente poderia dizer que qualquer uma dessas ilhas foi dada por outra ilha em algum momento.

— Não tem gente suficiente nesses lugares — Kennedy disse, lembrando-se das anotações de Gilles Bouchard. — Mesmo hoje em dia, Madeira não tem nem 250 mil habitantes. E nos Açores há ainda menos gente.

— Tá legal — Rush disse. — Bom, tem Pulau Run, na Indonésia. A Inglaterra deu essa ilha aos holandeses em 1667 e ganhou Manhattan, e foi nessa época que Nova Amsterdã virou Nova York. A Martinica é possível. Foi francesa, depois britânica, depois francesa de novo, tudo na época em que o Toller escreveu. Granada, no Caribe. Os franceses tiraram a população indígena de lá na década de 1640, o que também coincide com a vida do Toller, e mandaram todo mundo para as ilhas menores em volta, as Granadinas. Então, dá para dizer que deram uma ilha por uma ilha. E tem outras. Não consigo lembrar os detalhes, mas Aruba se encaixa. E a Tasmânia também. O Abel Tasman, que descobriu a ilha, reabastecia o navio dele em Budapeste em uma época em que o Toller ainda poderia estar aqui.

Rush balançou a cabeça.

— A verdade — disse ele — é que você poderia pegar praticamente qualquer ilha que quisesse. As grandes potências europeias da época faziam a festa com essa coisa de trocar colônias entre si. Não é assim que vamos chegar lá.

Os outros absorveram isso em silêncio. Diema deixou os braços cair dos lados do corpo. Então, fechou os punhos. Uma imagem surgiu na mente de Kennedy, súbita e poderosamente: Alex Wales, na sala de reuniões de Ryegate House, no momento antes de a violência nele explodir.

— É... Manhattan — Tillman disse.

Uma mudança ocorreu em todos os *Elohim* na sala. Eles tentaram escondê-la, e ela desapareceu tão rapidamente quanto veio — o feroz autocontrole dos Mensageiros se reafirmou velozmente. Mas, por um momento, eles adotaram as mesmas expressões que haviam exibido quando Diema fizera aquele comentário sobre forçar a mão de Deus.

— Por quê? — Kuutma disse com urgência.

Tillman o fitou, os olhos entrando e saindo do foco.

— Porque a High Energy Haulage... mandou coisas pra lá.

— Nós obtivemos essa informação — Nahir disse. — Dos computadores que Ber Lusim deixou para trás. A High Energy realmente enviou um carregamento para lá, mas não de armas. Eram produtos alimentícios.

— Manhattan — Tillman murmurou outra vez, mais fracamente.

— Que produtos alimentícios? — Kuutma perguntou a Nahir.

— Sementes.

— Sementes?

— Sementes de rícino. Ou mamona.

— Isso não é comida — Diema retrucou asperamente.

— Fonte... fonte natural... — Tillman balbuciou.

— ... da toxina ricina — Kuutma concluiu. — Eu a saúdo, irmãzinha. E ao senhor, Sr. Tillman. Nahir, você fechou o espaço aéreo local. Abra-o novamente. Faça o que for preciso. Diema e eu vamos para Nova York agora mesmo.

Ele abriu a porta e ficou de lado para que ela passasse à sua frente. Mas Diema continuou onde estava.

E respirou bem fundo.

Parte 6

O Joio e o Trigo

CAPÍTULO 64

O distrito de Manhattan estende-se além da ilha que lhe dá o nome, esculpindo um ponto de apoio continental da forma do bairro de Marble Hill — "a Sudetenland do Bronx[15]". Mas na ilha em si, se continuar indo para o norte até não poder mais, logo antes de chegar ao Rio Harlem você chega a Inwood.

É uma vizinhança gravemente esquizofrênica, qualquer um lhe dirá, mas há divergência quanto a onde exatamente fica a divisão. Alguns dizem que é no eixo leste-oeste, com a Broadway separando o East Side, ocupado principalmente por famílias da República Dominicana que talvez já tenham chegado há duas ou três gerações em busca de ascensão social, de um West Side mais boêmio, cheio de artistas, escritores e membros de reserva das muitas orquestras da cidade. Outros dizem que a distinção que importa é de cima para baixo. Inwood é o primeiro bastião que você vê na verdadeira Manhattan, quando vai para o sul junto da sua crescente fortuna, ou então é seu canto do cisne, a última coisa que vê antes de chegar aos bairros mais modestos.

E ainda há uma terceira divisão, que a maior parte da população de Inwood desconhece por completo: entre aqueles que vivem acima do chão e aqueles que vivem abaixo dele. Porque do Isham Park, no norte, até Fort George Hill, no sul; da 10th Avenue até Payson; e de 10 a 215 metros abaixo da rua, Inwood é a atual localização de Ginat'Dania, a pátria peripatética do Povo de Judas.

Dentro desse espaço, cuja área total, contando todos os níveis, está perto de 800 quilômetros quadrados, a totalidade do Povo, a não ser pela pequena diáspora já mencionada, vive e trabalha, sonha e morre. Seis quarteirões de arranha-céus pertencentes ao Povo e ocupados por seus guardiões, os *Elohim*, formam os periscópios e torres de vigia. Mas a maior parte dos cidadãos nunca visita essas extrusões na superfície. Estão acostumados ao ritmo e à logística da vida subterrânea, ao ponto em que "subterrâneo" deixa de ser parte de seu conjunto de referências.

---

[15] Em março de 1939, o subprefeito do Bronx, James J. Lyons, fincou uma bandeira do Condado do Bronx em Marble Hill e proclamou esse bairro como parte do Bronx, chamando-o de "a Sudetenland do Bronx", em uma referência à região homônima na Tchecoslováquia, anexada à Alemanha em 1938 por Hitler. (N. T.)

Ginat'Dania, o Jardim do Éden do qual o resto da humanidade há muito foi expulso, é onde eles residem.

E para Ginat'Dania Kuutma agora retornava, a fim de iniciar sua defesa.

No momento em que tocou o solo, em Newark, e passou pela alfândega, eram 11h09 da manhã. Já que o fuso horário padrão dos Estados Unidos estava cinco horas à frente da Hora Média de Greenwich, isso significava que restavam sete horas e 51 minutos no relógio. A zero hora seria às 19 horas desse dia. Kuutma já dava ordens a seus Mensageiros enquanto era levado pelas ruas de Nova Jersey, e os primeiros Mensageiros já se mobilizavam e agiam na hora em que ele chegou à ilha de Manhattan e desceu para seu lar.

A primeira e mais importante tarefa era selar e proteger as fronteiras. Para isso, Kuutma ordenou que as ruas de superfície em Thayer, Nagle Avenue e ao longo dos limites orientais do Inwood Hill Park fossem solapadas com trabalhos de escavação, de forma que começassem a desabar. As autoridades da cidade de Nova York prontamente fecharam as ruas afetadas para proceder aos reparos, desviando o tráfego pela ponte em University Heights. Carros ainda podiam ir e vir por toda a extensão da ilha, obviamente, mas, se Ber Lusim estivesse transportando seu veneno em caminhões, não poderia penetrar diretamente no território sob o qual jazia Ginat'Dania.

Isso deixava o ar e a água como potenciais vias de entrada. *Elohim* foram enviados para vasculhar todos os aeroportos particulares conhecidos em torno da cidade, procurando principalmente aviões ultraleves pequenos o suficiente para se isentarem de inspeções de segurança e monitoramento federal. Imagens de satélite eram examinadas a fim de identificar quaisquer pistas de pouso cuja localização estivesse disfarçada.

No que se referia à água, armazéns no cais eram revistados ao mesmo tempo, assim como barcos atracados no ancoradouro. A fábrica na qual Ber Lusim havia extraído e refinado seu veneno já havia sido identificada por meio de imagens de satélite arquivadas, que mostravam os caminhões vermelhos da High Energy Haulage fazendo uma entrega nesse local mais de um mês atrás. Mas a fábrica estivera claramente abandonada já havia algum tempo. Não existia nada lá, a não ser resíduos industriais, embalagens de componentes químicos puros e muitos e muitos quilos de sementes de mamona que não haviam sido reduzidos a polpa e processados. A localização da fábrica era um insulto calculado: ficava em Marble Hill, no ponto de onde se viam diretamente o Rio Harlem e a ponta norte da ilha de Manhattan. Ber Lusim, que eles haviam procurado no mundo todo, construíra sua arma de destruição em massa a poucos passos da própria Ginat'Dania.

Era verdade que a busca dos *Elohim* era prejudicada pelo fato de que não tinham ideia de qual poderia ser esse armamento e que aparência teria. Mas também era verdade que eles podiam eliminar algumas possibilidades e se concentrar em outras mais prováveis. A ricina era extremamente difícil de utilizar como arma. Tinha alta toxicidade, porém era mais efetiva em estado sólido, ou como pastilha ou como revestimento venenoso de algum tipo de munição. A quantidade necessária para matar um milhão de pessoas teria de ser medida em toneladas, e cada uma das vítimas precisaria ser diretamente exposta à toxina: seus efeitos não podiam ser transmitidos de uma pessoa a outra.

Todos esses fatores operavam a favor do Povo. No entanto Ber Lusim também sabia de tudo isso e, ainda assim, havia escolhido a ricina entre uma ampla gama de outros agentes tóxicos, como sarin, toxina botulínica, varíola ou antraz, que poderiam ter sido mais convenientes ou mais eficazes. Certamente ele tinha um plano para espalhar o veneno pela cidade, ou ao menos por uma parte dela, suficiente para matar um milhão de seus habitantes.

Ele atacaria a própria Ginat'Dania? Tal pensamento era terrível, mas tinha sua própria lógica monstruosa. Shekolni acreditara completa e fervorosamente na divina inspiração de Toller, e Toller, em seu livro, havia descrito Deus *escolhendo* aqueles que seriam salvos. Quem mais Ele escolheria senão o Povo de Judas? E, portanto, onde mais a atrocidade final se desencadearia?

Então, Ginat'Dania estava sitiada, com todos os seus cidadãos enclausurados, todas as suas entradas e saídas fortificadas e vigiadas, todos os seus Mensageiros respondendo diretamente ao próprio Kuutma, que enviava um fluxo constante de instruções e perguntas a partir de seus aposentos em *het retoyet*.

Ou quase todos.

Vindo de um pequeno aeroporto comercial muito afastado da cidade, uma boa hora depois de Kuutma, por causa das complicações referentes ao transporte de um de seus passageiros, um caminhão blindado com o logotipo de uma conhecida empresa de segurança também se dirigiu a Manhattan. Em suas entranhas, não exatamente aprisionado, mas também não exatamente livre, estava um pequeno grupo que fora entregue ao comando de Diema. Era composto da própria Diema, Desh Nahir, as guarda-costas de Kuutma, Alus e Taria, e os três adamitas. Tillman. Kennedy. Rush.

Kuutma franziu o cenho ao pensar neles. A memória das duas últimas horas em Budapeste ainda o perturbava. Ele havia escutado Diema — devia-lhe isso e muito mais. Mas estava longe de ter certeza de que tomara a decisão certa.

* * *

— Preciso que os três venham comigo — Diema havia dito. — Você entende isso, não é, *Tannanu*? A razão pela qual me enviou a eles. Não foi apenas porque eles podem matar quando nós não podemos. É porque veem as coisas de uma maneira diferente da nossa, e precisamos de suas habilidades. Foi com a ajuda deles que cheguei tão longe. Seria um ato cego e estúpido desistir dessa ajuda agora, enquanto ainda precisamos dela. Deixe-os ir conosco para Nova York.

Nahir emitiu um som gutural de repugnância.

— Você discorda, Nahir?

— Não faz sentido, *Tannanu*. Se precisar de informações dos adamitas, fale com eles por telefone ou dirija suas solicitações a mim e eu falarei com eles por você. Não há necessidade de eles o acompanharem. Seria até melhor assim, já que Tillman provavelmente está fraco demais para se deslocar. Você arriscaria matá-lo no trajeto, o que Diema Beit Evrom certamente não desejaria se ele é um recurso assim tão valioso.

— Não podemos prever o que encontraremos e do que precisaremos — Diema contrapôs. — Pode ser que precisemos de Tillman ao nosso lado, fraco como está, para usarmos suas ideias. Não tem a ver com salvaguardar sua saúde. Tem a ver com mantê-lo onde ele possa ser mais útil.

— E o mesmo vale para Kennedy? — Kuutma perguntou.

— Sim. Exatamente.

— E o garoto?

Diema não respondeu. O que era, por si só, uma resposta.

— Muito bem — Kuutma disse. — Levaremos a *rhaka*. E Tillman também, embora eu ache difícil acreditar que nós o usaremos como você sugere. Mas o garoto fica. Quando tivermos partido, Nahir poderá dispor dele como achar melhor.

Diema ficou visivelmente tensa, como se estivesse se preparando para um intenso esforço físico.

— Benjamin Rush é o pai do meu bebê — ela disse — que ainda não nasceu.

O choque de Kuutma ao ouvir isso foi tão grande quanto o de Nahir, mas, diferentemente de Nahir, ele foi capaz de não demonstrá-lo nem em sua expressão nem em ações.

Nahir, em contraste, gritou — um grito sem palavras, de repulsa e protesto. Deu um passo na direção de Diema, as mãos erguidas, como se pretendesse agredi-la. Ela mesma assumiu uma posição de combate, pronta para defender-se.

— O que é isso? — Kuutma perguntou friamente. — O que é que você está dizendo? Você é uma *Elohim*, não uma *Kelim*.

— Agora, sou ambas — ela respondeu.

— Você é uma meretriz! — Nahir berrou. — Uma meretriz imunda!

Ela lançou a ele um olhar de frio escárnio.

— Você precisa aprender novas palavras ofensivas, Desh Nahir. Variar seu repertório. Seria terrível se você se tornasse tedioso.

— A suposição de Desh Nahir é razoável — Kuutma interveio, esmerilando as palavras. — Se ele estiver errado, conte-me por quê. Como isso aconteceu?

Diema olhou nos olhos dele.

— Aconteceu, *Tannanu*, desta forma — ela disse. — Eu me entreguei ao garoto a fim de ganhar a confiança dele — e, por meio dele, a confiança de Heather Kennedy. Foi parte de minha missão, e não senti prazer algum, mas também não hesitei. Outros *Elohim* fizeram esse tipo de coisa, muitas vezes. Mas eu me enganei ao calcular meu ciclo e me vi grávida. E disso, obviamente, sou culpada.

— Culpada? — Nahir quase gritou. — Esta obscenidade...

Kuutma o silenciou com um gesto breve.

— Prossiga — ele disse a Diema.

— E assim — ela disse —, fui defrontada com uma escolha. Eu poderia ter encerrado a gestação. Não teria sido nenhuma vergonha. Mas o ventre das filhas do Povo é o portal pelo qual os Abençoados vêm ao mundo. Decidi que hei de parir a criança, se puder levar a gravidez a cabo. E, uma vez que tomei essa decisão, tornei-me *Kelim* e Ben Rush, meu parceiro, o homem com cuja semente eu devo ser semeada. Três vezes, dizem as leis.

— As leis não cobrem isso! — Nahir vociferou. — As leis mantêm silêncio quanto a isso!

— Isso é sem precedentes — Kuutma disse.

— É imundície e abominação!

Diema havia dito o que precisava dizer. Permaneceu ali, levemente cabisbaixa, esperando o veredito de Kuutma.

E, pela primeira vez desde que ele aceitara o manto da liderança — seu próprio santíssimo posto —, Kuutma sentiu-se perdido.

— Tragam-me o garoto — disse, por fim.

Nahir voltou-se para o mais próximo de seus *Elohim*, mas Alus e Taria, as mulheres que serviam Kuutma como guarda-costas, já haviam se separado dele para cumprir a ordem.

— Não diga nada a ele — Kuutma avisou Diema. — Eu mesmo devo interrogá-lo.

As mulheres voltaram, alguns segundos depois, trazendo Ben Rush entre elas. Rush olhou ansiosamente para Diema, que nitidamente desviou o olhar, pousando-o depois em Nahir, que fitava ferozmente o rapaz como um ogro em uma pantomima.

— Olhe para mim — Kuutma ordenou rispidamente. Assustado, Rush obedeceu.

— Se algo se passou entre você e nossa irmã — Kuutma disse —, conte-nos agora. Somente a honestidade o salvará. Uma mentira o condenará e arruinará Diema. Então, fale.

O garoto levou um longo tempo para conseguir formar uma palavra. E, já que era um adamita, quando o fez, mentiu.

— Não toquei nela — ele disse. Seu olhar relanceou novamente até Diema.

— Para mim — Kuutma rosnou. — Olhe só para mim. Então, não houve contato físico? Ela está pura? Livre da sua profanação?

O garoto estava claramente aterrorizado agora. Talvez tivesse uma vaga ideia do que estava em jogo ali; de quão próximo estava da morte.

— Eu... eu obviamente dei em cima dela — gaguejou. — Eu pensei, sabe, que talvez tivesse uma chance. Então, se... sim. O que quer que tenha acontecido foi iniciativa minha. Mas não foi muita coisa. Ela... Diema não estava interessada. Ela me deu um soco e pronto, foi só isso.

Kuutma ergueu o braço e agarrou o rosto do garoto em sua mão enorme.

— Está dizendo que não se deitou com ela?

— Não — Rush murmurou. — Quero dizer, sim. É isso que estou dizendo.

— Então, se ela está grávida, a criança não pode ser sua?

A expressão do garoto deu a ele a única resposta de que precisava. O espanto, o terror e a absoluta perplexidade que ali guerreavam não poderiam ser fingidos.

— *Tannanu*, eu lhe imploro — Nahir disse, a voz embargada. — Mate os adamitas aqui e agora e termine com isso. Os três. Nada se ganha com esta... esta aliança humilhante.

Kuutma soltou o garoto e fez um gesto brusco. Alus e Taria levaram Rush, segurando-o muito mais rudemente do que antes.

O rosto de Nahir, agora, estava quase tão transparente quanto o do garoto. Todo o curso de sua afeição por Diema, suas esperanças e a crise na qual agora fora atirado podiam ser lidos em sua expressão.

— Não me pronunciarei quanto a isso — Kuutma disse, falando principalmente com Diema. — Não ainda. O tempo é curto demais. Diema, permitirei que você leve esse zoológico adamita para Nova York e garantirei a segurança deles até que tenhamos liquidado a ameaça. Depois disso, falaremos novamente desta questão. Por enquanto, nós a deixaremos de lado.

Contudo Nahir não havia terminado. Todo o corpo dele tremia e ele cuspiu a *hrach bishat*, a execração formal que o tornava o acusador de Diema.

— Tem certeza de que quer isso? — Kuutma perguntou a ele.

Nahir não respondeu. Não havia nada a dizer: já se havia falado demais.

— Você voltará conosco — Kuutma disse a Nahir. — Tome as providências.

Ele ponderava essa decisão agora, sozinho em seu quarto no *het retoyet*, enquanto, na cidade ao redor, seus Mensageiros se movimentavam entre os adamitas, tecendo sua teia invisível. Certamente uma concentração tão grande de *Elohim* em um só lugar nunca fora vista antes, desde a época da morte de Cristo. Talvez Ber Lusim estivesse certo: talvez este fosse, afinal, o fim dos tempos.

Ou talvez ele estivesse apenas ficando velho.

Homens velhos, passado o seu auge, tendiam a duvidar das próprias decisões.

Mas não havia dúvida, em sua mente, em relação ao que a atuação de Diema pretendera alcançar. Ela havia escolhido uma linha de ação — talvez a única linha de ação — capaz de tirar Tillman, Kennedy e o garoto de Budapeste vivos. Pois ela raciocinara, corretamente, que deixá-los para trás, nas mãos de Nahir, significaria entregá-los à própria morte. Então, ela demonstrara que Tillman e a *rhaka* ainda eram valiosos — e estendera ao garoto o *status* temporário, mas influente, de pai-externo.

Era uma ideia inteligente e profundamente perturbadora — que sua protegida, sua agente, sua quase filha dedicasse tanto esforço para tal fim. Como se ela tivesse perdido a indiferença necessária dos *Elohim* às vidas adamitas. Como se tivesse esquecido, de uma só vez, as regras que a autorizavam e governavam.

Mas não fora assim tão de repente, ele se corrigiu. Houvera o garoto que ela matara e sua incapacidade de deixar essa morte para trás. Os sinais haviam estado ali desde o início.

Kuutma sabia que estivera certo, de todo modo, em trazer Nahir de volta a Ginat'Dania. Se todos eles sobrevivessem a isso, o Sima ouviria as acusações de Nahir contra Diema e se pronunciaria quanto a isso. Significaria o exílio para um deles. Isso precisava ser feito o quanto antes. Não podia ser deixado de lado até apodrecer.

Todavia ter colocado Nahir na equipe de Diema — forçar os dois a trabalhar juntos —, isso havia sido crueldade desnecessária. Mostrava a Kuutma o espelho de suas próprias falhas. Ele depositara fé demais na garota, baixara sua guarda para ela e, agora, experimentava uma sensação de tristeza e raiva que era imensamente pessoal, quando ele deveria ser inteiramente Kuutma, a Marca, suas emoções individuais sublimadas pelo calor da retidão.

Ele nunca tivera uma família. As mulheres que havia conhecido nunca foram tão reais para ele quanto sua vocação, sua vida de serviço, e ele deixara que elas se afastassem sem nenhuma sensação de perda.

Pela primeira vez, agora, via-se pensando no que Tillman havia perdido. Depois, no que Tillman havia destruído com as próprias mãos. Seria impossível imaginar duas pessoas que tivessem vivido vidas mais diferentes, mais opostas do que ele mesmo e aquele homem. A missão puramente particular, puramente egoísta, do adamita e a vida pública, de implacável abnegação, do próprio Kuutma.

Mas sabia o que estava sentindo, e a comparação simplista não atenuava a força do sentimento. O ciúme de Nahir, tão flagrante e indecente, permitira-lhe ver seu próprio zelo como de fato era — porém não lhe indicava o que deveria fazer com ele. Talvez tivesse sorte. Talvez a decisão fosse tirada de suas mãos.

Talvez o mundo acabasse.

CAPÍTULO 65

A cinco quilômetros de Manhattan, ultrapassando o limite de velocidade na traseira de um caminhão que tinha ar-condicionado, mas não suspensão, Kennedy segurou-se firme a um cano — e a seus rins — e tentou não pensar na situação na qual todos eles estavam.

Rush afundara em uma tristeza introspectiva. As duas mulheres *Elohim*, Alus e Taria, estavam sentadas, perfeitamente paradas, parecendo indiferentes ao que as cercava, mas — Kennedy tinha certeza — supremamente conscientes de tudo. Tillman estava acordado, porém muito fraco — e amarrado a um assento na frente do caminhão para que os saltos e solavancos constantes não o atirassem no chão. Ainda havia o perigo de suas feridas se abrirem, e Kennedy podia ver, pela expressão concentrada no rosto dele, brilhante de suor, quanto lhe custava evitar um desmaio a cada vez que percorriam um trecho acidentado da estrada. Diema estava a alguns passos dele, apoiada em um canto, olhando para o pai com um ar de profunda reflexão. Nahir observava todos eles como o gato observa o buraco do rato.

O trajeto desde a Hungria não havia dado a Kennedy nenhum momento para conversar com Tillman ou Rush. Havia sido um calvário caótico e aparentemente interminável envolvendo uma corrida perigosamente veloz para sair de Budapeste por ruas estreitas e apinhadas de gente, passando pela fronteira eslovaca e entrando na periferia industrial de Levice. E depois um voo noturno saindo de um aeroporto particular perto de Podluzany que, no fim, não era nada de aeroporto, mas uma pista recém-instalada no meio de lugar nenhum — apenas asfalto fresco despejado sobre a grama e as ervas daninhas e alisado com rolos de jardim enquanto esfriava. Os pés deles, quando caminhavam até o avião, haviam grudado na superfície ainda úmida e saído com ruídos audíveis de descolamento.

No avião, eles haviam arrancado uma fileira de assentos e adaptado a fileira atrás dela na forma de uma padiola improvisada para Tillman, amarrando-o a ela com cintos de segurança e fita isolante por toda a extensão de seu corpo. Ele deslizava para a consciência e depois de volta à inconsciência: o médico *Elohim* parecera preferir um sistema de controle da dor que era basicamente uma marreta química. Mas, em um de seus breves períodos de lucidez, Kennedy conseguira perguntar como ele estava se sentindo.

— Bem — fora tudo o que ele dissera. — Estou bem, Heather. Só dói quando eu rio.

— Ela nos traiu, Leo — Kennedy contara, inclinando-se para perto dele para murmurar as palavras a seu ouvido. — Assim que você desmaiou no Monte Gellért, ela chamou a família dela para nos pegar. Eles estão controlando a ação agora. Controlando a gente.

Tillman havia sorrido um sorriso um tanto torto, pois seu organismo ainda não havia expurgado os sedativos.

— Eu sou da família dela — disse ele.

O que assustou e estarreceu Kennedy, pois pensou que ela própria havia denunciado isso sem querer.

— Você *sabia* disso?

— Sim. Eu sabia. Por isso é que segui o sinal dela lá na montanha. Eu sabia que havia a possibilidade de você estar encrencada também. E o moleque. Mas ouvi... tiros, explosões, tudo ao redor dela. Não podia deixá-la ali. Sinto muito por ter te deixado por conta própria.

— Não sinta — Kennedy murmurou. — Como você soube, Leo? O que eu disse?

Ele balançou a cabeça muito lentamente.

— Nada. Bom, você disse, lá no Pombal, que só tinha vindo me procurar depois de encontrar a Diema. Você não disse que era *por causa* do encontro com a Diema, mas pareceu implícito.

— Droga — Kennedy disse amargamente.

— Mas eu teria percebido de todo jeito. Ela é a cara da mãe.

— Acho que a semelhança para por aí. — Precisava dizer isso, por mais que o magoasse. Do contrário, ele se magoaria muito mais depois. — Ela não dá a mínima pra nenhum de nós. Mandou esses caras enfiarem uma agulha no seu coração para te acordar e eles poderem te interrogar.

Tillman se retraiu — era a dor, pelas feridas ou pelas palavras.

— Ótimo — disse ele.

— Ótimo?

— Para ela, eu e Adão somos a mesma coisa, e Adão, conforme ela aprendeu, era um merda. Um milhão de mortos, Heather. É isso que está para acontecer. Ela está jogando com as cartas que tem, que é o que eu ia querer que ela fizesse. É o que eu faria.

A conversa teve de parar nesse ponto, pois eles estavam prestes a aterrissar. Foi Diema quem surgiu de repente junto deles para avisá-los disso — e, olhando para trás, não havia como saber por quanto tempo ela estivera escutando.

Como conseguiram entrar nos Estados Unidos ainda era um mistério para Kennedy. Era provável que não tivessem entrado oficialmente. O avião precisava ter recebido uma permissão, é claro, mas não houvera nenhuma inspeção de seu conteúdo e — no caso dela, e no de Tillman, e no de Rush — nenhuma verificação de passaportes ou procedimentos de imigração. O melhor palpite de Kennedy era que o campo remoto onde haviam pousado era usado principalmente por traficantes de drogas e que o Povo de Judas estava apenas se aproveitando de uma rede preexistente de subornos, favores e cortesias semiprofissionais. No que dizia respeito ao controle de alfândega norte-americano, não havia passageiros ali, só carga. Quem quer que tivesse embolsado a comissão não se importava se eles eram profissionais do sexo, terroristas ou astros do *rock* avessos às câmeras.

Assim, em nenhum momento eles tiveram chance, em nenhum estágio dos procedimentos, de se separarem dos captores *Elohim* e pedir socorro. Estavam aqui nos termos de Diema e à sua mercê, como haviam estado desde a batalha no Monte Gellért. Haviam caído pela borda do mundo e aterrissado em uma realidade paralela. Agora, seu destino estava nas mãos de lunáticos e crianças.

E passava um pouco das nove da manhã em um domingo claro e enevoado, o que significava que faltavam dez horas para o Armagedom.

O caminhão fez uma curva muito aguda, sacudindo-se nas bases como um barco na maré alta. Uma das mulheres de Kuutma — Alus, Kennedy achava — falou com a outra, que estava dirigindo, através de uma grade de segurança. Ambas haviam trocado de roupa, usando agora uniformes da empresa de segurança para o caso de o caminhão ser detido em algum momento. Todos os outros haviam recebido uma muda de roupa antes de deixar Budapeste e, agora, usavam peças casuais e confortáveis que não atrairiam um segundo olhar. Exceto pelo fato de que Tillman parecia um morto-vivo e o rosto de Rush (embora o inchaço tivesse sumido) estava cruzado e recruzado por trilhas de pontos cirúrgicos.

— Onde estamos? — Diema perguntou a Alus.

— *He vuteh* — a mulher respondeu simplesmente. — O túnel.

Diema olhou para Kennedy e depois para Tillman, ignorando Rush.

— Chegamos ao Túnel Lincoln — disse a eles. — Estamos entrando em Manhattan. Precisamos decidir aonde queremos ir primeiro.

— A fábrica — Tillman resmungou. Sua voz estava sumida. — Lá no Bronx. Onde o Lusim extraiu a ricina. Eu quero ver.

— A fábrica já foi examinada por nossa gente — Alus disse. — Vocês não encontrariam nada que eles não tenham visto.

Tillman não desperdiçou energia discutindo com ela, e Kennedy sabia por quê. Esta ainda era a operação de Diema e a voz dela era a que contava.

Diema falou com Alus — pareceu apenas uma palavra — e Alus falou com Taria pela grade.

— Isso é tolice — Nahir disse a Diema em um tom grave e feroz. — Um desperdício de tempo. Todo o resto de nosso pessoal está vasculhando o extremo leste da ilha.

— Você vê uma razão para fazermos o que todo o resto está fazendo? — Tillman perguntou a ele.

Diema disparou mais algumas palavras para Nahir, em rápido aramaico, e ele silenciou. *Faça o que eu mando*, Kennedy imaginou. Então, apesar de tudo, Diema confiava nos instintos de Tillman. E ela também. Todo mundo precisa de uma rocha à qual se agarrar quando a água bate no traseiro.

Não havia nada a fazer agora até que pegassem o trânsito para a Ponte Henry Hudson e entrassem no Bronx. Kennedy foi até Rush, que ainda estava perdido nos próprios pensamentos insondáveis, e colocou uma mão no ombro dele.

Ele ergueu o olhar para ela, o rosto cansado e desolado.

— Está aguentando firme aí? — ela perguntou.

— Estou bem — respondeu ele. Até tentou sorrir.

— Não acho que nenhum de nós esteja bem, Rush. Mas você não disse uma palavra desde que saímos de Budapeste. Aconteceu alguma coisa lá?

— Muita coisa aconteceu lá.

— É verdade — Kennedy admitiu. — E você se virou muito bem. Encarou um matador profissional e escapou vivo, o que é um a zero para nós. Mas não vai ter que fazer isso de novo, se é isso que te preocupa. Se conseguirmos descobrir onde o tal Ber Lusim vai atacar, é o pessoal do Kuutma que vai agir. Não nós.

— Não é isso — Rush disse. — É que... eu... — Ele pareceu lutar com a próxima palavra por um longo tempo. Kennedy percebeu que Nahir os observava do outro lado do espaço estreito e moveu-se para bloquear o campo de visão dele. O ruído do tráfego e o roncar do motor a diesel do caminhão afogariam qualquer som que eles fizessem.

— O que foi? — ela perguntou.

— Ela está encrencada com o povo dela — Rush disse. — A Diema. E eu acho que é por minha causa.

Nem havia ocorrido a Kennedy que ele poderia estar preocupado com a garota, e a ideia a pegou completamente desprevenida.

— O quê? — perguntou estupidamente.

— Foi uma coisa que aconteceu no esconderijo. Eu acho que ela deve estar sob ordem de prisão ou algo assim. Esse babaca aí, o Nahir, estava gritando com ela, e depois veio aquele careca medonho e fez o mesmo, e depois ele disse que faria um julgamento.

— Um julgamento do quê? Tem alguma ideia do que seja?

Ele balançou a cabeça negativamente.

— Eu queria não ter vindo aqui — murmurou, sombrio. — Não fiz a menor diferença. Não sei por que achei que poderia ajudar. Tudo o que eu fiz foi estragar tudo.

— Isto — o que nós estamos fazendo agora — não é sua especialidade — Kennedy disse gentilmente. — Nem a minha.

Ele ergueu o rosto e encontrou o olhar preocupado dela.

— Heather, eu *não tenho* especialidade.

Kennedy tirou da bolsa a fotocópia da versão datilografada do livro de Toller e a entregou a ele.

— Tem. Tem, sim — disse. — A mesma que eu. Somos os detetives, Ben. É por isso que precisam de nós.

O caminhão finalmente parou. Taria destrancou e abriu as portas traseiras pelo lado de fora. Eles viram a luz do dia pela primeira vez em duas horas. Taria e Alus, com cuidado e gentileza surpreendentes, ajudaram Tillman a descer do veículo. Kennedy teve de se forçar a lembrar que as duas ficariam felizes em cortar a garganta deles se recebessem a ordem de fazê-lo. Não se podia baixar a guarda com essas pessoas.

Nenhuma delas.

A fábrica era uma carcaça, a maior parte de suas janelas quebrada ou lacrada, pichações subindo pelas paredes feito musgo. Ficava em um trecho de asfalto que vinha sendo rachado lentamente por espinheiros e ervas daninhas. Pombos aninhavam-se nos beirais das janelas mais altas e nos buracos deixados na parede por tijolos caídos. O ar pesava com o cheiro de seus excrementos. Havia uma placa também salpicada de fezes de aves. Nela, lia-se PARNASSUS IRON AND STEEL COMPANY, com a figura estilizada de uma montanha atrás do nome, como no logotipo da Paramount Pictures.

Atrás de uma cerca de arame flácida, as águas do Rio Harlem lambiam um píer de concreto no qual havia um velho sofá, mofado e imundo. Havia uma quantidade pequena, mas compacta, de garrafas vazias de cerveja perto do sofá e um verdadeiro monumento de caixas de isopor com o logotipo do McDonald's. Além desse ponto, a uma grande distância, mas dominando a paisagem, as torres de Manhattan erguiam-se como em um sonho: a terra do leite e do mel, logo ali, do outro lado do rio.

Um dos Mensageiros de Kuutma, que parecia ter a idade de Diema ou talvez só um ano a mais, fora posicionado diante da entrada principal da fábrica para esperar a chegada deles. Vestia calça *jeans* rasgada e uma camiseta desbotada dos Strokes, mas endireitou-se quando Diema se aproximou e a cumprimentou fazendo o sinal do nó corrediço com todo o fervor. Ela parecia conhecê-lo.

— Raziel — disse a garota.

O rapaz corou, feliz por ser reconhecido.

— Pronto para servi-la, irmã — disse ele. Cedeu-lhe passagem sem uma palavra e passou a andar ao lado dela. O resto do grupo a seguiu para dentro do edifício. Tillman, apoiando-se pesadamente nos dois anjos de Kuutma, fechava a comitiva.

— Onde estão os tanques? — ele perguntou. — Eu gostaria de vê-los.

Raziel olhou para Diema, que assentiu.

— Faça o que ele diz.

Raziel os levou a uma sala enorme que parecia ocupar a maior parte do interior da fábrica. O teto, muito elevado, certamente era só a parte de dentro do telhado do prédio, escorado com imensas vigas de aço e enfeitado com cabos enrolados e pendurados. Os pombos voavam para lá e para cá no alto, e tudo o que se via estava salpicado de branco com seus dejetos. O bater de suas asas fez Kennedy lembrar-se, súbita e intensamente, de uma bicicleta que ela tivera aos 7 anos. Ela havia enfiado cartas de baralho entre os raios da roda traseira e, quando pedalara, o som fora exatamente igual, percebia agora, ao som dos pombos assustados levantando voo.

No centro do recinto, obviamente muito mais novos que qualquer outra coisa no local, mas já manchados de guano, havia sete tanques cilíndricos. Eram de plástico amarelo e chegavam à altura dos ombros de Kennedy. Em cada um havia dois ou três centímetros de uma pasta ou gosma espessa e verde.

— Peguem um pouco disso aí — Tillman disse. — Mas não toquem nele com as mãos.

Taria achou uma ripa de madeira e a usou como colher, pegando um pouco daquela porcaria. Mostrou o que colhera para Tillman, que apoiou o peso do corpo em uma coluna de cimento antes de pegar a ripa e cheirar a meleca pegajosa.

— Isso aí é a toxina? — Kennedy perguntou a ele.

— Não, é úmido demais — Tillman respondeu. — É só uma massa. O pessoal do Ber Lusim deve ter moído as sementes aqui, extraído o óleo e depois filtrado o resíduo várias e várias vezes. Mas ainda precisavam precipitar a ricina. É um processo em dois estágios. O que estamos procurando é uma sala com um monte de bandejas largas e rasas.

— Por que estamos procurando isso? — Nahir perguntou com uma ênfase sarcástica.

Ignorando-o, Diema, rosnou uma ordem concisa. Raziel e os anjos fizeram o sinal do nó corrediço e agiram na mesma hora. Nahir ficou onde estava.

— *Na be'hiena se ve rach* hierarquia — Diema disse a ele. Seu tom foi brando, mas seus olhos se estreitaram. Nahir sustentou o olhar dela por um ou dois segundos, depois se uniu à busca.

Isso deixou Diema a sós com os três. Ela se voltou para Tillman.

— Você já viu um lugar como este? — perguntou a ele.

— Duas vezes. — Ele ergueu dois dedos e usou-os para contar. — Da primeira vez foi no Afeganistão. Da segunda, aqui na América. No Texas. Instalações de pequena escala em ambas as ocasiões. E, até onde pudemos perceber, nenhuma das duas processava ricina suficiente para prejudicar alguém. A não ser elas mesmas, talvez. Esta parece ser uma operação bem mais ambiciosa. — Ele apontou para alguns pacotes de produtos químicos empilhados perto dos tanques. — Sulfato de sódio. Tetracloreto de carbono. Um monte dos dois. E sete tanques significam que eles tinham fornadas refinando e secando o tempo todo. Uma verdadeira linha de produção.

Ele ergueu uma mão para coçar o peito, mas foi impedido pelas grossas camadas de ataduras e desistiu depois de alguns momentos.

— É sempre o sistema de distribuição — ele murmurou.

— O quê? — Diema perguntou.

Tillman olhou para ela e encolheu um ombro só: o outro sustentava a maior parte de seu peso.

— O problema da ricina. É um negócio horrível mesmo. Ela te mata se você inalar, engolir ou deixar que entre no seu organismo de alguma outra forma. Mas precisa de mais que um ou dois grãos. Precisa de um bom pulverizador de aerossol ou uma pílula sólida. Já ouviu falar do Georgi Markov?

Diema balançou a cabeça, negando.

— Um escritor e dissidente político búlgaro. Viveu em Londres nos anos 1970. Estava dizendo umas coisas feias sobre os soviéticos e eles queriam que ele calasse a boca. Então, alguém fez um assassino espetá-lo com a ponta de um guarda-chuva. Três dias de agonia. Depois, ele morreu. O guarda-chuva estava equipado para injetar uma cápsula de ricina de cerca de um milímetro de diâmetro.

— O que é ótimo se você só quiser matar *um* búlgaro — Diema disse.

Tillman assentiu.

— Mas você não pode bombardear Nova York com guarda-chuvas venenosos. Precisa de um sistema de distribuição que inunde as ruas com milhões dessas cápsulas ou com bilhões de partículas menores, sólidas, suspensas no ar. Se entendermos qual é o sistema, saberemos onde encontrar o Ber Lusim. E o que quer que ele tenha inventado, foi neste lugar que montou tudo. Então, pode haver alguma pista aqui.

Nahir e Raziel voltaram, seguidos, alguns minutos depois, por Taria e então Alus.

— Nada — Nahir disse. — Nenhuma bandeja e nenhuma superfície óbvia na qual bandejas possam ter sido colocadas. Você parece ter se enganado.

Tillman voltou-se — lenta e cuidadosamente, ajeitando o peso com dificuldade — para olhar para o Mensageiro.

— Talvez sobre a logística — disse. — Mas não sobre a química. Este processo tem que produzir uma massa polpuda, e depois que ela seca a ricina se acumula na superfície e é raspada. Você a despeja em uma bandeja rasa porque precisa de uma superfície ampla. Se o Ber Lusim não fez isso aqui, então ele levou a polpa refinada para secar e ser raspada em outro lugar.

— Uma segunda instalação de processamento — Kennedy disse. — Talvez dentro da própria Manhattan. Haveria algum jeito de identificá-la?

Tillman balançou a cabeça, relutante.

— Não, é uma operação muito simples. Essa é a maior e mais difícil parte do trabalho. Prensar as sementes, extrair o óleo e processar a polpa. Isso exige tempo, mão de obra e um monte de solventes químicos poderosos. Mas, na hora de raspar, você só precisa de uma lâmina.

— E luvas — disse Diema. — Presumivelmente.

— Bom, você com certeza não ia querer tocar no material. Ou inalá-lo. Seus funcionários usariam macacões de proteção com suprimento de ar. Mas, a não ser que eles saiam para fumar um cigarro e esqueçam de mudar de roupa, não vejo como isso pode nos ajudar.

— Em todo caso, a raspagem não estaria mais acontecendo agora — Kennedy argumentou. — O que quer que o Ber Lusim pretenda fazer, temos que supor que ele já colocou tudo no lugar e está pronto para começar.

— Os caminhões que deixaram as sementes e os produtos químicos aqui — Taria disse. — Para onde foram depois?

Kennedy nunca ouvira Taria falar e ficou surpresa com o fato de que a voz da mulher era baixa e suave, em vez de sonora.

— Não sei — Diema admitiu. — E é uma boa pergunta. Nahir, descubra.

Nahir sacou um telefone celular e digitou números, sem queixa nem argumentação. *A conversa de antes sobre hierarquia deve ter acertado no alvo*, Kennedy pensou.

Enquanto ele falava, ou com Kuutma ou, mais provavelmente, com algum subordinado, Tillman fez sua própria busca lenta e dolorosa pela fábrica. Kennedy foi com ele, sustentando uma parte de seu peso.

Não havia nada no recinto principal que chamasse a atenção dele, mas nos fundos, no extremo oposto à porta pela qual entraram, havia uma porta dupla que já estivera fechada com um cadeado. Um pedaço de corrente ainda pendia de uma das maçanetas, e a madeira das próprias portas estava lascada nos cantos. A princípio, Kennedy pensou que os *Elohim* de Kuutma deviam ter forçado a porta ao examinar o lugar. Depois, percebeu que a corrente partida estava colada à superfície de madeira por camadas imemoriais de merda de pombo. Já estava lá havia muito tempo.

No espaço além da porta, encontraram uma fossa de gordura. Tillman a examinou atentamente, ainda que para isso precisasse se ajoelhar. Era um espaço enorme, de aproximadamente 6 metros de comprimento, três de largura e 1,50 de profundidade, com duas barras paralelas de ferro enferrujado e corroído atravessadas no fundo.

— Deve ter havido algum tipo de elevador hidráulico aqui — Tillman pensou em voz alta. — Na época em que este lugar ainda funcionava, quero dizer.

— Você está imaginando se o Ber Lusim poderia ter mandado colocar bandejas ou prateleiras lá embaixo para a ricina assentar? — Kennedy perguntou.

— Isso me ocorreu, sim.

Parecia improvável à primeira vista. O piso da fossa estava cheio de um sedimento espesso e podre de óleo e gosma.

Então Kennedy bateu com o pé na borda da fossa. Tillman olhou para onde a ponta do pé dela indicava: marcas frescas de raspagem exibiam-se mais claras contra as manchas de óleo já arraigadas na borda, e uma crosta de merda de pombo bipartida mostrava de onde um pedaço de chapa de metal enferrujado havia sido retirado.

— Alguma coisa foi feita aqui, de todo modo — Kennedy disse. — Talvez ele tenha jogado uma cobertura por cima da fossa e colocado as bandejas sobre ela.

Tillman esquadrinhou a sala vazia devagar, intensa e silenciosamente concentrado. Depois, fez todo o circuito em torno da fossa, o que levou uns bons dez minutos, e finalmente reuniu-se a Kennedy.

— Tem bastante evidência de movimentação — disse ele. — De coisas pesadas sendo arrastadas. Acho que você tem razão, Heather. O Ber Lusim processou a ricina bem aqui, depois levou tudo embora. O que estou procurando é alguma pista sobre o que mais ele pode ter feito com ela primeiro. Se ainda é um pó solto ou se foi colocada em algum tipo de revestimento ou recipiente. *Sprays* de aerossol são uma possibilidade, mas aí temos que encontrar mais resíduos químicos. Ele teria mexido com propanos e outros componentes para criar um propulsor, e o cheiro estaria por toda parte aqui.

Kennedy olhou para o relógio. Eram 14h48. Restavam quatro horas e 12 minutos.

— Vamos ver se o Nahir descobriu alguma coisa sobre aqueles transportes da HEH — ela sugeriu.

Descobriram que os outros haviam voltado ao caminhão. Rush estava sentado na porta traseira, folheando a cópia do livro de Toller, enquanto Diema falava com os outros *Elohim* em sua língua nativa.

Ela se voltou para Tillman e Kennedy quando eles se aproximaram, passando a falar inglês.

— Os caminhões saíram daqui para um lote alugado em Locust Point — ela disse. — Uns seis quilômetros ao leste. Ainda estão lá. Ninguém os usou desde então, até onde pudemos saber.

— Beleza — Tillman respondeu. — Vocês procuraram por...

Nahir o atropelou:

— Estão vazios e foram completamente limpos. Não há nenhuma pista. Nada que possamos usar. E o aluguel do local foi pago por meio de uma empresa de fachada na Bélgica. Deu em um beco sem saída.

— Mas há mais uma coisa — Diema acrescentou. — Kuutma tem trabalhado com as imagens de satélite e descobriu algo. A ocasião da qual já sabíamos — quando eles entregaram as sementes — foi a *segunda* vez que este local foi visitado. Caminhões da HEH vieram em outro momento, uma semana antes. Então, pode haver algo mais além da ricina. Outra ameaça.

— Não — Rush disse.

Nahir disparou contra o garoto um olhar de pura irritação e resmungou algo em aramaico.

— Não faz sentido, só isso — Rush disse, defensivo e dando de ombros. — A profecia fala sobre *uma* coisa. Um suspiro, um milhão de pessoas. Não ataques múltiplos.

— Ele tem razão — Kennedy disse. — O que quer que tenha sido entregue da primeira vez tinha que estar relacionado à ricina. Tudo tem que estar interligado, de alguma forma. Dá para descobrir o que era?

— Estamos tentando — Diema respondeu. — A informação pode estar nos computadores que tiramos do Monte Gellért. Só que não podemos esperar por ela. Temos que encontrar Ber Lusim ou então lidar com todas as possibilidades.

Kennedy sentiu uma onda de desespero fatalista passar por ela como uma paralisia súbita. Havia terreno demais para cobrir e muito pouco tempo. Ber Lusim havia organizado sua programação em todos os estágios, e tudo o que eles haviam feito não resultara em nada mais do que lugares reservados no camarote para o espetáculo dele. Nessas circunstâncias, era difícil para ela forçar-se a acreditar que qualquer coisa que fizessem importaria agora.

Mas Diema ainda andava de um lado para o outro, pensando ferozmente. E Tillman, observando-a, tinha uma expressão ainda mais complicada e ainda mais dolorida. O desejo dele de ajudá-la, de fazer com que a missão fosse bem-sucedida, era palpável. Ele quase morrera tentando, e ainda não havia terminado.

O que restava? O que passara despercebido? O que ainda poderiam esperar fazer no tempo estupidamente curto que sobrara?

— Você disse que seu pessoal já verificou as vias aquáticas? — ela perguntou a Diema.

— Sim — a garota respondeu. — Não há nada que não deva estar lá. E há *Elohim* posicionados na confluência dos rios. Se alguma coisa inesperada tentar entrar neste território, eles estarão vigiando — e abrirão fogo se necessário.

Na confluência dos rios. Isso significava o extremo norte de Manhattan, bem na margem oposta àquela onde estavam agora. Kennedy se perguntou se Diema sabia quanto se denunciava aqui e decidiu que a resposta era quase certamente sim. A garota era tudo, menos tola.

O *grand finale* de Ber Lusim também era sua volta ao lar. Onde mais se esperaria que um dos escolhidos aguardasse a vinda do Messias? Então, agora Kennedy havia encontrado Ginat'Dania duas vezes — e desta vez nem estivera procurando. Era mais um problema que precisaria enfrentar em algum momento: se havia alguma forma de ela, Tillman e Rush saírem desta vivos, sabendo o que agora sabiam.

— Tá legal — disse. — E vocês também estão de olho no tráfego nas ruas. Dispersão aérea parece ser a melhor aposta, talvez a única, mas não tem jeito de ele se aproximar desviando um voo comercial. O 11 de setembro eliminou essa brecha.

— E temos vigilância efetiva em todos os aeroportos particulares — Alus disse. — Nada pode penetrar o espaço aéreo sem que nossos *Elohim* saibam. E, se não gostarem do que virem, derrubarão a ameaça antes mesmo que levante voo.

— Trens do metrô. — Kennedy nem acreditou quando disse isso, mas não havia razão para deixar o óbvio de fora.

— Só há uma estação no que acreditamos ser a zona-alvo — Diema disse a ela. — A 207th Street, acima da Broadway. É a estação terminal no norte de uma das principais linhas de metrô, então não há um grande tráfego com o qual devamos nos preocupar. Mas Kuutma posicionou Mensageiros nas plataformas e nas ruas ao redor, só para o caso de Ber Lusim tentar transportar algo dessa maneira.

— Dessa maneira? Quer dizer, de trem? Tá, mas suponha que ele esteja armando alguma coisa nos túneis? Talvez valha a pena mandar uma equipe para verificar isso.

— Você não está pensando nos números — Nahir disse desdenhosamente a Kennedy. — No fim da linha, haverá a menor concentração de pessoas. Toda a rede do metrô e de trânsito metropolitano de Nova York — ao longo de todos os bairros e zonas periféricas — transporta cerca de quatro milhões de passageiros em um único dia. Talvez mais, mas não muito mais. Que porcentagem desses você acha que visitará a 207th Street e a Broadway, *rhaka*? Eu garanto que não chega a um quarto.

Kennedy fez o melhor que pôde para ignorar a raiva que cresceu dentro dela. O fato de que Nahir estava certo não ajudou.

— Talvez devamos esquecer os mapas por enquanto — ela sugeriu.

— E fazer o quê? — A polidez de Nahir chegava a ser mais contundente que seu desprezo.

— E voltar ao livro. Rush, pode ler a última profecia para nós de novo?

Rush olhou para ela, assentiu e virou as páginas até a última. Ela se perguntou que página ele estivera lendo até então, se não fora essa. Ele começou a ler em voz alta:

— "E a pedra será removida do túmulo, assim como na vez anterior..."

— Já sabemos o que a profecia diz — Diema afirmou. Seu tom era tenso, cansado. Todos estavam chegando ao limite.

— Claro — Kennedy concordou. — Mas já consideramos todas as variáveis? A pedra, o túmulo e a voz gritando, sim. Tudo isso aconteceu quando o Shekolni morreu. E presumivelmente "a vez anterior", quando a pedra foi removida pela primeira vez, foi o momento da ressurreição de Cristo. O Toller parece estar dizendo que pelo menos algumas das circunstâncias da segunda vinda de Cristo serão como as da primeira.

— Obviamente — Nahir disse.

— E tem o suspiro. "O traidor condenará uma grande multidão com um único suspiro." Se o Ber Lusim estiver sendo tão literal com essa profecia quanto foi com as outras, ele deve ter transformado a ricina em algum tipo de gás.

— É o que estamos supondo — Diema disse. Ainda havia um tom cortante em sua voz, como se isso fosse uma distração diante de coisas mais importantes.

— Quão alto ele tem que subir para jogar essa coisa no vento? — Kennedy perguntou. — Alguém já fez as contas?

— Não é uma questão de altura — Nahir respondeu. — Com um ultraleve, ele poderia cobrir uma área de...

— Não estou pensando em um avião. Estou pensando em parapeitos de janela. Telhados. Varandas. E se ele tiver decidido simplesmente confiar no vento? A ricina espalha-se melhor na forma de pó. Se ele a tiver refinado até essa forma, pode ter toneladas da coisa prontas para ser jogadas no ar. Você está pensando em pulverizadores e aviões, mas talvez ele adote uma solução de baixa tecnologia.

Diema já havia pegado o telefone. Um segundo depois, conversava ou com Kuutma ou com outra pessoa na hierarquia.

Excluída novamente, Kennedy devolveu a cópia do livro a Rush.

— Acho que estamos prestes a cair na estrada — disse ela. — Esteja pronto.

Diema baixou o telefone.

— Os ventos predominantes estão vindo do oeste — disse. — Mas só nas últimas duas horas. A previsão é de que venham do norte, que é de onde têm soprado pela maior parte dos últimos três dias. Kuutma está mandando sentinelas para o topo dos edifícios mais altos. Eles vão procurar movimentos suspeitos. Mas estamos falando de milhares de janelas e centenas de telhados. Ele... — Ela hesitou, escolhendo as palavras com cuidado. — Ele vai tentar angariar alguns *Elohim* adicionais.

— Ele vai pedir voluntários — Tillman traduziu. — Formar um pelotão de cidadãos preocupados.

Houve outra pausa. Então, Diema assentiu.

Nahir murmurou algo áspero e Diema o calou com um ríspido "*Ve rahi!*". Ela havia acabado de confirmar que Ginat'Dania ficava bem aqui e o fato não passara despercebido aos outros Mensageiros.

Kennedy tentou não pensar nisso.

— Me corrija se eu estiver errada — disse ela. — Mas um vento que venha do norte vai passar bem por aqui, não vai?

— Sim — Diema confirmou. — Kuutma já percebeu isso. Ele vai mandar algumas pessoas, tantas quantas puder. Mas estamos com pouco pessoal agora. Talvez não consigamos verificar cada local possível a tempo.

— Então, vamos começar logo — Kennedy disse. — Podemos trabalhar a partir deste ponto em varreduras semicirculares, voltando a cada vez que chegarmos ao rio.

— Restam duas horas — Tillman refletiu. — Não estou dizendo que você está errada, Heather, mas talvez este seja o momento errado para colocar todos os ovos em uma cesta só.

— É a única cesta que temos — Diema contrapôs. — A não ser que alguém tenha uma ideia melhor, é o que faremos.

Ela esperou, olhando de rosto em rosto. Ninguém falou.

— Então, está combinado. Vamos formar duplas, com um Mensageiro em cada uma, para podermos manter contato uns com os outros e com Kuutma.

— Posso ficar em dupla com você? — Rush perguntou a ela.

— Não — Diema disse.

Rush tentou novamente, hesitante, mas teimoso:

— Eu quero... preciso falar com você sobre uma coisa. Por favor. Me deixe ir com você.

— Conversamos depois, Rush. Por enquanto, você fica com Taria. Alus, você vai com Kennedy. Eu vou com...

— Eu fico aqui — Tillman disse. — Este é um prédio alto. Se eu conseguir subir até o telhado, posso ver tudo ao redor a partir daqui. Eu só serviria para te atrasar, em todo caso. Você pode cobrir duas vezes mais terreno sem mim e eu posso ficar em contato com você por telefone. Se alguma coisa me ocorrer, eu aviso.

— Ele precisará ser vigiado — Nahir disse, ignorando Tillman e falando diretamente com Diema. — Agora, mais do que nunca, depois das suas palavras incautas. Não podemos deixá-lo livre para falar com outros de sua gente ou mandar mensagens. Alguém precisa vigiá-lo, deste momento em...

— Então, vigie-o — Diema rosnou.

— Claro — Rush disse. — Isso vai funcionar. — Ele se levantou, batendo o livro enrolado contra o lado do caminhão e produzindo um som de tambor. Todos olharam para ele — da mesma forma que haviam olhado para Taria quando ela provara que tinha uma voz. O rosto dele estava cheio de raiva, confusão e orgulho ferido. — Quero dizer, imagina, claro que seu amigo aqui não vai nos matar assim que você der as costas. Claro que ele não estava tentando convencer seu chefe a acabar com a gente lá em Budapeste. Ele é um cara razoável. Aposto que ele nunca nem sonhou em meter uma faca nos rins do Leo.

Diema estava rígida de impaciência, apoiada nos calcanhares.

— Ele vai seguir as ordens que recebeu — disse ela, tensa. — Kuutma disse que faria um pronunciamento. Vocês estão a salvo até que ele decida o contrário.

— Isso é o que você diz. Se o Leo ficar, eu fico também. E vou vigiar o seu amigo ao mesmo tempo que ele nos vigia.

Ele a encarou, parecendo à beira das lágrimas, e ela sustentou o olhar com um rosto que parecia um punho fechado. Se fosse uma competição para ver quem desviava o olhar primeiro, Rush perderia. Ele ergueu o livro como um escudo diante dos olhos.

— De todo jeito, a Kennedy disse que a resposta está aqui e eu acredito nela. Então, façam o que quiserem. Eu vou ficar por aqui e atualizar minha leitura.

— Como quiser — Diema disse simplesmente. — Faremos isso durante uma hora, depois nos reuniremos aqui. E ficaremos em contato por telefone. Os que pretendem vir, venham.

Assim como Alus, Taria, Kennedy e Raziel, ela saiu. Diema e Kennedy pegaram o caminhão, já que alguém precisava fazê-lo. Os outros ganharam as ruas a pé.

CAPÍTULO 66

Um sentimento de desespero brotou dentro de Rush quando ele viu Diema se afastar.

Embora breve, seu momento de intimidade com ela o deixara mais magoado e exaurido do que se sentira em qualquer ocasião desde a morte de sua ex-namorada, Siobhan — a que havia se matado.

Então, Kuutma havia jogado uma luz sobre toda aquela situação louca, mas plausível. Diema havia feito aquilo com ele — seduzido, estuprado ou ricocheteado em cima dele — porque, por alguma razão, quisera engravidar. Talvez fosse algo parecido com aquela merda toda que você ouve sobre mães solteiras e apartamentos cedidos pelo governo para os desfavorecidos. Garotas tendo bebês só para poderem furar a fila. Talvez Ginat'Dania tivesse um déficit habitacional.

Mas, quando pensou nisso e tentou imaginar Diema — em quem ele pensava como uma bomba em forma humana — tricotando sapatinhos de lã, amamentando e empurrando um carrinho de bebê, foi como tentar pintar os dois lados de uma fita de Moebius com cores diferentes.

Se fosse só isso, se ela só precisasse de um sistema de entrega a jato de DNA, ele ainda se sentiria um idiota, contudo poderia deixar passar. O duro era não saber: a sensação de ter sido roubado, de alguma forma, enquanto prestava atenção em outra coisa, e de que não conseguia descobrir o que havia sido furtado.

Entretanto, quanto mais Diema evitava falar com ele, mais certeza ele tinha de que havia algo importante a saber.

Assim que o grupo sumiu de vista, Tillman voltou-se para Nahir.

— E aí, ela está certa? — perguntou. — Você vai seguir suas ordens e trabalhar comigo? Ou a gente vai ter que resolver isso brigando? Sei que vocês não mentem, então imagino que valha a pena perguntar. Seria útil saber se é seguro ficar de costas pra você.

O Mensageiro olhou para ele — para os dois — com tranquilidade pétrea. O ódio também ainda estava lá, mas bem recolhido e sob controle. E algo mais estava se movendo sob a superfície inexpugnável de seu rosto. *Talvez ele esteja com medo*, Rush pensou. Diema havia praticamente confessado que sua cidade ficava aqui — Ginat'Dania, um grande refúgio misterioso. Ele ainda não havia entendido como era possível esconder uma cidade no meio de Nova York, mas, se era isso que haviam feito, Nahir — assim como os outros *Elohim* — podia estar prestes a se tornar um órfão sem teto. Nessas circunstâncias, chegava a ser um milagre que eles se mantivessem tão controlados quanto estavam. Talvez o fato de serem doidos de pedra os protegesse da pior parte. Rush sabia que a única razão pela qual ele próprio estava tão calmo era que sua mente não conseguia fazer com que a frase *um milhão de pessoas mortas* fizesse sentido: continuava escorregando para longe da lógica.

— Não haverá nenhuma briga — Nahir disse com fria dignidade. — Se eu tivesse que decidir que você e este garoto morreriam, eu os mataria. Mas nesse caso eu não teria esperado até que vocês estivessem sobre o mais sagrado dos solos. Eu os teria matado entre as Nações. Poderia ter cuidado disso quando Diema nos levou para dentro do Monte Gellért. Pensei em fazê-lo. Mas levo a sério os votos que fiz. A obediência do soldado é como a castidade no casamento.

Tillman ergueu as sobrancelhas diante da comparação.

— Quer dizer que é valiosa por ser tão rara?

— Estou ficando cansado — disse Rush — de ser chamado de garoto. Pensei em comentar, sabe.

— Quero subir no telhado — Tillman disse a Nahir. — Dar uma olhada na vizinhança lá de cima. Supondo que você ainda esteja se sentindo obediente, eu agradeceria uma ajuda para isso. Tem alguma escada neste lugar?

Na verdade, havia. Com Nahir e Rush apoiando um pouco do peso de Tillman, este conseguiu subir a escada. Uma porta de aço, pendurada pela metade em suas dobradiças, levava a uma passarela estreita, com a cumeeira do telhado acima e atrás dela. Havia um parapeito alto apenas o suficiente para ser pulado e uma congregação de pombos que se dispersou quando Rush abriu a porta.

O cascalho rangeu sob seus pés quando eles saíram. O Bronx estendia-se diante deles, envergando a beleza da tardinha como uma peça de vestuário — um desses sutiãs com buracos na frente, talvez, ou algo similarmente safado e sedutor. Quarteirões de depósitos e escritórios próximos davam lugar a ruas de prédios baixos e sobrados geminados em série mais adiante, ao norte e ao leste.

Milhares de terraços, erguendo-se como os degraus de um anfiteatro. A vasta e vertical concatenação de Nova York.

Milhares de lugares para um louco sentar, observar o pôr do sol e arremessar seu confete envenenado.

Nahir e Tillman começaram a discutir velocidade e elevação do vento. Rush os deixou entregues a isso, certo de que não precisavam dele e não o veriam afastar-se.

Desceu os degraus pelos quais haviam subido, entrando na grande sala com os tanques. Encontrou um trecho de luz solar vindo de um buraco no teto e sentou-se para ler o livro de Toller uma última vez.

* * *

Diema deixou Kennedy dirigir, pois confiava em seus próprios instintos e capacidade de observação mais do que nos de qualquer outra pessoa. Mas o desespero da tarefa começou a assentar dentro dela antes que tivessem percorrido um quilômetro. Os pontos possíveis para um lançamento aéreo da ricina em pó eram praticamente infinitos — e, a não ser que acontecesse de verem Ber Lusim parado em uma janela ou olhando de cima de um telhado, não havia quase nada capaz de distinguir um desses pontos dos outros.

Quanto mais alto, melhor. Ficar contra o vento era essencial. Estavam revistando um vasto cone de espaço tridimensional com o extremo norte da ilha de Manhattan como base — e o revistavam a partir do chão.

Só que Kennedy não estava participando. Ela parara o caminhão e olhava para o sul. Diema seguiu seu olhar. Haviam chegado ao fim de uma rua transversal — a placa informou que era a 225th. A estrada Highway 9 estava à frente dela, com um trecho de trilhos ferroviários suspensos parecendo um baluarte acima da rua. Além deles havia apenas mais daquilo que elas já haviam visto: fábricas e estações de triagem e galpões, com filas ocasionais de lojas cujas janelas eram tão encardidas que, da distância em que se encontravam, não dava para adivinhar o que vendiam.

Entretanto, logo ao sul, além do arco brilhante da Henry Hudson Bridge, a Broadway abria-se como os braços de um amante.

— O que foi? — Diema perguntou. — Por que você parou?

— Estou só pensando em uma piada velha — Kennedy respondeu. — Quando você vai comprar um imóvel, quais são as coisas mais importantes a ter em mente?

— Não tenho ideia. Por favor, continue dirigindo.

— Localização, localização e localização.

Kennedy virou-se para olhar duramente para ela, e Diema entendeu o que a mulher dizia.

— A fábrica de Ber Lusim — murmurou.

— Exatamente. Por que aqui? Presumivelmente ele não queria transportar o veneno por longas distâncias. A cada vez que o deslocasse, se arriscaria a ser detido e descoberto. Então, queria estar perto do alvo. Mas tão perto assim? Quero dizer, é Ginat'Dania que está lá embaixo, né? Uns 80 metros ao sul daqui?

Diema nada disse.

— Ah, pelo amor de Deus! — Kennedy explodiu. — Só confirme!

Lentamente, com um arrepio de temor supersticioso, Diema forçou-se a mover a cabeça — uma vez para baixo e depois para cima, positivamente.

— Então, imagino que ele esteja bem dentro do raio das suas patrulhas de fronteira. Não haveria a menor chance de vocês não manterem a vigilância do seu próprio quintal. Ele está perto demais e visível demais.

— Talvez agrade o ego dele fazer esse jogo conosco.

Kennedy tamborilou no volante com as pontas dos polegares, pensando.

— Talvez. Mas ele era assim quando era Mensageiro? Gostava de ficar olhando ou fazia o serviço de uma vez?

— Geralmente — Diema admitiu — ele fazia o serviço.

— Então, acho que estamos deixando de ver alguma coisa. Temos que estar. Do contrário...

O telefone de Diema tocou e, embora a *rhaka* parecesse disposta a continuar falando, ela a silenciou erguendo a mão. Aquele toque significava Kuutma. E, se Kuutma telefonava, tinha algo importante para contar ou perguntar a ela.

* * *

Rush já estava enjoado da profecia final. Eles já a haviam examinado aos pedaços e não parecera haver nenhuma nova ideia a extrair dela. Então, ele folheou o livro de volta à primeira página e recomeçou do zero.

Ocorreu-lhe novamente quão ridículo era ler aquela porcaria como se contivesse verdades sagradas. Toller não era apenas doido, era doido e chato — tão agarrado às minúcias de sua própria época que não conseguia nem falar sobre o eterno sem fazer seis ou sete referências veladas ao que era estritamente contemporâneo.

O que, se você parasse para pensar, era estranho para alguém do Povo de Judas. Ser tão engajado na política local — a política adamita — parecia o mesmo que se preocupar com a previsão do tempo na Lua.

Algo incomodava Rush. Já o incomodara quando ele lera os relatos acadêmicos sobre Toller e os outros pentamonarquistas no avião e quando falara sobre isso com Diema. Era a raiz de uma ideia, mas não tinha força suficiente para se desenvolver. Era apenas aquela sensação geral de inexatidão e incongruência, combinada com algo muito pequeno e específico que ele já havia notado e ponderado, uma discrepância entre os relatos escritos e o aqui e agora palpável.

Um segundo depois, enquanto penetrava o âmago das profecias, a quase ideia lhe fugiu completamente, pois uma nova ideia o acertou com mais força. Estava bem ali, nos parágrafos iniciais do livro, e a única razão pela qual ele não a vira antes fora ele ter se concentrado no texto em si, não nas anotações que Kennedy fizera nas margens ou acima das palavras. As notas de rodapé do cara francês.

> Assim, ponho-me sobre a Montanha das Musas, rogando a elas Inspiração, embora minha verdadeira musa seja Deus, o Altíssimo. E aqui Ele entrega, através de mim, indigno que sou, Seu Julgamento final.

Isso era Toller. E sobre "Montanha das Musas" Kennedy havia escrito uma única palavra em caneta preta:

Parnassus.

A palavra produziu a imagem: a figura de uma montanha em uma placa pela qual eles haviam passado ao entrar. Parnassus Iron and Steel.

Rush se levantou. Sua nuca se arrepiou como se houvesse alguém logo atrás dele respirando junto de sua pele. Será que Ber Lusim — ou o Obi Wan dele, Avra Shekolni — não havia percebido essa referência? Eles haviam levado tudo mais no livro como um evangelho ao pé da letra. Então, fazia sentido acreditarem que o livro os havia guiado até este lugar.

Que estava vazio. Não havia ninguém aqui e nenhum lugar onde pudessem se esconder. Os Mensageiros de Kuutma haviam revistado todo o prédio e nada encontraram.

Mas Rush sentiu que o silêncio ao seu redor havia mudado, de alguma forma, e não teve vontade de voltar a sentar. Era apenas um silêncio condicional, de todo modo. Assim como em toda a Nova York, o ar carregava o rugido do tráfego a média distância. Este vazio ficava no coração de uma grande cidade. Rush estava no centro imóvel de um mundo em torvelinho.

Ele saiu do trecho ensolarado e percorreu lentamente a sala, com o livro enrolado na mão. Moveu-se silenciosamente, pois os ecos de seus passos soavam desconcertantemente altos. Onde quer que parasse, apurava os ouvidos. Mas nada se movia entre ele e o tráfego distante.

Quando saiu do piso principal da fábrica e foi para as salas menores ao redor, Rush admitiu para si mesmo que estava em uma busca. Ainda não sabia o que procurava, mas a inquietação o devorava por dentro e ele queria ter certeza absoluta de que não havia nada aqui.

Viu-se finalmente diante das portas duplas que levavam para a fossa de gordura. Ele vira Kennedy e Tillman examinando-a mais cedo, então tinha quase certeza de que não haveria nada para ver aqui. Mas entrou mesmo assim.

A fossa estava imunda. Provavelmente havia sido deixada assim pelos proprietários anteriores. As paredes e o fundo estavam tomados de um resíduo industrial que poderia ser de óleo, alcatrão, tinta ou, mais provavelmente, todos os anteriores. Havia poças de água com um brilho doentio e nacarino, e um fedor de betume cozido desprendia-se de tudo como o ar que percorre uma autoestrada em uma manhã de verão.

Olhou para o teto. Não havia nenhum buraco óbvio nele, mas isso não significava nada. A água sempre encontra um caminho. A chuva poderia ter entrado por algum outro lugar e acabado na fossa porque esta era o ponto mais baixo do piso.

Não havia jeito de descer até ali sem arruinar as roupas. Se ele sentasse e baixasse o corpo para dentro, o traseiro ficaria coberto daquela gosma oleosa. Se pulasse, ela espirraria para todo lado.

Em vez disso, ele andou ao redor da fossa, sentindo-se um idiota e, ao mesmo tempo, aliviado por não haver nada a enxergar.

Só que havia. No meio do caminho ao redor da borda, ele pisou em um feixe de luz solar que entrava por uma claraboia quebrada logo acima dele e acertava uma das paredes da fossa. Parte da parede parecia um tanto saliente em relação à área à sua volta, pois havia uma sombra — perfeitamente quadrada e com cerca de 1,50 metro de um lado. Parecia haver um alçapão na parede, só que era apenas o contorno de uma porta. As cores e as texturas daquele trecho da parede eram exatamente as mesmas de todas as outras paredes. Devia ser um truque da luz, mas era desconcertante e, depois de tê-lo visto, Rush não conseguia se obrigar a não vê-lo de novo.

Ficou parado, irresoluto, à beira da fossa. Isso era ridículo. Se houvesse algo ali, a esta altura, outra pessoa — alguém que soubesse o que estava fazendo — já teria percebido.

O sol foi escondido por uma nuvem, o raio luminoso desapareceu e a porta imaginária se foi com ele. Rush se virou. Mas, no último momento antes de sair da sala, lembrou-se das palavras de Diema no Pombal.

Não a você, garoto. Não há planos para você.

Que se foda.

Rush lançou-se dentro da fossa com um salto desajeitado, pousando pesadamente e levantando, exatamente como temia, uma chuva da maior imundície. Quase perdeu o equilíbrio, mas salvou-se ao segurar-se na parede.

Um passo de cada vez, temendo tanto aquilo em que estava pisando quanto o que estava inalando, ele atravessou a fossa até a parede onde a sombra delatora estivera. Nada havia lá. Nem sinal de dobradiça ou maçaneta, nem de uma brecha física na parede onde uma porta poderia começar ou terminar. Porém o resíduo oleoso que havia escorrido por cima de tudo dava uma camuflagem bem eficiente.

Era muito recente, também, e formava uma camada mais espessa aqui do que em qualquer outro ponto da parede.

Reprimindo um arrepio, Rush estendeu a mão e enfiou os dedos na densa gosma. Correu-os da direita para a esquerda e de volta, tateando em busca de uma brecha, uma falha na estrutura. Não havia nada do tipo.

Mas havia outra coisa. Mais ou menos na altura de seu peito, havia um ponto saliente, redondo e com quase 4 centímetros de diâmetro. Uma protuberância ou a cabeça de um rebite, talvez. Rush raspou a meleca oleosa e descobriu uma chapa circular feita de algum metal opaco e envelhecido.

Estava pregada no topo de forma que pudesse ser girada para o lado. Rush fez isso.

— Filho da puta — sussurrou.

Estava olhando para um buraco de fechadura.

* * *

Kennedy saiu do caminhão e andou até a esquina da rua. A conversa de Diema com Kuutma não parecia propensa a terminar tão cedo, e, já que falavam em sua própria língua, ela não ganharia nada tentando escutá-los.

Havia tráfego intenso na rodovia principal, mas ninguém andando a pé. A loja da esquina havia sido uma Blockbuster, mas estava fechada fazia um bom tempo. Na janela havia cartazes das próximas sensações cinematográficas de alguns anos atrás. *Motoqueiros Selvagens. 300. Zodíaco.* Um pôster oferecia o aluguel de dois filmes mais pipoca e uma garrafa grande de Coca-Cola por US$ 12,99. Sob o pôster havia um pássaro morto, algo pequeno e indistinto, como um pardal ou uma ferreirinha, que havia entrado ali e nunca mais conseguira sair.

Faltavam duas horas e alguns poucos minutos, e eles não haviam obtido progresso. No entanto ela não conseguia pensar em mais nada que pudessem fazer. Em um jogo de esconde-esconde que se estendia à cidade toda, e quem se escondia tinha toda vantagem sobre quem procurava.

Mas ela estava certa quanto à localização. Sabia que havia algo ali. Se ao menos conseguisse imaginar o que era. Ber Lusim havia extraído e purificado sua toxina em um lugar que aumentava enormemente o risco de ele ser descoberto. Por que alguém que supostamente era um mestre da estratégia faria algo tão estúpido?

Talvez a resposta fosse algo realmente banal. Quando havia se tornado um Mensageiro, Ber Lusim possivelmente saíra para patrulhar estas ruas. Poderia ter encontrado as velhas estruturas nessa época e mantido aquilo em mente. Só que, na época, ele ainda era são e — devia-se supor — não estivera considerando assassinato em massa nem como uma possibilidade remota.

Então, faça uma diferente suposição. Ele escolhera o local mais tarde, mais perto do presente momento. Estivera procurando por uma característica específica e este lugar a possuía. E, o que quer que fosse, valia o risco de mandar seus caminhões vermelho-berrantes até aqui duas vezes, e talvez passar algum tempo aqui pessoalmente, à distância de uma caminhada daquela pátria da qual era um foragido.

Duas vezes. Os caminhões vieram duas vezes. E o veneno fora o segundo carregamento, não o primeiro. Mas, nesse caso...

Diema apareceu junto do ombro dela sem fazer nenhum som, sobressaltando-a violentamente.

— Merda! — ela exclamou.

A garota não perdeu tempo pedindo desculpa.

— Descobriram o que havia no primeiro carregamento.

— Desembucha — pediu Kennedy.

— Era um explosivo convencional. Dez mil toneladas de octanitrocubano e cinco quilos de peróxido de acetona.

Kennedy pensou nas quantidades.

— O peróxido é um explosivo primário?

Diema assentiu.

— Então, qual seria o tamanho dessa explosão? Não grande o bastante para matar um milhão de pessoas, né?

— Grande o bastante para derrubar a maior parte de um quarteirão. Dependendo de onde coloque o explosivo, você poderia causar facilmente 10 ou 20 mil baixas.

Estava claro que a garota queria voltar ao veículo. Ela fez um movimento naquela direção, olhando para Kennedy com expectativa, mas Kennedy explorava a ideia anterior a respeito dos caminhões. Algo se encaixava, e o explosivo era a peça que fazia com que todas as outras tivessem sentido.

— Terra e ar — ela murmurou.

Diema entendeu a referência.

— O livro de Toller — disse ela. — "Ele falará em fogo e água e por último em terra e ar."

— Fizemos besteira — Kennedy disse. — Acho que fizemos uma baita besteira.

— Como? O que não percebemos?

— Estávamos achando que o Ber Lusim tinha que liberar a ricina no ar.

— Ele tem — Diema insistiu. — É o único meio de causar mortes na escala que a profecia exige.

— Mas ultraleves? Pulverizadores? Este é o espaço aéreo mais ferozmente defendido do mundo. Ele nunca poderia ter certeza de que conseguiria. E a minha ideia sobre terraços e telhados — se o vento mudasse, não daria em nada. Ele não pode esperar. Disso nós sabemos. O Shekolni nos disse uma hora exata, não uma estimativa vaga.

A mente de Diema corria paralelamente à dela agora.

— Se terra e ar são uma coisa, não duas...

— É isso — Kennedy concordou. — Você lembra do 11 de setembro? Você ainda era criança, mas...

— Nós lembramos — Diema disse com voz apertada.

— Quando as torres caíram, houve uma nuvem de pó sem igual na terra. Milhares e milhares de toneladas de pó, correndo pelas ruas com a onda de choque, cobrindo os quatro cantos de Manhattan. As pessoas ficaram doentes só por causa do pó. Algumas ainda estão.

— *Berukhot!* Ele usa o explosivo para derrubar um prédio...

— Para pulverizar um prédio. Reduzi-lo a átomos. Daí você tem uma enorme onda de choque e uma enorme nuvem de pó. E a ricina está dentro do prédio, então a nuvem de pó se torna um vetor. Ela se espalha daqui para as ruas. Terra e ar, tudo junto em um coquetel venenoso. Quem inalar morre.

— Mas onde? — Diema quis saber. — Que prédio ele escolheria?

— Os caminhões só vieram naquelas duas vezes, Diema. Nunca mais voltaram.

A garota a fitou, aturdida.

— E daí?

— Daí que ele não escolheu aquela fábrica porque gostou da decoração. Ele a escolheu porque fica bem no extremo norte da Broadway. É esse o sistema de distribuição dele. Arranjou um cano de revólver com 20 quilômetros de comprimento e 24 metros de largura. Acho que o veneno nunca saiu daquele prédio.

* * *

Rush tinha dificuldade para persuadir Tillman e Nahir a ir ver o que ele havia encontrado. Na verdade, tinha dificuldade até para fazer com que o ouvissem. A opinião de Nahir, após finalmente deixar que Rush dissesse o que queria, foi de que “encontrado” era provavelmente a palavra errada.

— O prédio foi revistado por *Elohim* — ele afirmou. Seu tom sugeria que apenas um idiota precisaria que lhe explicassem isso. — O que quer que você tenha visto, pode ter certeza de que eles também investigaram.

— Mas você só pode vê-lo sob certos ângulos — Rush esclareceu, tentando arduamente soar calmo e racional. — E, mesmo assim, só quando a luz acerta o local certo. Está camuflado.

— Contra amadores — Nahir disse. — Não contra profissionais.

— Onde fica, Rush? — Tillman perguntou.

— Naquela coisa que parece uma piscina vazia.

— A fossa de gordura? Nos fundos do prédio?

— Sim. Isso.

Tillman pareceu duvidar.

— Eu já verifiquei — disse. — Com a Kennedy. Achamos que provavelmente foi lá que o Ber Lusim mandou colocar as bandejas. Mas não tem sinal de que isso tenha sido feito recentemente.

O tom de Tillman era mais brando que o de Nahir, mas por trás dele estavam as mesmas suposições.

— Merda! — gritou Rush. — Eu não estou inventando isso e não sou burro. Sei o que vi. Agora, será que dá pra vocês descerem de uma vez e darem uma olhada?

— Depois — Nahir respondeu arrogantemente. — Não temos tempo para isso agora.

Rush olhou para seu relógio de pulso, que mostrava faltarem 45 minutos para a zero hora.

— Depois? — ele repetiu.

Os dois homens haviam voltado à discussão de antes e nenhum dos dois respondeu. Nahir evidentemente retransmitia o que quer que eles estivessem dizendo aos *Elohim* espalhados pela cidade. Tinha o telefone junto da boca e estava se revezando entre murmúrios em inglês e aramaico.

— Desculpe — Rush disse. — "Depois" não serve pra mim.

Ele arrancou o telefone da mão de Nahir e o jogou por cima do parapeito.

O olhar de surpresa e fúria no rosto do Mensageiro foi bem satisfatório — mas só por cerca de meio segundo. Foi o tempo que levou para Nahir explodir em uma ação violenta e derrubar Rush no chão, completamente imobilizado e agonizante.

— Está louco? — ele sibilou. — Quer morrer?

— Ninguém vai matar ninguém — Tillman disse com calma, calma bastante para que o clique quando ele destravou a Beretta soasse indecentemente alto. Era ótimo que ele tomasse as rédeas da conversa, pois a traqueia de Rush estava espremida debaixo do que parecia ser o cotovelo de Nahir, e ele não podia nem falar nem respirar. Seu rosto estava comprimido contra os cascalhos da passarela, sem que ele tivesse muita ideia de como fora parar naquela posição, e nenhum de seus membros podia se mover. A bola da vez estava na mão dos outros.

— Você devia baixar a arma — Nahir disse a Tillman. — Ou isso vai terminar muito mal.

— Vou ficar feliz em fazer isso — Tillman respondeu. — Mas largue o moleque. Ele só estava tentando chamar sua atenção.

— Ele conseguiu minha atenção. E posso quebrar o pescoço dele quer você atire ou não.

— Vai ser melhor se você o largar e eu baixar a arma.

Houve um silêncio breve e doloroso. Pelo menos, foi doloroso para Rush.

— Vou soltá-lo — Nahir disse. — Mas, se ele falar outra vez, quebro os dois braços dele.

A pressão imobilizadora em cada parte do corpo de Rush capaz de mover-se foi subitamente aliviada quando Nahir se levantou. Ainda assim, Rush continuou onde estava. Só poderia ser jogado de novo no chão se cometesse o erro de se levantar.

— Venham ver a merda da porta — disse ele, a voz ligeiramente estrangulada.

— Você foi avisado, garoto.

— Não — Tillman disse. — Vamos lá ver a porta. Você me convenceu, Rush. O que quer que tenha encontrado, arriscou seu pescoço por isso.

— O que for preciso — Rush arquejou, levantando-se.

Desceram as escadas ainda mais lentamente agora. Tillman parecia estar sentindo dor e precisando de muito mais apoio para se deslocar. Chegando lá embaixo, no entanto, ele pareceu bem. Então, Rush seguiu na frente até a porta dupla e apontou para a fossa além dela.

— Ali — disse. — No outro extremo. Debaixo da claraboia.

Nahir entrou primeiro, e Rush ficou de lado para deixar Tillman passar também. Queria que os dois vissem por si mesmos. Então, tardiamente, ele notou que o sol havia se escondido de novo, por isso talvez eles não pudessem ver nada do contorno da porta.

— Tá legal — disse, passando apressadamente entre eles. — Vou mostrar para vocês.

Não precisava ter se preocupado. A descontinuidade na parede da fossa de gordura estava claramente visível, apesar da pouca luz, porque a porta estava aberta e a escuridão no interior dela era muito mais profunda do que a do lado externo.

Mas não era para a porta que Nahir e Tillman olhavam.

Era para o homem de pé do lado oposto da fossa, que os encarava.

— Isso é lamentável — o homem disse. Seu tom era calmo, quase solene.

— Ber Lusim — Nahir arfou. Pareceu paralisado no lugar, incapaz de processar o que presenciava.

E Rush sentiu algo que era quase como uma vertigem. Tinham vindo tão longe para comparecer a este encontro que ele sentiu, por uma fração de segundo, que talvez, afinal, existisse mesmo predestinação.

Ber Lusim olhava de um para os outros fazendo uma avaliação fria e distanciada. Se sentia-se ameaçado ou alarmado com a presença deles, não deixava que isso transparecesse em sua expressão ou postura — o que, quando Rush parou para pensar, era uma coisa assustadora.

— Nestes momentos finais da velha ordem — Ber Lusim disse a eles —, ainda é possível que os homens morram. Mas, depois desta última grande mortandade, a morte desaparecerá para sempre. — Havia agora uma qualidade hipnótica em sua voz. — Eu sinto, portanto, que seria presunçoso da minha parte se eu os matasse. Arrogante. Como se eu reivindicasse minha cidadania neste tempo, neste mundo, ao mesmo tempo que prenuncio o novo mundo, o mundo imorredouro. Não tenho desejo de fazer isso. Assim, se vocês desejam morrer, devem expressar uma preferência explícita — ou se oferecer à morte por meio de uma ação inequívoca.

Nahir cruzou as mãos diante do peito e, de repente, tinha duas sicas entre os dedos.

Ber Lusim riu, como se aquela fosse uma piada que ele apreciasse vivamente.

— Sim — ele disse. — Algo desse tipo.

CAPÍTULO 67

As mãos de Nahir lampejaram para a frente e para cima em um movimento tão fluido e gracioso que, para Rush, por um momento insano, ele pareceu um bailarino de flamenco assumindo a posição que inicia a dança. As duas facas, deixando os dedos dele ao mesmo tempo, desenharam linhas paralelas no ar.

Em resposta, Ber Lusim mal pareceu mover-se, mas agora havia uma adaga em sua mão também, e ela encontrou as lâminas arremessadas por Nahir ao longo de suas trajetórias separadas. Duas notas altas e agudas soaram, como o tinir de um sino. As adagas de Nahir saltaram para a direita e para a esquerda, a da direita cintilando feito uma roda de Catarina ao atingir um súbito facho de luz solar.

Nahir estava sacando outra vez, assim como Tillman — este, presumivelmente, uma arma de fogo e não uma adaga —, mas Ber Lusim foi mais rápido que ambos. Cruzou a fossa em um salto a distância, aterrissando entre os dois homens, e não pareceu se importar com o fato de que agora lutava uma guerra em duas linhas de frente.

Nahir investiu contra Ber Lusim com uma terceira sica, mirando o peito. Ber Lusim inclinou o corpo, desviando-se do golpe, e sua mão invadiu a guarda de Nahir. A faca que ele segurava, inesperadamente invertida, rasgou profundamente o pulso de Nahir, quase decepando sua mão.

A essa altura, Tillman já erguera a arma e fizera mira, contudo seus movimentos pareciam quase comicamente lentos quando comparados aos dos dois *Elohim*. Ber Lusim nem mesmo se voltou para encará-lo. Apenas arrancou a arma da mão de Tillman com um chute quase vertical. Depois, voltou sua atenção novamente a Nahir.

Uma série de golpes da lâmina, velozes como relâmpagos, forçou Nahir — que agora só tinha uma mão para se defender — a ceder terreno às pressas, tirando Ber Lusim, que o seguia, do alcance de Tillman.

Tillman arrastou-se atrás dele. Rush, que até o momento estivera paralisado em choque, recuperou-se o bastante para gritar:

— Leo, não!

Ele se lançou para a frente. Mas, nos três segundos que levou para alcançá-los, uma porção de coisas aconteceu.

Ber Lusim se deteve, deixando Tillman arremeter contra ele. O Mensageiro recebeu um soco maciço na lateral da cabeça, que não pareceu afetá-lo — e, ao mesmo tempo, martelou a garganta de Tillman com o cotovelo.

Nahir empreendeu um ataque desesperado, pulando no que presumiu ser uma brecha na guarda de Ber Lusim. Este o bloqueou, fintou e então talhou o outro pulso de Nahir em um eco deliberado e zombeteiro do ataque anterior.

O ímpeto de Nahir esmoreceu, a dor e o alarme alternando-se em sua expressão. Ber Lusim inclinou-se a partir da cintura para plantar um chute circular no estômago de Nahir. Depois, bateu com o cabo da adaga na lateral da cabeça do jovem quando ele se dobrou. Só que não era um cabo, pois a sica não tinha realmente um cabo — apenas uma ponta afiada e uma ponta cega. A cega era, ainda assim, uma cunha estreita de aço, que se cravou no crânio de Nahir com um som semelhante ao de um cutelo partindo uma melancia.

E Ber Lusim ainda teve tempo, antes que Rush o alcançasse, de virar a faca até que a ponta dela mirasse diretamente o peito de Rush. Este se deteve no momento em que a lâmina afiadíssima tocou sua pele, cortando o tecido fino de sua camisa como se ele nem existisse.

— Pense nisto — Ber Lusim disse calmamente, enquanto Nahir desabava no chão e Tillman caía de joelhos. — Eles, pelo menos, tinham armas. Você não tem nada. Mas, se é o que deseja, venha.

Tillman tateava o chão em busca da pistola caída. Ber Lusim chutou o rosto dele com força brutal, derrubando-o de lado dentro da fossa de gordura. Houve um momento em que Rush poderia ter se esquivado da faca e atacado. Entretanto, não conseguiu fazer com que seu corpo se movesse: enraizado de horror, ele olhou para o corpo imóvel de Tillman lá embaixo. Leo estava de rosto virado contra a gosma e o lodo que cobriam o piso da fossa. Se não estivesse já morto, provavelmente estava prestes a se afogar ou sufocar.

Rush forçou-se a agir. Deu as costas a Ber Lusim, enquanto seu rombencéfalo gritava que ele deveria se jogar no chão e se encolher em posição fetal, e saltou para a fossa.

Desta vez, não conseguiu manter-se de pé. Caiu de costas no óleo rançoso e patinou grotescamente por um ou dois segundos antes de conseguir rolar e se endireitar. Rastejou até Tillman, tateou-o com mãos agora cobertas de gordura e finalmente conseguiu virá-lo de rosto para cima. O grandalhão estava profundamente inconsciente, mas ainda respirava.

Rush colocou as mãos sob as axilas de Tillman e o puxou. O homem era um peso morto, todavia o rapaz conseguiu movê-lo um centímetro por vez até a parede da fossa. Ele o escorou nela, em um canto, para que não escorregasse facilmente de volta ao chão.

Rush estava consciente da presença de Ber Lusim acima e atrás dele. O absoluto silêncio do Mensageiro provavelmente — mas não necessariamente — significava que ele não estava se movendo.

— Vocês fizeram uma longa viagem? — Ber Lusim perguntou.

Conversa fiada. Na boca do santo dos assassinos.

— Londres — Rush disse. — Budapeste. Nova York. Tenho certeza de que você consegue ligar os pontos. — Ele pretendera demonstrar bravata, mas sua voz — a seus ouvidos, pelo menos — soou aguda e fraca.

Ber Lusim riu, como se Rush tivesse dito algo engraçado, e saltou para o lado dele. Depois andou, passando por ele, em direção à porta aberta dentro da fossa.

— Esperamos caminhar em linha reta — ele disse, olhando para Rush por cima do ombro. — Não imagino de onde venha essa esperança. A experiência deveria nos ensinar que não existem linhas retas na natureza. Deus não desenha usando uma régua. Qual é seu nome, garoto?

E Rush recebeu o insulto de queixo erguido desta vez, pois o que mais havia sido pouco antes, enquanto os homens lutavam e ele só olhava?

— Ben — respondeu.

— Isso é meio nome. Significa *filho de*. Onde está o resto?

— Rush. Ben Rush.

Ber Lusim pareceu momentaneamente surpreso.

— Ben Rush — repetiu.

— É. — Rush engoliu em seco e olhou para Tillman. — Olha, ele está muito mal. Me deixa ir buscar ajuda?

— É claro que não — Ber Lusim respondeu. — Que ajuda poderia haver, em todo caso? Daqui a 20 minutos, este edifício será uma cratera. E, depois disso, toda a contagem do tempo cessará. Deixe-o. Quero lhe mostrar uma coisa.

Ele indicou a porta.

— O quê? — Rush disse.

— Entre — Ber Lusim ordenou.

— Eu... O que tem aí dentro? Por que eu entraria? — Rush não tivera medo do escuro desde os sete anos, mas agora aquela abertura quadrada parecia cheia de promessas hostis.

— Você percorreu um longo caminho para me encontrar — Ber Lusim disse. — E teve êxito quando todos os outros fracassaram. Isso foi algo impressionante e excepcional — e obviamente era para ser, como todas as outras coisas. O profeta me ensinou isso quando eu já havia esquecido ou aprendido a agir como se não fosse verdade. Eu voltarei para dentro, Ben Rush. E não posso deixá-lo para trás, de pé e livre para partir. Se insistir em ficar aqui, respeitarei sua vontade. Mas... — ele ergueu a mão e a adaga cortou o ar enquanto ele a girava entre os dedos com terrível destreza — ... terei de garantir que não seja capaz de se mover. A maneira mais rápida e fácil de fazer isso seria partir sua coluna vertebral e o tronco nervoso que passa por ela. A decisão é sua. Eu lhe darei alguns minutos para considerá-la.

— Não, eu... estou de boa. Quero dizer, vou entrar. Escolho isso.

Ber Lusim assentiu e indicou, com um gesto de mão, que Rush deveria passar na frente.

Sufocando em meio ao medo e à humilhação, Rush penetrou no escuro.

* * *

Chegar ao portão frontal da fábrica significava contornar três ou quatro muros do complexo, mas Kennedy simplesmente colocou o caminhão em marcha à ré e arremeteu contra a cerca. Um pedaço do arame entrelaçado ficou enganchado no para-brisa, e um dos postes de cimento foi arrancado do chão e veio ricocheteando atrás do veículo feito um cachorro.

Diema usara o tempo do trajeto até ali para ligar para Kuutma, mas foi atendida, em um brutal anticlímax, por uma mensagem de correio de voz. Ela contou em umas poucas frases concisas o que Kennedy havia adivinhado e guardou o telefone no mesmo instante em que esta derrubava a cerca.

A *rhaka* girou o caminhão de lado, erguendo uma onda de pedregulhos, e já saltava do assento do motorista antes que o pesado veículo tivesse parado de se sacudir no eixo. Ela correu na frente de Diema em direção ao prédio, porém desacelerou assim que entrou para se recompor.

— Ali! — Diema disse, apontando. Não era difícil ver aonde deveriam ir: o X que marcava o local era o corpo amarrotado de Nahir, estirado logo à frente da porta que conectava o principal recinto da fábrica à sala menor adiante.

Diema sacou um revólver e uma sica e se aproximou de Nahir cautelosamente. Nada se moveu do outro lado da porta. Não havia sinal do que o teria atacado, nem vestígio dos dois adamitas.

Ela deixou que Kennedy examinasse Nahir, montando guarda sobre os dois enquanto isso. Para sua surpresa, ficou claro, assim que Kennedy virou o corpo do homem de rosto para cima, que ele estava vivo. Havia lutado e perdido, e fora horrivelmente espancado. O sangue empapara seus dois braços e ainda estava brotando fracamente dos pulsos cortados. Ele recebera um ferimento na cabeça também — um ataque que havia destruído a órbita de seu olho direito. Kennedy vacilou perante a visão daquela ferida. Diema, não. Uma parte dela refletiu sobre como o material do próprio olho havia se tornado lágrimas, escorrendo pela bochecha de Nahir, e sobre como aquele efeito poderia ser retratado em papel e pastéis oleosos. Outra parte, chocada e revoltada, lembrou-a de que ela já havia se deitado com esse homem. E uma terceira parte, que abarcava as duas outras e as subjugava, notou que a condição de Nahir validava a suposição de Kennedy. Ber Lusim estava aqui. Agora.

O Mensageiro tentava falar.

Diema se ajoelhou ao lado dele.

— Nahir — disse. Os lábios dele se mexeram, mas os sons que de lá saíram eram disformes e fragmentados.

— Ber Lusim — Diema o incitou. — Onde ele está? Onde está agora?

O olho bom de Nahir tremulou em direção à fossa de gordura e seu dedo estremeceu duas vezes — *embaixo*.

Diema se recompôs e estava prestes a se levantar. Mas o antebraço de Nahir roçou o seu. Ele tentava segurar o braço dela, porém os dedos de sua mão eram incapazes de responder aos comandos de seu cérebro. Tudo o que podiam fazer era se crispar em espasmos bruscos e aleatórios.

— Rápido... demais... — Nahir sussurrou. — Rápido... demais... demais... para... — Ele tomou fôlego, estremecendo, e tentou novamente. — Não... lute. É...

— Voltaremos logo — Diema disse. Ainda estava fitando aquele único olho bom. Ele implorava silenciosamente, arregalado de choque e medo. Ela tirou a jaqueta de couro, dobrou-a e colocou-a sob a cabeça de Nahir. Kennedy foi até a borda da fossa de gordura, alarmada. Respirou profundamente e desceu, saindo do campo de visão de Diema. — Voltaremos logo — repetiu para Nahir. — Traremos ajuda para você. — *Ou então*, pensou, *este lugar todo será reduzido a moléculas soltas por uma explosão de 10 quilotons de octanitrocubano*. De um jeito ou de outro, Nahir não teria de sofrer muito mais.

Ela caminhou até a fossa e inspecionou o interior antes de descer cuidadosa e silenciosamente para lá, juntando-se a Kennedy. Esta havia encontrado Tillman, apoiado em um canto da fossa, e estava verificando sua condição. O rosto estava mascarado de sangue e ele estava profundamente inconsciente, mas os ferimentos pareciam ser menos severos que os de Nahir. Enfraquecido como estava, devia ter representado uma ameaça muito menor.

Kennedy abriu a boca para falar, mas Diema a silenciou com uma mão erguida e apontou para a porta aberta. Kennedy assentiu. Ela tocou o rosto de Tillman com os dedos de uma das mãos e beijou o alto da cabeça dele. Então se levantou.

Diema tirou a semiautomática chinesa de trás do cinto. Estava prestes a oferecer a nove milímetros que trazia no coldre do tornozelo para Kennedy. Mas esta passou por ela, movendo-se lentamente para minimizar os sons grudentos que seus pés faziam na gosma espessa, e pegou a arma caída de Tillman, na borda da fossa. Examinou-a brevemente, pareceu satisfeita e respondeu ao olhar interrogador de Diema com um curto gesto de cabeça. *Pronta*.

Seguiram para a porta, assumindo lados opostos sem precisarem combinar. Imóveis, apuraram os ouvidos.

Duas vozes. Ambas masculinas. Uma conversa séria — e ligeiramente bizarra — estava acontecendo logo abaixo delas.

— Ele é um pedaço de pão. — Era a voz de Ben Rush. E outra voz respondeu:

— Deus é uno. Somente os tolos negam isso.

* * *

Houve sete degraus de madeira, perigosamente escorregadios por causa das mesmas gordura e sujeira que ocupavam o fundo da fossa. Depois, os pés de Rush pousaram em cimento duro e seco.

Houve um clique acima dele, seguido dos estalos de holofotes se acendendo. Rush piscou e protegeu os olhos quando o espaço escuro ao redor se tornou mais claro que a luz do dia com o néon impiedoso.

Estava em uma sala ampla, mas de teto baixo, escorada por vigas rústicas de madeira. Ao redor de Rush havia pacotes grandes como sacos de areia ou fertilizantes, empilhados do chão até o teto, com um amplo corredor entre eles. Pareciam todos idênticos. Exibiam a legenda ALTO EXPLOSIVO C8(NO2)8 em letras de estêncil nas laterais.

Do outro lado da sala, diante dele, um *laptop* estava diante de uma mesa sobre cavaletes. Dois longos cabos conectavam-no a uma escultura modernista bizarra que consistia em um punhado de varetas de aço e várias dúzias de pacotes volumosos embrulhados em papel à prova de óleo.

Apesar do estado abominável dos degraus, a sala estava razoavelmente limpa. Uma vassoura estava apoiada incongruentemente em alguns sacos de altos explosivos. Depois que Rush percebeu isso, notou um grande número de toques domésticos em rápida sucessão: uma chaleira e uma caixa de leite sobre um caixote virado de ponta-cabeça. Um par de alto-falantes com um iPod aninhado entre eles. Uma lâmpada para leitura sobre uma mesa e um livro aberto ao lado dela.

Ber Lusim estava esperando o fim do mundo em meio a todos os confortos do lar.

Ele surgiu ao lado de Rush e colocou uma mão no ombro dele para guiá-lo rumo à mesa. Lembrando-se do que as mãos de Ber Lusim já haviam feito, Rush estremeceu e recuou apressadamente, virando-se para encarar o Mensageiro.

Ber Lusim olhava para ele com um interesse zombeteiro.

— Olha — Rush disse. — Eu... não sei o que você quer de mim. Eu nem deveria estar aqui.

— Sim — Ber Lusim disse. — Deveria. É claro que deveria. Você não teve escolha. Por favor, sente-se. Não vou feri-lo.

— Estou bem aqui — Rush volveu.

Ber Lusim assentiu.

— Muito bem. — Ele passou por Rush, caminhando até a mesa, e apanhou o livro que estava ali. Ergueu-o e mostrou.

Era um livro muito velho, de cantos tão mofados e enrolados, e capa tão grosseiramente arranhada, que parecia ter sido jogado em uma banheira. Na capa, em uma fonte simples e irregular, liam-se as palavras *Uma Trombeta Profere o Julgamento, ou O Plano de Deus Revelado em Diversos Sinais*.

— Conhece isto? — Ber Lusim perguntou.

Rush pensou em mentir, mas só por um momento. Por que mais estaria aqui?

— Sim.

Ber Lusim sorriu calorosamente, como se tivesse extraído uma confissão que faria bem à alma de Rush.

— Quero lhe agradecer — disse ele.

O tom — sério, casual, amistoso — chocou e assustou Rush. Ele nada disse; apenas fitou o outro homem enquanto ele folheava as páginas do livro e depois o entregava a Rush, que o aceitou e viu que estava aberto na última página. O papel centenário, seco e quebradiço, fez um ruído ao ser tocado.

— Esse parágrafo me intrigou — Ber Lusim disse. — Especificamente quando Toller diz que o filho e o espírito estarão presentes quando o fim chegar. Remete à liturgia insignificante da igreja romana. A divisão de Deus em três, como se Deus fosse um pedaço de pão.

— Ele *é* um pedaço de pão — Rush disse. — Você ainda não entendeu aquela coisa toda da Eucaristia?

Ele ouviu a própria voz ao dizer isso e se impressionou com ela. Por acaso estava querendo que Ber Lusim arrancasse seus braços e pernas? Ou estava tirando sarro apenas por causa da promessa anterior de que não seria ferido? De um jeito ou de outro, Ber Lusim não reagiu ao tom impertinente, nem pareceu percebê-lo.

— Deus é uno — respondeu. — Somente os tolos negam isso. Então, essa referência ao filho e ao espírito sempre nos pareceu, a Avra e a mim, estranha. Enigmática. Mas o tempo e a Providência tudo esclarecem. Você sabe o que significa seu nome?

— Você já me disse que quer dizer "filho de".

Ber Lusim assentiu.

— Sim. É o que "Ben" significa. Mas eu quis dizer o nome da sua família, "Rush". — Ele prosseguiu, sem esperar que Rush respondesse: — É uma transliteração da palavra hebraica *ruach*, que significa "espírito". Você é o filho, Ben Rush, e também é o espírito. Deus disse a Johann Toller que você viria, e Johann Toller disse a mim. Desta forma, Ele me assegura que tudo está bem. Que o que estou fazendo é correto e exatamente o que Ele pretendia. Posso ouvir a respiração de vocês, a propósito.

Ele ergueu a voz nessas últimas palavras e olhou por cima do ombro de Rush, em direção à escada.

— Por favor, juntem-se a nós — disse ele. — Não há razão para ficarem se escondendo aí em cima. E não resta tempo, agora, para nada do que façam afetar meus planos. Embora eu vá, é claro, matá-las se tentarem qualquer coisa.

* * *

Apesar das palavras de Ber Lusim, Kennedy já tinha quase certeza de que não fora sua respiração que as delatara.

Ela havia descoberto que a arma de Tillman — a Beretta reformada — tinha uma trava de segurança diferente daquela à qual ela estava mais acostumada. E escolhera um momento no qual Ber Lusim estivesse falando para apertar a frente da trava e armar a pistola. O clique fora baixo, quase inaudível para ela, que o imaginara completamente oculto sob o som da voz de Lusim — mas algo na maneira como ele parara imediatamente depois fez com que Kennedy pensasse que ela o havia alertado.

Então, ele as convidou a juntarem-se a ele e não houve mais nenhuma dúvida. Kennedy gesticulou para Diema, juntando as mãos e depois as afastando. *Vamos nos separar e dar a ele dois alvos*. Diema assentiu.

Desceram a escada, Diema na frente e Kennedy esperando só um pouco antes de segui-la.

Ber Lusim observou-as com total atenção quando entraram em seu campo de visão.

— Eu estava interpretando as escrituras com seu amigo — disse a elas. — O que é divertido. Nunca pensei em mim mesmo como um pregador. Talvez vocês devam baixar essas armas, caso se sintam tentadas a usá-las.

— Em uma sala cheia de explosivos? — Kennedy disse. — Isso seria um tanto idiota, não?

Ber Lusim olhou para as muralhas de sacos ao redor deles.

— Não se pode acionar octanitrocubano com uma bala — disse. — E o detonante está atrás de mim, na mesa. Vocês teriam que disparar contra o Sr. Rush, aqui, que dificilmente lhes agradeceria. Também há ali no canto — ele apontou com o cano da própria arma — uma série de baldes de plástico cheios de um veneno granular extremamente potente, a ricina. Caso vocês perfurassem um deles, o ar se encheria de um pó mortalmente tóxico. É claro, a explosão que está a ponto de ocorrer as matará muito antes de o veneno começar a intoxicá-las; então, essa é uma questão de menor consequência do que poderia ser.

— Por que ainda estamos vivas? — Diema perguntou. — Perdeu seu gosto pela matança, Ber Lusim? — Ela se afastava de Kennedy, tornando mais difícil para o Mensageiro traidor manter ambas à vista ao mesmo tempo e dando à arma dele mais alguns graus de distância entre os alvos caso decidisse atirar. Ele ergueu as mãos para que elas parassem.

— Já está longe o bastante. Respondendo à sua pergunta, estou prestes a matar um milhão de pessoas, o que dificilmente sugere melindre excessivo na tarefa de tirar vidas. Mas isso é da natureza do sacrifício, mais do que do assassinato; fundamentalmente, uma prática religiosa. Mortes individuais, por outro lado... aqui, neste lugar, neste momento, remeteriam à impiedade. Mas farei isso, a não ser que vocês fiquem onde estão e larguem as armas. Ficarei feliz se esperarem comigo pelo momento vindouro, mas conheço a intenção em seus corações e não permitirei que a realizem.

— Ainda há tempo de parar com isso — Kennedy disse. Sabia que Diema conseguiria mirar e disparar mais rápida e certeiramente do que ela, então raciocinou que cabia a ela criar uma distração. — Pessoas demais já morreram.

O olhar de Ber Lusim relanceou para ela, mas voltou a Diema. Ele parecia ter feito uma avaliação acurada dos perigos relativos.

— Todo aquele que já viveu morreu — Ber Lusim disse. — A não ser pelos poucos que ainda vivem agora. Mas, hoje, tudo mudará.

— Por causa de umas poucas linhas em um livro de 300 anos? — Kennedy perguntou. — Não vejo isso acontecendo.

— Não é preciso que veja. E esta dança absurda deve parar agora. Fiquem onde estão. Larguem as armas ou coloquem-nas aos seus pés. Não quero derramar seu sangue aqui. Não vejo necessidade. Mas não deixarei que isso me impeça, se estiverem determinadas a forçar minhas ações.

Kennedy desacelerou e parou.

— Tá legal — disse. — Você venceu.

Ela virou a arma para cima, apontando para o teto, e abaixou-se, muito lentamente, até ficar de joelhos para colocá-la no chão.

Diema aproveitou o momento e atirou.

CAPÍTULO 68

Novamente, como na luta ao lado da fossa de gordura, a ação acelerou-se ao ponto em que Rush teve dificuldade de enxergar coisas cruciais como causa e efeito.

Ele viu o braço de Diema se mover e ouviu disparos — três deles, seguidos, tão altos que o som pareceu mais uma pressão física contra sua pele. Então, algo voou rodopiando da mão de Diema e ela mesma foi empurrada para trás, chocando-se com a parede.

O som parecera vir de todas as direções ao mesmo tempo naquele espaço fechado. Dessa forma, foi apenas por sua evidência colateral que Rush conseguiu entender que Diema não havia feito disparo nenhum. Os três tiros haviam partido de Ber Lusim.

No momento em que percebeu isso, a coisa toda já havia acabado. Diema havia escorregado pela parede até o chão e Ber Lusim apontava a arma para Kennedy — que estava paralisada no lugar, agachada, a mão ainda na arma e a arma ainda no chão.

— Não — Ber Lusim a aconselhou.

Diema soltou o ar em uma lufada longa e trêmula. Estava esparramada no chão de cimento, agarrando o lado do corpo. O sangue vazava fartamente por entre seus dedos e, enquanto Rush olhava, uma mancha vermelha espalhou-se pela perna do *jeans* dela. Pelo menos duas das balas de Ber Lusim haviam atingido o alvo.

Não. As três acertaram. A arma de Diema estava no chão a três metros dela, o cano curvado em forma de L.

— Eu gostaria que isso não tivesse sido necessário — Ber Lusim disse. — Mas você está viva, pelo menos. Infelizmente, esta é a última cortesia que posso lhe fazer.

O coração de Rush estava martelando dentro do peito e ele sentiu que estava prestes a vomitar. Viu os ombros de Kennedy se enrijecerem, o que certamente significava que Ber Lusim havia visto também. Ela estava a ponto de agir, e essa ação causaria a morte dela. Não havia nada mais que pudesse fazer.

Mas havia — precisava haver — algo que *ele* pudesse fazer.

Se ao menos houvesse mais tempo. E se ao menos ele pudesse encontrar as palavras.

— Espere! — disse. Na verdade, não disse: gritou, alto demais e agudo demais. E ergueu o livro — o livro de Toller — na mão como se estivesse prestes a fazer uma pregação.

Ber Lusim voltou-se para olhá-lo e ele brandiu o livro diante do rosto do Mensageiro.

— Eu estou aqui, né? — balbuciou. — Você disse isso. Eu sou parte do quadro maior. Deus me mandou para te trazer uma mensagem. Foi o que você disse.

— Sim — Ber Lusim concordou em uma voz cuja calma e firmeza faziam os ganidos de pânico de Rush parecer ainda mais absurdos do que foram. — Eu disse isso.

— Tá legal — Rush continuou, lutando contra o tremor nas pernas, nos braços e na voz. — Então, aqui e agora, pelo tempo que o mundo ainda durar, eu sou o que você é. Sou um dos mensageiros de Deus. Não sou só um idiota adamita dando um passo maior que a perna.

Ber Lusim franziu o cenho.

— E? — disse ele. — Aonde quer chegar?

— Vou te dizer aonde quero chegar. Se eu sou um mensageiro, Ber Lusim, minha mensagem é para você. Está disposto a ouvi-la?

Ber Lusim fez um gesto com as palmas de ambas as mãos viradas para cima. *Vá em frente.*

— Tá legal. — Rush engoliu em seco. Até aqui, tudo bem. Ele se arriscou a olhar por cima do ombro. Diema não havia se movido, exceto para se apoiar no cotovelo esquerdo. Ainda apertava a ferida com a outra mão, tentando, sem muito sucesso, estancar o fluxo de sangue. Ela observava Ber Lusim com olhos turvos, ou pelo menos tentava, mas sua cabeça ficava caindo. Kennedy ainda aparentava procurar uma brecha. Rush cruzou olhares com elas e moveu a cabeça no menor arco possível. *Ainda não.*

Ele se voltou para Ber Lusim outra vez.

— Tudo o que você está fazendo — disse —, está fazendo por causa do Toller. Não é isso? Por causa das previsões neste livro. É como se ele tivesse escrito o livro para você. Como se ele soubesse, 300 anos atrás, que você viria, e tivesse falado com você através do tempo.

— Ele sabia que o fim do mundo viria — Ber Lusim o corrigiu. — Mas, sim, ele falou conosco. Contou-nos o que deveríamos fazer para dar um fim à história e iniciar o reino do Messias.

— Tá. Mas eu me pergunto se você sabe *quem* estava falando com você. Quero dizer, se chegou a descobrir alguma coisa sobre a vida do Johann Toller.

— Mais do que você pode imaginar.

— Você acha que o conhece. — Rush sentia-se como se estivesse procurando o caminho certo em um campo minado. Mas, mais do que isso, sentia-se como se estivesse em um tribunal interrogando uma testemunha. Tentando montar um caso a partir de nada além de um mero palpite.

— Sim — Ber Lusim concordou. — Acredito que o conheço.

— Eu tenho que discordar — Rush disse. E, no silêncio que se seguiu, ele atacou: — Acho que você está certo quando diz que Deus me mandou aqui, Ber Lusim. Acho que Ele queria que você ouvisse o que eu tenho a dizer. Porque você cometeu um baita erro. Matou um monte de gente e está prestes a matar muito mais, e tudo baseado em uma... coisa estúpida... Você fez besteira. Fez uma besteira enorme.

Ber Lusim o encarou em silêncio total. Rush viu sua própria morte pesada e medida naquele olhar. A única coisa que tinha a seu favor era uma carta de apresentação acidental de Johann Toller, e ele não tinha ideia de quanto tempo esse passe livre duraria.

— Tem uma coisa que você não sabe — disse ele, a voz oscilando um pouco na última palavra. — Sobre o Toller. Algo que você entendeu errado.

— Algo que entendi errado — Ber Lusim repetiu, o tom perigosamente brando. — Mesmo?

— Mesmo.

— E o que seria?

— Quem ele era.

Ber Lusim apertou os lábios.

— Farei vista grossa à sua irreverência — ele disse para Rush. — Ainda acredito que deva haver uma razão para você estar aqui. Um motivo para você ter sido colocado no meu caminho, neste momento tão solene e auspicioso. Mas deve tomar muito cuidado com o que diz. Johann Toller era inspirado pelo divino. Maldizê-lo é blasfemar contra Deus.

Rush manteve o olhar fixo na arma que Ber Lusim tinha na mão — embora, provavelmente, se Lusim decidisse que ele deveria morrer, não desperdiçaria uma bala em alguém que estava ao alcance de suas mãos.

— Dizer que o Toller não era quem você pensa é maldizer? — perguntou. — Eu não quero blasfemar. Só acho que você interpretou mal a evidência.

Ber Lusim ergueu uma sobrancelha.

— Sim? Como?

— Bom, você pensa que o Toller foi seu profeta perdido. A única pessoa que fugiu da sua cidade oculta sem permissão oficial. Quero dizer, a única pessoa a fazer isso antes de você e do seu pessoal.

— Eu não penso isso. Eu sei.

— Porque o Toller fala das crenças secretas do Povo.

— Sim.

— E porque o livro dele mostra a localização de Ginat'Dania.

— Sim, também por isso.

— E porque ele abençoava os amigos e seguidores com o sinal do nó corrediço em vez do sinal da cruz.

— É claro.

Rush estava à beira do precipício agora. Não ousou olhar novamente ao redor e ver se Diema e Kennedy acompanhavam seus movimentos. Caso não estivessem, aquilo tudo não daria em nada mesmo. A única coisa que ele podia fazer — o melhor que podia fazer — era dar-lhes uma brecha.

— Bom, apesar de todas essas coisas, Ber Lusim, acho que você andou torcendo para o time errado. O Toller nunca foi do Povo de Judas. Ele foi um adamita.

* * *

Diema usou duas coisas para se manter consciente: a dor dos ferimentos e a contagem regressiva em seu relógio.

A dor era uma estática constante ao longo das centenas de quilômetros insondáveis de seu sistema nervoso.

Na contagem regressiva, faltavam sete minutos.

Ber Lusim agora apontava a arma contra a têmpora de Rush. Este estava inclinado de lado, tentando desviar-se dela, o corpo inteiro curvado como um arco tensionado pelo arqueiro, mas não se atrevia a recuar um passo ou tentar empurrar a arma.

— Eu vejo sua morte — Ber Lusim disse ao garoto. — Sem o benefício da profecia.

— Não, escute — Rush trinou. — Me escute. Eu posso te fazer acreditar.

— Eu já acredito.

— Então, eu posso te fazer duvidar. Por que Deus me mandou?

— Para me testar. Para pôr minha fé à prova.

— Então... então, você tem que passar no teste, né? Você tem que ouvir. Estourar os meus miolos só vai irritar Deus.

Nenhum dos dois se moveu por alguns momentos. Então, Ber Lusim baixou a arma, muito gradualmente, até o lado do corpo.

— Isso é um disparate — disse pesadamente. — Mas diga o que quiser. Disparates não podem me ferir.

— Tá, olhe para a prova documental — Rush disse, começando a gaguejar novamente. — Na sua versão da história, o seu homem sai de Ginat'Dania e vai para o oeste. Então, muito tempo depois, Johann Toller chega à Inglaterra e começa a pregar. E você sabe que ele é o cara por causa de todas as coisas que diz. Ele sabe sobre Ginat'Dania. Ele sabe sobre o ciclo de três mil anos. E de que outra forma ele poderia ter descoberto essas coisas?

"Mas o que aconteceu nesse meio-tempo? O que fez com que ele abandonasse sua missão e sua gente e se adaptasse desse jeito?"

— Um anjo — Ber Lusim disse, sua voz quase um rosnado — falou com ele.

— Certo. — Rush assentiu. — Um anjo falou com ele e deu a ele os segredos do paraíso. E Toller quis compartilhar as coisas maravilhosas que aprendeu. Sentiu que precisava compartilhar com o mundo todo. Daí ele foi para a Inglaterra.

"E é aí que eu meio que me perco. É a Guerra Civil. O cenário político na Inglaterra está um caos, mas Toller se joga nele como quem mergulha em uma piscina. Ele faz todo tipo de amigos e inimigos no governo do Cromwell. Apoia os dissidentes religiosos e meio que se torna um dos porta-vozes deles. Ele se junta ao movimento dos pentamonarquistas. Vira um cara importante. E eu me pergunto: *por quê?* Para quê fazer tudo isso? Se você viu a verdade eterna, por que se importaria se o Cromwell ou o Fairfax vão manter suas promessas ou se os bispos podem falar no Parlamento? Isso tudo é secundário. O mundo vai acabar, o reino vai chegar e é só isso que importa."

Diema desviou a atenção da discussão doutrinária e procurou sua arma. Estava longe o bastante para ela precisar rastejar se quisesse pegá-la e, de todo modo, parecia ter recebido um disparo direto.

Mas ela tinha a outra arma, no coldre do tornozelo: a pequena e modesta M26 que havia pegado com Nahir e Shraga quase como uma decisão de última hora.

Ela grunhiu e rolou como se estivesse em agonia, usando o movimento para trazer as pernas para junto do corpo e aproximá-las da mão esquerda. Sentia que seu pulso direito havia possivelmente se partido quando Ber Lusim arrancara a arma de sua mão com um tiro — uma façanha prodigiosa, mesmo a uma distância tão curta.

— O tempo está contido na eternidade como o grão na pérola — Ber Lusim estava dizendo. — Toller viu todas as coisas, tanto as próximas quanto as distantes. E se importou com todas elas.

Rush ergueu o livro, sua mão tremendo ainda mais notavelmente.

— Tá bom, talvez. Talvez tenha sido assim. Mas há outra possibilidade: Toller não foi ninguém. Só um cara. Mas foi um inglês. Ele saiu da Inglaterra, talvez para fazer aquela coisa toda de *grand tour*, ou talvez porque fosse um comerciante ou diplomata.

"Então, ele está passando pelos Alpes quando sofre um acidente. Só que não está sozinho quando isso acontece. E não é o único sobrevivente. Tem outro cara ao lado dele — ferido, provavelmente morrendo. Este é o seu profeta, recém-saído de Ginat'Dania. E esse é o momento em que tudo muda para Toller. É aí que a vida dele vira de ponta-cabeça.

"Porque o homem ferido está alucinando e não consegue parar de falar. Ou então é só por saber que está morrendo. Ele tem que contar a história da vida dele a alguém antes de partir, e Toller está bem ali. Toller está ouvindo. Ouvindo com toda a atenção."

— Isso é grotesco — Ber Lusim disse.

— Então Toller fica sabendo da história toda. Do traidor sagrado. Da cidade secreta. Do fim do mundo. É uma revelação. Não, é um livro inteiro de revelações. E tem que ser verdade, pois, se não fosse, quem gastaria suas últimas horas de vida contando uma história tão maluca? É como se Deus tivesse colocado esse homem justamente ali, no lugar certo, na hora certa, para que Toller pudesse abrir os olhos.

"E quando acabou, e o homem morreu, Toller voltou para a Inglaterra e retomou a vida dele. Só que agora ele era um profeta. Um homem com uma mensagem. E ele queria dar à mensagem tanta autoridade quanto possível, então inventou a visita do anjo. Ou talvez essa fosse mesmo a maneira como ele se lembrava da ocasião, àquela altura, não sei. Talvez ele realmente tenha achado que o seu homem era um anjo."

— Por que isso deveria ser verdade? — Ber Lusim exigiu saber. — Onde está sua prova?

Diema havia erguido uns sete centímetros da barra do *jeans* sobre o tornozelo, expondo o coldre. A arma estava pronta em sua mão. Mas agora um novo problema se apresentava. Dois problemas, na verdade. Como é que ela pegaria Ber Lusim mais desprevenido do que antes, agora que usava a mão mais fraca e mais lenta? E como sacaria e dispararia sem acertar Rush, que estava diretamente no caminho? Ela viu Kennedy observando-a, pronta para agir quando ela agisse.

— Não tem a ver com provas — Rush disse —, embora eu tenha uma. Umazinha, pelo menos. Mas pense. Minha versão não faz mais sentido? Na sua história, um Mensageiro decide do nada que vai trair os votos sagrados e sair pelo mundo pregando aos pagãos. Na minha, ele só fala por saber que está morrendo.

— Ele não simplesmente decidiu — Ber Lusim disse. — Você está esquecendo a parte em que ele recebe uma visita de Deus.

— E essa visita de alguma forma deu a ele um "quem é quem" completo na política inglesa? E o fez pensar que a política inglesa tinha *alguma* importância? Porque ele passou o resto da vida lá, Ber Lusim. E foi executado por tentar matar algum tipo de funcionário do governo. Que diabo foi isso?

Ber Lusim deu um passo na direção de Rush, mas este recuou. Segurou o livro nas duas mãos, pronto para rasgá-lo de alto a baixo.

— É melhor você se afastar — ele avisou Ber Lusim. — Ou vou cometer uma blasfêmia bem séria.

Ber Lusim ergueu a arma novamente e a apontou para Rush.

— O livro será destruído na explosão, de todo jeito — disse. — Sua integridade física não é de primordial importância para mim agora. Eu só gostaria de morrer segurando-o. Em todo caso, eu o ouvi e não vacilei nem por um instante. Se sua tarefa era me testar, garoto, eu passei no teste.

— Mas eu tenho uma prova! — Rush apressou-se em dizer. — Eu disse que tinha uma prova, não disse? Bom, aqui está. Esqueça o anjo e o acidente e todo o resto. Esqueça o que Toller sabia e como descobriu. Lembre-se da única coisa que ele fazia que o marcava como um membro do Povo de Judas.

— Ele usava o sinal do nó corrediço.

Diema tinha o cabo da M26 na mão e havia tirado metade da arma do coldre. Entretanto, Rush ainda estava na pior posição possível, bloqueando a maior parte de sua linha de fogo, mas quase nada do campo de visão de Ber Lusim.

— Toller usava o sinal do nó corrediço como uma bênção — Rush disse. — Os seguidores dele não sabiam o que era e ele nunca explicou a eles. Mas o usava mesmo assim.

— Sei disso — Ber Lusim retrucou.

— Você não sabe tudo. Toller nunca usou o sinal do nó corrediço. Nem uma vez.

Os olhos de Ber Lusim se estreitaram.

— O quê?

Rush deu de ombros, mostrando as mãos vazias.

— Tá, eu sei. Eu também pensei assim da primeira vez que li. Mas daí eu vi a Diema fazer o sinal e alguma coisa não pareceu certa. Eu pedi para ela me ensinar a fazer. Então voltei e li de novo, e ali estava. "Ele levava a mão à sua garganta, depois ao seu coração, então ao seu estômago, e depois disso fazia um círculo, voltando para o ponto onde havia começado."

— Eu li essa passagem — Ber Lusim rosnou. — Você me toma por um tolo?

— Então, se você tivesse um relógio no peito — Rush disse, roubando a metáfora que Diema havia usado no avião para Budapeste —, é assim que os ponteiros girariam. Olhe. Assim.

Diema pôde ver que Rush estava fazendo o sinal exatamente como Robert Blackborne dissera que Toller o fazia. E pôde perceber, pela forma como os olhos de Ber Lusim se arregalaram, que ele entendera.

— É ao contrário — Rush disse. — Como se Toller tivesse aprendido a fazer olhando em um espelho. E acho que foi mais ou menos isso que ele fez.

— Não — Ber Lusim disse. Não estava discordando: estava avisando.

— Sim — Rush insistiu. — Não um espelho de verdade, obviamente. Mas ele viu outra pessoa fazendo o sinal e o copiou exatamente do jeito que viu. Só esqueceu de inverter os lados.

— Não — Ber Lusim repetiu.

— É até engraçado, de um jeito doentio — Rush disse. Bruscamente. Brutalmente. — Você ter tido esse trabalho todo, quero dizer.

— Ele soltou uma risada levemente desvairada. — Pena o Avra Shekolni estar morto. Aposto que ele teria adorado isso.

Talvez tenha sido a risada que fez Ber Lusim perder as estribeiras. Ele se lançou para a frente, a mão procurando agarrar a garganta de Rush.

Era o único momento que teriam.

— Agora! — Diema berrou. — Faça agora!

Kennedy ficou de pé, arma na mão.

Ber Lusim se virou.

E Diema atirou.

Ber Lusim aspirou o ar em um hausto trêmulo. Olhou para o próprio peito — para o pequeno buraco redondo que aparecera ali, como um misterioso sinal de pontuação. Um ponto-final inscrito diretamente em seu coração. De negro, ficou vermelho, e o sangue verteu dele. Ber Lusim havia enrijecido, os olhos arregalados como se diante de uma horrível constatação.

Mas foi Rush quem caiu, desabando no chão quando seus joelhos cederam sob o corpo.

Com a mão esquerda e fora da posição ideal, Diema havia dado o único disparo possível: passando pelo ombro direito de Rush e entrando no lado esquerdo do peito de Ber Lusim.

E agora o caminho estava livre. Ela e Kennedy dispararam de novo e de novo, esvaziando as armas no assassino. Ber Lusim curvou a cabeça e aceitou a punição, como se um homem pudesse suportar rajadas de balas da mesma forma que suporta a chuva pesada.

Contudo essa tempestade cobrou um preço maior. Ber Lusim caiu de joelhos, como se por escolha própria, depois baixou o corpo gradualmente em uma posição de prece. E foi assim que morreu.

Kennedy começou a se aproximar lentamente do homem morto, sempre mirando com a arma, agora inútil.

— Não! — Diema gritou. — O temporizador, Kennedy! O temporizador!

A mulher correu para a mesa, mas hesitou. A bomba menor que era o iniciador da arma de destruição em massa de Ber Lusim era uma coisa barroca que parecia capaz de desmoronar a qualquer momento, com cabos e hastes de metal conectando-a a pacotes de peróxido de acetona e aglomerados de cápsulas detonadoras industriais.

— O que eu faço? — Kennedy gritou.

O temporizador na tela mostrava 23 segundos. Kennedy voltou-se para fitar Diema, desesperada, urgente. Mas Diema não sabia nada mais que ela e isso deve ter transparecido em seu rosto.

Com um grito inarticulado, como o de um soldado paraquedista saltando de um avião, Kennedy arrancou o *laptop* do circuito.

Ele continuou a contagem regressiva em suas mãos.

Até dez.

Até cinco.

Até zero.

Diema segurou a respiração até que seu peito doesse. Então, lenta e silenciosamente, expirou.

CAPÍTULO 69

— Estou sangrando — lamuriou-se Rush, no chão. — Ai, meu Deus. Estou sangrando para todo lado. Me ajuda.

Diema rastejou até ele, lenta e dolorosamente. Verificou os ferimentos de Rush: os dois, de entrada e saída da bala. O de entrada era pequeno e limpo e não causaria nenhum problema. O de saída era muito maior, e a bala havia arrancado sua carne.

No momento em que atingira o alvo pretendido, a bala teria perdido pelo menos um terço da velocidade inicial, a maior parte dentro de Ben Rush. Não era de admirar que tivesse se cravado em Ber Lusim e nele ficado. A bala desacelerada, sem a energia necessária para deixar o corpo dele depois de ter entrado, mandara uma onda de choque crescente ao redor de si mesma, reduzindo a polpa os órgãos internos dele como um martelo para amaciar carne.

— Você se saiu bem — Diema disse para Rush enquanto o enfaixava.

Kennedy ajoelhou-se ao lado dela e a ajudou, rasgando mais tiras de pano enquanto Diema prendia as ataduras improvisadas no lugar.

— Você foi brilhante — confirmou. — Rush, como, em nome de Deus, você descobriu essa história?

— Eu não descobri — ele balbuciou. Seu rosto estava pálido. — Inventei a maior parte. Provavelmente está tudo errado. Exceto pelo sinal. Do sinal eu tenho certeza.

— Você evitou um milhão de mortes — Diema disse. — Foi um escudo para meu povo. E para muitos do seu povo, também. No final das contas, um dia você pode acabar se tornando algo de bom, garotinho.

— E você... aai, merda... você pode acabar desenvolvendo peitos — Rush contra-atacou. — Pense grande.

Diema voltou sua atenção para Kennedy.

— Eu termino aqui — ela disse. — Vá ver como está o meu pai... e apronte o caminhão. Nós vamos embora.

Trocaram um olhar. Kennedy assentiu e deixou-a entregue à tarefa, subindo rapidamente os degraus até a fossa de gordura.

Diema continuou dando nós nas bandagens, firmando-as no lugar, até Rush segurar a mão dela, fazendo-a parar.

— Quando a gente transou — ele perguntou —, foi só pra você poder engravidar?

— Não estou grávida, Rush.

Ele a encarou, desorientado.

— Não está?

— Não. Eu disse isso pra impedir que Nahir cortasse a sua garganta.

— Ah. Tá bom. — Ele pensou um pouco a respeito disso enquanto ela testava a firmeza da atadura. — Hã... por quê?

Diema ficou em silêncio por um longo tempo.

— Quer dizer: por que isso impediria que ele matasse você? Ou por que eu me importaria se ele matasse você ou não?

— Isso. As duas coisas.

— É difícil explicar — ela respondeu. — Meu povo às vezes tem uma maneira bem estranha de encarar as coisas.

Rush retraiu-se quando algum movimento aleatório causou uma onda de dor no músculo rasgado de seu ombro.

— Você não vai dizer? Bom, obrigado pelo sacrifício heroico que você fez, de todo modo.

Diema nada disse, fingindo examinar o corpo acinzentado de Ber Lusim em busca de sinais de vida.

Não havia acabado.

— Você acha que consegue se mover? — ela perguntou a Rush.

Ele tentou se levantar, mas cada movimento lhe doía. Foi preciso um esforço dos dois, por fim, com Diema suportando o peso do garoto sempre que uma pontada de agonia paralisava os músculos dele. Ela o ergueu como um estandarte — uma bandeira de rendição, pois a sensação era exatamente essa. A de que ela cedia, subitamente, mas tarde demais, à lógica de um argumento que lhe havia sido apresentado três anos antes, quando suas mãos estiveram em torno da garganta de Ronald Stephen Pinkus e a luz desaparecera dos olhos dele.

— Pronto? — perguntou a Rush.

— Pronto pra quê? — ele arfou. — Você quer dançar?

— Preciso que você ande.

— Tá bom.

Levaram uma eternidade para subir os degraus. No topo, encontraram Kennedy de rosto sombrio.

— O Leo está mais ou menos acordado — ela disse a Diema. — Mas acho que algumas das feridas no peito dele reabriram. Estou com medo de tirá-lo daqui.

— Não temos escolha — Diema respondeu.

As duas olharam na direção de Tillman. Ele estava de pé, no canto da fossa de gordura, os braços esticados dos lados, apoiados nas bordas. A cabeça pendia sobre o peito. Parecia um pugilista que acabara de ser arrasado no último *round*.

Diema voltou-se para Kennedy.

— Heather, temos que ir — disse ela. — Isso é...

— Eu sei o que é.

— Sempre foi parte do plano. Você tira o graveto do fogo, derrota seus inimigos, depois o joga de volta às chamas. E o deixa queimar.

— Eu entendi, Diema. Já tinha entendido da primeira vez.

— Eu consigo andar — Tillman disse. Sua voz era uma coisa medonha, enforcada.

— Prove — Diema respondeu.

Mas, primeiro, precisavam sair da fossa, o que foi uma agonia tão prolongada que Diema sentiu saudade dos degraus. Ela e Kennedy tiveram de apoiar Tillman contra o lado da fossa, depois arrastar e puxar os membros dele um por um, como se estivessem tentando reajustar as faces de um cubo de Rubik. Quando terminaram, ele estava deitado de costas na borda da fossa, exausto de dor, respirando tão superficialmente que a frente de sua camisa, empapada de sangue fresco, mal se movia.

Depois, tiveram de fazer o mesmo com Rush.

Finalmente, conseguiram colocar os dois homens de pé e em movimento, Diema apoiando Tillman, por ser a mais forte das duas, e Kennedy trazendo Rush.

Seguiram o caminho parecendo as últimas duplas a chegar ao fim de uma brincadeira de corrida de três pernas. Saíram para o salão principal da fábrica e atravessaram a pista de obstáculos em direção à porta principal.

Passaram por Desh Nahir no caminho. Estava inconsciente, deitado no próprio sangue. Diema murmurou uma bênção, mas não parou nem desacelerou. A porta estava visível agora, e ela podia ver a traseira do caminhão. Tillman escorregou no lodo de uma poça de água seca e quase caiu, mas Diema o segurou de pé ao colocar o próprio peso sob o dele, empurrando-o para cima — a parte *tsukuri* de um golpe de judô, com a sequência suspensa por tempo indefinido.

As portas estavam diretamente à frente deles. De olhar colado ao chão, por estar sendo forçada agora a ter cuidado em cada passo, a cada deslocamento de seu peso, como em um exercício de logística, Diema viu os próprios pés, depois os de Tillman, penetrar os feixes oblíquos de luz solar que se espalhavam pelo cimento encardido. Estavam emergindo no mundo exterior em movimentos lentos e tortuosos.

Kuutma passou pela porta, com Alus de um lado e Taria do outro, e os encontrou ali. Outros Mensageiros estavam de pé lá fora, no asfalto, parados e silenciosos, esperando as ordens de Kuutma.

Olhou para Diema, que havia parado de uma vez. A expressão dele era complexa e insondável.

— Informe — ele sugeriu a ela com perigosa brandura.

Diema tentou falar, mas as palavras fugiram de sua mente agitada.

— Eu... nós... — ela tentou.

— Ber Lusim está morto — Kennedy disse. — Acabou. Mas vocês precisam desmontar a bomba. E o seu homem, Nahir, precisa de cuidados médicos.

O olhar de Kuutma relanceou para ela na menor fração de um segundo, depois voltou a Diema.

— Isso é verdade? — perguntou.

Diema assentiu, ainda muda.

— Então, a ameaça foi anulada? Não há mais nenhum perigo?

— Há um... — Diema tentou novamente. — A bomba. Como Kennedy disse. Nós removemos o detonador, mas a bomba precisa ser desmontada. E Nahir...

Kuutma voltou-se para Alus e Taria.

— Cuidem dele — ordenou, e em um instante elas partiram. Então, Kuutma gritou: — *Dan cheira hu meircha!*

Obedientes ao seu comando, os Mensageiros passaram pela porta e cercaram o pequeno grupo.

Com Rush apoiado no braço direito dela, Kennedy tentou enfiar a mão esquerda dentro da jaqueta para alcançar o coldre. Diema a alcançou primeiro, rápida como uma serpente, e agarrou seu pulso, mantendo a mão à vista. Se Kennedy tivesse conseguido sacar a arma, estaria morta antes da próxima respiração.

Kuutma estivera fitando Diema ao longo dessas manobras.

— Foi um bom trabalho — disse a ela. — Um trabalho muito bom. Você pode se retirar, Diema Beit Evrom. O que resta a fazer aqui, outros farão.

Diema não se moveu. Os músculos de seu peito pareciam estar esmagando seus pulmões, fazendo com que um esforço imenso fosse necessário ao respirar.

— *Tannanu* — ela disse —, preciso falar com você.

— Não — Kuutma respondeu. — Não precisa.

— Sim — Diema insistiu. — Para informar.

— Já ouvi seu informe, Diema. E agora o caso está nas minhas mãos. Vá para fora. Eu considerei a questão da sua gravidez e cheguei a um veredito. O único veredito possível para que você escape à reprimenda. A morte do garoto protegerá sua honra. As outras mortes já foram combinadas antes mesmo que você saísse de Ginat'Dania. Mas não há necessidade da sua presença nesse evento. Eu entendo que pode ser angustiante para você ver estas pessoas, que lutaram ao seu lado, perder a vida. Vá. Vá para os portões deste complexo e espere por mim lá.

A bile azeda subiu até a boca de Diema e ela a forçou a voltar.

— *Tannanu* — ela disse, as palavras arranhando sua garganta como pedregulhos —, eu quero falar. Meu testemunho é pertinente a essa questão. Escute-me.

Mantiveram a cena suspensa por alguns segundos. Se Kuutma viu a tensão na postura dela, e se entendeu o que significava, não demonstrou.

— Muito bem — disse ele por fim.

Deu algumas ordens breves. Mensageiros adiantaram-se para remover Tillman dos braços dela e segurar Kennedy e Rush.

— Filho da puta! — Kennedy gritou. Ela lançou um olhar desvairado para Diema, que a ignorou. Seus destinos estavam entregues a Kuutma.

Ele caminhou um pouco de lado, pedindo que Diema o seguisse. Ela obedeceu.

— Estou ouvindo — Kuutma disse, livrando-se do manto da formalidade. — Mas não há maneira de impedir isso, irmãzinha. Você deve saber disso.

— Irmão — Diema disse, olhando profundamente nos olhos dele —, há, sim. Você é Kuutma, a Marca, e o que você disser que acontecerá aqui é o que acontecerá de fato. Ninguém discutirá com você.

Kuutma encolheu os ombros bruscamente.

— Isso é irrelevante. Não posso contradizer o que já disse. Eles morrerão. — Ele soltou o ar lentamente, um hausto que era quase um suspiro. — Posso ver que esses três passaram a significar algo para você. Já havia percebido em Budapeste. E lamento por você. Já teve perdas suficientes em sua vida. Mas a morte de Kennedy e Tillman era parte da tarefa que você aceitou. Agora, seja forte e aguente até o fim. Quanto ao garoto, mesmo que você o ame, em breve o esquecerá. Arranje outro amante. Ou até mesmo um marido. Desh Nahir a aceitaria em um instante.

Diema ignorou essa sugestão grotesca e se ateve impiedosamente à própria questão:

— *Tannanu*, Leo Tillman é meu pai.

— Não, Diema, não é. Ele é só...

— É o pai da minha carne e o pai do meu espírito. É o único pai que reconheço. Eu me apego a ele, como sua filha, e lutarei por ele. A mão que se erguer para feri-lo se tornará, assim, a mão do meu inimigo. No Monte Gellért, ele lutou por mim e teria morrido por mim, embora mal nos conhecêssemos. Eu soube, então, que ele amava os filhos que perdeu e, portanto, não poderia ter matado meus irmãos sabendo quem eram. Esse foi um terrível erro, assim como a *rhaka* Kennedy me contou. O monstro com cuja morte concordei nunca existiu. E com a morte do meu pai, *Tannanu*, eu não concordo.

Kuutma ouviu esse discurso com um olhar de sombria preocupação. Quando ela terminou, ele nada disse por um longo tempo.

Finalmente, estendeu a mão e colocou-a no ombro de Diema.

— Eu não lhe fiz nenhum bem — disse pesadamente. — Vejo isso agora. Eu a amo e a honro, Diema, mas a coloquei no caminho desta mágoa e, agora, não vejo como removê-la de você.

— Deixe-os viver.

— Não posso fazer isso. Não sou livre para escolher.

— Então, eu também não sou — Diema disse. Ela tirou uma sica da bainha junto ao peito e a posicionou de forma que a lâmina tocasse seu estômago. — Mate Leo Tillman e eu morrerei também.

Os olhos de Kuutma arregalaram-se de horror.

— Diema — ele disse, sua voz quase um sussurro. — Você não pode estar falando sério.

— Estou, sim.

Muitas emoções passaram pelo rosto de Kuutma. A mais claramente visível foi a dor.

— É uma blasfêmia — murmurou ele.

— Já estou condenada. No Monte Gellért, eu atirei em Hifela, dos *Elohim*, e o vi morrer. E menti para você em Budapeste, *Tannanu*. Não estou grávida. Disse isso para salvar o garoto, e o garoto acabou de salvar todos nós. — Ela lutava com as palavras, com as razões, tentando explicar algo que lhe viera sem o benefício de nenhuma dessas coisas, como uma maré de revelação. — Se eu os deixar morrer — disse —, vou me tornar menos do que eles são. Menos do que eu pensei que fossem quando não os conhecia.

O rosto de Kuutma exibia a mesma expressão de desgosto e sofrimento.

— Eu poderia desarmá-la — disse.

— Possivelmente. Mas não conseguiria me manter desarmada. — Ela afastou a adaga para reforçar o comentário. — Não tenho que morrer nem aqui nem agora, *Tannanu*. Tenho todo o tempo do mundo. Se eu decidir me matar, a única maneira de me deter será me matar antes.

O silêncio caiu sobre eles. Encararam um ao outro, intransigentes, imóveis.

Sem outro som senão o farfalhar do tecido, Alus e Taria apareceram, uma a cada lado de Diema.

— Desh Nahir viverá — Alus disse.

— E ele retirou a execração — Taria acrescentou. — Ele não deseja mal a Diema Beit Evrom.

Kuutma assentiu.

— Obrigado — disse. — Detenham Diema Beit Evrom e confisquem suas armas.

As duas mulheres fizeram o que ele mandara. Diema não protestou e não lutou quando Alus prendeu suas mãos às costas e Taria metodicamente a revistou em busca de armas. Os olhos da mulher alta encontraram os dela e ela pôde ver quanto desgostavam de tratar alguém de seu povo dessa forma.

— Vigiem-na — Kuutma disse.

Taria assentiu.

— Sim, Kuutma. E quanto à *rhaka* e aos outros? Devemos...

— Não façam nada — ele respondeu. — Eu quero falar com Leo Tillman.

* * *

Seguindo as breves instruções de Kuutma, seus mensageiros viraram um dos tanques de plástico, derramando a pasta rala que havia no fundo, e o rolaram até um canto distante da sala, longe dos outros. Tillman foi meio arrastado, meio carregado até lá, onde ficou apoiado no tanque. No devido tempo, Kuutma juntou-se a ele.

Tillman ainda sentia muita dor, mas as habilidades médicas de Alus novamente haviam sido empregadas. Ela preparara um coquetel de drogas destinado a ajudá-lo a suportar a dor e ao mesmo tempo manter-se consciente. Suas pupilas completamente dilatadas e a mórbida tensão de sua postura sugeriam que a medicação começava a funcionar.

Kuutma baixou o olhar para o adamita, com o cenho franzido e intrigado de um matemático que avalia um problema na lógica formal.

— Eu tinha um plano — disse ele — que incluía sua morte. A sua e a da mulher.

Tillman assentiu.

— É verdade que a sua morte era apenas um detalhe — Kuutma continuou. — Era uma forma de lidar com uma situação que meu antecessor permitiu que ocorresse. A linha principal do plano relacionava-se a perigos muito mais óbvios e muito mais presentes.

Ele hesitou por um momento. Depois, sentou-se ao lado do adamita. Isso permitiu que baixasse ainda mais o tom de voz: os Mensageiros presentes haviam recentemente tomado doses prodigiosas de *kelalit*, que aguçava os sentidos; então, havia uma possibilidade, apesar da cuidadosa distância, de que eles fossem ouvidos.

— Eu gostaria — Kuutma disse — de tê-lo matado primeiro e encontrado outra forma de resolver os problemas que me restavam.

Tillman riu brevemente — em um único bufo.

— É — disse ele. — Bom, pra mim, isso é meio que um resumo da sua gente. Vocês sempre complicam demais essas coisas e sempre cometem o mesmo erro.

Kuutma fez uma carranca, mas manteve o tom equilibrado e controlado.

— E que erro seria esse, Sr. Tillman?

Tillman passou a mão pelo rosto suado e piscou várias vezes, rapidamente. As drogas que havia recebido estavam interferindo em sua percepção, ou em sua capacidade de pensar, ou em ambas.

— Ela é incrível, né?

— O quê? — Kuutma perguntou, confuso.

— A minha garotinha. Ela é uma figura mesmo. Eu arriscaria o palpite de que isso vale pra todas as mulheres na família dela. Ela me lembra muito a minha esposa.

— Rebecca Beit Evrom não foi sua esposa.

— Não?

— Não. Pelas nossas leis, o relacionamento entre uma mulher *Kelim* e um pai-externo adamita não constitui um casamento. Qual é o erro que o senhor pensa que cometemos, Sr. Tillman?

Ainda piscando, Tillman virou a cabeça para fitar Kuutma.

— Tem um tipo de provérbio. Você já deve ter ouvido. Diz que, se você só tem um martelo na sua caixa de ferramentas, tende a tratar tudo como um prego.

— Estou familiarizado com essa observação.

— Vocês passaram dois mil anos matando qualquer um que conhecesse vocês ou chegasse perto demais da verdade a seu respeito. Matando à toa ao longo da história.

— Nós fazemos o que precisamos fazer.

— Não — Tillman retrucou, a voz um pouco embargada. — Vocês fazem o que já *sabem* como fazer. Não mudam o repertório, mesmo quando podem ver que não está funcionando.

— Tem funcionado muito bem até aqui — Kuutma disse.

Tillman riu outra vez.

— Então, por que é que vocês existem? Se tem funcionado, Kuutma, se algum dia tivesse funcionado, seu povo não precisaria de você. Milhares de anos de assassinatos furtivos, e toda vez, toda maldita vez... assim que vocês terminam uma operação, precisam fazer tudo de novo. Centenas de *Elohim* de ouvidos ligados, por todo o mundo, tentando vigiar o esboço de uma ideia em sete bilhões de vozes. É claro que vocês acabariam fazendo um serviço porco.

— Está dizendo que há um caminho melhor? — Kuutma perguntou sardonicamente.

— Sim.

— Ensine-me, *Tannanu* Tillman.

— Bom, para começar — ele disse —, você não suprime a história. Você a anuncia. Inunde o mundo com rumores sobre o Povo de Judas, sobre Ginat'Dania. Conte a todo mundo sobre o livro secreto, o evangelho perdido. Diga às pessoas que, se tentarem lê-lo, homens pálidos que choram sangue vão encontrá-las e matá-las com facas que foram vistas pela última vez 20 séculos atrás. Conte às pessoas sobre as lindas mulheres que dormem com uns caras e depois desaparecem, deixando os coitados doidos à procura delas. Conte sobre a cidade subterrânea e todo o resto.

— Por quê? — Kuutma quis saber, perplexo. — Por que faríamos tais coisas?

— Porque o mundo é cheio de mentiras — Tillman disse. — Cheio até a borda e transbordando. E quando sua história for conhecida vai parecer só mais uma mentira. Vai ter sua hora, depois vai ficar velha e então vai morrer, e todo mundo vai focar a atenção na próxima novidade. "Você ainda está tentando vender notícias sobre essa baboseira de Povo de Judas? Sério? Mas já tem um livro novo que diz que Jesus era mulher!" É disso que vocês precisam. Dessa sensação saturada de "já ouvi tudo isso antes". E é tão fácil de conseguir. Tudo o que precisam fazer é olhar para o mesmo lado que todo mundo está olhando e se misturar à multidão. Enquanto o que vocês estão fazendo agora é nadar contra a corrente o tempo todo. Não só é muito mais difícil desse jeito, mas, a cada vez que vocês agem, a cada vez que fazem qualquer coisa, deixam mais um rastro que alguém poderia seguir.

O discurso pareceu ter exaurido toda a força que restava a Tillman. Ele curvou a cabeça em direção ao peito e fechou os olhos.

Kuutma levantou-se e — depois de um momento de indecisão — se afastou.

— Me deixe falar com ela. Só mais uma vez — Tillman disse.

Kuutma parou.

— Por quê?

— Para me despedir.

— Ela não precisa se despedir de você. Já se conciliou com a sua morte.

Tillman fez um gesto exausto e derrotado com a mão.

— Se você diz. Eu sei que a sua gente não pode mentir.

Não, Kuutma pensou, olhando do alto para o homem ferido. *Não podemos.*

Exceto para nós mesmos.

CAPÍTULO 70

O voo de volta a Londres foi fúnebre. E o fato de que estavam na classe executiva só fez com que fosse também surreal.

A cada vez que Rush conseguia pensar em algo a dizer, Kennedy respondia com monossílabos. E ele não a culpava, pois as coisas que pensava em dizer eram todas erradas. Conversa fiada. Desvios verbais desesperados para afastá-los tanto quanto possível do único assunto que não podiam discutir.

Por que nós os deixamos fazer aquilo com ele?

Por que não fizeram comigo?

A comissária de bordo veio oferecer-lhes champanhe. Kennedy nem mesmo pareceu ouvir. Rush balançou a cabeça enfaticamente, recusando.

— Não, estamos bem — mentiu. — Estamos ótimos. Obrigado.

CAPÍTULO 71

Kennedy não telefonou antes para avisar Izzy de sua vinda. O fato é que teve medo de fazê-lo. Medo das palavras, mais que tudo, a essa altura, pois a primeira coisa que ela faria quando finalmente pousasse em Heathrow seria se atualizar com uma semana inteira de mensagens de texto de Izzy, até o momento não lidas.

Ela nunca havia sido uma arqueóloga, mas conhecera alguns. Esta parecia uma tarefa arqueológica.

Desenterrar as provas de um modo de vida desaparecido.

O tom de Izzy indo de casual para amargo para resignado para uma despedida.

E a idade das trevas, que ocupava a terça e a quarta-feira e o dia de hoje, quando não houve mensagens, nenhum sinal de vida.

Ela tomou o trem para Leicester. Não confiava em si para dirigir. Um táxi a levou da estação até Knighton, com o motorista enchendo o ouvido dela com uma coisa ou outra por todo o caminho. Só que ela não ouviu uma palavra; então, tecnicamente, os ouvidos dela continuaram vazios.

Ela pediu a ele que esperasse. Talvez não ficasse muito por aqui.

Caroline atendeu a porta no terceiro toque da campanhia. Ficou surpresa ao ver Kennedy e, a julgar pela finura que seus lábios adquiriram, não foi o tipo de surpresa que faria uma pessoa gritar de alegria.

— Olá, Heather.

— Oi, Caroline. — Kennedy considerou e abandonou vários artifícios conversacionais frágeis. — A Izzy está? Eu... eu queria falar com ela. Só por um minuto.

Caroline assentiu e se retirou. Kennedy ficou parada na soleira da porta sob uma garoa leve de verão, ouvindo os passos ecoarem pela grande casa até sumir.

Ela não ouviu os passos de Izzy se aproximando, pois Izzy estava de meias. De repente, ela estava ali. A porta abriu-se de uma vez e ela surgiu. De repente, estava no rosto de Kennedy, nos braços de Kennedy, beijando-a com uma ferocidade que deixaria marcas.

Ficaram assim por um bom tempo. Caroline apareceu no vestíbulo atrás delas e espiou-as por alguns momentos em um silêncio pétreo, como a esposa de Ló quando se virou para olhar as cidades da planície. Depois, ela sumiu novamente.

— Eu dei mancada — Kennedy disse quando Izzy finalmente permitiu que ela usasse a boca para falar. — Mas eu te amo, Iz. Não consigo imaginar minha vida sem você. Se me der mais uma chance, nunca mais vou te afastar.

— Eu sabia — Izzy murmurou ao ouvido de Kennedy.

— Sabia do quê?

— Que, se eu ficasse firme, você acabaria, de alguma forma, descobrindo que foi culpa sua eu ter transado com aquele cara. Você é um gênio, amor. Por isso é que preciso de você.

Beijaram-se mais um pouco, mas depois Izzy afastou o rosto do nó de lábios para olhar a rua atrás dela.

— Você deixou um táxi esperando?

— Ah — Kennedy disse. — É.

— Graças a Deus. Vamos embora.

CAPÍTULO 72

Que os olhos estivessem vermelhos era um tipo de licença poética. Era uma maneira de dizer algo que precisava ser dito, mesmo que não fosse o que ela via.

Contudo havia um problema com o preto, Diema decidiu.

Ambas as mulheres tinham cabelos tão lustrosos que ela não conseguia captar tanta riqueza, tanta fartura com os pigmentos e técnicas que conhecia.

À guisa de solução parcial, ela as desenhou de maneira estilizada, com os cabelos na forma de um sólido negro, com barras igualmente sólidas de branco fazendo os reflexos. Os músculos foram delineados com cinzas esmaecidos na brancura perfeita de sua pele.

— Preciso me mexer — Alus resmungou. — Meu nariz está coçando.

— Seu nariz provavelmente não está no quadro — Taria disse. — A tela não é assim tão grande.

Quando ela finalmente as deixou ver a pintura, as duas ficaram perplexas.

— Parece algo que uma criancinha faria — Taria disse. — Mas... funciona, de alguma forma. É como se você contasse uma história e todos achassem que está exagerando, mas ainda assim enxergassem a verdade sob o exagero. É assim, só que em uma pintura.

Diema corou.

— Nas Nações — disse —, chamam um desenho neste estilo de cartum.

— Meu filho de dois anos desenha exatamente assim — Alus disse. — Você acha que eu poderia dizer que é um cartum e vender?

Diema poderia ter encarado o comentário como um insulto, mas riu e deixou-o passar. Ainda estava maravilhada pelo fato de as mulheres terem concordado em posar para ela e ansiava por não fazer nada que pudesse levá-las a mudar de ideia. Não só finalmente pudera pintá-las, como quisera fazer desde a primeira vez em que as vira, como elas eram também sua única fonte de notícias sobre seu pai.

Falavam sobre ele agora, enquanto ela preparava uma refeição de pão e azeitonas para suas duas modelos, que voltaram a vestir as roupas em um canto do estúdio. Era um estúdio muito grande. Espaço não era algo que faltasse aqui, no *het retoyet*, no fundo de Ginat'Dania.

— Agora ele está querendo janelas — Alus disse. — "Por que não posso ter janelas?", ele pergunta. Está ficando maluco por não ter uma vista. Está 120 metros abaixo do solo e quer uma vista. Então, Kuutma, em vez de mandá-lo enfiar essa ideia no rabo, diz: "Que vista gostaria de ter, Sr. Tillman? Para o quê gostaria de olhar?". E Leo responde: "Não sei, talvez um lago ou coisa assim". E, quando eu chego, Kuutma já mandou instalar um vídeo em tempo real do Lago Michigan. E sabe o que Leo responde?

— Ele diz: "Não tem som!" — Taria interrompeu, pegando o gancho de Alus. — Ele diz que gosta da água, mas não é real se não houver som. Então, Kuutma se vira para Alus e diz...

— "Ligue para Michigan. Veja se há uma forma de instalarem um microfone."

As duas mulheres riam escandalosamente. Esse era seu tipo favorito de história sobre Tillman — o tipo em que ele fazia algo ultrajante ou rabugento ou inexplicável. O tipo em que ele parecia um animal de estimação exótico, com necessidades igualmente exóticas e hábitos neuróticos e caríssimos.

Em Ginat'Dania, em geral, Diema sabia que seu pai era visto de maneira muito diferente. Era o prisioneiro na torre, o monstro enjaulado, o troféu que Kuutma trouxera após derrotar Ber Lusim e salvar a cidade. E mais: era o antigo inimigo forçado a trabalhar arduamente, a labutar para o Povo, embora este tivesse partido seu coração orgulhoso e atormentado seu espírito.

Tillman era o brilhante tático adamita que uma vez encontrara Ginat'Dania e a forçara a fugir dele. Mas, agora, seus conhecimentos, arrancados dele pelo interrogatório inclemente de Kuutma, serviam aos propósitos de Kuutma e do Povo. Haviam sido fundamentais na tarefa de tirar as principais atividades dos *Elohim* do segredo e lançá-las em meio ao ruído branco e à desinformação.

Era uma nova era, e Leo Tillman era um recurso precioso.

Entre os *Elohim*, era sabido que ele era também um refém para garantir o bom comportamento da *rhaka*, Heather Kennedy. E do assassino de Ber Lusim, Benjamin Rush. Esses dois haviam salvado a cidade em sua hora de maior necessidade e, assim, fora-lhes permitido continuar a viver entre as Nações, um ato de sublime misericórdia da parte de Kuutma, sob a condição do profundo e eterno silêncio. Se dissessem uma única palavra sobre o que haviam feito ou visto, Tillman morreria no mesmo instante.

— Com o tempo — Kuutma disse a Diema —, ajustaremos a ênfase, pouco a pouco. Diremos que a luz da verdade, o poder da palavra, pode romper até mesmo uma escuridão tão profunda quanto a de Leo Tillman. Diremos que ele trabalha para nós de bom grado, enxergando o valor do que constrói aqui e o erro de seus antigos modos. Diremos que ele quer ser lembrado pelo bem, não pelo mal, e espera obter um pequeno grau de redenção ao servir a algo maior que ele mesmo.

Diema entendeu a estratégia, mas estava impaciente para vê-la implementada. Kuutma agia tão lentamente, parecendo satisfeito em adiar a decisão mês após mês, enquanto sondava as águas do sentimento público em um processo de triagem ilimitado e sem fim.

— Quando posso vê-lo? — ela perguntava na ocasião de cada rápido e inconclusivo relatório de progresso.

— Em breve — Kuutma dizia a cada vez.

Mas não ainda. O fato de Tillman ter sido um pai-externo e o de que sua filha ainda vivia na cidade eram os aspectos mais problemáticos e escandalosos sobre a presença dele aqui. E se ele viesse a saber da existência da filha? E se ele tentasse reivindicar algum direito imaginário de acesso e custódia? E se — que Deus não permitisse! — a filha acidentalmente entrasse em contato com ele?

Então, não ainda. O Povo contemplava, agora, muitas coisas que outrora teriam sido um anátema. No entanto ainda havia alguns limites que não poderiam — não deveriam — ser ultrapassados.

Ela escreveu cartas para ele, embora as palavras nunca lhe viessem facilmente. Então, depois que ouviu de Alus e Taria aquela história sobre ele exigir janelas, começou a enviar-lhe desenhos. Paisagens imaginárias. Bosques e campos, chapadas desérticas, montanhas. E um vasto lago que se estendia além do horizonte, com ilhas flutuando em suas águas cinzentas e turbulentas.

Sonhava, algumas noites, com os dois caminhando por ali, nas margens infinitas e agitadas. Falando sobre o passado até o passado perder o poder de feri-los e a orla se tornar uma ponte que os levaria para casa.

Ela esperava encontrá-lo.